GUSTAVE FLAUBERT

# Madame Bovary

PRÉFACE DE HENRY DE MONTHERLANT

NTRODUCTION ET COMMENTAIRE DE MAURICE BARDÈCHE

LE LIVRE DE POCHE

Maurice Bardèche, né en 1908 près de Bourges. Ancien élève de l'École Normale Supérieure. Agrégé des lettres, docteur ès lettres, chaires de Littérature française à la Sorbonne et à l'Université de Lille. A publié d'importantes monographies critiques sur Stendhal, Balzac et Proust. Prépare une édition des *Œuvres complètes* de Flaubert en 15 volumes pour le *Club de l'Honnête Homme*.

© *Librairie Générale Française*, 1972.

# INTRODUCTION DE « MADAME BOVARY »

par

*Maurice Bardèche*

## DES DOCUMENTS AUX SCÉNARIOS

Il y a des œuvres illustres qui donnent une idée incomplète, parfois même une idée tout à fait fausse, de l'écrivain qui les a faites. C'est même plus fréquent qu'on ne croit, car le public aime les « images de marque » et ne se fatigue pas à aller au-delà. C'est ce qui est arrivé à Flaubert avec *Madame Bovary*. On se fait une certaine idée de lui qu'on tire de ce roman qui atteint, certes, une sorte de perfection, mais qui nous cache la richesse et l'originalité de Flaubert et qui est même, peut-être, parmi toutes ses œuvres, celle qui se trouve la plus étrangère à son tempérament.

On comprend mieux quand on sait dans quelles conditions a été écrit *Madame Bovary*. Flaubert a vingt-cinq ans. Il n'a encore rien publié. Mais il n'est pas un débutant. Ses tiroirs sont pleins de manuscrits qu'il accumule depuis dix ans. La plupart de ses manuscrits sont d'une inspiration très romantique : les uns sont autobiographiques et décrivent les déceptions, les dégoûts et les révoltes de l'adolescence, d'autres sont fantastiques et raillent la pauvre humanité impuissante devant la mort, le destin, le bonheur. Byron et Edgar Quinet, docteurs du sarcasme et du doute, Rabelais, destructeur universel et truculent, sont les maîtres non seulement du jeune Flaubert, mais de ses amis qui défient l'humanité médiocre et somnolente en fumant de longues pipes et en éclatant en grands rires bruyants. Parmi ces manuscrits, il en est un dont Flaubert est particulièrement fier. Il est le résumé de ses lectures

immenses, de sa curiosité insatiable, de son scepticisme
absolu. C'est un énorme drame qui est une sorte de réplique
de *Faust* de Goethe et qui est intitulé *La Tentation de saint
Antoine*. Flaubert a mis dans ce drame tout son cœur, toutes
ses ambitions et surtout une sorte de génie verbal somptueux, flamboyant, épique, qui fait de ce défi sarcastique à
toutes les croyances et à toutes les religions des hommes
un monument aussi surchargé que le célèbre Dôme de
Milan. Car les visions de saint Antoine faisaient défiler
devant lui, toutes les incarnations de la pensée humaine et
tous les dieux qu'elle avait enfantés. Ce drame encyclopédique, digne d'un cerveau du XVI$^e$ siècle, était si bien la
grande pensée de Flaubert qu'il y travailla toute sa vie et
en publia quelques années avant sa mort la troisième et
dernière version, malheureusement tronquée et rabougrie,
que la célébrité de son auteur ne préserva pas d'un échec
remarquable. Or, c'est un accueil semblable qu'avait reçu
des amis de Flaubert cette *Tentation* qu'il tira si glorieuse-
ment de ses cartons comme la plus belle expression de son
jeune génie : et ce fut là l'origine de *Madame Bovary*.

La scène se passa à Croisset, la maison de campagne de la
famille. Le tribunal était composé des deux conseillers les
plus éclairés de Flaubert, Louis Bouilhet, gras, sévère, suffi-
sant, futur poète et dramaturge, et Maxime Du Camp, élégant,
distingué, disert, qui devait finir dans la peau d'un homme
du monde, à l'Académie, et dans la haute philanthropie. Le
jugement dura trois jours qui furent consacrés à la lecture
ou plutôt à la déclamation de *La Tentation de saint Antoine*.
Le tribunal nous paraît aujourd'hui peu compétent, mais
il fut courageux. Le troisième jour, il rendit à l'unanimité un
verdict sans nuances : *La Tentation* était un fatras illisible dans
lequel Flaubert s'était laissé aller au délire de la fantasmagorie
verbale. Ce verdict était accompagné d'une recommandation :
on prescrivait au malade une cure sévère de rigueur, on le
condamnait à un régime de sujets simples et sans éclat, excluant
surtout les effets de manches et les envolées oratoires. Flaubert fut consterné, mais obéissant : il promit de se soumettre
à la désintoxication proposée. Le tribunal, bienveillant, alla
jusqu'à proposer une diététique. Il suggéra que Flaubert consa-
crât quelque temps à un roman de la province, bien sinistre,

bien réaliste, « dans la manière des romans de Balzac ». Flaubert, prêt à tout, demanda un sujet. Bouilhet le trouva. Un médecin de Ris, un bourg non loin de Rouen, le docteur Delamarre, venait de perdre sa femme dans des circonstances dramatiques : elle était jeune, elle était nymphomane, elle avait eu des amants, elle s'était suicidée en avalant de l'arsenic après quelques aventures fâcheuses. Cette nymphomane recluse dans un bourg normand intéressa Flaubert. Il en fit *Madame Bovary*.

Les érudits se sont beaucoup réjouis de cette « source » incontestable. Leurs efforts n'ont pourtant pas été couronnés aussi complètement qu'on le croit en général. Ils ont bien retrouvé le docteur Delamarre, ils ont constaté la mort de la jeune femme, mais ils n'ont rien découvert qui pût faire croire qu'elle s'était suicidée. Il n'est pas davantage établi qu'elle ait ruiné son mari. Le beau clerc de notaire qui passait sous les fenêtres d'Emma a disparu sans laisser de traces, ainsi que le bellâtre Rodolphe dont on sait seulement par les Goncourt qu'il fut un ancien payeur des armées de l'Empire, grand pilier du cirque Lalanne, qu'on n'a jamais pu retrouver. On n'a pas eu plus de chance avec le pharmacien Homais en l'honneur duquel on a scruté toutes les officines de Normandie. Les apothicaires locaux ne fournissaient que des modèles indécis et peu convaincants et il faut se résoudre à admettre que Flaubert s'inspira peut-être de quelque original qu'il connaissait fort bien, mais qui n'était pas pharmacien. Une exploration des papiers de Flaubert donna un moment de joie. Dans les épais dossiers de Rouen consacrés à *Bouvard et Pécuchet,* une savante bibliothécaire, Mlle Gabrielle Leleu, découvrit un *Mémoire sur Madame Ludovica,* rédigé par une main peu familiarisée avec la rédaction et l'orthographe, dans lequel on racontait comment la femme du sculpteur Pradier avait ruiné son mari et quelles persécutions elle subit des huissiers. On voulut faire plaisir à Mlle Leleu qui était une très savante personne, on cria à la découverte. Or, il est possible, en effet, que Flaubert, friand de « documentation » ait pris quelques détails à ce *Mémoire* pour les derniers chapitres de *Madame Bovary*. Mais Louise Pradier, puissante beauté blonde, capiteuse, et grande « tombeuse d'hommes » est une candidate impossible au rôle de Mme Bovary. Il faut donc se

résoudre à penser que Flaubert a beaucoup inventé, conclusion toujours pénible aux érudits.

La carrière amoureuse de Flaubert, moins connue que les
cantons normands, ne donne guère plus de renseignements.
*Madame Bovary* fut écrit pendant les années de la liaison la
plus longue de Flaubert, celle qu'il eut de 1848 à 1852 avec
la poétesse Louise Colet. On a peu tiré parti de cette coïnci-
dence. La fougueuse et encombrante Louise Colet, femelle peu
timide et fort peu provinciale, n'a guère de traits qu'on puisse
rapprocher du portrait d'Emma Bovary. Il serait singulier,
toutefois, que l'expérience la plus complète et la plus instruc-
tive que Flaubert ait eue dans sa vie n'ait laissé aucune trace
sur le personnage féminin qu'il imaginait à la même époque.
René Descharmes, le plus grand et le plus sûr des flauber-
tistes, mort prématurément, avait constitué sur Louise Colet
un important dossier qui se trouve aujourd'hui au Département des Manuscrits de la Bibliothèque nationale. Les confidences qu'il avait recueillies de la fille de Louise Colet,
Mme Bussez, sont catégoriques. Louise Colet « se reconnaissait » dans un grand nombre de traits d'Emma Bovary et cette
découverte la mettait dans un état de fureur à laquelle elle
n'était que trop portée. Elle assurait, en particulier, qu'elle
avait fourni à Flaubert tous les détails qu'il a donnés dans les
premiers chapitres de son roman sur la jeunesse d'Emma
Bovary, ses rêveries, ses lectures, ses goûts aristocratiques,
son snobisme et que cette jeunesse reproduit fidèlement la
sienne pendant les « années d'innocence » qui précédèrent son
mariage. En somme, Louise Colet, si l'on veut bien l'en croire,
aurait donné à Flaubert l'idée du « bovarysme » et René Descharmes n'était pas loin d'accepter cette conclusion. Il faut
faire sa part naturellement à la délectation que toute femme
éprouve à « se reconnaître », même quand cela la rend furieuse.
Mais peut-on penser que deux années d'une expérience amère
n'ont pas été plus importantes pour Flaubert que cette
Delphine Delamarre qu'il n'avait jamais vue et de laquelle on
ne sait pas ce qu'il pouvait connaître?

Un autre détail, non plus de la vie amoureuse de Flaubert,
mais de son itinéraire psychologique, mérite d'être rappelé.
Parmi les nombreux projets qu'avait eus Flaubert, il en est un
que ses biographes rapportent sans y attacher d'importance

et qui indique pourtant une direction assez singulière de sa curiosité. Bien que Flaubert ait accepté de bonne grâce le sujet qui lui avait été imposé, il avait hésité d'abord sur son contenu et avait pensé à une destinée analogue, se passant dans le même décor, mais sensiblement différente. Voici comment il résumait lui-même la vie de la « cousine Bette » à laquelle il avait d'abord pensé : « L'idée première que j'avais eue (pour Emma Bovary) était d'en faire une vierge vivant au milieu de la province, vieillissant dans le chagrin et arrivant ainsi aux derniers états du mysticisme et de la passion *rêvée* ». Et dans une autre lettre, il définit le même projet en ces termes : « Mon roman flamand de la jeune fille qui meurt vierge et mystique entre son père et sa mère, dans une petite ville de province, au fond d'un jardin planté de choux et de que-nouilles, au bord d'une rivière grande comme l'Eau de Robec (c'est un petit ruisseau qui passait dans les bas quartiers de Rouen). Mon héroïne crève d'exaltation religieuse après avoir connu l'exaltation des sens » (Cette dernière phrase est pudique-ment substituée par l'éditeur de la *Correspondance* à des préci-sions très médicales de Flaubert qui ne laissent aucun doute sur ce qu'il appelait « les difficultés de ce sujet »). On n'a jamais retrouvé aucun vestige de ce stade originel du roman. Mais ce circuit fait rêver. Dans les deux cas, c'est la puis-sance de l'imagination et l'exaltation qu'elle produit qui ont intéressé Flaubert et aussi le résultat auquel aboutit le fonctionnement à vide de l'imagination, la nymphomanie soli-taire dans un cas et l'attente complaisante et sournoise de l'amant dans l'autre. Quelle curiosité singulière, presque perverse, des itinéraires secrets de la sensualité féminine dans le rapprochement de ces deux sujets! Et pas unique chez Flau-bert, habité de plus de démons qu'on ne croit. Et aussi qu'elle confidence de Flaubert sur lui-même! Comme il fallait qu'il fût lui-même un prisonnier de son imagination pour savoir que l'amour de tête, religieux ou sensuel, peut irriguer toute une vie? Substituer sa chimère, les toiles de son décor, ses frondaisons, tout son univers fictif, au triste jardin planté de choux et de quenouilles que la réalité fournissait, quel triomphe de la souveraineté de l'imagination et quelle belle « scène de la vie de province »!

Faut-il croire que les magistrats du Parquet impérial subo-

dorèrent tout cela? Flaubert fut inculpé d' « atteinte à la
morale publique et à la religion », délit défini par une loi du
17 mai 1819 et constituant les articles 59 et 60 du Code pénal.
Le procès fut plaidé devant la 6ᵉ chambre du Tribunal correctionnel le 29 janvier 1857 et Flaubert fut acquitté par un jugement prononcé par ce tribunal en son audience du 7 février
suivant.

Ce procès paraît singulier aujourd'hui. On le comprend
mieux quand on connaît l'indignation que le roman provoqua
dans la presse « bien pensante », qui trouvait, en effet, la
morale publique et la religion singulièrement bafouées dans
ce récit « objectif » et « détaillé » d'un adultère sur lequel on
ne voyait pas que l'auteur portât aucune condamnation. C'était,
en somme, l'objectivité toute médicale de Flaubert dans sa description qui lui valait ces poursuites. Or, elle allait bien plus
loin que le ministère public ne le croyait. Car la manière dont
Flaubert *voyait* les scènes de son roman était beaucoup plus
brutale et cynique que l'image adoucie qu'il en a donnée. On
le sait depuis qu'on a publié les *scénarios* de *Madame Bovary,*
une première fois en 1949, dans la présentation de Jean Pom-
mier et de Mlle Gabrielle Leleu, et, une seconde fois, en 1971,
dans la très belle édition des *Œuvres complètes* de Flaubert réalisée
par le *Club de l'Honnête Homme*. Tout ce qui nous apparaît dans
le roman comme des scènes, audacieuses certes, mais portées
par le mouvement du roman, adoucies par un vocabulaire
décent et un récitatif dans lequel les gestes sont noyés, estom-
pés, presque invisibles, et dont on ne retient que le résultat,
l'événement, tout cela est isolé, brut, dans les scénarios, exprimé en termes crus, décrit comme des mouvements précis de
la « mécanique des femmes », les choses y sont appelées par
leur nom, les enchaînements ne sont pas des étapes sentimentales, mais un processus physiologique : et l'on s'aperçoit que,
sous le dessin ferme et précis de Flaubert, il y a une terrible
étude anatomique, qui est l'armature même de l'œuvre et dont la
brutalité et le cynisme n'ont guère été dépassés. Le vocabulaire
de salle de garde de ces scénarios est si abrupt qu'il est difficile
de le citer. On y voit que Maxime Du Camp avait parfaitement
raison de parler de nymphomanie à propos de celle qui fut le
modèle d'Emma Bovary, que Rodolphe est un technicien, qui
se sert non seulement de son expérience, mais aussi fort bien de

ses mains, et que le clerc de notaire Léon, amant timide, se servait de ses mains d'une autre manière, ce qui correspond à son tempérament respectueux et sentimental, que Flaubert appelait sans périphrase son « profond couillonnisme ».

Or, ce n'est pas là un dessin brutal dont Flaubert se sert comme d'un canevas lointain. Ces scénarios alimentent son roman et il y a la même liaison indissoluble entre les phrases du scénario et les paragraphes du roman qu'entre un embryon et l'enfant qui en provient. Car Flaubert avait une manière très particulière de travailler. Ces plans ou scénarios qu'il établit pour chaque chapitre et qu'il «nourrit» progressivement de détails nouveaux d'une version à une autre, il en reprend chaque phrase dans ses brouillons, traduit et « habille » cette phrase, la complète, lui donne un contexte, et, améliorant cette adaptation de brouillon en brouillon, comme il a amélioré ses plans de scénario en scénario, la grossissant ou l'abrégeant, la triturant, la transposant dans une certaine tonalité, il en sort finalement de retouche en retouche le texte qui passera dans son « gueuloir » et qui, après d'ultimes corrections, deviendra le texte qu'il remet à son copiste. Si bien que le roman de Flaubert, ce sont ses scénarios, traduits, gommés et gonflés, transposés, mais rien d'autre que ses scénarios.

Cette gestation du roman de Flaubert n'est peut-être pas étrangère à l'admiration que professent pour lui les écrivains du « nouveau roman ». Sans connaître les scénarios de Flaubert, ils ont subodoré chez lui, tout comme le ministère public au temps de Napoléon III, un matérialisme physiologique qui correspond à leur postulat fondamental et ce matérialisme physiologique est d'autant plus profond chez Flaubert qu'il a pour origine un matérialisme métaphysique absolu dont *La Tentation de saint Antoine* est l'expression la plus complète. Le véritable *credo* philosophique de Flaubert, car il en a un, est le *spinozisme* le plus radical. M. Henri Guillemin a tenté l'entreprise étrange de lui passer une étole autour du cou. « Profond couillonnisme de Léon » eût dit Flaubert, qui n'a jamais manqué une occasion d'affirmer qu'il était anticlérical et antichrétien. Bien qu'il eût été parfaitement indifférent et même hostile à l' « affranchissement du prolétariat », on pourrait le tirer vers le marxisme avec plus de raison qu'on a essayé de le faire pour Balzac : car il ne croyait à rien qu'à la matière, ce qui est un début.

La rigueur de Flaubert, la définition médicale de ses personnages, sa logique de clinicien sont des exigences plus impérieuses que celles que se sont prescrites les écrivains du « nouveau roman ». Nous en donnons quelques exemples dans le *Commentaire* placé à la fin de ce volume et qui complète la présente *Introduction*. Il y a peut-être un malentendu quand les théoriciens du « nouveau roman » nomment Flaubert « le jeune patron », « le précurseur » : car, il aboutit à *l'anti-roman* par probité. Il pense que *rien ne s'arrange* et que le romancier n'as pas le droit d'*arranger,* une catastrophe étant un *arrangement* parmi d'autres. Il pense que les hommes subissent, renoncent, oublient : ils « écrasent » comme dit notre argot. A cet égard, *L'Éducation sentimentale* est un exemple meilleur que *Madame Bovary*. Mais il y a une part de camouflage dans cette illusion qu'il crée et les scénarios de *L'Éducation sentimentale* le montrent encore mieux que ceux de *Madame Bovary*. Le cynisme de Flaubert devenant dans ses romans l'« humanité » de Flaubert, c'est vraiment un miracle de l'exécution.

MAURICE BARDÈCHE

# PRÉFACE

par

*Henry de Montherlant*

Je découvris Barrès à quatorze ans, *Madame Bovary* à dix-sept, la traduction Hérelle de *Il Fuoco* à dix-neuf, les *Mémoires d'Outre-tombe* à vingt ans. Ces quatre livres ou auteurs ont compté beaucoup dans ma formation littéraire.

De quatorze à dix-sept ans, je restai informe, imitant Barrès. *Madame Bovary* me révèle l'attention, la minutie, la description, le style léché. Le style du « premier Barrès » est inimitable d'originalité. Le style de Flaubert est facilement imitable : je me mets à l'imiter. J'en apprends par cœur des passages (« La lune, toute ronde et couleur de pourpre », etc., 2e partie, ch. XII). On savait par Flaubert qu'il suait sang et eau pour écrire une page. De nature j'écrivais à la volée; je crus qu'il fallait suer sang et eau. La guerre éclata tandis que j'élaborais un « conte grec », *Thrasylle,* sublime par ses ratures.

Au printemps de 1915, parce qu'on parlait beaucoup de d'Annunzio dans les journaux (entrée en guerre de l'Italie), je lus la traduction française de *Il Fuoco. Le Feu,* d'un coup, dénoua les bandelettes flaubertiennes qui m'enserraient et me paralysaient. Un style libre et rapide, de la chair verbale, une musique qui était pour moi un véritable ensorcellement. Et puis il y avait derrière eux un homme, un homme de qui j'ignorais le côté pénible, et qui était autre chose que le « cul-de-plomb » honni par Nietzsche. Je mis *Thrasylle* au tiroir avec dédain, et commençai à imiter d'Annunzio, dans tout ce qu'il a de mauvais.

C'est plus tard seulement, à la veille de partir pour la guerre, que je découvris Chateaubriand, que depuis lors je n'ai cessé de tenir pour un des deux plus grands écrivains français (quand il n'est pas mauvais, lui aussi), mais que je ne connus vraiment qu'après la guerre.

*
* *

Il est inconvenant, me semble-t-il, qu'un auteur qui présente un livre tenu pour un chef-d'œuvre, dans une collection destinée à un très grand public et notamment aux jeunes gens, dénigre à l'excès l'œuvre qu'il présente. Je me garderai bien de le faire pour celle-ci.

Ni esprit (au sens : un « homme d'esprit »), ni nouveauté de pensée (ou plutôt : absence totale de pensée), ni alacrité d'écriture, ni coups de sonde imprévus et profonds dans le cœur humain, ni trouvailles d'expression, ni race, ni drôlerie : Flaubert manque de génie à un point qui n'est pas croyable. Il déteste les bourgeois, et il est par excellence un auteur pour bourgeois. C'est un bœuf de labour avec un carnet de notes. Et je serais malvenu à médire du carnet de notes, mais il ne faut pas qu'on le voie; il faut qu'après les carnets vienne le *je ne sais quoi* qui fasse danser tout cela. Pas de danse chez Flaubert, il est lourdaud au possible. J'ai cru assez longtemps que Flaubert, en gros benêt qu'il était, s'était fait beaucoup de tort lorsqu'il avouait la peine qu'il avait à écrire. « Tout le monde s'est jeté là-dessus, me disais-je, et on a découvert qu'il n'était pas un grand écrivain, ce qu'on n'aurait pas vu sans son aveu maladroit. » Mais si, n'importe qui, sachant ou flairant ce qu'est un grand écrivain, aurait vu de soi-même que Flaubert n'en est pas un.

*
* *

« J'ai détruit une forêt pour construire une cabane », écrit-il de *Salammbô*. Détruire une forêt pour construire une cabane inhabitable, je veux dire : pour écrire un livre où on a accumulé tous ses défauts, c'est grave, et cela montre tout de suite les limites de son art et les limites de son jugement.

Flaubert n'est pas un grand écrivain, mais il est à coup sûr un maître. Il n'est d'ailleurs pas un mauvais maître, à condition de sortir de lui. Il est même un bon maître, à condition d'avoir un autre maître pour le contrer. Tous les écrivains français contemporains, du moins ceux qui ont atteint mon âge, lui doivent quelque chose : les descriptions sur carnets de notes (descriptions que tout le monde saute, évidemment), les

« scènes à faire », les antithèses de situation (on rigole pendant qu'Emma meurt), les tics d'écriture, nombre de bonnes recettes. Je ne m'excepte pas de ces messieurs : je crois que je trouverais facilement dans mes ouvrages les passages nombreux qui ne seraient pas ce qu'ils sont, ou qui ne seraient pas du tout, si Flaubert n'était pas là derrière, — Flaubert ou plutôt *Madame Bovary,* car j'aime mieux ne pas dire ce que je pense de ses autres œuvres, *La Tentation* et *Un Cœur simple* exceptés, ce qui d'ailleurs n'est pas propre à Flaubert : tout écrivain écrit un livre bon pour dix mauvais (ou un peu moins de dix). Et j'approuve que tout écrivain ait passé par lui, à condition qu'il sache d'instinct, car ces discernements-là ne s'apprennent guère, qu'un Racine, un Saint-Simon, un Chateaubriand, un Michelet, ne sont pas de la même pâte que lui (j'aurais souhaité de nommer aussi Stendhal, mais là, franchement, je bronche).

On lui compte d'avoir créé un type : celui de Madame Bovary. Est-il le premier à avoir peint « une Bovary »? Si oui, c'est bien. Par contre M. Homais, traité sans force, ne mérite pas d'être devenu type. Il y a aussi « Madame Bovary, c'est moi », qu'on ne comprend guère touchant Flaubert lui-même, mais vrai pour toutes les créations de fictions, pourvu qu'il soit nuancé, et devenu un cliché à la Homais par l'usage qu'on en fait, cliché si éculé, si fastidieux, qu'au journaliste, à l'étudiant, à la belle madame qui vous demande : « Êtes-vous [tel de vos personnages]? » on devrait infliger un zéro à l'examen, ou le renvoi de son emploi, ou la fessée salutaire, et en cas de récidive deux ans de prison sans sursis.

Tirons notre chapeau à Flaubert, et passons. Il mérite bien ce coup de chapeau. J'écrivais il y a deux ans dans mes *Carnets* (encore inédits) : « Romain Rolland, Barrès, Suarès, Alain : le temps où un jeune littérateur pouvait avoir des aînés qu'il respectait. » Je pensais à ma jeunesse; si j'étais remonté plus haut, j'aurais sûrement cité Flaubert parmi ceux de qui j'aurais aimé l'estime. Je l'ai ici un peu bêché : c'était une façon de lui montrer ma gratitude. Et Flaubert est un bon chien pataud qui ne s'irrite pas des mistoufles que lui fait un marmouset comme moi.

HENRY DE MONTHERLANT

# MADAME BOVARY

Cher et illustre Ami,

Permettez-moi d'inscrire votre nom en tête de ce livre et au-dessus même de sa dédicace; car c'est à vous, surtout, que j'en dois la publication. En passant par votre magnifique plaidoirie, mon œuvre a acquis pour moi-même comme une autorité imprévue. Acceptez donc ici l'hommage de ma gratitude, qui, si grande qu'elle puisse être, ne sera jamais à la hauteur de votre éloquence et de votre dévouement.

GUSTAVE FLAUBERT.

*Paris, le 12 avril 1857.*

À LOUIS BOUILHET

# PREMIÈRE PARTIE

# I

Nous étions à l'étude, quand le Proviseur entra, suivi d'un *nouveau* habillé en bourgeois et d'un garçon de classe qui portait un grand pupitre. Ceux qui dormaient se réveillèrent, et chacun se leva comme surpris dans son travail.

Le Proviseur nous fit signe de nous rasseoir; puis, se tournant vers le maître d'études :

— Monsieur Roger, lui dit-il à demi-voix, voici un élève que je vous recommande, il entre en cinquième. Si son travail et sa conduite sont méritoires, il passera *dans les grands,* où l'appelle son âge.

Resté dans l'angle, derrière la porte, si bien qu'on l'apercevait à peine, le *nouveau* était un gars de la campagne, d'une quinzaine d'années environ, et plus haut de taille qu'aucun de nous tous. Il avait les cheveux coupés droit sur le front, comme un chantre de village, l'air raisonnable et fort embarrassé. Quoiqu'il ne fût pas large des épaules, son habit-veste de drap vert à boutons noirs devait le gêner aux entournures et laissait voir, par la fente des parements, des poignets rouges habitués à être nus. Ses jambes, en bas bleus, sortaient d'un pantalon jaunâtre très tiré par les bretelles. Il était chaussé de souliers forts, mal cirés, garnis de clous.

On commença la récitation des leçons. Il les écouta de toutes ses oreilles, attentif comme au sermon, n'osant même croiser les cuisses, ni s'appuyer sur le coude, et, à

deux heures, quand la cloche sonna, le maître d'études
fut obligé de l'avertir, pour qu'il se mît avec nous dans
les rangs.

Nous avions l'habitude, en entrant en classe, de jeter
nos casquettes par terre, afin d'avoir ensuite nos mains
plus libres; il fallait, dès le seuil de la porte, les lancer
sous le banc, de façon à frapper contre la muraille, en
faisant beaucoup de poussière; c'était là le *genre*.

Mais, soit qu'il n'eût pas remarqué cette manœuvre ou
qu'il n'eût osé s'y soumettre, la prière était finie que
le *nouveau* tenait encore sa casquette sur ses deux genoux.
C'était une de ces coiffures d'ordre composite, où l'on
retrouve les éléments du bonnet à poil, du chapska, du
chapeau rond, de la casquette de loutre et du bonnet
de coton, une de ces pauvres choses, enfin, dont la lai-
deur muette a des profondeurs d'expression comme
le visage d'un imbécile. Ovoïde et renflée de baleines,
elle commençait par trois boudins circulaires; puis s'alternaient, séparés par une bande rouge, des losanges de
velours et de poils de lapin; venait ensuite une façon de
sac qui se terminait par un polygone cartonné, couvert
d'une broderie en soutache compliquée, et d'où pendait,
au bout d'un long cordon trop mince, un petit croi-
sillon de fils d'or, en manière de gland. Elle était neuve;
la visière brillait.

— Levez-vous, dit le professeur.

Il se leva; sa casquette tomba. Toute la classe se mit
à rire.

Il se baissa pour la reprendre. Un voisin la fit tomber
d'un coup de coude, il la ramassa encore une fois.

— Débarrassez-vous donc de votre casque, dit le professeur, qui était un homme d'esprit.

Il y eut un rire éclatant des écoliers qui décontenança
le pauvre garçon, si bien qu'il ne savait s'il fallait garder
sa casquette à la main, la laisser par terre ou la mettre
sur sa tête. Il se rassit et la posa sur ses genoux.

— Levez-vous, reprit le professeur, et dites-moi votre nom.

Le *nouveau* articula, d'une voix bredouillante, un nom inintelligible.

— Répétez!

Le même bredouillement de syllabes se fit entendre, couvert par les huées de la classe.

— Plus haut! cria le maître, plus haut!

Le *nouveau,* prenant alors une résolution extrême, ouvrit une bouche démesurée et lança à pleins poumons, comme pour appeler quelqu'un, ce mot : *Charbovari.*

Ce fut un vacarme qui s'élança d'un bond, monta en *crescendo,* avec des éclats de voix aigus (on hurlait, on aboyait, on trépignait, on répétait : *Charbovari! Charbovari!*), puis qui roula en notes isolées, se calmant à grand'peine, et parfois qui reprenait tout à coup sur la ligne d'un banc où saillissait encore çà et là, comme un pétard mal éteint, quelque rire étouffé.

Cependant, sous la pluie des pensums, l'ordre peu à peu se rétablit dans la classe, et le professeur, parvenu à saisir le nom de Charles Bovary, se l'étant fait dicter, épeler et relire, commanda tout de suite au pauvre diable d'aller s'asseoir sur le banc de paresse, au pied de la chaire. Il se mit en mouvement, mais, avant de partir, hésita.

— Que cherchez-vous? demanda le professeur.

— Ma cas..., fit timidement le *nouveau,* promenant autour de lui des regards inquiets.

— Cinq cents vers à toute la classe! exclamé d'une voix furieuse, arrêta, comme le *Quos ego,* une bourrasque nouvelle. — Restez donc tranquilles! continuait le professeur indigné, et s'essuyant le front avec son mouchoir qu'il venait de prendre dans sa toque. Quant à vous, le *nouveau,* vous me copierez vingt fois le verbe *ridiculus sum.*

Puis, d'une voix plus douce :

— Eh! vous la retrouverez, votre casquette; on ne vous l'a pas volée!

Tout reprit son calme. Les têtes se courbèrent sur les cartons, et le *nouveau* resta pendant deux heures dans une tenue exemplaire, quoiqu'il y eût bien, de temps à autre, quelque boulette de papier lancée d'un bec de plume qui vînt s'éclabousser sur sa figure. Mais il s'essuyait avec la main, et demeurait immobile, les yeux baissés.

Le soir, à l'étude, il tira ses bouts de manches de son pupitre, mit en ordre ses petites affaires, régla soigneusement son papier. Nous le vîmes qui travaillait en conscience, cherchant tous les mots dans le dictionnaire et se donnant beaucoup de mal. Grâce, sans doute, à cette bonne volonté dont il fit preuve, il dut de ne pas descendre dans la classe inférieure; car, s'il savait passablement ses règles, il n'avait guère d'élégance dans les tournures. C'était le curé de son village qui lui avait commencé le latin, ses parents, par économie, ne l'ayant envoyé au collège que le plus tard possible.

Son père, M. Charles-Denis-Bartholomé Bovary, ancien aide-chirurgien-major, compromis, vers 1812, dans des affaires de conscription, et forcé, vers cette époque, de quitter le service, avait alors profité de ses avantages personnels pour saisir au passage une dot de soixante mille francs qui s'offrait en la fille d'un marchand bonnetier, devenue amoureuse de sa tournure. Bel homme, hâbleur, faisant sonner haut ses éperons, portant des favoris rejoints aux moustaches, les doigts toujours garnis de bagues et habillé de couleurs voyantes, il avait l'aspect d'un brave, avec l'entrain facile d'un commis voyageur. Une fois marié, il vécut deux ou trois ans sur la fortune de sa femme, dînant bien, se levant tard, fumant dans de grandes pipes en porcelaine, ne rentrant le soir qu'après le spectacle et fréquentant les cafés. Le beau-père mourut et laissa peu de chose; il en fut indigné, se lança *dans la fabrique,* y perdit quelque argent, puis se retira dans la campagne, où il voulut *faire valoir*. Mais, comme il ne s'entendait guère plus en culture qu'en indienne, qu'il montait ses chevaux au lieu de les envoyer au labour, buvait son cidre en bouteilles au lieu de le vendre en barriques, mangeait les plus belles volailles de sa cour et graissait ses souliers de chasse avec le lard de ses cochons, il ne tarda point à s'apercevoir qu'il valait mieux planter là toute spéculation.

Moyennant deux cents francs par an, il trouva donc à louer dans un village, sur les confins du pays de Caux et de la Picardie, une sorte de logis moitié ferme, moitié maison de maître; et, chagrin, rongé de regrets, accusant le ciel, jaloux contre tout le monde, il s'enferma, dès l'âge de quarante-cinq ans, dégoûté des hommes, disait-il, et décidé à vivre en paix.

Sa femme avait été folle de lui autrefois; elle l'avait aimé avec mille servilités qui l'avaient détaché d'elle encore davantage. Enjouée jadis, expansive et tout aimante, elle était, en vieillissant, devenue (à la façon du vin éventé qui se tourne en vinaigre) d'humeur difficile, piaillarde, nerveuse. Elle avait tant souffert, sans se plaindre, d'abord, quand elle le voyait courir après toutes les gotons de village et que vingt mauvais lieux le lui renvoyaient le soir, blasé et puant l'ivresse! Puis l'orgueil s'était révolté. Alors elle s'était tue, avalant sa rage dans un stoïcisme muet, qu'elle garda jusqu'à sa mort. Elle était sans cesse en courses, en affaires. Elle allait chez les avoués, chez le président, se rappelait l'échéance des billets, obtenait des retards; et, à la maison, repassait, cousait, blanchissait, surveillait les ouvriers, soldait les mémoires, tandis que, sans s'inquiéter de rien, Monsieur, continuellement engourdi dans une somnolence boudeuse dont il ne se réveillait que pour lui dire des choses désobligeantes, restait à fumer au coin du feu, en crachant dans les cendres.

Quand elle eut un enfant, il le fallut mettre en nour-

rice. Rentré chez eux, le marmot fut gâté comme un
prince. Sa mère le nourrissait de confitures; son père le
laissait courir sans souliers, et, pour faire le philosophe,
disait même qu'il pouvait bien aller tout nu, comme les
enfants des bêtes. A l'encontre des tendances maternelles,
il avait en tête un certain idéal viril de l'enfance, d'après
lequel il tâchait de former son fils, voulant qu'on l'éle-
vât durement, à la spartiate, pour lui faire une bonne
constitution. Il l'envoyait se coucher sans feu, lui apprenait à boire de grands coups de rhum et à insulter les
processions. Mais, naturellement paisible, le petit répondait mal à ses efforts. Sa mère le traînait toujours après
elle; elle lui découpait des cartons, lui racontait des
histoires, s'entretenait avec lui dans des monologues sans
fin, pleins de gaietés mélancoliques et de chatteries
babillardes. Dans l'isolement de sa vie, elle reporta sur
cette tête d'enfant toutes ses vanités éparses, brisées. Elle
rêvait de hautes positions, elle le voyait déjà grand, beau,
spirituel, établi, dans les ponts et chaussées ou dans la
magistrature. Elle lui apprit à lire, et même lui enseigna,
sur un vieux piano qu'elle avait, à chanter deux ou
trois petites romances. Mais, à tout cela, M. Bovary, peu
soucieux des lettres, disait que ce *n'était pas la peine!*
Auraient-ils jamais de quoi l'entretenir dans les écoles du
gouvernement, lui acheter une charge ou un fonds de
commerce? D'ailleurs, *avec du toupet, un homme réussit
toujours dans le monde.* Mme Bovary se mordait les lèvres,
et l'enfant vagabondait dans le village.

Il suivait les laboureurs, et chassait, à coups de mottes
de terre, les corbeaux qui s'envolaient. Il mangeait des
mûres le long des fossés, gardait les dindons avec une
gaule, fanait à la moisson, courait dans le bois, jouait à
la marelle sous le porche de l'église, les jours de pluie, et,
aux grandes fêtes, suppliait le bedeau de lui laisser sonner
les cloches, pour se pendre de tout son corps à la grande
corde et se sentir emporter par elle dans sa volée.

Aussi poussa-t-il comme un chêne. Il acquit de fortes mains, de belles couleurs.

A douze ans, sa mère obtint que l'on commençât ses études. On en chargea le curé. Mais les leçons étaient si courtes et si mal suivies, qu'elles ne pouvaient servir à grand'chose. C'était aux moments perdus qu'elles se donnaient, dans la sacristie, debout, à la hâte, entre un baptême et un enterrement; ou bien le curé envoyait chercher son élève après *l'Angelus,* quand il n'avait pas à sortir. On montait dans sa chambre, on s'installait : les moucherons et les papillons de nuit tournoyaient autour de la chandelle. Il faisait chaud, l'enfant s'endormait; et le bonhomme, s'assoupissant les mains sur son ventre, ne tardait pas à ronfler, la bouche ouverte. D'autres fois, quand M. le Curé, revenant de porter le viatique à quelque malade des environs, apercevait Charles qui polissonnait dans la campagne, il l'appelait, le sermonnait un quart d'heure et profitait de l'occasion pour lui faire conjuguer son verbe au pied d'un arbre. La pluie venait les interrompre, ou une connaissance qui passait. Du reste, il était toujours content de lui, disait même que le *jeune homme* avait beaucoup de mémoire.

Charles ne pouvait en rester là. Madame fut énergique. Honteux, ou fatigué plutôt, Monsieur céda sans résistance, et l'on attendit encore un an que le gamin eût fait sa première communion.

Six mois se passèrent encore; et, l'année d'après, Charles fut définitivement envoyé au collège de Rouen, où son père l'amena lui-même, vers la fin d'octobre, à l'époque de la foire Saint-Romain.

Il serait maintenant impossible à aucun de nous de se rien rappeler de lui. C'était un garçon de tempérament modéré, qui jouait aux récréations, travaillait à l'étude, écoutant en classe, dormant bien au dortoir, mangeant bien au réfectoire. Il avait pour correspondant un quin-

caillier en gros de la rue Ganterie, qui le faisait sortir
une fois par mois, le dimanche, après que sa boutique
était fermée, l'envoyait se promener sur le port à regarder les bateaux, puis le ramenait au collège dès sept
heures, avant le souper. Le soir de chaque jeudi, il écrivait une longue lettre à sa mère, avec de l'encre rouge
et trois pains à cacheter; puis il repassait ses cahiers
d'histoire, ou bien il lisait un vieux volume d'*Anacharsis*
qui traînait dans l'étude. En promenade, il causait avec
le domestique, qui était de la campagne comme lui.

A force de s'appliquer, il se maintint toujours vers le
milieu de la classe; une fois même, il gagna un premier
accessit d'histoire naturelle. Mais, à la fin de sa troisième,
ses parents le retirèrent du collège pour lui faire étudier
la médecine, persuadés qu'il pourrait se pousser seul
jusqu'au baccalauréat.

Sa mère lui choisit une chambre, au quatrième, sur
l'Eau-de-Robec, chez un teinturier de sa connaissance.
Elle conclut les arrangements pour sa pension, se pro-
cura des meubles, une table et deux chaises, fit venir de
chez elle un vieux lit en merisier, et acheta de plus un
petit poêle en fonte, avec la provision de bois qui devait
chauffer son pauvre enfant. Puis elle partit au bout de
la semaine après mille recommandations de se bien
conduire, maintenant qu'il allait être abandonné à lui-
même.

Le programme des cours, qu'il lut sur l'affiche, lui fit
un effet d'étourdissement : cours d'anatomie, cours de
pathologie, cours de physiologie, cours de pharmacie,
cours de chimie, et de botanique, et de clinique, et de
thérapeutique, sans compter l'hygiène ni la matière
médicale, tous noms dont il ignorait les étymologies et
qui étaient comme autant de portes de sanctuaires pleins
d'augustes ténèbres.

Il n'y comprit rien; il avait beau écouter, il ne saisissait pas. Il travaillait pourtant, il avait des cahiers

reliés, il suivait tous les cours, il ne perdait pas une
seule visite. Il accomplissait sa petite tâche quotidienne
à la manière du cheval de manège, qui tourne en place
les yeux bandés, ignorant de la besogne qu'il broie.

Pour lui épargner de la dépense, sa mère lui envoyait
chaque semaine, par le messager, un morceau de veau
cuit au four, avec quoi il déjeunait le matin, quand il
était rentré de l'hôpital, tout en battant la semelle contre
le mur. Ensuite il fallait courir aux leçons, à l'amphithéâtre, à l'hospice, et revenir chez lui à travers toutes
les rues. Le soir, après le maigre dîner de son propriétaire, il remontait à sa chambre et se remettait au travail,
dans ses habits mouillés qui fumaient sur son corps,
devant le poêle rougi.

Dans les beaux soirs d'été, à l'heure où les rues tièdes
sont vides, quand les servantes jouent au volant sur le
seuil des portes, il ouvrait sa fenêtre et s'accoudait. La
rivière, qui fait de ce quartier de Rouen comme une
ignoble petite Venise, coulait en bas, sous lui, jaune,
violette ou bleue entre ses ponts et ses grilles. Des
ouvriers, accroupis au bord, lavaient leurs bras dans
l'eau. Sur des perches partant du haut des greniers,
des écheveaux de coton séchaient à l'air. En face, au-
delà des toits, le grand ciel pur s'étendait, avec le soleil
rouge se couchant. Qu'il devait faire bon là-bas! Quelle
fraîcheur sous la hêtraie! Et il ouvrait les narines pour
aspirer les bonnes odeurs de la campagne, qui ne
venaient pas jusqu'à lui.

Il maigrit, sa taille s'allongea, et sa figure prit une
sorte d'expression dolente qui la rendit presque inté-
ressante.

Naturellement, par nonchalance, il en vint à se délier
de toutes les résolutions qu'il s'était faites. Une fois, il
manqua la visite, le lendemain son cours, et, savourant
la paresse, peu à peu n'y retourna plus.

Il prit l'habitude du cabaret, avec la passion des domi-

nos. S'enfermer chaque soir dans un sale appartement
public, pour y taper sur des tables de marbre de petits
os de mouton marqués de points noirs, lui semblait un
acte précieux de sa liberté, qui le rehaussait d'estime vis-
à-vis de lui-même. C'était comme l'initiation du monde,
l'accès des plaisirs défendus; et, en entrant, il posait la
main sur le bouton de la porte avec une joie presque
sensuelle. Alors, beaucoup de choses comprimées en lui
se dilatèrent; il apprit par cœur des couplets qu'il chantait aux bienvenues, s'enthousiasma pour Béranger, sut
faire du punch et connut enfin l'amour.

Grâce à ces travaux préparatoires, il échoua complètement à son examen d'officier de santé. On l'attendait
le soir même à la maison pour fêter son succès!

Il partit à pied et s'arrêta vers l'entrée du village, où il
fit demander sa mère, lui conta tout. Elle l'excusa, reje-
tant l'échec sur l'injustice des examinateurs, et le raffer-
mit un peu, se chargeant d'arranger les choses. Cinq ans
plus tard seulement, M. Bovary connut la vérité; elle
était vieille, il l'accepta, ne pouvant d'ailleurs supposer
qu'un homme issu de lui fût un sot.

Charles se remit donc au travail et prépara sans discontinuer les matières de son examen, dont il apprit
d'avance toutes les questions par cœur. Il fut reçu avec
une assez bonne note. Quel beau jour pour sa mère! On
donna un grand dîner.

Où irait-il exercer son art? A Tostes. Il n'y avait là
qu'un vieux médecin. Depuis longtemps, Mme Bovary
guettait sa mort, et le bonhomme n'avait point encore
plié bagage, que Charles était installé en face, comme
son successeur.

Mais ce n'était pas tout que d'avoir élevé son fils, de
lui avoir fait apprendre la médecine et découvert Tostes
pour l'exercer : il lui fallait une femme. Elle lui en
trouva une : la veuve d'un huissier de Dieppe, qui avait
quarante-cinq ans et douze cents livres de rente.

Quoiqu'elle fût laide, sèche comme un cotret, et bour-
geonnée comme un printemps, certes Mme Dubuc ne
manquait pas de partis à choisir. Pour arriver à ses
fins, la mère Bovary fut obligée de les évincer tous, et
elle déjoua même fort habilement les intrigues d'un
charcutier qui était soutenu par les prêtres.

Charles avait entrevu dans le mariage l'avènement
d'une condition meilleure, imaginant qu'il serait plus
libre et pourrait disposer de sa personne et de son
argent. Mais sa femme fut le maître; il devait devant le
monde dire ceci, ne pas dire cela, faire maigre tous les
vendredis, s'habiller comme elle l'entendait, harceler par
son ordre les clients qui ne payaient pas. Elle décachetait
ses lettres, épiait ses démarches, et l'écoutait, à travers la
cloison, donner ses consultations dans son cabinet,
quand il y avait des femmes.

Il lui fallait son chocolat tous les matins, des égards à
n'en plus finir. Elle se plaignait sans cesse de ses nerfs,
de sa poitrine, de ses humeurs. Le bruit des pas lui
faisait mal; on s'en allait, la solitude lui devenait odieuse;
revenait-on près d'elle, c'était pour la voir mourir, sans
doute. Le soir, quand Charles rentrait, elle sortait de
dessous ses draps ses longs bras maigres, les lui passait
autour du cou, et, l'ayant fait asseoir au bord du lit, se
mettait à lui parler de ses chagrins : il l'oubliait, il en
aimait une autre! On lui avait bien dit qu'elle serait
malheureuse; et elle finissait en lui demandant quelque
sirop pour sa santé et un peu plus d'amour.

# II

UNE nuit, vers onze heures, ils furent réveillés par le bruit d'un cheval qui s'arrêta juste à la porte. La bonne ouvrit la lucarne du grenier et parlementa quelque temps avec un homme resté en bas, dans la rue. Il venait chercher le médecin; il avait une lettre. *Nastasie* descendit les marches en grelottant, et alla ouvrir la serrure et les verrous, l'un après l'autre. L'homme laissa son cheval, et, suivant la bonne, entra tout à coup derrière elle. Il tira de dedans son bonnet de laine à houppes grises une lettre enveloppée dans un chiffon, et la présenta délicatement à Charles, qui s'accouda sur l'oreiller pour la lire. Nastasie, près du lit, tenait la lumière, Madame, par pudeur, restait tournée vers la ruelle et montrait le dos.

Cette lettre, cachetée d'un petit cachet de cire bleue, suppliait M. Bovary de se rendre immédiatement à la ferme des Bertaux, pour remettre une jambe cassée. Or il y a, de Tostes aux Bertaux, six bonnes lieues de traverse, en passant par Longueville et Saint-Victor. La nuit était noire. Mme Bovary jeune redoutait les accidents pour son mari. Donc, il fut décidé que le valet d'écurie prendrait les devants. Charles partirait trois heures plus tard, au lever de la lune. On enverrait un gamin à sa rencontre, afin de lui montrer le chemin de la ferme et d'ouvrir les clôtures devant lui.

Vers quatre heures du matin, Charles, bien enveloppé

dans son manteau, se mit en route pour les Bertaux.
Encore endormi par la chaleur du sommeil, il se laissait
bercer au trot pacifique de sa bête. Quand elle s'arrêtait
d'elle-même devant ces trous entourés d'épines que
l'on creuse au bord des sillons, Charles, se réveillant en
sursaut, se rappelait vite la jambe cassée, et il tâchait de
se remettre en mémoire toutes les fractures qu'il savait.
La pluie ne tombait plus; le jour commençait à venir,
et, sur les branches des pommiers sans feuilles, des
oiseaux se tenaient immobiles, hérissant leurs petites
plumes au vent froid du matin. La plate campagne s'étalait à perte de vue, et les bouquets d'arbres autour des
fermes faisaient, à intervalles éloignés, des taches d'un
violet noir sur cette grande surface grise, qui se perdait
à l'horizon dans le ton morne du ciel. Charles, de temps
à autre, ouvrait les yeux; puis, son esprit se fatiguant et
le sommeil revenant de soi-même, bientôt il entrait dans
une sorte d'assoupissement où, ses sensations récentes
se confondant avec des souvenirs, lui-même se percevait
double, à la fois étudiant et marié, couché dans son lit
comme tout à l'heure, traversant une salle d'opérés
comme autrefois. L'odeur chaude des cataplasmes se mêlait dans sa tête à la verte odeur de la rosée; il entendait
rouler sur leur tringle les anneaux de fer des lits et sa
femme dormir... Comme il passait par Vassonville, il aperçut, au bord d'un fossé, un jeune garçon assis sur l'herbe.

— Êtes-vous le médecin? demanda l'enfant.

Et, sur la réponse de Charles, il prit ses sabots à ses
mains et se mit à courir devant lui.

L'officier de santé, chemin faisant, comprit aux discours de son guide que M. Rouault devait être un culti-
vateur des plus aisés. Il s'était cassé la jambe, la veille au
soir, en revenant de *faire les Rois*, chez un voisin. Sa
femme était morte depuis deux ans. Il n'avait avec lui
que sa *demoiselle*, qui l'aidait à tenir la maison.

Les ornières devinrent plus profondes. On approchait

des Bertaux. Le petit gars, se coulant alors par un trou
de haie, disparut, puis il revint au bout d'une cour en
ouvrir la barrière. Le cheval glissait sur l'herbe mouillée,
Charles se baissait pour passer sous les branches. Les
chiens de garde à la niche aboyaient en tirant sur leur
chaîne. Quand il entra dans les Bertaux, son cheval eut
peur et fit un grand écart.

C'était une ferme de bonne apparence. On voyait dans
les écuries, par le dessus des portes ouvertes, de gros
chevaux de labour qui mangeaient tranquillement dans
des râteliers neufs. Le long des bâtiments s'étendait un
large fumier, de la buée s'en élevait, et, parmi les poules
et les dindons, picoraient dessus cinq ou six paons, luxe
des basses-cours cauchoises. La bergerie était longue, la
grange était haute, à murs lisses comme la main. Il y
avait sous le hangar deux grandes charrettes et quatre
charrues, avec leurs fouets, leurs colliers, leurs équi-
pages complets, dont les toisons de laine bleue se salissaient à la poussière fine qui tombait des greniers. La
cour allait en montant, plantée d'arbres symétriquement
espacés, et le bruit gai d'un troupeau d'oies retentissait
près de la mare.

Une jeune femme, en robe de mérinos bleu garnie de
trois volants, vint sur le seuil de la maison pour recevoir
M. Bovary, qu'elle fit entrer dans la cuisine, où flambait
un grand feu. Le déjeuner des gens bouillonnait alentour, dans des petits pots de taille inégale. Des vêtements
humides séchaient dans l'intérieur de la cheminée. La
pelle, les pincettes et le bec du soufflet, tous de proportion colossale, brillaient comme de l'acier poli, tandis
que le long des murs s'étendait une abondante batterie
de cuisine, où miroitait inégalement la flamme claire
du foyer, jointe aux premières lueurs du soleil arrivant
par les carreaux.

Charles monta, au premier, voir le malade. Il le
trouva dans son lit, suant sous ses couvertures et ayant

rejeté bien loin son bonnet de coton. C'était un gros petit homme de cinquante ans, à la peau blanche, à l'œil bleu, chauve sur le devant de la tête, et qui portait des boucles d'oreilles. Il avait à ses côtés, sur une chaise, une grande carafe d'eau-de-vie, dont il se versait de temps à autre pour se donner du cœur au ventre; mais, dès qu'il vit le médecin, son exaltation tomba, et, au lieu de sacrer comme il faisait depuis douze heures, il se prit à geindre faiblement.

La fracture était simple, sans complication d'aucune espèce. Charles n'eût osé en souhaiter de plus facile. Alors, se rappelant les allures de ses maîtres auprès du lit des blessés, il réconforta le patient avec toutes sortes de bons mots, caresses chirurgicales qui sont comme l'huile dont on graisse les bistouris. Afin d'avoir des attelles, on alla chercher, sous la charretterie, un paquet de lattes. Charles en choisit une, la coupa en morceaux et la polit avec un éclat de vitre, tandis que la servante déchirait des draps pour faire des bandes, et que Mlle Emma tâchait à coudre des coussinets. Comme elle fut longtemps avant de trouver son étui, son père s'impatienta; elle ne répondit rien; mais tout en cousant, elle se piquait les doigts, qu'elle portait ensuite à sa bouche pour les sucer.

Charles fut surpris de la blancheur de ses ongles. Ils étaient brillants, fins du bout, plus nettoyés que les ivoires de Dieppe, et taillés en amande. Sa main pourtant n'était pas belle, point assez pâle, peut-être, et un peu sèche aux phalanges; elle était trop longue aussi, et sans molles inflexions de lignes sur les contours. Ce qu'elle avait de beau, c'étaient les yeux; quoiqu'ils fussent bruns, ils semblaient noirs à cause des cils, et son regard arrivait franchement à vous avec une hardiesse candide.

Une fois le pansement fait, le médecin fut invité, par M. Rouault lui-même, à *prendre un morceau,* avant de partir.

Charles descendit dans la salle, au rez-de-chaussée.
Deux couverts, avec des timbales d'argent, y étaient mis
sur une petite table, au pied d'un grand lit à baldaquin
revêtu d'une indienne à personnages représentant des
Turcs. On sentait une odeur d'iris et de draps humides
qui s'échappait de la haute armoire en bois de chêne,
faisant face à la fenêtre. Par terre, dans les angles,
étaient rangés, debout, des sacs de blé. C'était le trop-
plein du grenier proche, où l'on montait par trois marches de pierre. Il y avait, pour décorer l'appartement,
accrochée à un clou, au milieu du mur dont la peinture
verte s'écaillait sous le salpêtre, une tête de Minerve au
crayon noir, encadrée de dorure, et qui portait au bas,
écrit en lettres gothiques : « A mon cher papa ».

On parla d'abord du malade, puis du temps qu'il
faisait, des grands froids, des loups qui couraient les
champs, la nuit. Mlle Rouault ne s'amusait guère à la
campagne, maintenant surtout qu'elle était chargée presque à elle seule des soins de la ferme. Comme la salle
était fraîche, elle grelottait tout en mangeant, ce qui
découvrait un peu ses lèvres charnues, qu'elle avait
coutume de mordillonner à ses moments de silence.

Son cou sortait d'un col blanc, rabattu. Ses cheveux,
dont les deux bandeaux noirs semblaient chacun d'un
seul morceau, tant ils étaient lisses, étaient séparés sur
le milieu de la tête par une raie fine, qui s'enfonçait légèrement selon la courbe du crâne; et, laissant voir à peine
le bout de l'oreille, ils allaient se confondre par derrière
en un chignon abondant, avec un mouvement ondé vers
les tempes, que le médecin de campagne remarqua là
pour la première fois de sa vie. Ses pommettes étaient
roses. Elle portait, comme un homme, passé entre deux
boutons de son corsage, un lorgnon d'écaille.

Quand Charles, après être monté dire adieu au père
Rouault, rentra dans la salle avant de partir, il la trouva
debout, le front contre la fenêtre, et qui regardait dans

le jardin, où les échalas des haricots avaient été renversés
par le vent. Elle se retourna.

— Cherchez-vous quelque chose? demanda-t-elle.

— Ma cravache, s'il vous plaît, répondit-il.

Et il se mit à fureter sur le lit, derrière les portes, sous
les chaises; elle était tombée à terre, entre les sacs et la
muraille. Mlle Emma l'aperçut, elle se pencha sur les
sacs de blé. Charles, par galanterie, se précipita, et,
comme il allongeait aussi son bras dans le même mouvement, il sentit sa poitrine effleurer le dos de la jeune
fille, courbée sous lui. Elle se redressa toute rouge et
le regarda par-dessus l'épaule, en lui tendant son nerf
de bœuf.

Au lieu de revenir aux Bertaux trois jours après,
comme il l'avait promis, c'est le lendemain même qu'il
y retourna, puis deux fois la semaine régulièrement,
sans compter les visites inattendues qu'il faisait de temps
à autre, comme par mégarde.

Tout, du reste, alla bien; la guérison s'établit selon
les règles, et quand, au bout de quarante-six jours, on
vit le père Rouault qui s'essayait à marcher seul dans sa
*masure,* on commença à considérer M. Bovary comme un
homme de grande capacité. Le père Rouault disait qu'il
n'aurait pas été mieux guéri par les premiers médecins
d'Yvetot ou même de Rouen.

Quant à Charles, il ne chercha point à se demander
pourquoi il venait aux Bertaux avec plaisir. Y eût-il
songé, qu'il aurait sans doute attribué son zèle à la gra-
vité du cas, ou peut-être au profit qu'il en espérait. Était-
ce pour cela, cependant, que ses visites à la ferme faisaient, parmi les pauvres occupations de sa vie, une
exception charmante? Ces jours-là il se levait de bonne
heure, partait au galop, poussait sa bête, puis il descendait pour s'essuyer les pieds sur l'herbe et passait ses
gants noirs avant d'entrer. Il aimait à se voir arriver dans
la cour, à sentir contre son épaule la barrière qui tour-

nait, et le coq qui chantait sur le mur, les garçons qui
venaient à sa rencontre. Il aimait la grange et les écuries;
il aimait le père Rouault, qui lui tapait dans la main
en l'appelant son sauveur; il aimait les petits sabots de
Mlle Emma sur les dalles lavées de la cuisine; ses talons
hauts la grandissaient un peu, et quand elle marchait
devant lui, les semelles de bois, se relevant vite, claquaient avec un bruit sec contre le cuir de la bottine.

Elle le reconduisait toujours jusqu'à la première marche du perron. Lorsqu'on n'avait pas encore amené son
cheval, elle restait là. On s'était dit adieu, on ne parlait
plus; le grand air l'entourait, levant pêle-mêle les petits
cheveux follets de sa nuque, ou secouant sur sa hanche
les cordons de son tablier, qui se tortillaient comme des
banderoles. Une fois, par un temps de dégel, l'écorce des
arbres suintait dans la cour, la neige sur les couvertures
des bâtiments se fondait. Elle était sur le seuil; elle alla
chercher son ombrelle, elle l'ouvrit. L'ombrelle, de soie
gorge-de-pigeon, que traversait le soleil, éclairait de
reflets mobiles la peau blanche de sa figure. Elle souriait
là-dessous à la chaleur tiède; et on entendait les gouttes
d'eau, une à une, tomber sur la moire tendue.

Dans les premiers temps que Charles fréquentait les
Bertaux, Mme Bovary jeune ne manquait pas de s'informer du malade, et même sur le livre qu'elle tenait en
partie double, elle avait choisi pour M. Rouault une
belle page blanche. Mais quand elle sut qu'il avait une
fille, elle alla aux informations; et elle apprit que
Mlle Rouault, élevée au couvent, chez les Ursulines, avait
reçu, comme on dit, *une belle éducation;* qu'elle savait, en
conséquence, la danse, la géographie, le dessin, faire de
la tapisserie et toucher du piano. Ce fut le comble!

— C'est donc pour cela, se disait-elle, qu'il a la figure
si épanouie quand il va la voir, et qu'il met son gilet
neuf, au risque de l'abîmer à la pluie? Ah! cette femme!
cette femme!...

Et elle la détesta, d'instinct. D'abord, elle se soulagea
par des allusions. Charles ne les comprit pas; ensuite,
par des réflexions incidentes qu'il laissait passer de peur
de l'orage; enfin, par des apostrophes à brûle-pourpoint
auxquelles il ne savait que répondre. — D'où vient qu'il
retournait aux Bertaux, puisque M. Rouault était guéri
et que ces gens-là n'avaient pas encore payé? Ah! c'est
qu'il y avait là-bas *une personne*, quelqu'un qui savait causer, une brodeuse, un bel esprit. C'était là ce qu'il aimait :
il lui fallait des demoiselles de ville! Et elle reprenait :

— La fille au père Rouault, une demoiselle de ville!
Allons donc! leur grand-père était berger, et ils ont un
cousin qui a failli passer par les assises pour un mauvais
coup, dans une dispute. Ce n'est pas la peine de faire
tant de fla-fla, ni de se montrer le dimanche à l'église
avec une robe de soie, comme une comtesse. Pauvre
bonhomme, d'ailleurs, qui sans les colzas de l'an passé,
eût été bien embarrassé de payer ses arrérages!

Par lassitude, Charles cessa de retourner aux Bertaux.
Héloïse lui avait fait jurer qu'il n'irait plus, la main sur
son livre de messe, après beaucoup de sanglots et de
baisers, dans une grande explosion d'amour. Il obéit
donc; mais la hardiesse de son désir protesta contre la
servilité de sa conduite, et, par une sorte d'hypocrisie
naïve, il estima que cette défense de la voir était pour lui
comme un droit de l'aimer. Et puis la veuve était maigre;
elle avait les dents longues; elle portait en toute saison
un petit châle noir dont la pointe lui descendait entre les
omoplates; sa taille dure était engainée dans des robes
en façon de fourreau, trop courtes, qui découvraient ses
chevilles avec les rubans de ses souliers larges s'entre-
croisant sur des bas gris.

La mère de Charles venait les voir de temps à autre;
mais, au bout de quelques jours, la bru semblait l'aigui-
ser à son fil; et alors, comme deux couteaux, elles
étaient à le scarifier par leurs réflexions et leurs obser-

vations. Il avait tort de tant manger! Pourquoi toujours offrir la goutte au premier venu? Quel entêtement que de ne pas vouloir porter de flanelle!

Il arriva qu'au commencement du printemps, un notaire d'Ingouville, détenteur de fonds à la veuve Dubuc, s'embarqua par une belle marée, emportant avec lui tout l'argent de son étude. Héloïse, il est vrai, possédait encore, outre une part de bateau évaluée six mille francs, sa maison de la rue Saint-François; et cependant, de toute cette fortune que l'on avait fait sonner si haut, rien, si ce n'est un peu de mobilier et quelques nippes, n'avait paru dans le ménage. Il fallut tirer la chose au clair. La maison de Dieppe se trouva vermoulue d'hypothèques jusque dans ses pilotis; ce qu'elle avait mis chez le notaire, Dieu seul le savait, et la part de barque n'excéda point mille écus. Elle avait donc menti, la bonne dame! Dans son exaspération, M. Bovary père, brisant une chaise contre les pavés, accusa sa femme d'avoir fait le malheur de leur fils en l'attelant à une haridelle semblable, dont les harnais ne valaient pas la peau. Ils vinrent à Tostes. On s'expliqua. Il y eut des scènes. Héloïse, en pleurs, se jetant dans les bras de son mari, le conjura de la défendre de ses parents. Charles voulut parler pour elle. Ceux-ci se fâchèrent, et ils partirent.

Mais *le coup était porté*. Huit jours après, comme elle étendait du linge dans sa cour, elle fut prise d'un crachement de sang, et le lendemain, tandis que Charles avait le dos tourné pour fermer le rideau de la fenêtre, elle dit : « Ah! mon Dieu! », poussa un soupir et s'évanouit. Elle était morte! Quel étonnement!

Quand tout fut fini au cimetière, Charles rentra chez lui. Il ne trouva personne en bas; il monta au premier, dans la chambre, vit sa robe encore accrochée au pied de l'alcôve; alors s'appuyant contre le secrétaire, il resta jusqu'au soir perdu dans une rêverie douloureuse. Elle l'avait aimé, après tout.

# III

Un matin, le père Rouault vint apporter à Charles le payement de sa jambe remise : soixante et quinze francs en pièces de quarante sous, et une dinde. Il avait appris son malheur, et l'en consola tant qu'il put.

— Je sais ce que c'est! disait-il en lui frappant sur l'épaule; j'ai été comme vous, moi aussi! Quand j'ai eu perdu ma pauvre défunte, j'allais dans les champs pour être tout seul; je tombais au pied d'un arbre, je pleurais, j'appelais le bon Dieu, je lui disais des sottises; j'aurais voulu être comme les taupes, que je voyais aux branches, qui avaient des vers leur grouillant dans le ventre, crève, enfin. Et quand je pensais que d'autres, à ce moment-là, étaient avec leurs bonnes petites femmes à les tenir embrassées contre eux, je tapais de grands coups par terre avec mon bâton; j'étais quasiment fou, que je ne mangeais plus; l'idée d'aller seulement au café me dégoûtait, vous ne croiriez pas. Eh bien, tout doucement, un jour chassant l'autre, un printemps sur un hiver et un automne par-dessus un été, ça a coulé brin à brin, miette à miette; ça s'en est allé, c'est parti, c'est descendu, je veux dire, car il vous reste toujours quelque chose au fond, comme qui dirait... un poids, là, sur la poitrine! Mais puisque c'est notre sort à tous, on ne doit pas non plus se laisser dépérir, et, parce que d'autres sont morts, vouloir mourir... Il faut vous secouer, monsieur Bovary; ça se passera! Venez nous voir; ma fille pense à vous de temps à autre, savez-vous bien, et elle dit comme ça que vous l'oubliez. Voilà le printemps bientôt; nous vous ferons tirer un lapin dans la garenne, pour vous dissiper un peu.»

Charles suivit son conseil. Il retourna aux Bertaux; il retrouva tout comme la veille, comme il y avait cinq mois, c'est-à-dire. Les poiriers déjà étaient en fleur, et le bonhomme Rouault, debout maintenant, allait et venait, ce qui rendait la ferme plus animée.

Croyant qu'il était de son devoir de prodiguer au médecin le plus de politesses possible, à cause de sa position douloureuse, il le pria de ne point se découvrir la tête, lui parla à voix basse, comme s'il eût été malade, et même fit semblant de se mettre en colère de ce que l'on n'avait pas apprêté à son intention quelque chose d'un peu plus léger que tout le reste, tel que des petits pots de crème ou des poires cuites. Il conta des histoires. Charles se surprit à rire; mais le souvenir de sa femme, lui revenant tout à coup, l'assombrit. On apporta le café; il n'y pensa plus.

Il y pensa moins, à mesure qu'il s'habituait à vivre seul. L'agrément nouveau de l'indépendance lui rendit bientôt la solitude plus supportable. Il pouvait changer maintenant les heures de ses repas, rentrer ou sortir sans donner de raisons, et, lorsqu'il était bien fatigué, s'étendre de ses quatre membres, tout en large dans son lit. Donc, il se choya, se dorlota et accepta les consolations qu'on lui donnait. D'autre part, la mort de sa femme ne l'avait pas mal servi dans son métier, car on avait répété pendant un mois: «Ce pauvre jeune homme! quel malheur!» Son nom s'était répandu, sa clientèle s'était accrue; et puis il allait aux Bertaux tout à son aise. Il avait un espoir sans but, un bonheur vague; il se trouvait la figure plus agréable en brossant ses favoris devant son miroir.

Il arriva un jour vers trois heures; tout le monde était aux champs; il entra dans la cuisine, mais n'aperçut point d'abord Emma; les auvents étaient fermés. Par les fentes du bois, le soleil allongeait sur les pavés de grandes raies minces, qui se brisaient à l'angle des meubles et tremblaient au plafond. Des mouches, sur la table, montaient le long des verres qui avaient servi, et bourdonnaient en se noyant au fond, dans le cidre resté. Le jour qui descendait par la cheminée, veloutant la suie de la plaque, bleuissait un peu les cendres froides. Entre la fenêtre et le foyer, Emma cousait; elle n'avait point de fichu, on voyait sur ses épaules nues de petites gouttes de sueur.

Selon la mode de la campagne, elle lui proposa de boire quelque chose. Il refusa, elle insista, et enfin lui offrit, en riant, de prendre un verre de liqueur avec elle. Elle alla donc chercher dans l'armoire une bouteille de curaçao, atteignit deux petits verres, emplit l'un jusqu'au bord, versa à peine dans l'autre, et, après avoir trinqué, le porta à sa bouche. Comme il était presque vide, elle se renversait pour boire; et, la tête en arrière, les lèvres avancées, le cou tendu, elle riait de ne rien sentir, tandis que le bout de sa langue, passant entre ses dents fines, léchait à petits coups le fond du verre.

Elle se rassit et elle reprit son ouvrage, qui était un bas de coton blanc où elle faisait des reprises : elle travaillait le front baissé; elle ne parlait pas, Charles non plus. L'air, passant par le dessous de la porte, poussait un peu de poussière sur les dalles; il le regardait se traîner, et il entendait seulement le battement intérieur de sa tête, avec le cri d'une poule, au loin, qui pondait dans les cours. Emma, de temps à autre, se rafraîchissait les joues en y appliquant la paume de ses mains, qu'elle refroidissait après cela sur la pomme de fer des grands chenets.

Elle se plaignait d'éprouver, depuis le commencement

de la saison, des étourdissements; elle demanda si les
bains de mer lui seraient utiles; elle se mit à causer du
couvent, Charles de son collège, les phrases leur vinrent.
Ils montèrent dans sa chambre. Elle lui fit voir ses
anciens cahiers de musique, les petits livres qu'on lui
avait donnés en prix et les couronnes en feuilles de
chêne, abandonnées dans un bas d'armoire. Elle lui
parla encore de sa mère, du cimetière, et même lui
montra dans le jardin la plate-bande dont elle cueillait
les fleurs, tous les premiers vendredis de chaque mois,
pour les aller mettre sur sa tombe. Mais le jardinier
qu'ils avaient n'y entendait rien; on était si mal servi!
Elle eût bien voulu, ne fût-ce au moins que pendant l'hiver, habiter la ville, quoique la longueur des beaux jours
rendît peut-être la campagne plus ennuyeuse encore
durant l'été; — et, selon ce qu'elle disait, sa voix était
claire, aiguë, ou, se couvrant de langueur tout à coup,
traînait des modulations qui finissaient presque en
murmures, quand elle se parlait à elle-même, — tantôt
joyeuse, ouvrant des yeux naïfs, puis les paupières à
demi closes, le regard noyé d'ennui, la pensée vagabondant.

Le soir, en s'en retournant, Charles reprit une à une
les phrases qu'elle avait dites, tâchant de se les rappeler,
d'en compléter le sens, afin de se faire la portion d'existence qu'elle avait vécu dans le temps qu'il ne la connaissait pas encore. Mais jamais il ne put la voir, en sa
pensée, différemment qu'il ne l'avait vue la première
fois, ou telle qu'il venait de la quitter tout à l'heure. Puis
il se demanda ce qu'elle deviendrait, si elle se marierait,
et à qui? Hélas! le père Rouault était bien riche, et,
elle!... si belle! Mais la figure d'Emma revenait toujours
se placer devant ses yeux, et quelque chose de monotone
comme le ronflement d'une toupie bourdonnait à ses
oreilles. « Si tu te mariais, pourtant! si tu te mariais! »
La nuit, il ne dormit pas, sa gorge était serrée, il avait

soif; il se leva pour aller boire à son pot à l'eau et il ouvrit la fenêtre; le ciel était couvert d'étoiles, un vent chaud passait, au loin des chiens aboyaient. Il tourna la tête du côté des Bertaux.

Pensant qu'après tout l'on ne risquait rien, Charles se promit de faire la demande quand l'occasion s'en offrirait; mais, chaque fois qu'elle s'offrit, la peur de ne point trouver les mots convenables lui collait les lèvres.

Le père Rouault n'eût pas été fâché qu'on le débarrassât de sa fille, qui ne lui servait guère dans sa maison. Il l'excusait intérieurement, trouvant qu'elle avait trop d'esprit pour la culture; métier maudit du ciel, puisqu'on n'y voyait jamais de millionnaire. Loin d'y avoir fait fortune, le bonhomme y perdait tous les ans; car, s'il excellait dans les marchés, où il se plaisait aux ruses du métier, en revanche, la culture proprement dite, avec le gouvernement intérieur de la ferme, lui convenait moins qu'à personne. Il ne retirait pas volontiers ses mains de dedans ses poches, et n'épargnait point la dépense pour tout ce qui regardait sa vie, voulant être bien nourri, bien chauffé, bien couché. Il aimait le gros cidre, les gigots saignants, les *glorias* longuement battus. Il prenait ses repas dans la cuisine, seul, en face du feu, sur une petite table qu'on lui apportait toute servie, comme au théâtre.

Lorsqu'il s'aperçut donc que Charles avait les pommettes rouges près de sa fille, ce qui signifiait qu'un de ces jours on la lui demanderait en mariage, il rumina d'avance toute l'affaire. Il le trouvait bien un peu *gringalet,* et ce n'était pas là un gendre comme il l'eût souhaité; mais on le disait de bonne conduite, économe, fort instruit, et sans doute qu'il ne chicanerait pas trop sur la dot. Or, comme le père Rouault allait être forcé de vendre vingt-deux acres de *son bien,* qu'il devait beaucoup au maçon, beaucoup au bourrelier, que l'arbre du pressoir était à remettre :

— S'il me la demande, se dit-il, je la lui donne.

A l'époque de la Saint-Michel, Charles était venu
passer trois jours aux Bertaux. La dernière journée
s'était écoulée comme les précédentes, à reculer de
quart d'heure en quart d'heure. Le père Rouault lui fit
la conduite; ils marchaient dans un chemin creux, ils
s'allaient quitter; c'était le moment. Charles se donna
jusqu'au coin de la haie, et enfin, quand on l'eut
dépassée :

— Maître Rouault, murmura-t-il, je voudrais bien
vous dire quelque chose.

Ils s'arrêtèrent. Charles se taisait.

— Mais contez-moi votre histoire! est-ce que je ne
sais pas tout? dit le père Rouault en riant doucement.

— Père Rouault..., père Rouault..., balbutia Charles.

— Moi, je ne demande pas mieux, continua le fermier.
Quoique sans doute la petite soit de mon idée, il faut
pourtant lui demander son avis. Allez-vous-en donc;
je m'en vais retourner chez nous. Si c'est oui, entendez-
moi bien, vous n'aurez pas besoin de revenir, à cause du
monde, et, d'ailleurs, ça la saisirait trop. Mais pour
que vous ne vous mangiez pas le sang, je pousserai tout
grand l'auvent de la fenêtre contre le mur : vous pourrez
le voir par derrière, en vous penchant sur la haie.

Et il s'éloigna.

Charles attacha son cheval à un arbre. Il courut se
mettre dans le sentier; il attendit. Une demi-heure se
passa, puis il compta dix-neuf minutes à sa montre.
Tout à coup un bruit se fit contre le mur; l'auvent
s'était rabattu, la cliquette tremblait encore.

Le lendemain, dès neuf heures, il était à la ferme.
Emma rougit quand il entra, tout en s'efforçant de rire
un peu, par contenance. Le père Rouault embrassa son
futur gendre. On se remit à causer des arrangements d'intérêt; on avait, d'ailleurs, du temps devant soi, puisque
le mariage ne pouvait décemment avoir lieu avant la fin

du deuil de Charles, c'est-à-dire vers le printemps de l'année prochaine.

L'hiver se passa dans cette attente. Mlle Rouault s'occupa de son trousseau. Une partie en fut commandée à Rouen, et elle se confectionna des chemises et des bonnets de nuit, d'après des dessins de modes qu'elle emprunta. Dans les visites que Charles faisait à la ferme, on causait des préparatifs de la noce, on se demandait dans quel appartement se donnerait le dîner; on rêvait à la quantité de plats qu'il faudrait et quelles seraient les entrées.

Emma eût, au contraire, désiré se marier à minuit, aux flambeaux; mais le père Rouault ne comprit rien à cette idée. Il y eut donc une noce, où vinrent quarante-trois personnes, où l'on resta seize heures à table, qui recommença le lendemain et quelque peu les jours suivants.

# IV

Les conviés arrivèrent de bonne heure dans des voitures, carrioles à un cheval, chars à bancs à deux roues, vieux cabriolets sans capote, tapissières à rideaux de cuir, et les jeunes gens des villages les plus voisins dans des charrettes où ils se tenaient debout, en rang, les mains appuyées sur les ridelles pour ne pas tomber, allant au trot et secoués dur. Il en vint de dix lieues loin, de Goderville, de Normanville et de Cany. On avait invité tous les parents des deux familles, on s'était raccommodé avec les amis brouillés, on avait écrit à des connaissances perdues de vue depuis longtemps.

De temps à autre, on entendait des coups de fouet derrière la haie; bientôt la barrière s'ouvrait : c'était une carriole qui entrait. Galopant jusqu'à la première marche du perron, elle s'y arrêtait court, et vidait son monde qui sortait par tous les côtés en se frottant les genoux et en s'étirant les bras. Les dames, en bonnet, avaient des robes à la façon de la ville, des chaînes de montre en or, des pèlerines à bouts croisés dans la ceinture, ou de petits fichus de couleur attachés dans le dos avec une épingle, et qui leur découvraient le cou par derrière. Les gamins, vêtus pareillement à leurs papas, semblaient incommodés par leurs habits neufs (beaucoup même étrennèrent ce jour-là la première paire de bottes de leur existence), et l'on voyait à côté d'eux, ne soufflant

mot dans la robe blanche de sa première communion
rallongée pour la circonstance, quelque grande fillette
de quatorze ou seize ans, leur cousine ou leur sœur aînée
sans doute, rougeaude, ahurie, les cheveux gras de pommade à la rose, et ayant bien peur de salir ses gants.
Comme il n'y avait point assez de valets d'écurie pour
dételer toutes les voitures, les messieurs retroussaient
leurs manches et s'y mettaient eux-mêmes. Suivant leur
position sociale différente, ils avaient des habits, des
redingotes, des vestes, des habits-vestes; — bons habits,
entourés de toute la considération d'une famille, et qui
ne sortaient de l'armoire que pour les solennités; redingotes à grandes basques flottant au vent, à collet cylin-
drique, à poches larges comme des sacs; vestes de gros
drap, qui accompagnaient ordinairement quelque casquette cerclée de cuivre à visière; habits-vestes très courts,
ayant dans le dos deux boutons rapprochés comme une
paire d'yeux, et dont les pans semblaient avoir été coupés
à même un seul bloc, par la hache du charpentier. Quelques-uns encore (mais ceux-là, bien sûr, devaient dîner
au bas bout de la table) portaient des blouses de cérémonie, c'est-à-dire dont le col était rabattu sur les
épaules, le dos froncé à petits plis et la taille attachée
très bas par une ceinture cousue.

Et les chemises sur les poitrines tombaient comme des
cuirasses! Tout le monde était tondu à neuf, les oreilles
s'écartaient des têtes, on était rasé de près; quelques-
uns même qui s'étaient levés dès avant l'aube, n'ayant
pas vu clair à se faire la barbe, avaient des balafres en
diagonale sous le nez, ou, le long des mâchoires, des
pelures d'épiderme larges comme des écus de trois francs,
et qu'avait enflammées le grand air pendant la route, ce
qui marbrait un peu de plaques roses toutes ces grosses
faces blanches épanouies.

La mairie se trouvant à une demi-lieue de la ferme,
on s'y rendit à pied, et l'on revint de même, une fois

la cérémonie faite à l'église. Le cortège, d'abord uni
comme une seule écharpe de couleur qui ondulait dans
la campagne, le long de l'étroit sentier serpentant entre
les blés verts, s'allongea bientôt et se coupa en groupes
différents, qui s'attardaient à causer. Le ménétrier allait
en tête, avec son violon empanaché de rubans à la
coquille; les mariés venaient ensuite, les parents, les amis
tout au hasard, et les enfants restaient derrière, s'amusant à arracher les clochettes des brins d'avoine, ou
à se jouer entre eux, sans qu'on les vît. La robe d'Emma,
trop longue, traînait un peu par le bas; de temps à autre,
elle s'arrêtait pour la tirer, et alors délicatement, de
ses doigts gantés, elle enlevait les herbes rudes avec les
petits dards des chardons, pendant que Charles, les mains
vides, attendait qu'elle eût fini. Le père Rouault, un
chapeau de soie neuf sur la tête et les parements de son
habit noir lui couvrant les mains jusqu'aux ongles, donnait le bras à Mme Bovary mère. Quant à M. Bovary
père, qui, méprisant au fond tout ce monde-là, était venu
simplement avec une redingote à un rang de boutons
d'une coupe militaire, il débitait des galanteries d'esta-
minet à une jeune paysanne blonde. Elle saluait, rougissait, ne savait que répondre. Les autres gens de la noce
causaient de leurs affaires ou se faisaient des niches
dans le dos, s'excitant d'avance à la gaieté; et, en y prêtant l'oreille, on entendait toujours le crin-crin du
ménétrier qui continuait à jouer dans la campagne. Quand
il s'apercevait qu'on était loin derrière lui, il s'arrêtait
à reprendre haleine, cirait longuement de colophane
son archet, afin que les cordes grinçassent mieux, et puis
il se remettait à marcher, abaissant et levant tour à tour
le manche de son violon, pour se bien marquer la mesure
à lui-même. Le bruit de l'instrument faisait partir de
loin les petits oiseaux.

C'était sous le hangar de la charretterie que la table
était dressée. Il y avait dessus quatre aloyaux, six fricas-

sées de poulets, du veau à la casserole, trois gigots et, au milieu, un joli cochon de lait rôti, flanqué de quatre andouilles à l'oseille. Aux angles se dressait l'eau-de-vie, dans des carafes. Le cidre doux en bouteilles poussait sa mousse épaisse autour des bouchons, et tous les verres, d'avance, avaient été remplis de vin jusqu'au bord. De grands plats de crème jaune, qui flottaient d'eux-mêmes au moindre choc de la table, présentaient, dessinés sur leur surface unie, les chiffres des nouveaux époux en arabesques de nonpareille. On avait été chercher un pâtissier à Yvetot, pour les tourtes et les nougats. Comme il débutait dans le pays, il avait soigné les choses; et il apporta, lui-même, au dessert, une pièce montée qui fit pousser des cris. A la base, d'abord, c'était un carré de carton bleu figurant un temple avec portiques, colonnades et statuettes de stuc tout autour, dans des niches constellées d'étoiles en papier doré; puis se tenait au second étage un donjon en gâteau de Savoie, entouré de menues fortifications en angélique, amandes, raisins secs, quartiers d'oranges; et enfin, sur la plate-forme supérieure, qui était une prairie verte où il y avait des rochers avec des lacs de confitures et des bateaux en écales de noisettes, on voyait un petit Amour, se balançant à une escarpolette de chocolat, dont les deux poteaux étaient terminés par deux boutons de rose naturelle, en guise de boules, au sommet.

Jusqu'au soir, on mangea. Quand on était trop fatigué d'être assis, on allait se promener dans les cours ou jouer une partie de bouchon dans la grange, puis on revenait à table. Quelques-uns, vers la fin, s'y endormirent et ronflèrent. Mais, au café, tout se ranima; alors on entama des chansons, on fit des tours de force, on portait des poids, on passait sous son pouce, on essayait à soulever les charrettes sur ses épaules, on disait des gaudrioles, on embrassait les dames. Le soir, pour partir, les chevaux gorgés d'avoine jusqu'aux naseaux eurent

du mal à entrer dans les brancards; ils ruaient, se
cabraient, les harnais se cassaient, leurs maîtres juraient
ou riaient; et toute la nuit, au clair de la lune, par les
routes du pays, il y eut des carrioles emportées qui couraient au grand galop, bondissant dans les saignées,
sautant par-dessus les mètres de cailloux, s'accrochant
aux talus, avec des femmes qui se penchaient en dehors
de la portière pour saisir les guides.

Ceux qui restèrent aux Bertaux passèrent la nuit à
boire dans la cuisine. Les enfants s'étaient endormis
sous les bancs.

La mariée avait supplié son père qu'on lui épargnât
les plaisanteries d'usage. Cependant, un mareyeur de leurs
cousins (qui même avait apporté, comme présent de
noces, une paire de soles) commençait à souffler de l'eau
avec sa bouche par le trou de la serrure, quand le père
Rouault arriva juste à temps pour l'en empêcher, et lui
expliqua que la position grave de son gendre ne permettait pas de telles inconvenances. Le cousin, toutefois, céda
difficilement à ces raisons. En dedans de lui-même, il
accusa le père Rouault d'être fier, et il alla se joindre
dans un coin à quatre ou cinq autres des invités qui,
ayant eu, par hasard, plusieurs fois de suite à table les
bas morceaux des viandes, trouvaient aussi qu'on les
avait mal reçus, chuchotaient sur le compte de leur hôte
et souhaitaient sa ruine à mots couverts.

Mme Bovary mère n'avait pas desserré les dents de
la journée. On ne l'avait consultée ni sur la toilette
de la bru, ni sur l'ordonnance du festin; elle se retira
de bonne heure. Son époux, au lieu de la suivre, envoya
chercher des cigares à Saint-Victor et fuma jusqu'au
jour, tout en buvant des grogs au kirsch, mélange inconnu à la compagnie, et qui fut pour lui comme la
source d'une considération plus grande encore.

Charles n'était point de complexion facétieuse, il
n'avait pas brillé pendant la noce. Il répondit médiocre-

ment aux pointes, calembours, mots à double entente, compliments et gaillardises que l'on se fit un devoir de lui décocher dès le potage.

Le lendemain, en revanche, il semblait un autre homme. C'est lui plutôt que l'on eût pris pour la vierge de la veille, tandis que la mariée ne laissait rien découvrir où l'on pût deviner quelque chose. Les plus malins ne savaient que répondre, et ils la considéraient, quand elle passait près d'eux, avec des tensions d'esprit démesurées. Mais Charles ne dissimulait rien. Il l'appelait « ma femme », la tutoyait, s'informait d'elle à chacun, la cherchait partout, et souvent il l'entraînait dans les cours, où on l'apercevait de loin, entre les arbres, qui lui passait le bras sous la taille et continuait à marcher à demi penché sur elle, en lui chiffonnant avec sa tête la guimpe de son corsage.

Deux jours après la noce, les époux s'en allèrent : Charles, à cause de ses malades, ne pouvait s'absenter plus longtemps. Le père Rouault les fit reconduire dans sa carriole et les accompagna lui-même jusqu'à Vassonville. Là, il embrassa sa fille une dernière fois, mit pied à terre et reprit la route. Lorsqu'il eut fait cent pas environ, il s'arrêta, et, comme il vit la carriole s'éloignant, dont les roues tournaient dans la poussière, il poussa un gros soupir. Puis il se rappela ses noces, son temps d'autrefois, la première grossesse de sa femme; il était bien joyeux, lui aussi, le jour qu'il l'avait emmenée de chez son père dans la maison, quand il la portait en croupe en trottant sur la neige; car on était aux environs de Noël et la campagne était toute blanche; elle le tenait par un bras, à l'autre était accroché son panier; le vent agitait les longues dentelles de sa coiffure cauchoise, qui lui passaient quelquefois sur la bouche, et, lorsqu'il tournait la tête, il voyait près de lui, sur son épaule, sa petite mine rosée qui souriait silencieusement, sous la plaque d'or de son bonnet. Pour se réchauffer les doigts, elle les lui mettait, de temps en temps, dans la poitrine. Comme c'était vieux tout cela! Leur fils, à présent, aurait trente ans! Alors il regarda derrière lui, il n'aperçut rien sur la route. Il se sentit triste comme une maison démeublée; et, les souvenirs tendres se mêlant aux pensées noires dans sa cervelle obscurcie par les vapeurs de la bombance, il eut bien envie un moment d'aller faire un tour du côté de l'église. Comme il eut peur, cependant, que cette vue ne le rendît plus triste encore, il s'en revint tout droit chez lui.

M. et Mme Charles arrivèrent à Tostes vers six heures. Les voisins se mirent aux fenêtres pour voir la nouvelle femme de leur médecin.

La vieille bonne se présenta, lui fit ses salutations, s'excusa de ce que le dîner n'était pas prêt, et engagea Madame, en attendant, à prendre connaissance de sa maison.

# V

La façade de briques était juste à l'alignement de la rue, ou de la route plutôt. Derrière la porte se trouvaient accrochés un manteau à petit collet, une bride, une casquette de cuir noir, et, dans un coin, à terre, une paire de houseaux encore couverts de boue sèche. A droite était la salle, c'est-à-dire l'appartement où l'on mangeait et où l'on se tenait. Un papier jaune serin, relevé dans le haut par une guirlande de fleurs pâles, tremblait tout entier sur sa toile mal tendue; des rideaux de calicot blanc, bordés d'un galon rouge, s'entre-croisaient le long des fenêtres, et sur l'étroit chambranle de la cheminée resplendissait une pendule à tête d'Hippocrate, entre deux flambeaux d'argent plaqué, sous des globes de forme ovale. De l'autre côté du corridor était le cabinet de Charles, petite pièce de six pas de large environ, avec une table, trois chaises et un fauteuil de bureau. Les tomes du *Dictionnaire des sciences médicales,* non coupés, mais dont la brochure avait souffert dans toutes les ventes successives par où ils avaient passé, garnissaient presque à eux seuls les six rayons d'une bibliothèque en bois de sapin. L'odeur des roux pénétrait à travers la muraille, pendant les consultations, de même que l'on entendait, de la cuisine, les malades tousser dans le cabinet et débiter toute leur histoire. Venait ensuite, s'ouvrant immédiatement sur la cour, où se trouvait l'écurie, une grande pièce délabrée qui

avait un four, et qui servait maintenant de bûcher, de
cellier, de garde-magasin, pleine de vieilles ferrailles,
de tonneaux vides, d'instruments de culture hors de
service, avec quantité d'autres choses poussiéreuses
dont il était impossible de deviner l'usage.

Le jardin, plus long que large, allait, entre deux murs
de bauge couverts d'abricots en espalier, jusqu'à une haie
d'épine qui le séparait des champs. Il y avait, au milieu,
un cadran solaire en ardoise, sur un piédestal de maçon-
nerie; quatre plates-bandes garnies d'églantiers maigres
entouraient symétriquement le carré plus utile des végé-
tations sérieuses. Tout au fond, sous les sapinettes, un
curé de plâtre lisait son bréviaire.

Emma monta dans les chambres. La première n'était
point meublée; mais la seconde, qui était la chambre
conjugale, avait un lit d'acajou dans une alcôve à draperie rouge. Une boîte en coquillages décorait la commode; et, sur le secrétaire, près de la fenêtre, il y avait,
dans une carafe, un bouquet de fleurs d'oranger, noué
par des rubans de satin blanc. C'était un bouquet de
mariée, le bouquet de l'autre! Elle le regarda. Charles
s'en aperçut, il le prit et l'alla porter au grenier, tandis
qu'assise dans un fauteuil (on disposait ses affaires autour
d'elle) Emma songeait à son bouquet de mariage, qui
était emballé dans un carton, et se demandait, en rêvant,
ce qu'on en ferait, si par hasard elle venait à mourir.

Elle s'occupa, les premiers jours, à méditer des chan-
gements dans sa maison. Elle retira les globes des flambeaux, fit coller des papiers neufs, repeindre l'escalier
et faire des bancs dans le jardin, tout autour du cadran
solaire; elle demanda même comment s'y prendre pour
avoir un bassin à jet d'eau avec des poissons. Enfin
son mari, sachant qu'elle aimait à se promener en voiture, trouva un *boc* d'occasion, qui, ayant une fois des
lanternes neuves et des garde-crotte en cuir piqué, res-
sembla presque à un tilbury.

Il était donc heureux et sans souci de rien au monde.
Un repas en tête à tête, une promenade le soir sur la
grande route, un geste de sa main sur ses bandeaux, la
vue de son chapeau de paille accroché à l'espagnolette
d'une fenêtre, et bien d'autres choses encore où
Charles n'avait jamais soupçonné de plaisir, compo-
saient maintenant la continuité de son bonheur. Au lit,
le matin, et côte à côte sur l'oreiller, il regardait la
lumière du soleil passer parmi le duvet de ses joues
blondes, que couvraient à demi les pattes escalopées de
son bonnet. Vus de si près, ses yeux lui paraissaient
agrandis, surtout quand elle ouvrait plusieurs fois de
suite ses paupières en s'éveillant; noirs à l'ombre et
bleu foncé au grand jour, ils avaient comme des couches
de couleurs successives, et qui, plus épaisses dans le
fond, allaient en s'éclaircissant vers la surface de l'émail.
Son œil, à lui, se perdait dans ces profondeurs, et il
s'y voyait en petit jusqu'aux épaules, avec le foulard
qui le coiffait et le haut de sa chemise entr'ouvert. Il
se levait. Elle se mettait à la fenêtre pour le voir partir;
et elle restait accoudée sur le bord, entre deux pots
de géraniums, vêtue de son peignoir, qui était lâche
autour d'elle. Charles, dans la rue, bouclait ses éperons
sur la borne; et elle continuait à lui parler d'en haut,
tout en arrachant avec sa bouche quelque bribe de fleur
ou de verdure qu'elle soufflait vers lui, et qui, voltigeant,
se soutenant, faisait dans l'air des demi-cercles comme
un oiseau, allait, avant de tomber, s'accrocher aux crins
mal peignés de la vieille jument blanche, immobile à
la porte. Charles, à cheval, lui envoyait un baiser; elle
répondait par un signe, elle refermait la fenêtre, il partait. Et alors, sur la grande route qui étendait sans en
finir son long ruban de poussière, par les chemins creux
où les arbres se courbaient en berceaux, dans les sentiers dont les blés lui montaient jusqu'aux genoux, avec
le soleil sur ses épaules et l'air du matin à ses narines,

le cœur plein des félicités de la nuit, l'esprit tranquille,
la chair contente, il s'en allait ruminant son bonheur,
comme ceux qui mâchent encore, après dîner, le goût
des truffes qu'ils digèrent.

Jusqu'à présent, qu'avait-il eu de bon dans l'existence? Était-ce son temps de collège, où il restait enfer-
mé entre ces hauts murs, seul au milieu de ses camarades
plus riches ou plus forts que lui dans leurs classes, qu'il
faisait rire par son accent, qui se moquaient de ses
habits, et dont les mères venaient au parloir avec des
pâtisseries dans leur manchon? Était-ce plus tard, lorsqu'il étudiait la médecine et n'avait jamais la bourse
assez ronde pour payer la contredanse à quelque petite
ouvrière qui fût devenue sa maîtresse? Ensuite il avait
vécu pendant quatorze mois avec la veuve, dont les
pieds, dans le lit, étaient froids comme des glaçons.
Mais, à présent, il possédait pour la vie cette jolie
femme qu'il adorait. L'univers, pour lui, n'excédait pas
le tour soyeux de son jupon; et il se reprochait de ne
pas l'aimer, il avait envie de la revoir; il s'en revenait
vite, montait l'escalier, le cœur battant. Emma, dans sa
chambre, était à faire sa toilette; il arrivait à pas muets,
il la baisait dans le dos, elle poussait un cri.

Il ne pouvait se retenir de toucher continuellement
à son peigne, à ses bagues, à son fichu; quelquefois, il
lui donnait sur les joues de gros baisers à pleine bouche,
ou c'étaient de petits baisers à la file, tout le long de son
bras nu, depuis le bout des doigts jusqu'à l'épaule; et
elle le repoussait, à demi souriante et ennuyée, comme
on fait à un enfant qui se pend après vous.

Avant qu'elle se mariât, elle avait cru avoir de
l'amour; mais le bonheur qui aurait dû résulter de cet
amour n'étant pas venu, il fallait qu'elle se fût trompée,
songeait-elle. Et Emma cherchait à savoir ce que l'on entendait au juste dans la vie par les mots de *félicité*, de *passion* et d'*ivresse*, qui lui avaient paru si beaux dans les livres.

# VI

ELLE avait lu *Paul et Virginie* et elle avait rêvé la maisonnette de bambous, le nègre Domingo, le chien Fidèle, mais surtout l'amitié douce de quelque bon petit frère, qui va chercher pour vous des fruits rouges dans des grands arbres plus hauts que des clochers, ou qui court pieds nus sur le sable, vous apportant un nid d'oiseau.

Lorsqu'elle eut treize ans, son père l'amena lui-même à la ville, pour la mettre au couvent. Ils descendirent dans une auberge du quartier Saint-Gervais, où ils eurent à leur souper des assiettes peintes qui représentaient l'histoire de mademoiselle de La Vallière. Les explications légendaires, coupées çà et là par l'égratignure des couteaux, glorifiaient toutes la religion, les délicatesses du cœur et les pompes de la Cour.

Loin de s'ennuyer au couvent les premiers temps, elle se plut dans la société des bonnes sœurs, qui, pour l'amuser, la conduisaient dans la chapelle, où l'on pénétrait du réfectoire par un long corridor. Elle jouait fort peu durant les récréations, comprenait bien le caté- chisme, et c'est elle qui répondait toujours à M. le vicaire, dans les questions difficiles. Vivant donc sans jamais sortir de la tiède atmosphère des classes et parmi ces femmes au teint blanc, portant des chapelets à croix de cuivre, elle s'assoupit doucement à la lan- gueur mystique qui s'exhale des parfums de l'autel, de

la fraîcheur des bénitiers et du rayonnement des cierges.
Au lieu de suivre la messe, elle regardait dans son livre
les vignettes pieuses bordées d'azur, et elle aimait la
brebis malade, le Sacré-Cœur percé de flèches aiguës,
ou le pauvre Jésus, qui tombe en marchant sous sa
croix. Elle essaya, par mortification, de rester tout un
jour sans manger. Elle cherchait dans sa tête quelque
vœu à accomplir.

Quand elle allait à confesse, elle inventait de petits
péchés, afin de rester là plus longtemps, à genoux dans
l'ombre, les mains jointes, le visage à la grille sous le
chuchotement du prêtre. Les comparaisons de fiancé,
d'époux, d'amant céleste et de mariage éternel qui
reviennent dans les sermons lui soulevaient au fond de
l'âme des douceurs inattendues.

Le soir, avant la prière, on faisait dans l'étude une
lecture religieuse. C'était, pendant la semaine, quelque
résumé d'Histoire sainte ou les *Conférences* de l'abbé
Frayssinous, et, le dimanche, des passages du *Génie du
Christianisme,* par récréation. Comme elle écouta, les
premières fois, la lamentation sonore des mélancolies
romantiques se répétant à tous les échos de la terre et de
l'éternité! Si son enfance se fût écoulée dans l'arrière-
boutique d'un quartier marchand, elle se serait peut-
être ouverte alors aux envahissements lyriques de la
nature, qui, d'ordinaire, ne nous arrivent que par la
traduction des écrivains. Mais elle connaissait trop la
campagne; elle savait le bêlement des troupeaux, les
laitages, les charrues. Habituée aux aspects calmes, elle
se tournait, au contraire, vers les accidentés. Elle
n'aimait la mer qu'à cause de ses tempêtes, et la verdure
seulement lorsqu'elle était clairsemée parmi les ruines.
Il fallait qu'elle pût retirer des choses une sorte de
profit personnel; et elle rejetait comme inutile tout ce
qui ne contribuait pas à la consommation immédiate de
son cœur, — étant de tempérament plus sentimentale qu'ar-

tiste, cherchant des émotions et non des paysages.

Il y avait au couvent une vieille fille qui venait tous les mois, pendant huit jours, travailler à la lingerie. Protégée par l'archevêché comme appartenant à une ancienne famille de gentilshommes ruinés sous la Révolution, elle mangeait au réfectoire, à la table des bonnes sœurs, et faisait avec elles, après le repas, un petit bout de causette avant de remonter à son ouvrage. Souvent les pensionnaires s'échappaient de l'étude pour l'aller voir. Elle savait par cœur des chansons galantes du siécle passé, qu'elle chantait à demi-voix, tout en poussant son aiguille. Elle contait des histoires, vous apprenait des nouvelles, faisait en ville vos commissions, et prêtait aux grandes, en cachette, quelque roman qu'elle avait toujours dans les poches de son tablier, et dont la bonne demoiselle elle-même avalait de longs chapitres, dans les intervalles de sa besogne. Ce n'était qu'amours, amants, amantes, dames persécutées s'éva-nouissant dans des pavillons solitaires, postillons qu'on tue à tous les relais, chevaux qu'on crève à toutes les pages, forêts sombres, troubles du cœur, serments, sanglots, larmes et baisers, nacelles au clair de lune, rossignols dans les bosquets, *messieurs* braves comme des lions, doux comme des agneaux, vertueux comme on ne l'est pas, toujours bien mis, et qui pleurent comme des urnes. Pendant six mois, à quinze ans, Emma se graissa donc les mains à cette poussière des vieux cabinets de lecture. Avec Walter Scott, plus tard, elle s'éprit de choses historiques, rêva bahuts, salle des gardes et ménestrels. Elle aurait voulu vivre dans quelque vieux manoir, comme ces châtelaines au long corsage, qui, sous le trèfle des ogives, passaient leurs jours, le coude sur la pierre et le menton dans la main, à regarder venir du fond de la campagne un cavalier à plume blanche qui galope sur un cheval noir. Elle eut dans ce temps-là le culte de Marie Stuart, et des vénérations enthousias-

tes à l'endroit des femmes illustres ou infortunées.
Jeanne d'Arc, Héloïse, Agnès Sorel, la Belle Ferronnière
et Clémence Isaure, pour elle, se détachaient comme
des comètes sur l'immensité ténébreuse de l'histoire,
où saillissaient encore çà et là, mais plus perdus dans
l'ombre et sans aucun rapport entre eux, Saint Louis
avec son chêne, Bayard mourant, quelques férocités de
Louis XI, un peu de Saint-Barthélemy, le panache du
Béarnais, et toujours le souvenir des assiettes peintes
où Louis XIV était vanté.

A la classe de musique, dans les romances qu'elle
chantait, il n'était question que de petits anges aux
ailes d'or, de madones, de lagunes, de gondoliers, pacifiques compositions qui lui laissaient entrevoir, à travers la niaiserie du style et les imprudences de la note,
l'attirante fantasmagorie des réalités sentimentales.
Quelques-unes de ses camarades apportaient au couvent
les keepsakes qu'elles avaient reçus en étrennes. Il les
fallait cacher, c'était une affaire; on les lisait au
dortoir. Maniant délicatement leurs belles reliures de
satin, Emma fixait ses regards éblouis sur le nom des
auteurs inconnus qui avaient signé, le plus souvent,
comtes ou vicomtes, au bas de leurs pièces.

Elle frémissait, en soulevant de son haleine le papier
de soie des gravures, qui se levait à demi plié et retombait doucement contre la page. C'était, derrière la
balustrade d'un balcon, un jeune homme en court manteau qui serrait dans ses bras une jeune fille en robe
blanche, portant une aumônière à sa ceinture; ou bien
les portraits anonymes des ladies anglaises à boucles
blondes qui, sous leur chapeau de paille rond, vous
regardent avec leurs grands yeux clairs. On en voyait
d'étalées dans des voitures, glissant au milieu des parcs,
où un lévrier sautait devant l'attelage que conduisaient
au trot deux petits postillons en culotte blanche.
D'autres, rêvant sur des sofas près d'un billet décacheté,

contemplaient la lune, par la fenêtre entr'ouverte, à
demi drapée d'un rideau noir. Les naïves, une larme
sur la joue, becquetaient une tourterelle à travers les
barreaux d'une cage gothique, ou, souriant la tête sur
l'épaule, effeuillaient une marguerite de leurs doigts
pointus, retroussés comme des souliers à la poulaine.
Et vous y étiez aussi, sultans à longues pipes, pâmés
sous des tonnelles, aux bras des bayadères, djiaours,
sabres turcs, bonnets grecs, et vous surtout, paysages
blafards des contrées dithyrambiques, qui souvent nous
montrez à la fois des palmiers, des sapins, des tigres à
droite, un lion à gauche, des minarets tartares à l'horizon, au premier plan des ruines romaines, puis des
chameaux accroupis; — le tout encadré d'une forêt
vierge bien nettoyée, et avec un grand rayon de soleil
perpendiculaire tremblotant dans l'eau, où se détachent
en écorchures blanches, sur un fond d'acier gris, de loin
en loin, des cygnes qui nagent.

Et l'abat-jour du quinquet, accroché dans la muraille
au-dessus de la tête d'Emma, éclairait tous ces tableaux du
monde, qui passaient devant elle les uns après les autres,
dans le silence du dortoir et au bruit lointain de quelque
fiacre attardé qui roulait encore sur les boulevards.

Quand sa mère mourut, elle pleura beaucoup les premiers jours. Elle se fit faire un tableau funèbre avec les
cheveux de la défunte, et, dans une lettre qu'elle
envoyait aux Bertaux, toute pleine de réflexions tristes
sur la vie, elle demandait qu'on l'ensevelît plus tard
dans le même tombeau. Le bonhomme la crut malade
et vint la voir. Emma fut intérieurement satisfaite de se
sentir arrivée du premier coup à ce rare idéal des existences pâles, où ne parviennent jamais les cœurs médiocres. Elle se laissa donc glisser dans les méandres lamartiniens, écouta les harpes sur les lacs, tous les chants de
cygnes mourants, toutes les chutes de feuilles, les vierges
pures qui montent au ciel, et la voix de l'Éternel

discourant dans les vallons. Elle s'en ennuya, n'en voulut point convenir, continua par habitude, ensuite par
vanité, et fut enfin surprise de se sentir apaisée, et sans
plus de tristesse au cœur que de rides sur son front.

Les bonnes religieuses, qui avaient si bien présumé
de sa vocation, s'aperçurent avec de grands étonnements
que Mlle Rouault semblait échapper à leur soin. Elles
lui avaient, en effet, tant prodigué les offices, les
retraites, les neuvaines et les sermons, si bien prêché le
respect que l'on doit aux saints et aux martyrs, et donné
tant de bons conseils pour la modestie du corps et le
salut de son âme, qu'elle fit comme les chevaux que l'on
tire par la bride : elle s'arrêta court et le mors lui sortit
des dents. Cet esprit, positif au milieu de ses enthousias-
mes, qui avait aimé l'église pour ses fleurs, la musique
pour les paroles des romances, et la littérature pour ses
excitations passionnelles, s'insurgeait devant les mystères
de la foi, de même qu'elle s'irritait davantage contre la
discipline, qui était quelque chose d'antipathique à sa
constitution. Quand son père la retira de pension, on ne
fut point fâché de la voir partir. La supérieure trouvait
même qu'elle était devenue, dans les derniers temps,
peu révérencieuse envers la communauté.

Emma, rentrée chez elle, se plut d'abord au commandement des domestiques, prit ensuite la campagne en
dégoût et regretta son couvent. Quand Charles vint aux
Bertaux pour la première fois, elle se considérait
comme fort désillusionnée, n'ayant plus rien à apprendre, ne devant plus rien sentir.

Mais l'anxiété d'un état nouveau, ou peut-être l'irritation causée par la présence de cet homme, avait suffi à
lui faire croire qu'elle possédait enfin cette passion mer-
veilleuse qui jusqu'alors s'était tenue comme un grand
oiseau au plumage rose planant dans la splendeur des ciels
poétiques; — et elle ne pouvait s'imaginer à présent que
ce calme où elle vivait fût le bonheur qu'elle avait rêvé.

# VII

ELLE songeait quelquefois que c'étaient là pourtant les
plus beaux jours de sa vie, la lune de miel, comme on
disait. Pour en goûter la douceur, il eût fallu, sans
doute, s'en aller vers ces pays à noms sonores où les
lendemains de mariage ont de plus suaves paresses!
Dans des chaises de poste, sous des stores de soie bleue,
on monte au pas des routes escarpées, écoutant la chanson du postillon qui se répète dans la montagne avec
les clochettes des chèvres et le bruit sourd de la
cascade. Quand le soleil se couche, on respire au bord
des golfes le parfum des citronniers; puis, le soir, sur la
terrasse des villas, seuls et les doigts confondus, on
regarde les étoiles en faisant des projets. Il lui
semblait que certains lieux sur la terre devaient produire
du bonheur, comme une plante particulière au sol et qui
pousse mal tout autre part. Que ne pouvait-elle s'accou-
der sur le balcon des chalets suisses ou enfermer sa
tristesse dans un cottage écossais, avec un mari vêtu
d'un habit de velours noir à longues basques, et qui
porte des bottes molles, un chapeau pointu et des
manchettes!

Peut-être aurait-elle souhaité faire à quelqu'un la
confidence de toutes ces choses. Mais comment dire un
insaisissable malaise, qui change d'aspect comme les

nuées, qui tourbillonne comme le vent? Les mots lui
manquaient, donc, l'occasion, la hardiesse.

Si Charles l'avait voulu cependant, s'il s'en fût douté,
si son regard, une seule fois, fût venu à la rencontre de
sa pensée, il lui semblait qu'une abondance subite se
serait détachée de son cœur, comme tombe la récolte
d'un espalier, quand on y porte la main. Mais, à
mesure que se serrait davantage l'intimité de leur vie,
un détachement intérieur se faisait qui la déliait de lui.

La conversation de Charles était plate comme un
trottoir de rue, et les idées de tout le monde y défilaient,
dans leur costume ordinaire, sans exciter d'émotion, de
rire ou de rêverie. Il n'avait jamais été curieux, disait-il,
pendant qu'il habitait Rouen, d'aller voir au théâtre
les acteurs de Paris. Il ne savait ni nager, ni faire des
armes, ni tirer le pistolet, et il ne put, un jour, lui
expliquer un terme d'équitation qu'elle avait rencontré
dans un roman.

Un homme, au contraire, ne devait-il pas tout
connaître, exceller en des activités multiples, vous initier
aux énergies de la passion, aux raffinements de la vie,
à tous les mystères? Mais il n'enseignait rien, celui-là,
ne savait rien, ne souhaitait rien. Il la croyait heureuse;
et elle lui en voulait de ce calme si bien assis, de cette
pesanteur sereine, du bonheur même qu'elle lui donnait.

Elle dessinait quelquefois; et c'était pour Charles un
grand amusement que de rester là, tout debout, à la
regarder penchée sur son carton, clignant des yeux, afin
de mieux voir son ouvrage, ou arrondissant, sur son
pouce, des boulettes de mie de pain. Quant au piano,
plus les doigts y couraient vite, plus il s'émerveillait.
Elle frappait sur les touches avec aplomb, et parcourait
du haut en bas le clavier sans s'interrompre. Ainsi
secoué par elle, le vieil instrument, dont les cordes
frisaient, s'entendait jusqu'au bout du village si la
fenêtre était ouverte, et souvent le clerc de l'huissier qui

passait sur la grande route, nu-tête et en chaussons,
s'arrêtait à l'écouter, sa feuille de papier à la main.

Emma, d'autre part, savait conduire sa maison. Elle
envoyait aux malades le compte des visites, dans des
lettres bien tournées qui ne sentaient pas la facture.
Quand ils avaient, le dimanche, quelque voisin à dîner,
elle trouvait moyen d'offrir un plat coquet, s'entendait
à poser sur des feuilles de vigne les pyramides des reines-
Claude, servait renversés les pots de confitures dans une
assiette, et même elle parlait d'acheter des rince-bouche
pour le dessert. Il rejaillissait de tout cela beaucoup de
considération sur Bovary.

Charles finissait par s'estimer davantage de ce qu'il
possédait une pareille femme. Il montrait avec orgueil,
dans la salle, deux petits croquis d'elle à la mine de
plomb, qu'il avait fait encadrer de cadres très larges et
suspendus contre le papier de la muraille à de longs
cordons verts. Au sortir de la messe, on le voyait sur sa
porte avec de belles pantoufles en tapisserie.

Il rentrait tard, à dix heures, minuit quelquefois.
Alors il demandait à manger, et comme la bonne était
couchée, c'était Emma qui le servait. Il retirait sa redingote pour dîner plus à son aise. Il disait les uns après
les autres tous les gens qu'il avait rencontrés, les villages
où il avait été, les ordonnances qu'il avait écrites, et,
satisfait de lui-même, il mangeait le reste du miroton,
épluchait son fromage, croquait une pomme, vidait sa
carafe, puis s'allait mettre au lit, se couchait sur le dos
et ronflait.

Comme il avait eu longtemps l'habitude du bonnet
de coton, son foulard ne lui tenait pas aux oreilles;
aussi ses cheveux, le matin, étaient rabattus pêle-mêle
sur sa figure et blanchis par le duvet de son oreiller,
dont les cordons se dénouaient pendant la nuit. Il portait toujours de fortes bottes, qui avaient au cou-de-pied
deux plis épais obliquant vers les chevilles, tandis que le

reste de l'empeigne se continuait en ligne droite, tendu
comme par un pied de bois. Il disait que *c'était bien
assez bon pour la campagne.*

Sa mère l'approuvait en cette économie; car elle le
venait voir comme autrefois, lorsqu'il y avait eu chez
elle quelque bourrasque un peu violente; et cependant
Mme Bovary mère semblait prévenue contre sa bru.
Elle lui trouvait *un genre trop relevé pour leur position de
fortune :* le bois, le sucre et la chandelle *filaient comme
dans une grande maison,* et la quantité de braise qui se
brûlait à la cuisine aurait suffi pour vingt-cinq plats!
Elle rangeait son linge dans les armoires et lui apprenait à surveiller le boucher quand il lui apportait la
viande. Emma recevait ces leçons; Mme Bovary les pro-
diguait; et les mots de *ma fille* et de *ma mère* s'échan-
geaient tout le long du jour, accompagnés d'un petit
frémissement des lèvres, chacune lançant des paroles
douces d'une voix tremblante de colère.

Du temps de Mme Dubuc, la vieille femme se sentait
encore la préférée; mais, à présent, l'amour de Charles
pour Emma lui semblait une désertion de sa tendresse,
un envahissement sur ce qui lui appartenait; et elle
observait le bonheur de son fils avec un silence triste
comme quelqu'un de ruiné qui regarde, à travers les
carreaux, des gens attablés dans son ancienne maison.
Elle lui rappelait, en manière de souvenirs, ses peines
et ses sacrifices, et, les comparant aux négligences
d'Emma, concluait qu'il n'était point raisonnable de
l'adorer d'une façon si exclusive.

Charles ne savait que répondre; il respectait sa mère,
et il aimait infiniment sa femme; il considérait le jugement de l'une comme infaillible, et cependant il trouvait
l'autre irréprochable. Quand Mme Bovary était partie,
il essayait de hasarder timidement, et dans les mêmes
termes, une ou deux des plus anodines observations
qu'il avait entendu faire à sa maman; Emma, lui prou-

vant d'un mot qu'il se trompait, le renvoyait à ses malades.

Cependant, d'après des théories qu'elle croyait bonnes, elle voulut se donner de l'amour. Au clair de lune, dans le jardin, elle récitait tout ce qu'elle savait par cœur de rimes passionnées et lui chantait en soupirant des adagios mélancoliques; mais elle se trouvait ensuite aussi calme qu'auparavant, et Charles n'en paraissait ni plus amoureux ni plus remué.

Quand elle eut ainsi un peu battu le briquet sur son cœur sans en faire jaillir une étincelle, incapable, du reste, de comprendre ce qu'elle n'éprouvait pas, comme de croire à tout ce qui ne se manifestait point par des formes convenues, elle se persuada sans peine que la passion de Charles n'avait plus rien d'exorbitant. Ses expansions étaient devenues régulières; il l'embrassait à de certaines heures. C'était une habitude parmi les autres, et comme un dessert prévu d'avance, après la monotonie du dîner.

Un garde-chasse, guéri par Monsieur d'une fluxion de poitrine, avait donné à Madame une petite levrette d'Italie; elle la prenait pour se promener, car elle sortait quelquefois, afin d'être seule un instant et de n'avoir plus sous les yeux l'éternel jardin avec la route poudreuse.

Elle allait jusqu'à la hêtraie de Banneville, près du pavillon abandonné qui fait l'angle du mur, du côté des champs. Il y a dans le saut-de-loup, parmi les herbes, de longs roseaux à feuilles coupantes.

Elle commençait par regarder tout alentour, pour voir si rien n'avait changé depuis la dernière fois qu'elle était venue. Elle retrouvait aux mêmes places les digitales et les ravenelles, les bouquets d'orties entourant les gros cailloux, et les plaques de lichen le long des trois fenêtres, dont les volets toujours clos s'égrenaient de pourriture, sur leurs barres de fer rouillées. Sa

pensée, sans but d'abord, vagabondait au hasard, comme
sa levrette, qui faisait des cercles dans la campagne, jap-
pait après les papillons jaunes, donnait la chasse aux
musaraignes ou mordillait les coquelicots sur le bord
d'une pièce de blé. Puis ses idées peu à peu se fixaient,
et assise sur le gazon, qu'elle fouillait à petits coups
avec le bout de son ombrelle, Emma se répétait :

— Pourquoi, mon Dieu! me suis-je mariée?

Elle se demandait s'il n'y aurait pas eu moyen, par
d'autres combinaisons du hasard, de rencontrer un
autre homme; et elle cherchait à imaginer quels eussent
été ces événements non survenus, cette vie différente,
ce mari qu'elle ne connaissait pas. Tous, en effet, ne
ressemblaient pas à celui-là. Il aurait pu être beau,
spirituel, distingué, attirant, tels qu'ils étaient, sans
doute, ceux qu'avaient épousés ses anciennes camarades
du couvent. Que faisaient-elles maintenant? A la ville,
avec le bruit des rues, le bourdonnement des théâtres
et les clartés du bal, elles avaient des existences où le
cœur se dilate, où les sens s'épanouissent. Mais elle, sa
vie était froide comme un grenier dont la lucarne est au
nord, et l'ennui, araignée silencieuse, filait sa toile dans
l'ombre à tous les coins de son cœur. Elle se rappelait
les jours de distribution de prix, où elle montait sur
l'estrade pour aller chercher ses petites couronnes. Avec
ses cheveux en tresse, sa robe blanche et ses souliers de
prunelle découverts, elle avait une façon gentille, et les
messieurs, quand elle regagnait sa place, se penchaient
pour lui faire des compliments; la cour était pleine de
calèches, on lui disait adieu par les portières, le maître
de musique passait en saluant, avec sa boîte à violon.
Comme c'était loin, tout cela! comme c'était loin!

Elle appelait Djali, la prenait entre ses genoux, passait
ses doigts sur sa longue tête fine, et lui disait :

— Allons, baisez maîtresse, vous qui n'avez pas de
chagrins.

Puis, considérant la mine mélancolique du svelte animal qui bâillait avec lenteur, elle s'attendrissait et, le comparant à elle-même, lui parlait tout haut, comme à quelqu'un d'affligé que l'on console.

Il arrivait parfois des rafales de vent, brises de la mer qui, roulant d'un bond sur tout le plateau du pays de Caux, apportaient, jusqu'au loin dans les champs, une fraîcheur salée. Les joncs sifflaient à ras de terre, et les feuilles de hêtres bruissaient en un frisson rapide, tandis que les cimes, se balançant toujours, continuaient leur grand murmure. Emma serrait son châle contre ses épaules et se levait.

Dans l'avenue, un jour vert rabattu par le feuillage éclairait la mousse rase qui craquait doucement sous ses pieds. Le soleil se couchait; le ciel était rouge entre les branches, et les troncs pareils des arbres plantés en ligne droite semblaient une colonnade brune se détachant sur un fond d'or; une peur la prenait, elle appelait Djali, s'en retournait vite à Tostes par la grande route, s'affaissait dans un fauteuil, et de toute la soirée ne parlait pas.

Mais, vers la fin de septembre, quelque chose d'extraordinaire tomba dans sa vie; elle fut invitée à la Vaubyessard, chez le marquis d'Andervilliers.

Secrétaire d'État sous la Restauration, le marquis, cherchant à rentrer dans la vie politique, préparait de longue main sa candidature à la Chambre des députés. Il faisait, l'hiver, de nombreuses distributions de fagots, et, au Conseil général, réclamait avec exaltation toujours des routes pour son arrondissement. Il avait eu, lors des grandes chaleurs, un abcès dans la bouche, dont Charles l'avait soulagé comme par miracle, en y donnant à point un coup de lancette. L'homme d'affaires, envoyé à Tostes pour payer l'opération, conta, le soir, qu'il avait vu dans le jardinet du médecin des cerises superbes. Or, les cerisiers poussaient mal à la Vaubyessard,

M. le Marquis demanda quelques boutures à Bovary,
se fit un devoir de l'en remercier lui-même, aperçut
Emma, trouva qu'elle avait une jolie taille et qu'elle ne
saluait point en paysanne; si bien qu'on ne crut pas au
château outrepasser les bornes de la condescendance,
ni d'autre part commettre une maladresse, en invitant
le jeune ménage.

Un mercredi, à trois heures, M. et Mme Bovary,
montés dans leur *boc,* partirent pour la Vaubyessard,
avec une grande malle attachée par derrière et une boîte
à chapeau qui était posée devant le tablier. Charles
avait, de plus, un carton entre les jambes.

Ils arrivèrent à la nuit tombante, comme on commençait à allumer les lampions dans le parc, afin
d'éclairer les voitures.

# VIII

Le château, de construction moderne, à l'italienne, avec deux ailes avançant et trois perrons, se déployait au bas d'une immense pelouse où paissaient quelques vaches, entre des bouquets de grands arbres espacés, tandis que des bannettes d'arbustes, rhododendrons, seringas et boules-de-neige bombaient leurs touffes de verdure inégales sur la ligne courbe du chemin sablé. Une rivière passait sous un pont; à travers la brume, on distinguait des bâtiments à toit de chaume, éparpillés dans la prairie, que bordaient en pente douce deux coteaux couverts de bois, et par derrière, dans les massifs, se tenaient, sur deux lignes parallèles, les remises et les écuries, restes conservés de l'ancien château démoli.

Le *boc* de Charles s'arrêta devant le perron du milieu; les domestiques parurent; le marquis s'avança, et, offrant son bras à la femme du médecin, l'introduisit dans le vestibule.

Il était pavé de dalles en marbre, très haut, et le bruit des pas avec celui des voix y retentissait comme dans une église. En face montait un escalier droit, et à gauche une galerie, donnant sur le jardin, conduisait à la salle de billard dont on entendait, dès la porte, caramboler les boules d'ivoire. Comme elle la traversait pour aller au salon, Emma vit autour du jeu des

hommes à figure grave, le menton posé sur de hautes
cravates, décorés tous, et qui souriaient silencieusement,
en poussant leur queue. Sur la boiserie sombre du
lambris, de grands cadres dorés portaient, au bas de
leur bordure, des noms écrits en lettres noires. Elle
lut : « Jean-Antoine d'Andervilliers d'Yverbonville,
comte de la Vaubyessard et baron de la Fresnaye, tué
à la bataille de Coutras, le 20 octobre 1587. » Et sur un
autre : « Jean-Antoine-Henry-Guy d'Andervilliers de la
Vaubyessard, amiral de France et chevalier de l'ordre
de Saint-Michel, blessé au combat de la Hougue-Saint-
Vaast, le 29 mai 1692, mort à la Vaubyessard, le
23 janvier 1693. » Puis on distinguait à peine ceux qui
suivaient, car la lumière des lampes, rabattue sur le
tapis vert du billard, laissait flotter une ombre dans
l'appartement. Brunissant les toiles horizontales, elle
se brisait contre elles en arêtes fines, selon les craque-
lures du vernis; et de tous ces grands carrés noirs
bordés d'or sortaient, çà et là, quelque portion plus
claire de la peinture, un front pâle, deux yeux qui vous
regardaient, des perruques se déroulant sur l'épaule
poudrée des habits rouges, ou bien la boucle d'une
jarretière au haut d'un mollet rebondi.

Le marquis ouvrit la porte du salon; une des dames
se leva (la marquise elle-même), vint à la rencontre
d'Emma et la fit asseoir près d'elle, sur une causeuse,
où elle se mit à lui parler amicalement, comme si elle
la connaissait depuis longtemps. C'était une femme de
la quarantaine environ, à belles épaules, à nez busqué,
à voix traînante, et portant, ce soir-là, sur ses cheveux
châtains, un simple fichu de guipure qui retombait par
derrière, en triangle. Une jeune personne blonde se
tenait à côté, dans une chaise à dossier long; et des
messieurs, qui avaient une petite fleur à la boutonnière
de leur habit, causaient avec les dames, tout autour de
la cheminée.

· A sept heures, on servit le dîner. Les hommes, plus
nombreux, s'assirent à la première table, dans le vestibule, et les dames à la seconde, dans la salle à manger,
avec le marquis et la marquise.

Emma se sentit, en entrant, enveloppée par un air
chaud, mélange du parfum des fleurs et du beau linge,
du fumet des viandes et de l'odeur des truffes. Les
bougies des candélabres allongeaient des flammes sur
les cloches d'argent; les cristaux à facettes, couverts
d'une buée mate, se renvoyaient des rayons pâles; des
bouquets étaient en ligne sur toute la longueur de la
table, et, dans les assiettes à large bordure, les
serviettes, arrangées en manière de bonnet d'évêque,
tenaient entre le bâillement de leurs deux plis chacune
un petit pain de forme ovale. Les pattes rouges des
homards dépassaient les plats; de gros fruits dans des
corbeilles à jour s'étageaient sur la mousse; les cailles
avaient leurs plumes, des fumées montaient; et, en bas
de soie, en culotte courte, en cravate blanche, en jabot,
grave comme un juge, le maître d'hôtel, passant entre
les épaules des convives les plats tout découpés, faisait
d'un coup de sa cuiller sauter pour vous le morceau
qu'on choisissait. Sur le grand poêle de porcelaine à ba-
guettes de cuivre, une statue de femme drapée jusqu'au
menton regardait immobile la salle pleine de monde.

Mme Bovary remarqua que plusieurs dames n'avaient
pas mis leurs gants dans leur verre.

Cependant, au bout de la table, seul parmi toutes ces
femmes, courbé sur son assiette remplie, et la serviette
nouée dans le dos comme un enfant, un vieillard mangeait, laissant tomber dans sa bouche des gouttes de
sauce. Il avait les yeux éraillés et portait une petite
queue enroulée d'un ruban noir. C'était le beau-père
du marquis, le vieux duc de Laverdière, l'ancien favori
du comte d'Artois, dans le temps des parties de chasse
au Vaudreuil, chez le marquis de Conflans, et qui avait

été, disait-on, l'amant de la reine Marie-Antoinette,
entre MM. de Coigny et de Lauzun. Il avait mené une
vie bruyante de débauches, pleine de duels, de paris,
de femmes enlevées, avait dévoré sa fortune et effrayé
toute sa famille. Un domestique, derrière sa chaise, lui
nommait tout haut, dans l'oreille, les plats qu'il désignait du doigt en bégayant; et sans cesse les yeux
d'Emma revenaient d'eux-mêmes sur ce vieil homme
à lèvres pendantes, comme sur quelque chose d'extraordinaire et d'auguste. Il avait vécu à la Cour et couché
dans le lit des reines!

On versa du vin de Champagne à la glace. Emma
frissonna de toute sa peau en sentant ce froid dans sa
bouche. Elle n'avait jamais vu de grenades ni mangé
d'ananas. Le sucre en poudre même lui parut plus blanc
et plus fin qu'ailleurs.

Les dames, ensuite, montèrent dans leurs chambres
s'apprêter pour le bal.

Emma fit sa toilette avec la conscience méticuleuse
d'une actrice à son début. Elle disposa ses cheveux
d'après les recommandations du coiffeur, et elle entra
dans sa robe de barège, étalée sur le lit. Le pantalon
de Charles le serrait au ventre.

— Les sous-pieds vont me gêner pour danser, dit-il.

— Danser? reprit Emma.

— Oui!

— Mais tu as perdu la tête! on se moquerait de toi,
reste à ta place. D'ailleurs, c'est plus convenable pour
un médecin, ajouta-t-elle.

Charles se tut. Il marchait de long en large, attendant
qu'Emma fût habillée.

Il la voyait par derrière, dans la glace, entre deux flambeaux. Ses yeux noirs semblaient plus noirs. Ses bandeaux, doucement bombés vers les oreilles, luisaient
d'un éclat bleu; une rose à son chignon tremblait sur
une tige mobile, avec des gouttes d'eau factices au bout

de ses feuilles. Elle avait une robe de safran pâle, relevée par trois bouquets de roses pompon mêlées de
verdure.

Charles vint l'embrasser sur l'épaule.

— Laisse-moi! dit-elle, tu me chiffonnes.

On entendit une ritournelle de violon et les sons d'un
cor. Elle descendit l'escalier, se retenant de courir.

Les quadrilles étaient commencés. Il arrivait du
monde. On se poussait. Elle se plaça près de la porte,
sur une banquette.

Quand la contredanse fut finie, le parquet resta libre
pour les groupes d'hommes causant debout et les
domestiques en livrée qui apportaient de grands pla-
teaux. Sur la ligne des femmes assises, les éventails
peints s'agitaient, les bouquets cachaient à demi le
sourire des visages, et les flacons à bouchons d'or
tournaient dans des mains entr'ouvertes dont les gants
blancs marquaient la forme des ongles et serraient la
chair au poignet. Les garnitures de dentelles, les broches
de diamants, les bracelets à médaillon frissonnaient aux
corsages, scintillaient aux poitrines, bruissaient sur les
bras nus. Les chevelures, bien collées sur les fronts et
tordues à la nuque, avaient, en couronnes, en grappes
ou en rameaux, des myosotis, du jasmin, des fleurs de
grenadier, des épis ou des bluets. Pacifiques à leurs
places, des mères à figure renfrognée portaient des
turbans rouges.

Le cœur d'Emma lui battit un peu lorsque, son
cavalier la tenant par le bout des doigts, elle vint se
mettre en ligne et attendit le coup d'archet pour partir.
Mais bientôt l'émotion disparut; et, se balançant au
rythme de l'orchestre, elle glissait en avant, avec des
mouvements légers du cou. Un sourire lui montait aux
lèvres à certaines délicatesses du violon, qui jouait seul,
quelquefois, quand les autres instruments se taisaient;
on entendait le bruit clair des louis d'or qui se versaient

à côté, sur le tapis des tables; puis tout reprenait à la
fois, le cornet à piston lançait un éclat sonore, les pieds
retombaient en mesure, les jupes se bouffaient et frôlaient, les mains se donnaient, se quittaient; les mêmes
yeux, s'abaissant devant vous, revenaient se fixer sur les
vôtres.

Quelques hommes (une quinzaine) de vingt-cinq à
quarante ans, disséminés parmi les danseurs ou causant
à l'entrée des portes, se distinguaient de la foule par un
air de famille, quelles que fussent leurs différences
d'âge, de toilette ou de figure.

Leurs habits, mieux faits, semblaient d'un drap plus
souple, et leurs cheveux, ramenés en boucles vers les
tempes, lustrés par des pommades plus fines. Ils avaient
le teint de la richesse, ce teint blanc que rehaussent la
pâleur des porcelaines, les moires du satin, le vernis des
beaux meubles, et qu'entretient dans sa santé un régime
discret de nourritures exquises. Leur cou tournait à
l'aise sur des cravates basses; leurs favoris longs tombaient sur des cols rabattus; ils s'essuyaient les lèvres
à des mouchoirs brodés d'un large chiffre, d'où sortait
une odeur suave. Ceux qui commençaient à vieillir
avaient l'air jeune, tandis que quelque chose de mûr
s'étendait sur le visage des jeunes. Dans leurs regards
indifférents flottait la quiétude de passions journelle-
ment assouvies; et, à travers leurs manières douces,
perçait cette brutalité particulière que communique la
domination de choses à demi faciles, dans lesquelles la
force s'exerce et où la vanité s'amuse, le maniement des
chevaux de race et la société des femmes perdues.

A trois pas d'Emma, un cavalier en habit bleu causait
Italie avec une jeune femme pâle, portant une parure
de perles. Ils vantaient la grosseur des piliers de Saint-
Pierre, Tivoli, le Vésuve, Castellamare et les Cassines,
les roses de Gênes, le Colisée au clair de lune. Emma
écoutait de son autre oreille une conversation pleine

de mots qu'elle ne comprenait pas. On entourait un tout jeune homme qui avait battu, la semaine d'avant, *Miss Arabelle* et *Romulus,* et gagné deux mille louis à sauter un fossé en Angleterre. L'un se plaignait de ses coureurs qui engraissaient; un autre, des fautes d'impression qui avaient dénaturé le nom de son cheval.

L'air du bal était lourd; les lampes pâlissaient. On refluait dans la salle de billard. Un domestique monta sur une chaise et cassa deux vitres; au bruit des éclats de verre, Mme Bovary tourna la tête et aperçut dans le jardin, contre les carreaux, des faces de paysans qui regardaient. Alors le souvenir des Bertaux lui arriva. Elle revit la ferme, la mare bourbeuse, son père en blouse sous les pommiers, et elle se revit elle-même, comme autrefois, écrémant avec son doigt les terrines de lait dans la laiterie. Mais, aux fulgurations de l'heure présente, sa vie passée, si nette jusqu'alors, s'évanouissait tout entière, et elle doutait presque de l'avoir vécue. Elle était là; puis autour du bal, il n'y avait plus que de l'ombre, étalée sur tout le reste. Elle mangeait alors une glace au marasquin, qu'elle tenait de la main gauche dans une coquille de vermeil, et fermait à demi les yeux, la cuiller entre les dents.

Une dame, près d'elle, laissa tomber son éventail. Un danseur passait.

— Que vous seriez bon, monsieur, dit la dame, de vouloir bien ramasser mon éventail, qui est derrière ce canapé!

Le monsieur s'inclina, et, pendant qu'il faisait le mouvement d'étendre son bras, Emma vit la main de la jeune dame qui jetait dans son chapeau quelque chose de blanc, plié en triangle. Le monsieur, ramenant l'éventail, l'offrit à la dame, respectueusement; elle le remercia d'un signe de tête et se mit à respirer son bouquet.

Après le souper, où il y eut beaucoup de vins d'Espa-

gne et de vins du Rhin, des potages à la bisque et au
lait d'amandes, des puddings à la Trafalgar et toutes
sortes de viandes froides avec des gelées alentour qui
tremblaient dans les plats, les voitures, les unes après
les autres, commencèrent à s'en aller. En écartant du
coin le rideau de mousseline, on voyait glisser dans
l'ombre la lumière de leurs lanternes. Les banquettes s'é-
claircirent; quelques joueurs restaient encore; les musiciens rafraîchissaient, sur leur langue, le bout de leurs
doigts; Charles dormait à demi, le dos appuyé contre une
porte.

A trois heures du matin, le cotillon commença. Emma
ne savait pas valser. Tout le monde valsait, Mlle d'Andervilliers elle-même et la marquise; il n'y avait plus que les
hôtes du château, une douzaine de personnes à peu près.

Cependant, un des valseurs, qu'on appelait familièrement *vicomte,* et dont le gilet très ouvert semblait moulé
sur sa poitrine, vint une seconde fois encore inviter
Mme Bovary, l'assurant qu'il la guiderait et qu'elle
s'en tirerait bien.

Ils commencèrent lentement, puis allèrent plus vite.
Ils tournaient : tout tournait autour d'eux, les lampes,
les meubles, les lambris, et le parquet, comme un disque
sur un pivot. En passant auprès des portes, la robe
d'Emma, par le bas, s'ériflait au pantalon; leurs jambes entraient l'une dans l'autre; il baissait ses regards
vers elle, elle levait les siens vers lui; une torpeur la
prenait, elle s'arrêta. Ils repartirent; et, d'un mouvement plus rapide, le vicomte, l'entraînant, disparut avec
elle jusqu'au bout de la galerie, où, haletante, elle faillit
tomber, et, un instant, s'appuya la tête sur sa poitrine.
Et puis, tournant toujours, mais plus doucement, il la
reconduisit à sa place; elle se renversa contre la muraille
et mit la main devant ses yeux.

Quand elle les rouvrit, au milieu du salon, une dame
assise sur un tabouret avait devant elle trois valseurs

agenouillés. Elle choisit le vicomte, et le violon recommença.

On les regardait. Ils passaient et revenaient, elle immobile du corps et le menton baissé, et lui toujours dans sa même pose, la taille cambrée, le coude arrondi, la bouche en avant. Elle savait valser, celle-là! Ils continuèrent longtemps et fatiguèrent tous les autres.

On causa quelques minutes encore et, après les adieux ou plutôt le bonjour, les hôtes du château s'allèrent coucher.

Charles se traînait à la rampe, les genoux *lui rentraient dans le corps.* Il avait passé cinq heures de suite, tout debout devant les tables, à regarder jouer au whist, sans y rien comprendre. Aussi poussa-t-il un grand soupir de satisfaction lorsqu'il eut retiré ses bottes.

Emma mit un châle sur ses épaules, ouvrit la fenêtre et s'accouda.

La nuit était noire. Quelques gouttes de pluie tombaient. Elle aspira le vent humide qui lui rafraîchissait les paupières. La musique du bal bourdonnait encore à ses oreilles et elle faisait des efforts pour se tenir éveillée, afin de prolonger l'illusion de cette vie luxueuse qu'il lui faudrait tout à l'heure abandonner.

Le petit jour parut. Elle regarda les fenêtres du château, longuement, tâchant de deviner quelles étaient les chambres de tous ceux qu'elle avait remarqués la veille. Elle aurait voulu savoir leurs existences, y pénétrer, s'y confondre.

Mais elle grelottait de froid. Elle se déshabilla et se blottit entre les draps, contre Charles qui dormait.

Il y eut beaucoup de monde au déjeuner. Le repas dura dix minutes; on ne servit aucune liqueur, ce qui étonna le médecin. Ensuite Mlle d'Andervilliers ramassa des morceaux de brioche dans une bannette, pour les porter aux cygnes sur la pièce d'eau, et on s'alla promener dans la serre chaude, où des plantes bizarres, hérissées de poils, s'étageaient en pyramides sous des vases suspendus, qui, pareils à des nids de serpents trop pleins, laissaient retomber, de leurs bords, de longs cordons verts entrelacés. L'orangerie, que l'on trouvait au bout, menait à couvert jusqu'aux communs du château. Le marquis, pour amuser la jeune femme, la mena voir les écuries. Au-dessus des râteliers en forme de corbeille, des plaques de porcelaine portaient en noir le nom des chevaux. Chaque bête s'agitait dans sa stalle, quand on passait près d'elle, en claquant de la langue. Le plancher de la sellerie luisait à l'œil comme le parquet d'un salon. Les harnais de voiture étaient dressés dans le milieu sur deux colonnes tournantes, et les mors, les fouets, les étriers, les gourmettes rangés en ligne tout le long de la muraille.

Charles, cependant, alla prier un domestique d'atteler son *boc*. On l'amena devant le perron, et, tous les paquets y étant fourrés, les époux Bovary firent leurs politesses au marquis et à la marquise, et repartirent pour Tostes.

Emma, silencieuse, regardait tourner les roues. Charles, posé sur le bord extrême de la banquette, conduisait les deux bras écartés, et le petit cheval trottait l'amble dans les brancards, qui étaient trop larges pour lui. Les guides molles battaient sur sa croupe en s'y trempant d'écume, et la boîte ficelée derrière le *boc* donnait contre la caisse de grands coups réguliers.

Ils étaient sur les hauteurs de Thibourville, lorsque, devant eux, tout à coup, des cavaliers passèrent en riant, avec des cigares à la bouche. Emma crut reconnaître le vicomte; elle se détourna, et n'aperçut à l'horizon que le mouvement des têtes s'abaissant et montant, selon la cadence inégale du trot ou du galop.

Un quart de lieue plus loin, il fallut s'arrêter pour raccommoder, avec de la corde, le reculement qui était rompu.

Mais Charles, donnant au harnais un dernier coup d'œil, vit quelque chose par terre, entre les jambes de

son cheval; et il ramassa un porte-cigares tout bordé
de soie verte et blasonné à son milieu, comme la portière d'un carrosse.

— Il y a même deux cigares dedans, dit-il; ce sera pour
ce soir, après dîner.

— Tu fumes donc? demanda-t-elle.

— Quelquefois, quand l'occasion se présente.

Il mit sa trouvaille dans sa poche et fouetta le bidet.

Quand ils arrivèrent chez eux, le dîner n'était point
prêt. Madame s'emporta. Nastasie répondit insolemment.

— Partez! dit Emma. C'est se moquer, je vous chasse.

Il y avait pour dîner de la soupe à l'oignon, avec un
morceau de veau à l'oseille. Charles, assis devant Emma,
dit en se frottant les mains d'un air heureux :

— Cela fait plaisir de se retrouver chez soi!

On entendait Nastasie qui pleurait. Il aimait un peu
cette pauvre fille. Elle lui avait, autrefois, tenu société
pendant bien des soirs, dans les désœuvrements de son
veuvage. C'était sa première pratique, sa plus ancienne
connaissance du pays.

— Est-ce que tu l'as renvoyée pour tout de bon? dit-il
enfin.

— Oui. Qui m'en empêche? répondit-elle.

Puis ils se chauffèrent dans la cuisine, pendant qu'on
apprêtait leur chambre. Charles se mit à fumer. Il fumait
en avançant les lèvres, crachant à toute minute, se reculant à chaque bouffée.

— Tu vas te faire mal, dit-elle dédaigneusement.

Il déposa son cigare, et courut avaler, à la pompe, un
verre d'eau froide. Emma, saisissant le porte-cigares, le
jeta vivement au fond de l'armoire.

La journée fut longue, le lendemain! Elle se promena
dans son jardinet, passant et revenant par les mêmes
allées, s'arrêtant devant les plates-bandes, devant l'espalier, devant le curé de plâtre, considérant avec
ébahissement toutes ces choses d'autrefois qu'elle

connaissait si bien. Comme le bal déjà lui semblait loin!
Qui donc écartait, à tant de distance, le matin d'avant-
hier et le soir d'aujourd'hui? Son voyage à la Vaubyessard avait fait un trou dans sa vie, à la manière de ces
grandes crevasses qu'un orage, en une seule nuit, creuse
quelquefois dans les montagnes. Elle se résigna pourtant; elle serra pieusement dans la commode sa belle
toilette et jusqu'à ses souliers de satin, dont la semelle
s'était jaunie à la cire glissante du parquet. Son cœur
était comme eux : au frottement de la richesse, il s'était
placé dessus quelque chose qui ne s'effacerait pas.

Ce fut donc une occupation pour Emma que le souvenir de ce bal. Toutes les fois que revenait le mercredi,
elle se disait en s'éveillant : « Ah! il y a huit jours..., il
y a quinze jours..., il y a trois semaines, j'y étais! » Et
peu à peu, les physionomies se confondirent dans sa
mémoire, elle oublia l'air des contredanses, elle ne vit
plus si nettement les livrées et les appartements; quelques détails s'en allèrent, mais le regret lui resta.

# IX

Souvent, lorsque Charles était sorti, elle allait prendre dans l'armoire, entre les plis du linge où elle l'avait laissé, le porte-cigares en soie verte.

Elle le regardait, l'ouvrait, et même elle flairait l'odeur de sa doublure, mêlée de verveine et de tabac. A qui appartenait-il?... Au vicomte. C'était peut-être un cadeau de sa maîtresse. On avait brodé cela sur quelque métier de palissandre, meuble mignon que l'on cachait à tous les yeux, qui avait occupé bien des heures et où s'étaient penchées les boucles molles de la travailleuse pensive. Un souffle d'amour avait passé parmi les mailles du canevas; chaque coup d'aiguille avait fixé là une espérance ou un souvenir, et tous ces fils de soie entrelacés n'étaient que la continuité de la même passion silencieuse. Et puis le vicomte, un matin, l'avait emporté avec lui. De quoi avait-on parlé, lorsqu'il restait sur les cheminées à large chambranle, entre les vases de fleurs et les pendules Pompadour? Elle était à Tostes. Lui, il était à Paris, maintenant; là-bas! Comment était ce Paris? Quel nom démesuré! Elle se le répétait à demi-voix, pour se faire plaisir; il sonnait à ses oreilles comme un bourdon de cathédrale, il flamboyait à ses yeux jusque sur l'étiquette de ses pots de pommade.

La nuit, quand les mareyeurs, dans leurs charrettes, passaient sous ses fenêtres en chantant *la Marjolaine,*

elle s'éveillait; et écoutant le bruit des roues ferrées,
qui, à la sortie du pays, s'amortissait vite sur la terre :
— Ils y seront demain! se disait-elle.

Et elle les suivait dans sa pensée, montant et descendant les côtes, traversant les villages, filant sur la grande
route à la clarté des étoiles. Au bout d'une distance indé-
terminée, il se trouvait toujours une place confuse où
expirait son rêve.

Elle s'acheta un plan de Paris, et, du bout de son
doigt, sur la carte, elle faisait des courses dans la capitale. Elle remontait les boulevards, s'arrêtant à chaque
angle, entre les lignes des rues, devant les carrés blancs
qui figurent les maisons. Les yeux fatigués à la fin, elle
fermait ses paupières, et elle voyait dans les ténèbres
se tordre au vent des becs de gaz, avec des marchepieds
de calèches, qui se déployaient à grand fracas devant
le péristyle des théâtres.

Elle s'abonna à *la Corbeille,* journal des femmes, et au
*Sylphe des salons.* Elle dévorait, sans en rien passer, tous
les comptes rendus de premières représentations, de
courses et de soirées, s'intéressait au début d'une chanteuse, à l'ouverture d'un magasin. Elle savait les modes
nouvelles, l'adresse des bons tailleurs, les jours de Bois
ou d'Opéra. Elle étudia, dans Eugène Sue, les descriptions d'ameublements; elle lut Balzac et George Sand,
y cherchant des assouvissements imaginaires pour ses
convoitises personnelles. A table même, elle apportait
son livre, et elle tournait les feuillets, pendant que
Charles mangeait en lui parlant. Le souvenir du vicomte
revenait toujours dans ses lectures. Entre lui et les personnages inventés, elle établissait des rapprochements.
Mais le cercle dont il était le centre peu à peu s'élargit
autour de lui, et cette auréole qu'il avait, s'écartant de
sa figure, s'étala plus au loin, pour illuminer d'autres
rêves.

Paris, plus vague que l'Océan, miroitait donc aux yeux

d'Emma dans une atmosphère vermeille. La vie nombreuse qui s'agitait en ce tumulte y était cependant divisée par parties, classée en tableaux distincts. Emma n'en apercevait que deux ou trois qui lui cachaient tous les autres, et représentaient à eux seuls l'humanité complète. Le monde des ambassadeurs marchait sur des parquets luisants, dans des salons lambrissés de miroirs, autour de tables ovales couvertes d'un tapis de velours à crépines d'or. Il y avait là des robes à queue, de grands mystères, des angoisses dissimulées sous des sourires. Venait ensuite la société des duchesses; on y était pâle; on se levait à quatre heures; les femmes, pauvres anges! portaient du point d'Angleterre au bas de leur jupon, et les hommes, capacités méconnues sous des dehors futiles, crevaient leurs chevaux par partie de plaisir, allaient passer à Bade la saison d'été, et, vers la quarantaine enfin, épousaient des héritières. Dans les cabinets de restaurants où l'on soupe après minuit, riait, à la clarté des bougies, la foule bigarrée de gens de lettres et des actrices. Ils étaient, ceux-là, prodigues comme des rois, pleins d'ambitions idéales et de délires fantastiques. C'était une existence au-dessus des autres, entre ciel et terre, dans les orages, quelque chose de sublime. Quant au reste du monde, il était perdu, sans place précise, et comme n'existant pas. Plus les choses, d'ailleurs, étaient voisines, plus sa pensée s'en détournait. Tout ce qui l'entourait immédiatement, campagne ennuyeuse, petits bourgeois imbéciles, médiocrité de l'existence, lui semblait une exception dans le monde, un hasard particulier où elle se trouvait prise, tandis qu'au-delà s'étendait à perte de vue l'immense pays des félicités et des passions. Elle confondait, dans son désir, les sensualités du luxe avec les joies du cœur, l'élégance des habitudes et les délicatesses du sentiment. Ne fallait-il pas à l'amour, comme aux plantes indiennes, des terrains préparés, une température particulière? Les soupirs au

clair de lune, les longues étreintes, les larmes qui coulent
sur les mains qu'on abandonne, toutes les fièvres de la
chair et les langueurs de la tendresse ne se séparaient
donc pas du balcon des grands châteaux qui sont pleins
de loisirs, d'un boudoir à stores de soie avec un tapis
bien épais, des jardinières remplies, un lit monté sur
une estrade, ni du scintillement des pierres précieuses
et des aiguillettes de la livrée.

Le garçon de la poste, qui, chaque matin, venait
panser la jument, traversait le corridor avec ses gros
sabots; sa blouse avait des trous, ses pieds étaient nus
dans des chaussons. C'était là le groom en culotte courte
dont il fallait se contenter! Quand son ouvrage était
fini, il ne revenait plus de la journée; car Charles, en
rentrant, mettait lui-même son cheval à l'écurie, retirait
le selle et passait le licou, pendant que la bonne apportait une botte de paille et la jetait, comme elle le pouvait, dans la mangeoire.

Pour remplacer Natasie (qui enfin partit de Tostes,
en versant des ruisseaux de larmes), Emma prit à son
service une jeune fille de quatorze ans, orpheline et de
physionomie douce. Elle lui interdit les bonnets de
coton, lui apprit qu'il fallait vous parler à la troisième
personne, apporter un verre d'eau dans une assiette,
frapper aux portes avant d'entrer, et à repasser, à
empeser, à l'habiller, voulut en faire sa femme de chambre. La nouvelle bonne obéissait sans murmure pour
n'être point renvoyée; et, comme Madame, d'habitude,
laissait la clef au buffet, Félicité, chaque soir, prenait
une petite provision de sucre qu'elle mangeait toute
seule, dans son lit, après avoir fait sa prière.

L'après-midi, quelquefois, elle allait causer en face
avec les postillons. Madame se tenait en haut dans son
appartement.

Elle portait une robe de chambre tout ouverte, qui
laissait voir, entre les revers à châle du corsage, une

chemisette plissée avec trois boutons d'or. Sa ceinture
était une cordelière à gros glands, et ses petites pantoufles de couleur grenat avaient une touffe de rubans
larges, qui s'étalait sur le cou-de-pied. Elle s'était
acheté un buvard, une papeterie, un porte-plume et des
enveloppes, quoiqu'elle n'eût personne à qui écrire;
elle époussetait son étagère, se regardait dans la glace,
prenait un livre, puis, rêvant entre les lignes, le laissait
tomber sur ses genoux. Elle avait envie de faire des
voyages ou de retourner vivre à son couvent. Elle souhaitait à la fois mourir et habiter Paris.

Charles, à la neige, à la pluie, chevauchait par les
chemins de traverse. Il mangeait des omelettes sur la
table des fermes, entrait son bras dans des lits humides,
recevait au visage le jet tiède des saignées, écoutait des
râles, examinait des cuvettes, retroussait bien du linge
sale; mais il trouvait, tous les soirs, un feu flambant,
la table servie, des meubles souples, et une femme en
toilette fine, charmante et sentant frais, à ne savoir
même d'où venait cette odeur, ou si ce n'était pas sa
peau qui parfumait sa chemise.

Elle le charmait par quantité de délicatesses; c'était
tantôt une manière nouvelle de façonner pour les bougies des bobèches de papier, un volant qu'elle changeait à sa robe, ou le nom extraordinaire d'un mets
bien simple, et que la bonne avait manqué, mais que
Charles, jusqu'au bout, avalait avec plaisir. Elle vit à
Rouen des dames qui portaient à leur montre un paquet
de breloques; elle acheta des breloques. Elle voulut sur
sa cheminée deux grands vases de verre bleu, et, quelque temps après, un nécessaire d'ivoire, avec un dé de
vermeil. Moins Charles comprenait ces élégances, plus
il en subissait la séduction. Elles ajoutaient quelque
chose au plaisir de ses sens et à la douceur de son foyer.
C'était comme une poussière d'or qui sablait tout du
long le petit sentier de sa vie.

Il se portait bien, il avait bonne mine; sa réputation était établie tout à fait. Les campagnards le chérissaient parce qu'il n'était pas fier. Il caressait les enfants, n'entrait jamais au cabaret, et, d'ailleurs, inspirait de la confiance par sa moralité. Il réussissait particulièrement dans les catarrhes et maladies de poitrine. Craignant beaucoup de tuer son monde, Charles, en effet, n'ordonnait guère que des potions calmantes, de temps à autre de l'émétique, un bain de pieds ou des sangsues. Ce n'est pas que la chirurgie lui fît peur; il vous saignait les gens largement, comme des chevaux, et il avait pour l'extraction des dents une *poigne d'enfer.*

Enfin, *pour se tenir au courant,* il prit un abonnement à *La Ruche médicale,* journal nouveau dont il avait reçu le prospectus. Il en lisait un peu après son dîner; mais la chaleur de l'appartement, jointe à la digestion, faisait qu'au bout de cinq minutes il s'endormait; et il restait là, le menton sur ses deux mains, et les cheveux étalés comme une crinière jusqu'au pied de la lampe. Emma le regardait en haussant les épaules. Que n'avait-elle, au moins, pour mari un de ces hommes d'ardeurs taciturnes qui travaillent la nuit dans des livres, et portent enfin, à soixante ans, quand vient l'âge des rhumatismes, une brochette de croix, sur leur habit noir; mal fait! Elle aurait voulu que ce nom de Bovary, qui était le sien, fût illustre, le voir étalé chez des libraires, répété dans les journaux, connu par toute la France. Mais Charles n'avait point d'ambition! Un médecin d'Yvetot, avec qui dernièrement il s'était trouvé en consultation, l'avait humilié quelque peu, au lit même du malade, devant les parents assemblés. Quand Charles lui raconta, le soir, cette anecdote, Emma s'emporta bien haut contre le confrère. Charles en fut attendri. Il la baisa au front avec une larme. Mais elle était exaspérée de honte, elle avait envie de le battre, elle alla dans le corridor ouvrir la fenêtre et huma l'air frais pour se calmer.

— Quel pauvre homme! quel pauvre homme! disait-elle tout bas, en se mordant les lèvres.

Elle se sentait, d'ailleurs, plus irritée de lui. Il prenait, avec l'âge, des allures épaisses; il coupait, au dessert, le bouchon des bouteilles vides; il se passait, après manger, la langue sur les dents; il faisait, en avalant sa soupe, un gloussement à chaque gorgée, et, comme il commençait d'engraisser, ses yeux, déjà petits, semblaient remonter vers les tempes par la bouffissure de ses pommettes.

Emma, quelquefois, lui rentrait dans son gilet la bordure rouge de ses tricots, rajustait sa cravate, ou jetait à l'écart les gants déteints qu'il se disposait à passer; et ce n'était pas, comme il croyait, pour lui; c'était pour elle-même, par expansion d'égoïsme, agacement nerveux. Quelquefois aussi, elle lui parlait des choses qu'elle avait lues, comme d'un passage de roman, d'une pièce nouvelle, ou de l'anecdote du *grand monde* que l'on racontait dans le feuilleton; car, enfin, Charles était quelqu'un, une oreille toujours ouverte, une approbation toujours prête. Elle faisait bien des confidences à sa levrette! Elle en eût fait aux bûches de la cheminée et au balancier de la pendule.

Au fond de son âme, cependant, elle attendait un événement. Comme les matelots en détresse, elle promenait sur la solitude de sa vie des yeux désespérés, cherchant au loin quelque voile blanche dans les brumes de l'horizon. Elle ne savait pas quel serait ce hasard, le vent qui le pousserait jusqu'à elle, vers quel rivage il la mènerait, s'il était chaloupe ou vaisseau à trois ponts, chargé d'angoisses ou plein de félicités jusqu'aux sabords. Mais, chaque matin, à son réveil, elle l'espérait pour la journée, et elle écoutait tous les bruits, se levait en sursaut, s'étonnait qu'il ne vînt pas, puis au coucher du soleil, toujours plus triste, désirait être au lendemain.

Le printemps reparut. Elle eut des étouffements aux premières chaleurs, quand les poiriers fleurirent.

Dès le commencement de juillet, elle compta sur ses doigts combien de semaines lui restaient pour arriver au mois d'octobre, pensant que le marquis d'Andervilliers, peut-être, donnerait encore un bal à la Vaubyessard. Mais tout septembre s'écoula sans lettres, ni visites.

Après l'ennui de cette déception, son cœur, de nouveau, resta vide, et alors la série des mêmes journées recommença.

Elles allaient donc maintenant se suivre ainsi à la file toujours pareilles, innombrables, et n'apportant rien! Les autres existences, si plates qu'elles fussent, avaient du moins la chance d'un événement. Une aventure amenait parfois des péripéties à l'infini, et le décor changeait. Mais, pour elle, rien n'arrivait, Dieu l'avait voulu! L'avenir était un corridor tout noir, et qui avait au fond sa porte bien fermée.

Elle abandonna la musique : pourquoi jouer? qui l'entendrait? Puisqu'elle ne pourrait jamais, en robe de velours à manches courtes, sur un piano d'Érard, dans un concert, battant de ses doigts légers les touches d'ivoire, sentir, comme une brise, circuler autour d'elle un murmure d'extase, ce n'était pas la peine de s'ennuyer à étudier. Elle laissa dans l'armoire ses cartons à dessin et la tapisserie. A quoi bon? A quoi bon? La couture l'irritait.

— J'ai tout lu, se disait-elle.

Et elle restait à faire rougir les pincettes, ou regardant la pluie tomber.

Comme elle était triste, le dimanche, quand on sonnait les vêpres! Elle écoutait, dans un hébétement attentif, tinter un à un les coups fêlés de la cloche. Quelque chat sur les toits, marchant lentement, bombait son dos aux rayons pâles du soleil. Le vent, sur la grande route, soufflait des traînées de poussière. Au loin, parfois, un chien hurlait : et la cloche, à temps égaux, continuait sa sonnerie monotone qui se perdait dans la campagne.

Cependant on sortait de l'église. Les femmes en sabots cirés, les paysans en blouse neuve, les petits enfants qui sautillaient nu-tête devant eux, tout rentrait chez soi. Et jusqu'à la nuit, cinq ou six hommes, toujours les mêmes, restaient à jouer au bouchon, devant la grande porte de l'auberge.

L'hiver fut froid. Les carreaux, chaque matin, étaient chargés de givre, et la lumière, blanchâtre à travers eux, comme par des verres dépolis, quelquefois ne variait pas de la journée. Dès quatre heures du soir, il fallait allumer la lampe.

Les jours qu'il faisait beau, elle descendait dans le jardin. La rosée avait laissé sur les choux des guipures d'argent avec de longs fils clairs qui s'étendaient de l'un à l'autre. On n'entendait pas d'oiseaux, tout semblait dormir, l'espalier couvert de paille et la vigne comme un grand serpent malade sous le chaperon du mur, où l'on voyait, en s'approchant, se traîner des cloportes à pattes nombreuses. Dans les sapinettes, près de la haie, le curé en tricorne qui lisait son bréviaire avait perdu le pied droit, et même le plâtre, s'écaillant à la gelée, avait fait des gales blanches sur sa figure.

Puis elle remontait, fermait la porte, étalait les charbons, et, défaillant à la chaleur du foyer, sentait l'ennui plus lourd qui retombait sur elle. Elle serait bien descendue avec la bonne, mais une pudeur la retenait.

Tous les jours, à la même heure, le maître d'école, en bonnet de soie noire, ouvrait les auvents de sa maison, et le garde champêtre passait, portant son sabre sur sa blouse. Soir et matin, les chevaux de la poste, trois par trois, traversaient la rue pour aller boire à la mare. De temps à autre, la porte d'un cabaret faisait tinter sa sonnette, et, quand il y avait du vent, l'on entendait grincer sur leurs deux tringles les petites cuvettes en cuivre du perruquier, qui servaient d'enseigne à sa boutique. Elle avait pour décoration une vieille gravure de modes collée contre un carreau et un buste de femme en cire, dont les cheveux étaient jaunes. Lui aussi, le perruquier, il se lamentait de sa vocation arrêtée, de son avenir perdu, et, rêvant quelque boutique dans une grande ville, comme à Rouen, par exemple, sur le port, près du théâtre, il restait toute la journée à se promener en long, depuis la mairie jusqu'à l'église, sombre, et attendant la clientèle. Lorsque Mme Bovary levait les yeux, elle le voyait toujours là comme une sentinelle en faction, avec son bonnet grec sur l'oreille et sa veste de lasting.

Dans l'après-midi, quelquefois, une tête d'homme apparaissait derrière les vitres de la salle, tête hâlée, à favoris noirs, et qui souriait lentement d'un large sourire doux à dents blanches. Une valse aussitôt commençait, et, sur l'orgue, dans un petit salon, des danseurs hauts comme le doigt, femmes en turban rose, Tyroliens en jaquette, singes en habit noir, messieurs en culotte courte, tournaient, tournaient entre les fauteuils, les canapés, les consoles, se répétant dans les morceaux de miroir que raccordait à leurs angles un filet de papier doré. L'homme faisait aller sa manivelle, regardant à droite, à gauche et vers les fenêtres. De temps à autre, tout en lançant contre la borne un long jet de salive brune, il soulevait du genou son instrument, dont la bretelle dure lui fatiguait l'épaule; et, tantôt dolente et traînarde, ou joyeuse et précipitée, la musique de la boîte s'échappait en bourdonnant à travers un rideau de taffetas rose, sous une grille de cuivre en arabesque. C'étaient des airs que l'on jouait ailleurs, sur les théâtres, que l'on chantait dans les salons, que l'on dansait le soir sous des lustres éclairés, échos du monde qui arrivaient jusqu'à Emma. Des sarabandes à n'en plus finir se déroulaient dans sa tête, et, comme une bayadère

sur les fleurs d'un tapis, sa pensée bondissait avec les
notes, se balançait de rêve en rêve, de tristesse en tristesse. Quand l'homme avait reçu l'aumône dans sa casquette, il rabattait une vieille couverture de laine bleue,
passait son orgue sur son dos et s'éloignait d'un pas
lourd. Elle le regardait partir.

Mais c'était surtout aux heures des repas qu'elle n'en
pouvait plus, dans cette petite salle au rez-de-chaussée,
avec le poêle qui fumait, la porte qui criait, les murs
qui suintaient, les pavés humides; toute l'amertume de
l'existence lui semblait servie sur son assiette, et, à la
fumée du bouilli, il montait du fond de son âme comme
d'autres bouffées d'affadissement. Charles était long
à manger; elle grignotait quelques noisettes, ou bien,
appuyée du coude, s'amusait, avec la pointe de son couteau, à faire des raies sur la toile cirée.

Elle laissait maintenant tout aller dans son ménage,
et Mme Bovary mère, lorsqu'elle vint passer à Tostes
une partie du carême, s'étonna fort de ce changement.
Elle, en effet, si soigneuse autrefois et délicate, elle restait à présent des journées entières sans s'habiller, portait des bas de coton gris, s'éclairait à la chandelle.
Elle répétait qu'il fallait économiser, puisqu'ils n'étaient
pas riches, ajoutant qu'elle était très contente, très heureuse, que Tostes lui plaisait beaucoup, et autres discours nouveaux qui fermaient la bouche à la belle-mère.
Du reste, Emma ne semblait plus disposée à suivre ses
conseils; une fois même, Mme Bovary s'étant avisée de
prétendre que les maîtres devaient surveiller la religion
de leurs domestiques, elle lui avait répondu d'un œil
si colère et avec un sourire tellement froid, que la
bonne femme ne s'y frotta plus.

Emma devenait difficile, capricieuse. Elle se commandait des plats pour elle, n'y touchait point, un jour ne
buvait que du lait pur, et, le lendemain, des tasses de
thé à la douzaine. Souvent, elle s'obstinait à ne pas

sortir, puis elle suffoquait, ouvrait les fenêtres, s'habillait en robe légère. Lorsqu'elle avait bien rudoyé sa servante, elle lui faisait des cadeaux ou l'envoyait se promener chez les voisines, de même qu'elle jetait parfois aux pauvres toutes les pièces blanches de sa bourse, quoiqu'elle ne fût guère tendre cependant, ni facilement accessible à l'émotion d'autrui, comme la plupart des gens issus de campagnards, qui gardent toujours à l'âme quelque chose de la callosité des mains paternelles.

Vers la fin de février, le père Rouault, en souvenir de sa guérison, apporta lui-même à son gendre une dinde superbe, et il resta trois jours à Tostes. Charles étant à ses malades, Emma lui tint compagnie. Il fuma dans la chambre, cracha sur les chenets, causa culture, veaux, vaches, volailles et conseil municipal; si bien qu'elle referma la porte, quand il fut parti, avec un sentiment de satisfaction qui la surprit elle-même. D'ailleurs, elle ne cachait plus son mépris pour rien, ni pour personne; et elle se mettait quelquefois à exprimer des opinions singulières, blâmant ce que l'on approuvait, et approuvant des choses perverses ou immorales : ce qui faisait ouvrir de grands yeux à son mari.

Est-ce que cette misère durerait toujours? est-ce qu'elle n'en sortirait pas? Elle valait bien cependant toutes celles qui vivaient heureuses! Elle avait vu des duchesses à la Vaubyessard qui avaient la taille plus lourde et les façons plus communes, et elle exécrait l'injustice de Dieu; elle s'appuyait la tête aux murs pour pleurer; elle enviait les existences tumultueuses, les nuits masquées, les insolents plaisirs avec tous les éperduments qu'elle ne connaissait pas et qu'ils devaient donner.

Elle pâlissait et avait des battements de cœur : Charles lui administra de la valériane et des bains de camphre. Tout ce que l'on essayait semblait l'irriter davantage.

En de certains jours, elle bavardait avec une abondance fébrile; à ces exaltations succédaient tout à coup des torpeurs où elle restait sans parler, sans bouger. Ce qui la ranimait alors, c'était de se répandre sur les bras un flacon d'eau de Cologne.

Comme elle se plaignait de Tostes continuellement, Charles imagina que la cause de sa maladie était sans doute dans quelque influence locale, et, s'arrêtant à cette idée, il songea sérieusement à aller s'établir ailleurs.

Dès lors, elle but du vinaigre pour se faire maigrir, contracta une petite toux sèche et perdit complètement l'appétit.

Il en coûtait à Charles d'abandonner Tostes après quatre ans de séjour et au moment *où il commençait à s'y poser*. S'il le fallait, cependant! Il la conduisit à Rouen, voir son ancien maître. C'était une maladie nerveuse : on devait la changer d'air.

Après s'être tourné de côté et d'autre, Charles apprit qu'il y avait, dans l'arrondissement de Neufchâtel, un fort bourg nommé Yonville-l'Abbaye, dont le médecin, qui était un réfugié polonais, venait de décamper la semaine précédente. Alors il écrivit au pharmacien de l'endroit pour savoir quel était le chiffre de la population, la distance où se trouvait le confrère le plus voisin, combien par année gagnait son prédécesseur, etc., et, les réponses ayant été satisfaisantes, il se résolut à déménager vers le printemps, si la santé d'Emma ne s'améliorait pas.

Un jour qu'en prévision de son départ elle faisait des rangements dans un tiroir, elle se piqua les doigts à quelque chose. C'était un fil de fer de son bouquet de mariage. Les boutons d'oranger étaient jaunes de poussière, et les rubans de satin, à liséré d'argent s'effiloquaient par le bord. Elle le jeta dans le feu. Il s'enflamma plus vite qu'une paille sèche. Puis ce fut comme un buisson rouge sur les cendres, et qui se rongeait

lentement. Elle le regarda brûler. Les petites baies de
carton éclataient, les fils d'archal se tordaient, le galon
se fondait; et les corolles de papier, racornies, se balançant le long de la plaque comme des papillons noirs,
enfin s'envolèrent par la cheminée.

Quand on partit de Tostes, au mois de mars, Mme
Bovary était enceinte.

# DEUXIÈME PARTIE

# I

YONVILLE-L'ABBAYE (ainsi nommé à cause d'une ancienne abbaye de Capucins dont les ruines n'existent
même plus) est un bourg à huit lieues de Rouen, entre la
route d'Abbeville et celle de Beauvais, au fond d'une
vallée qu'arrose la Rieule, petite rivière qui se jette dans
l'Andelle, après avoir fait tourner trois moulins vers son
embouchure, et où il y a quelques truites, que les garçons,
le dimanche, s'amusent à pêcher à la ligne.

On quitte la grande route à la Boissière et l'on continue à plat jusqu'au haut de la côte des Leux, d'où l'on
découvre la vallée. La rivière qui la traverse en fait
comme deux régions de physionomie distincte : tout ce
qui est à gauche est en herbage, tout ce qui est à droite
est en labour. La prairie s'allonge sous un bourrelet de
collines basses pour se rattacher par derrière aux pâturages du pays de Bray, tandis que, du côté de l'est, la
plaine, montant doucement, va s'élargissant et étale à
perte de vue ses blondes pièces de blé. L'eau qui court
au bord de l'herbe sépare d'une raie blanche la couleur
des prés et celle des sillons, et la campagne ainsi ressemble à un grand manteau déplié qui a un collet de
velours vert, bordé d'un galon d'argent.

Au bout de l'horizon, lorsqu'on arrive, on a devant
soi les chênes de la forêt d'Argueil, avec les escarpements
de la côte Saint-Jean, rayés du haut en bas par de

longues traînées rouges, inégales; ce sont les traces des
pluies, et ces tons de brique, tranchant en filets minces
sur la couleur grise de la montagne, viennent de la quantité de sources ferrugineuses qui coulent au-delà, dans
le pays d'alentour.

On est ici sur les confins de la Normandie, de la
Picardie et de l'Ile-de-France, contrée bâtarde où le langage est sans accentuation, comme le paysage sans
caractère. C'est là que l'on fait les pires fromages de
Neufchâtel de tout l'arrondissement, et, d'autre part, la
culture y est coûteuse, parce qu'il faut beaucoup de
fumier pour engraisser ces terres friables pleines de
sable et de cailloux.

Jusqu'en 1835, il n'y avait point de route praticable
pour arriver à Yonville; mais on a établi vers cette
époque un chemin *de grande vicinalité* qui relie la route
d'Abbeville à celle d'Amiens, et sert quelquefois aux
rouliers allant de Rouen dans les Flandres. Cependant,
Yonville-l'Abbaye est demeuré stationnaire, malgré ses
*débouchés nouveaux*. Au lieu d'améliorer les cultures, on
s'y obstine encore aux herbages, quelque dépréciés
qu'ils soient, et le bourg paresseux, s'écartant de la
plaine, a continué naturellement à s'agrandir vers la
rivière. On l'aperçoit de loin, tout couché en long sur la
rive, comme un gardeur de vaches qui fait la sieste au
bord de l'eau.

Au bas de la côte, après le pont, commence une
chaussée plantée de jeunes trembles, qui vous mène en
droite ligne jusqu'aux premières maisons du pays. Elles
sont encloses de haies, au milieu de cours pleines de
bâtiments épars, pressoirs, charretteries et bouilleries,
disséminés sous les arbres touffus portant des échelles,
des gaules ou des faux accrochées dans leur branchage.
Les toits de chaume, comme des bonnets de fourrure
rabattus sur des yeux, descendent jusqu'au tiers à peu
près des fenêtres basses, dont les gros verres bombés

sont garnis d'un nœud dans le milieu, à la façon des
culs de bouteilles. Sur le mur de plâtre que traversent
en diagonales des lambourdes noires, s'accroche parfois
quelque maigre poirier, et les rez-de-chaussée ont à leur
porte une petite barrière tournante pour les défendre
des poussins qui viennent picorer, sur le seuil, des
miettes de pain bis trempé de cidre. Cependant les
cours se font plus étroites, les habitations se rapprochent,
les haies disparaissent; un fagot de fougères se balance
sous une fenêtre au bout d'un manche à balai; il y a la
forge d'un maréchal et ensuite un charron avec deux
ou trois charrettes neuves, en dehors, qui empiètent sur
la route. Puis, à travers une claire-voie, apparaît une
maison blanche au-delà d'un rond de gazon que décore
un Amour, le doigt posé sur la bouche; deux vases en
fonte sont à chaque bout du perron; des panonceaux
brillent à la porte; c'est la maison du notaire, et la plus
belle du pays.

L'église est de l'autre côté de la rue, vingt pas plus
loin, à l'entrée de la place. Le petit cimetière qui l'entoure, clos d'un mur à hauteur d'appui, est si bien
rempli de tombeaux, que les vieilles pierres à ras du sol
font un dallage continu, où l'herbe a dessiné de soi-
même des carrés verts réguliers. L'église a été rebâtie à
neuf dans les dernières années du règne de Charles X.
La voûte en bois commence à se pourrir par le haut et,
de place en place, a des enfonçures noires dans sa couleur bleue. Au-dessus de la porte, où seraient les orgues,
se tient un jubé pour les hommes, avec un escalier tournant qui retentit sous les sabots.

Le grand jour, arrivant par les vitraux tout unis,
éclaire obliquement les bancs rangés en travers de la
muraille, que tapisse çà et là quelque paillasson cloué,
ayant au-dessous de lui ces mots en grosses lettres :
« Banc de M. un tel ». Plus loin, à l'endroit où le vaisseau se rétrécit, le confessionnal fait pendant à une

statuette de la Vierge, vêtue d'une robe de satin, coiffée
d'un voile de tulle semé d'étoiles d'argent, et tout em-
pourprée aux pommettes comme une idole des îles
Sandwich; enfin une copie de la *Sainte Famille, envoi du
ministre de l'intérieur,* dominant le maître-autel entre
quatre chandeliers, termine au fond la perspective. Les
stalles du chœur, en bois de sapin, sont restées sans
être peintes.

Les halles, c'est-à-dire un toit de tuiles supporté par
une vingtaine de poteaux, occupent à elles seules la
moitié environ de la grande place d'Yonville. La mairie,
construite *sur les dessins d'un architecte de Paris,* est une
manière de temple grec qui fait l'angle à côté de la
maison du pharmacien. Elle a, au rez-de-chaussée, trois
colonnes ioniques et, au premier étage, une galerie
a plein cintre, tandis que le tympan qui la termine
est rempli par un coq gaulois, appuyé d'une patte
sur la Charte et tenant de l'autre les balances de la
justice.

Mais ce qui attire le plus les yeux, c'est, en face de
l'auberge du *Lion d'or,* la pharmacie de M. Homais! Le
soir, principalement, quand son quinquet est allumé et
que les bocaux rouges et verts qui embellissent sa
devanture allongent au loin, sur le sol, leurs deux clartés
de couleur, alors, à travers elles, comme dans des feux
du Bengale, s'entrevoit l'ombre du pharmacien, accoudé
sur son pupitre. Sa maison, du haut en bas, est pla-
cardée d'inscriptions écrites en anglais, en ronde, en
moulée : « Eaux de Vichy, de Seltz et de Barèges, robs
dépuratifs, médecine Raspail, racahout des Arabes,
pastilles Darcet, pâte Regnault, bandages, bains, chocolats de santé, etc. » Et l'enseigne, qui tient toute la
largeur de la boutique, porte en lettres d'or : *Homais,
pharmacien.* Puis, au fond de la boutique, derrière les
grandes balances scellées sur le comptoir, le mot *Laboratoire* se déroule au-dessus d'une porte vitrée qui, à

moitié de sa hauteur, répète encore une fois *Homais,* en lettres d'or, sur un fond noir.

Il n'y a plus ensuite rien à voir dans Yonville. La rue (la seule), longue d'une portée de fusil et bordée de quelques boutiques, s'arrête court au tournant de la route. Si on la laisse sur la droite et que l'on suive le bas de la côte Saint-Jean, bientôt on arrive au cimetière.

Lors du choléra, pour l'agrandir, on a abattu un pan de mur et acheté trois acres de terre à côté; mais toute cette portion nouvelle est presque inhabitée, les tombes, comme autrefois, continuant à s'entasser vers la porte. Le gardien, qui est en même temps fossoyeur et bedeau à l'église (tirant ainsi des cadavres de la paroisse un double bénéfice), a profité du terrain vide pour y semer des pommes de terre. D'année en année, cependant, son petit champ se rétrécit, et, lorsqu'il survient une épidémie, il ne sait pas s'il doit se réjouir des décès ou s'affliger des sépultures.

— Vous vous nourrissez des morts, Lestiboudois! lui dit enfin, un jour, M. le curé.

Cette parole sombre le fit réfléchir, elle l'arrêta pour quelque temps; mais, aujourd'hui encore, il continue la culture de ses tubercules, et même soutient avec aplomb qu'ils poussent naturellement.

Depuis les événements que l'on va raconter, rien, en effet, n'a changé à Yonville. Le drapeau tricolore de fer-blanc tourne toujours au haut du clocher de l'église; la boutique du marchand de nouveautés agite encore au vent ses deux banderoles d'indienne; les fœtus du pharmacien, comme des paquets d'amadou blanc, se pourrissent de plus en plus dans leur alcool bourbeux, et, au-dessus de la grande porte de l'auberge, le vieux lion d'or, déteint par les pluies, montre toujours aux passants sa frisure de caniche.

Le soir que les époux Bovary devaient arriver à Yonville, Mme veuve Lefrançois, la maîtresse de cette

auberge, était si fort affairée, qu'elle suait à grosses
gouttes en remuant ses casseroles. C'était le lendemain
jour de marché dans le bourg. Il fallait d'avance tailler
les viandes, vider les poulets, faire de la soupe et du
café. Elle avait, de plus, le repas de ses pensionnaires,
celui du médecin, de sa femme et de leur bonne; le
billard retentissait d'éclats de rire; trois meuniers, dans
la petite salle, appelaient pour qu'on leur apportât de
l'eau-de-vie; le bois flambait, la braise craquait, et, sur
la longue table de la cuisine, parmi les quartiers de
mouton cru, s'élevaient des piles d'assiettes qui tremblaient aux secousses du billot où l'on hachait des épi-
nards. On entendait, dans la basse-cour, crier les
volailles que la servante poursuivait pour leur couper le
cou.

Un homme en pantoufles de peau verte, quelque peu
marqué de petite vérole et coiffé d'un bonnet de velours
à gland d'or, se chauffait le dos contre la cheminée. Sa
figure n'exprimait rien que la satisfaction de soi-même,
et il avait l'air aussi calme dans la vie que le chardon-
neret suspendu au-dessus de sa tête, dans une cage
d'osier : c'était le pharmacien.

— Artémise! criait la maîtresse d'auberge, casse de
la bourrée, emplis les carafes, apporte de l'eau-de-vie,
dépêche-toi! Au moins, si je savais quel dessert offrir à
la société que vous attendez! Bonté divine! les commis
du déménagement recommencent leur tintamarre dans
le billard! Et leur charrette qui est restée sous la grande
porte! L'*Hirondelle* est capable de la défoncer en arrivant! Appelle Polyte pour qu'il la remise!... Dire que,
depuis le matin, monsieur Homais, ils ont peut-être fait
quinze parties et bu huit pots de cidre!... Mais ils vont
me déchirer le tapis, continuait-elle en les regardant de
loin, son écumoire à la main.

— Le mal ne serait pas grand, répondit M. Homais,
vous en achèteriez un autre.

— Un autre billard! exclama la veuve.

— Puisque celui-là ne tient plus, madame Lefrançois; je vous le répète, vous vous faites tort! vous vous faites grand tort! Et puis les amateurs, à présent, veulent des blouses étroites et des queues lourdes. On ne joue plus la bille, tout est changé! Il faut marcher avec son siècle! Regardez Tellier, plutôt...

L'hôtesse devint rouge de dépit. Le pharmacien ajouta :

— Son billard, vous avez beau dire, est plus mignon que le vôtre; et qu'on ait l'idée, par exemple, de monter une poule patriotique pour la Pologne ou les inondés de Lyon...

— Ce ne sont pas des gueux comme lui qui nous font peur! interrompit l'hôtesse, en haussant ses grosses épaules. Allez! allez! monsieur Homais, tant que le *Lion d'or* vivra, on y viendra. Nous avons du foin dans nos bottes, nous autres! Au lieu qu'un de ces matins vous verrez le *Café Français* fermé, et avec une belle affiche sur les auvents! Changer mon billard, continuait-elle en se parlant à elle-même, lui qui m'est si commode pour ranger ma lessive, et sur lequel, dans le temps de la chasse, j'ai mis coucher jusqu'à six voyageurs!... Mais ce lambin d'Hivert qui n'arrive pas!

— L'attendez-vous pour le dîner de vos messieurs? demanda le pharmacien.

— L'attendre? Et M. Binet donc! A six heures vous allez le voir entrer, car son pareil n'existe pas sur la terre pour l'exactitude. Il lui faut toujours sa place dans la petite salle! On le tuerait plutôt que de le faire dîner ailleurs! et dégoûté qu'il est! et si difficile pour le cidre! Ce n'est pas comme M. Léon; lui, il arrive quelquefois à sept heures, sept heures et demie même; il ne regarde seulement pas à ce qu'il mange. Quel bon jeune homme! Jamais un mot plus haut que l'autre.

— C'est qu'il y a bien de la différence, voyez-vous,

entre quelqu'un qui a reçu de l'éducation et un ancien
carabinier qui est percepteur.

Six heures sonnèrent. Binet entra.

Il était vêtu d'une redingote bleue, tombant droit
d'elle-même tout autour de son corps maigre, et sa
casquette de cuir, à pattes nouées par des cordons sur le
sommet de sa tête, laissait voir, sous la visière relevée,
un front chauve, qu'avait déprimé l'habitude du casque.
Il portait un gilet de drap noir, un col de crin, un pantalon gris, et, en toute saison, des bottes bien cirées qui
avaient deux renflements parallèles, à cause de la saillie
de ses orteils. Pas un poil ne dépassait la ligne de son
collier blond, qui, contournant la mâchoire, encadrait
comme la bordure d'une plate-bande sa longue figure
terne, dont les yeux étaient petits et le nez busqué. Fort
à tous les jeux de cartes, bon chasseur et possédant une
belle écriture, il avait chez lui un tour, où il s'amusait
à tourner des ronds de serviette dont il encombrait sa
maison avec la jalousie d'un artiste et l'égoïsme d'un
bourgeois.

Il se dirigea vers la petite salle; mais il fallut d'abord
en faire sortir les trois meuniers; et, pendant tout le
temps que l'on fut à mettre son couvert, Binet resta
silencieux à sa place, auprès du poêle; puis il ferma la
porte et retira sa casquette comme d'usage.

— Ce ne sont pas les civilités qui lui useront la langue!
dit le pharmacien, dès qu'il fut seul avec l'hôtesse.

— Jamais il ne cause davantage, répondit-elle; il est
venu ici, la semaine dernière, deux voyageurs en drap,
des garçons pleins d'esprit qui contaient, le soir, un tas
de farces que j'en pleurais de rire; eh bien, il restait là,
comme une alose, sans dire un mot.

— Oui, fit le pharmacien, pas d'imagination, pas de
saillies, rien de ce qui constitue l'homme de société!

— On dit pourtant qu'il a des moyens, objecta l'hôtesse.

— Des moyens? répliqua M. Homais; lui! des
moyens? Dans sa partie, c'est possible, ajouta-t-il d'un
ton plus calme.

Et il reprit :

— Ah! qu'un négociant qui a des relations considérables, qu'un jurisconsulte, un médecin, un pharmacien
soient tellement absorbés, qu'ils en deviennent fan-
tasques et bourrus même, je le comprends; on en cite
des traits dans les histoires! Mais, au moins, c'est qu'ils
pensent à quelque chose. Moi, par exemple, combien de
fois m'est-il arrivé de chercher ma plume sur mon
bureau pour écrire une étiquette, et de trouver, en définitive, que je l'avais placée à mon oreille!

Cependant, Mme Lefrançois alla sur le seuil regarder
si l'*Hirondelle* n'arrivait pas. Elle tressaillit. Un homme
vêtu de noir entra tout à coup dans la cuisine. On distinguait, aux dernières lueurs du crépuscule, qu'il avait la
figure rubiconde et le corps athlétique.

— Qu'y a-t-il pour votre service, monsieur le curé?
demanda la maîtresse d'auberge, tout en atteignant sur
la cheminée un des flambeaux de cuivre qui s'y trouvaient rangés en colonnade avec leurs chandelles;
voulez-vous prendre quelque chose? un doigt de cassis,
un verre de vin?

L'ecclésiastique refusa fort civilement. Il venait chercher son parapluie, qu'il avait oublié l'autre jour au
couvent d'Ernemont, et, après avoir prié Mme Lefrançois de le lui faire remettre au presbytère dans la soirée,
il sortit pour se rendre à l'église, où l'on sonnait
l'*Angelus*.

Quand le pharmacien n'entendit plus sur la place le
bruit de ses souliers, il trouva fort inconvenante sa
conduite de tout à l'heure. Ce refus d'accepter un rafraîchissement lui semblait une hypocrisie des plus odieuses;
les prêtres godaillaient tous sans qu'on les vît, et cherchaient à ramener le temps de la dîme.

L'hôtesse prit la défense de son curé :

— D'ailleurs, il en plierait quatre comme vous sur son genou. Il a, l'année dernière, aidé nos gens à rentrer la paille; il en portait jusqu'à six bottes à la fois, tant il est fort!

— Bravo! dit le pharmacien. Envoyez donc vos filles en confesse à des gaillards d'un tempérament pareil! Moi, si j'étais le gouvernement, je voudrais qu'on saignât les prêtres une fois par mois. Oui, madame Lefrançois, tous les mois, une large phlébotomie, dans l'intérêt de la police et des mœurs!

— Taisez-vous donc, monsieur Homais, vous êtes un impie! vous n'avez pas de religion!

Le pharmacien répondit :

— J'ai une religion, ma religion, et même j'en ai plus qu'eux tous, avec leurs momeries et leurs jongleries! J'adore Dieu, au contraire! Je crois en l'Être suprême, à un Créateur, quel qu'il soit, peu m'importe, qui nous a placés ici-bas pour y remplir nos devoirs de citoyen et de père de famille; mais je n'ai pas besoin d'aller, dans une église, baiser des plats d'argent, et engraisser de ma poche un tas de farceurs qui se nourrissent mieux que nous! Car on peut l'honorer aussi bien dans un bois, dans un champ, ou même en contemplant la voûte éthérée, comme les anciens. Mon Dieu, à moi, c'est le Dieu de Socrate, de Franklin, de Voltaire et de Béranger! Je suis pour la *Profession de foi du vicaire savoyard* et les immortels principes de 89! Aussi, je n'admets pas un bonhomme de bon Dieu qui se promène dans son parterre la canne à la main, loge ses amis dans le ventre des baleines, meurt en poussant un cri, et ressuscite au bout de trois jours : choses absurdes en elles-mêmes et complètement opposées, d'ailleurs, à toutes les lois de la physique; ce qui nous démontre, en passant, que les prêtres ont toujours croupi dans une ignorance turpide, où ils s'efforcent d'engloutir avec eux les populations.

Il se tut, cherchant des yeux un public autour de lui, car, dans son effervescence, le pharmacien, un moment, s'était cru en plein conseil municipal. Mais la maîtresse d'auberge ne l'écoutait plus; elle tendait son oreille à un roulement éloigné. On distingua le bruit d'une voiture mêlé à un claquement de fers lâches qui battaient la terre, et l'*Hirondelle* enfin s'arrêta devant la porte.

C'était un coffre jaune porté par deux grandes roues qui, montant jusqu'à la hauteur de la bâche, empêchaient les voyageurs de voir la route et leur salissaient les épaules. Les petits carreaux de ses vasistas étroits tremblaient dans leurs châssis quand la voiture était fermée, et gardaient des taches de boue, çà et là, parmi leur vieille couche de poussière, que les pluies d'orage même ne lavaient pas tout à fait. Elle était attelée de trois chevaux, dont le premier en arbalète, et, lorsqu'on descendait les côtes, elle touchait du fond en cahotant.

Quelques bourgeois d'Yonville arrivèrent sur la place; ils parlaient tous à la fois, demandant des nouvelles, des explications et des bourriches; Hivert ne savait auquel répondre. C'était lui qui faisait à la ville les commissions du pays. Il allait dans les boutiques, rapportait des rouleaux de cuir au cordonnier, de la ferraille au maréchal, un baril de harengs pour sa maîtresse, des bonnets de chez la modiste, des toupets de chez le coiffeur; et, le long de la route, en s'en revenant, il distribuait ses paquets qu'il jetait par-dessus les clôtures des cours, debout sur son siège, et criant à pleine poitrine, pendant que ses chevaux allaient tout seuls.

Un accident l'avait retardé; la levrette de Mme Bovary s'était enfuie à travers champs. On l'avait sifflée un grand quart d'heure. Hivert même était retourné d'une demi-lieue en arrière, croyant l'apercevoir à chaque minute; mais il avait fallu continuer la route. Emma avait pleuré, s'était emportée; elle avait accusé Charles de ce malheur. M. Lheureux, marchand d'étoffes, qui se trouvait avec

elle dans la voiture, avait essayé de la consoler par quantité d'exemples de chiens perdus, reconnaissant leur
maître au bout de longues années. On en citait un,
disait-il, qui était revenu de Constantinople à Paris.
Un autre avait fait cinquante lieues en ligne droite et
passé quatre rivières à la nage; et son père à lui-même
avait possédé un caniche qui, après douze ans d'absence,
lui avait tout à coup sauté sur le dos, un soir, dans la
rue, comme il allait dîner en ville.

## II

EMMA descendit la première, puis Félicité, M. Lheureux, une nourrice, et l'on fut obligé de réveiller Charles dans son coin, où il s'était endormi complètement, dès que la nuit était venue.

Homais se présenta; il offrit ses hommages à Madame, ses civilités à Monsieur, dit qu'il était charmé d'avoir pu leur rendre quelque service, et ajouta d'un air cordial qu'il avait osé s'inviter lui-même, sa femme d'ailleurs étant absente.

Mme Bovary, quand elle fut dans la cuisine, s'approcha de la cheminée. Du bout de ses deux doigts elle prit sa robe à la hauteur du genou, et, l'ayant ainsi remontée jusqu'aux chevilles, elle tendit à la flamme, par-dessus le gigot qui tournait, son pied chaussé d'une bottine noire. Le feu l'éclairait en entier, pénétrant d'une lumière crue la trame de sa robe, les pores égaux de sa peau blanche et même les paupières de ses yeux qu'elle clignait de temps à autre. Une grande couleur rouge passait sur elle, selon le souffle du vent qui venait par la porte entr'ouverte.

De l'autre côté de la cheminée, un jeune homme à chevelure blonde la regardait silencieusement.

Comme il s'ennuyait beaucoup à Yonville, où il était clerc chez Me Guillaumin, souvent M. Léon Dupuis (c'était lui, le second habitué du *Lion d'or*) reculait l'ins-

tant de son repas, espérant qu'il viendrait quelque voyageur à l'auberge avec qui causer dans la soirée. Les jours
que sa besogne était finie, il lui fallait bien, faute de
savoir que faire, arriver à l'heure exacte, et subir depuis
la soupe jusqu'au fromage le tête-à-tête de Binet. Ce fut
donc avec joie qu'il accepta la proposition de l'hôtesse
de dîner en la compagnie des nouveaux venus, et l'on
passa dans la grande salle, où Mme Lefrançois, par
pompe, avait fait dresser les quatre couverts.

Homais demanda la permission de garder son bonnet
grec, de peur des coryzas.

Puis, se tournant vers sa voisine :

— Madame, sans doute, est un peu lasse? on est si
épouvantablement cahoté dans notre *Hirondelle*!

— Il est vrai, répondit Emma; mais le dérangement
m'amuse toujours; j'aime à changer de place.

— C'est une chose si maussade, soupira le clerc, que
de vivre cloué aux mêmes endroits!

— Si vous étiez comme moi, dit Charles, sans cesse
obligé d'être à cheval...

— Mais, reprit Léon s'adressant à Mme Bovary, rien
n'est plus agréable, il me semble; quand on le peut,
ajouta-t-il.

— Du reste, disait l'apothicaire, l'exercice de la médecine n'est pas fort pénible en nos contrées; car l'état de
nos routes permet l'usage du cabriolet, et, généralement,
l'on paye assez bien, les cultivateurs étant aisés. Nous
avons, sous le rapport médical, à part les cas ordinaires
d'entérite, bronchite, affections bilieuses, etc., de temps
à autre quelques fièvres intermittentes à la moisson, mais,
en somme, peu de choses graves, rien de spécial à noter,
si ce n'est beaucoup d'humeurs froides, et qui tiennent
sans doute aux déplorables conditions hygiéniques de
nos logements de paysans. Ah! vous trouverez bien des
préjugés à combattre, monsieur Bovary, bien des entê-
tements de la routine, où se heurteront quotidiennement

tous les efforts de votre science; car on a recours encore
aux neuvaines, aux reliques, au curé, plutôt que de venir
naturellement chez le médecin ou chez le pharmacien.
Le climat, pourtant, n'est point, à vrai dire, mauvais,
et même nous comptons dans la commune quelques
nonagénaires. Le thermomètre (j'en ai fait les observations) descend en hiver jusqu'à quatre degrés, et, dans
la forte saison, touche vingt-cinq, trente centigrades tout
au plus, ce qui nous donne vingt-quatre Réaumur au
maximum, ou autrement cinquante-quatre Fahrenheit
(mesure anglaise), pas davantage! — et, en effet, nous
sommes abrités des vents du nord par la forêt d'Argueil
d'une part, des vents d'ouest par la côte Saint-Jean de
l'autre; et cette chaleur, cependant, qui à cause de la
vapeur d'eau dégagée par la rivière et la présence considérable de bestiaux dans les prairies, lesquels exhalent,
comme vous savez, beaucoup d'ammoniaque, c'est-à-
dire azote, hydrogène et oxygène (non azote et hydrogène
seulement), et qui, pompant à elle l'humus de la terre,
confondant toutes ces émanations différentes, les réunissant en un faisceau, pour ainsi dire, et se combinant de
soi-même avec l'électricité répandue dans l'atmosphère,
lorsqu'il y en a, pourrait à la longue, comme dans les pays
tropicaux, engendrer des miasmes insalubres; — cette chaleur, dis-je, se trouve justement tempérée du côté où
elle vient, ou plutôt d'où elle viendrait, c'est-à-dire du
côté sud, par les vents de sud-est, lesquels, s'étant rafraî-
chis d'eux-mêmes en passant sur la Seine, nous arrivent
quelquefois tout d'un coup, comme des brises de Russie!

— Avez-vous du moins quelques promenades dans les
environs? continuait Mme Bovary parlant au jeune
homme.

— Oh! fort peu, répondit-il. Il y a un endroit que l'on
nomme la Pâture, sur le haut de la côte, à la lisière de la
forêt. Quelquefois, le dimanche, je vais là, et j'y reste
avec un livre, à regarder le soleil couchant.

— Je ne trouve rien d'admirable comme les soleils
couchants, reprit-elle, mais au bord de la mer, surtout.

— Oh! j'adore la mer, dit M. Léon.

— Et puis ne vous semble-t-il pas, répliqua Mme Bovary, que l'esprit vogue plus librement sur cette étendue
sans limites, dont la contemplation vous élève l'âme et
donne des idées d'infini, d'idéal?

— Il en est de même des paysages de montagnes,
reprit Léon. J'ai un cousin qui a voyagé en Suisse l'année
dernière, et qui me disait qu'on ne peut se figurer la
poésie des lacs, le charme des cascades, l'effet gigantesque
des glaciers. On voit des pins d'une grandeur incroyable,
en travers des torrents, des cabanes suspendues sur des
précipices, et, à mille pieds sous vous, des vallées
entières, quand les nuages s'entr'ouvrent. Ces spectacles
doivent enthousiasmer, disposer à la prière, à l'extase!
Aussi je ne m'étonne plus de ce musicien célèbre qui,
pour exciter mieux son imagination, avait coutume
d'aller jouer du piano devant quelque site imposant.

— Vous faites de la musique? demanda-t-elle.

— Non, mais je l'aime beaucoup, répondit-il.

— Ah! ne l'écoutez pas, madame Bovary, interrompit
Homais en se penchant sur son assiette, c'est modestie
pure. — Comment, mon cher! Eh! l'autre jour, dans votre
chambre, vous chantiez l'*Ange gardien* à ravir. Je vous en-
tendais du laboratoire; vous détachiez cela comme un
acteur.

Léon, en effet, logeait chez le pharmacien, où il avait
une petite pièce au second étage, sur la place. Il rougit
à ce compliment de son propriétaire, qui déjà s'était
tourné vers le médecin et lui énumérait les uns après
les autres les principaux habitants d'Yonville. Il racontait
des anecdotes, donnait des renseignements. On ne savait
pas au juste la fortune du notaire, et *il y avait la maison
Tuvache* qui faisait beaucoup d'embarras.

Emma reprit :

— Et quelle musique préférez-vous?

— Oh! la musique allemande, celle qui porte à rêver.

— Connaissez-vous les Italiens?

— Pas encore; mais je les verrai l'année prochaine, quand j'irai habiter Paris, pour finir mon droit.

— C'est comme j'avais l'honneur, dit le pharmacien, de l'exprimer à votre époux, à propos de ce pauvre Yanoda qui s'est enfui; vous vous trouverez, grâce aux folies qu'il a faites, jouir d'une des maisons les plus confortables d'Yonville. Ce qu'elle a principalement de commode pour un médecin, c'est une porte sur l'*Allée,* qui permet d'entrer et de sortir sans être vu. D'ailleurs, elle est fournie de tout ce qui est agréable à un ménage : buanderie, cuisine avec office, salon de famille, fruitier, etc. C'était un gaillard qui n'y regardait pas! Il s'était fait construire, au bout du jardin, à côté de l'eau, une tonnelle tout exprès pour boire de la bière en été, et si Madame aime le jardinage, elle pourra...

— Ma femme ne s'en occupe guère, dit Charles; elle aime mieux, quoiqu'on lui recommande l'exercice, toujours rester dans sa chambre, à lire.

— C'est comme moi, répliqua Léon; quelle meilleure chose, en effet, que d'être le soir au coin du feu avec un livre, pendant que le vent bat les carreaux, que la lampe brûle!...

— N'est-ce pas? dit-elle, en fixant sur lui ses grands yeux noirs tout ouverts.

— On ne songe à rien, continuait-il, les heures passent. On se promène immobile dans des pays que l'on croit voir, et votre pensée, s'enlaçant à la fiction, se joue dans les détails ou poursuit le contour des aventures. Elle se mêle aux personnages; il semble que c'est vous qui palpitez sous leurs costumes.

— C'est vrai! c'est vrai! disait-elle.

— Vous est-il arrivé parfois, reprit Léon, de rencontrer dans un livre une idée vague que l'on a eue, quelque

image obscurcie qui revient de loin, et comme l'exposition entière de votre sentiment le plus délié?

— J'ai éprouvé cela, répondit-elle.

— C'est pourquoi, dit-il, j'aime surtout les poètes. Je
trouve les vers plus tendres que la prose, et qu'ils font
bien mieux pleurer.

— Cependant ils fatiguent à la longue, reprit Emma;
et maintenant, au contraire, j'adore les histoires qui se
suivent tout d'une haleine, où l'on a peur. Je déteste
les héros communs et les sentiments tempérés, comme il
y en a dans la nature.

— En effet, observa le clerc, ces ouvrages, ne touchant
pas le cœur, s'écartent, il me semble, du vrai but de l'Art.
Il est si doux, parmi les désenchantements de la vie, de
pouvoir se reporter en idée sur de nobles caractères,
des affections pures et des tableaux de bonheur! Quant
à moi, vivant ici, loin du monde, c'est ma seule distraction; mais Yonville offre si peu de ressources!

— Comme Tostes, sans doute, reprit Emma; aussi
j'étais toujours abonnée à un cabinet de lecture.

— Si Madame veut me faire l'honneur d'en user, dit le
pharmacien, qui venait d'entendre ces derniers mots, j'ai
moi-même à sa disposition une bibliothèque composée
des meilleurs auteurs : Voltaire, Rousseau, Delille, Walter
Scott, *L'Écho des feuilletons,* etc., et je reçois, de plus,
différentes feuilles périodiques, parmi lesquelles le *Fanal
de Rouen,* quotidiennement, ayant l'avantage d'en être
le correspondant pour les circonscriptions de Buchy,
Forges, Neufchâtel, Yonville et les alentours.

Depuis deux heures et demie, on était à table; car la
servante Artémise, traînant nonchalamment sur les carreaux ses savates de lisière, apportait les assiettes les
unes après les autres, oubliait tout, n'entendait à rien
et sans cesse laissait entre-bâillée la porte du billard, qui
battait contre le mur du bout de sa clenche.

Sans qu'il s'en aperçut, tout en causant, Léon avait

posé son pied sur un des barreaux de la chaise où Mme Bovary était assise. Elle portait une petite cravate de soie bleue, qui tenait droit comme une fraise un col de batiste tuyauté; et, selon les mouvements de tête qu'elle faisait, le bas de son visage s'enfonçait dans le linge ou en sortait avec douceur. C'est ainsi, l'un près de l'autre, pendant que Charles et le pharmacien devisaient, qu'ils entrèrent dans une de ces vagues conversations où le hasard des phrases vous ramène toujours au centre fixe d'une sympathie commune. Spectacles de Paris, titres de romans, quadrilles nouveaux, et le monde qu'ils ne connaissaient pas, Tostes où elle avait vécu, Yonville où ils étaient, ils examinèrent tout, parlèrent de tout jusqu'à la fin du dîner.

Quand le café fut servi, Félicité s'en alla préparer la chambre dans la nouvelle maison, et les convives bientôt levèrent le siège. Mme Lefrançois dormait auprès des cendres, tandis que le garçon d'écurie, une lanterne à la main, attendait M. et Mme Bovary pour les conduire chez eux. Sa chevelure rouge était entremêlée de brins de paille, et il boitait de la jambe gauche. Lorsqu'il eut pris de son autre main le parapluie de M. le curé, l'on se mit en marche.

Le bourg était endormi. Les piliers des halles allongeaient de grandes ombres. La terre était toute grise, comme par une nuit d'été.

Mais, la maison du médecin se trouvant à cinquante pas de l'auberge, il fallut presque aussitôt se souhaiter le bonsoir, et la compagnie se dispersa.

Emma, dès le vestibule, sentit tomber sur ses épaules, comme un linge humide, le froid du plâtre. Les murs étaient neufs, et les marches de bois craquèrent. Dans la chambre, au premier, un jour blanchâtre passait par les fenêtres sans rideaux. On entrevoyait des cimes d'arbres, et plus loin, la prairie à demi noyée dans le brouillard, qui fumait au clair de la lune, selon le cours de la rivière.

Au milieu de l'appartement, pêle-mêle, il y avait des tiroirs de commode, des bouteilles, des tringles, des bâtons
dorés avec des matelas sur des chaises et des cuvettes sur le
parquet, les deux hommes qui avaient apporté les meubles ayant tout laissé là, négligemment.

C'était la quatrième fois qu'elle couchait dans un
endroit inconnu. La première avait été le jour de son
entrée au couvent, la seconde celle de son arrivée à Tostes, la troisième à la Vaubyessard, la quatrième était celle-
ci; et chacune s'était trouvée faire dans sa vie comme
l'inauguration d'une phase nouvelle. Elle ne croyait pas
que les choses pussent se représenter les mêmes à des
places différentes, et, puisque la portion vécue avait été
mauvaise, sans doute ce qui restait à consommer serait
meilleur.

# III

LE lendemain, à son réveil, elle aperçut le clerc sur la place. Elle était en peignoir. Il leva la tête et la salua. Elle fit une inclination rapide et referma la fenêtre.

Léon attendit pendant tout le jour que six heures du soir fussent arrivées; mais, en entrant à l'auberge, il ne trouva personne que M. Binet, attablé.

Ce dîner de la veille était pour lui un événement considérable; jamais, jusqu'alors, il n'avait causé pendant deux heures de suite avec une *dame*. Comment donc avoir pu lui exposer, et en un tel langage, quantité de choses qu'il n'aurait pas si bien dites auparavant? il était timide d'habitude et gardait cette réserve qui participe à la fois de la pudeur et de la dissimulation. On trouvait à Yonville qu'il avait des manières *comme il faut*. Il écoutait raisonner les gens mûrs, et ne paraissait point exalté en politique, chose remarquable pour un jeune homme. Puis il possédait des talents, il peignait à l'aquarelle, savait lire la clef de sol, et s'occupait volontiers de littérature après son dîner, quand il ne jouait pas aux cartes. M. Homais le considérait pour son instruction; Mme Homais l'affectionnait pour sa complaisance, car souvent il accompagnait au jardin les petits Homais, marmots toujours barbouillés, fort mal élevés et quelque peu lymphatiques, comme leur mère. Ils avaient pour les soigner, outre la bonne, Justin, l'élève en pharmacie,

un arrière-cousin de M. Homais que l'on avait pris dans
la maison par charité, et qui servait en même temps de
domestique.

L'apothicaire se montra le meilleur des voisins. Il ren-
seigna Mme Bovary sur les fournisseurs, fit venir son
marchand de cidre tout exprès, goûta la boisson lui-
même, et veilla dans la cave à ce que la futaille fût bien
placée; il indiqua encore la façon de s'y prendre pour
avoir une provision de beurre à bon marché, et conclut
un arrangement avec Lestiboudois, le sacristain, qui,
outre ses fonctions sacerdotales et mortuaires, soignait
les principaux jardins d'Yonville à l'heure ou à l'année,
selon le goût des personnes.

Le besoin de s'occuper d'autrui ne poussait pas seul
le pharmacien à tant de cordialité obséquieuse, et il y
avait là-dessous un plan.

Il avait enfreint la loi du 19 ventôse an XI, article Ier,
qui défend à tout individu non porteur de diplôme
l'exercice de la médecine; si bien que, sur des dénoncia-
tions ténébreuses, Homais avait été mandé à Rouen, près
M. le procureur du roi, en son cabinet particulier. Le
magistrat l'avait reçu debout, dans sa robe, hermine
à l'épaule et toque en tête. C'était le matin, avant l'audience. On entendait dans le corridor passer les fortes
bottes des gendarmes, et comme un bruit lointain de
grosses serrures qui se fermaient. Les oreilles du pharmacien lui tintèrent à croire qu'il allait tomber d'un
coup de sang; il entrevit des culs de basse-fosse, sa
famille en pleurs, la pharmacie vendue, tous les bocaux
disséminés; et il fut obligé d'entrer dans un café prendre
un verre de rhum avec de l'eau de Seltz, pour se remettre
les esprits.

Peu à peu, le souvenir de cette admonition s'affaiblit,
et il continuait, comme autrefois, à donner des consultations anodines dans son arrière-boutique. Mais le
maire lui en voulait, des confrères étaient jaloux, il

fallait tout craindre; en s'attachant M. Bovary par des
politesses, c'était gagner sa gratitude, et empêcher qu'il
ne parlât plus tard, s'il s'apercevait de quelque chose.
Aussi, tous les matins, Homais lui apportait *le journal,*
et souvent, dans l'après-midi, quittait un instant la pharmacie pour aller chez l'officier de santé faire la conversation.

Charles était triste : la clientèle n'arrivait pas. Il
demeurait assis pendant de longues heures, sans parler,
allait dormir dans son cabinet ou regardait coudre sa
femme. Pour se distraire, il s'employa chez lui comme
homme de peine, et même il essaya de peindre le grenier
avec un reste de couleur que les peintres avaient laissé.
Mais les affaires d'argent le préoccupaient. Il en avait
tant dépensé pour les réparations de Tostes, pour les
toilettes de Madame et pour le déménagement, que toute
la dot, plus de trois mille écus, s'était écoulée en
deux ans. Puis, que de choses endommagées ou perdues
dans le transport de Tostes à Yonville, sans compter le
curé de plâtre, qui, tombant de la charrette à un cahot
trop fort, s'était écrasé en mille morceaux sur le pavé
de Quincampoix!

Un souci meilleur vint le distraire, à savoir la grossesse de sa femme. A mesure que le terme en approchait,
il la chérissait davantage. C'était un autre lien de la chair
s'établissant, et comme le sentiment continu d'une union
plus complexe. Quand il voyait de loin sa démarche
paresseuse et sa taille tourner mollement sur ses hanches
sans corset, quand vis-à-vis l'un de l'autre il la contemplait tout à l'aise et qu'elle prenait, assise, des poses
fatiguées dans son fauteuil, alors son bonheur ne se
tenait plus; il se levait, il l'embrassait, passait ses mains
sur sa figure, l'appelait petite maman, voulait la faire
danser, et débitait, moitié riant, moitié pleurant, toutes
sortes de plaisanteries caressantes qui lui venaient à
l'esprit. L'idée d'avoir engendré le délectait. Rien ne lui

manquait à présent. Il connaissait l'existence humaine
tout du long, et il s'y attablait sur les deux coudes
avec sérénité.

Emma d'abord sentit un grand étonnement, puis eut
envie d'être délivrée, pour savoir quelle chose c'était que
d'être mère. Mais, ne pouvant faire les dépenses qu'elle
voulait, avoir un berceau en nacelle avec des rideaux
de soie rose et des béguins brodés, elle renonça au
trousseau, dans un accès d'amertume, et le commanda
d'un seul coup à une ouvrière du village, sans rien choisir
ni discuter. Elle ne s'amusa donc pas à ces préparatifs
où la tendresse des mères se met en appétit, et son
affection, dès l'origine, en fut peut-être atténuée de
quelque chose.

Cependant, comme Charles, à tous les repas, parlait
du marmot, bientôt elle y songea d'une façon plus
continue.

Elle souhaitait un fils; il serait fort et brun; elle l'apel-
lerait Georges; et cette idée d'avoir pour enfant un mâle
était comme la revanche en espoir de toutes ses impuis-
sances passées. Un homme, au moins, est libre; il peut
parcourir les passions et les pays, traverser les obstacles,
mordre aux bonheurs les plus lointains. Mais une femme
est empêchée continuellement. Inerte et flexible à la fois,
elle a contre elle les mollesses de la chair avec les
dépendances de la loi. Sa volonté, comme le voile de son
chapeau retenu par un cordon, palpite à tous les vents,
il y a toujours quelque désir qui entraîne, quelque convenance qui retient.

Elle accoucha un dimanche, vers six heures, au soleil
levant.

— C'est une fille! dit Charles.

Elle tourna la tête et s'évanouit.

Presque aussitôt, Mme Homais accourut et l'embrassa,
ainsi que la mère Lefrançois du *Lion d'or*. Le pharmacien,
en homme discret, lui adressa seulement quelques félici-

tations provisoires, par la porte entre-bâillée. Il voulut
voir l'enfant et le trouva bien conformé.

Pendant sa convalescence, elle s'occupa beaucoup à
chercher un nom pour sa fille. D'abord elle passa en
revue tous ceux qui avaient des terminaisons italiennes,
tels que Clara, Louisa, Amanda, Atala; elle aimait assez
Galsuinde, plus encore Yseult ou Léocadie. Charles désirait qu'on appelât l'enfant comme sa mère; Emma s'y
opposait. On parcourut le calendrier d'un bout
à l'autre, et l'on consulta les étrangers.

— M. Léon, disait le pharmacien, avec qui j'en causais
l'autre jour, s'étonne que vous ne choisissiez point
Madeleine, qui est excessivement à la mode maintenant.

Mais la mère Bovary se récria bien fort sur ce nom
de pécheresse. M. Homais, quant à lui, avait en prédilec-
tion tous ceux qui rappelaient un grand homme, un fait
illustre ou une conception généreuse, et c'est dans ce
système-là qu'il avait baptisé ses quatre enfants. Ainsi
Napoléon représentait la gloire et Franklin la liberté;
Irma, peut-être, était une concession au romantisme;
mais Athalie, un hommage au plus immortel chef-
d'œuvre de la scène française. Car ses convictions philosophiques n'empêchaient pas ses admirations artistiques,
le penseur chez lui n'étouffait point l'homme sensible;
il savait établir les différences, faire la part de l'imagination et celle du fanatisme. De cette tragédie, par
exemple, il blâmait les idées, mais il admirait le style;
il maudissait la conception, mais il applaudissait à tous
les détails, et s'exaspérait contre les personnages, en
s'enthousiasmant de leurs discours. Lorsqu'il lisait les
grands morceaux, il était transporté; mais quand il songeait que les calotins en tiraient avantage pour leur
boutique, il était désolé, et dans cette confusion de
sentiments où il s'embarrassait, il aurait voulu tout à
la fois pouvoir couronner Racine de ses deux mains et
discuter avec lui pendant un bon quart d'heure.

Enfin, Emma se souvint qu'au château de la Vaubyessard elle avait entendu la marquise appeler Berthe une
jeune femme; dès lors ce nom-là fut choisi, et comme
le père Rouault ne pouvait venir, on pria M. Homais
d'être parrain. Il donna pour cadeaux tous produits de
son établissement, à savoir : six boîtes de jujubes, un
bocal entier de racahout, trois coffins de pâte à la guimauve, et de plus, six bâtons de sucre candi qu'il avait
retrouvés dans un placard. Le soir de la cérémonie, il y
eut un grand dîner; le curé s'y trouvait; on s'échauffa.
M. Homais, vers les liqueurs, entonna le *Dieu des bonnes
gens*. M. Léon chanta une barcarolle, et Mme Bovary
mère, qui était la marraine, une romance du temps de
l'Empire; enfin M. Bovary père exigea que l'on des-
cendît l'enfant, et se mit à le baptiser avec un verre de
champagne qu'il lui versait de haut sur la tête. Cette
dérision du premier des sacrements indigna l'abbé Bournisien; le père Bovary répondit par une citation de la
*Guerre des dieux,* le curé voulut partir; les dames sup-
pliaient; Homais s'interposa; et l'on parvint à faire
rasseoir l'ecclésiastique, qui reprit tranquillement, dans
sa soucoupe, sa demi-tasse de café à moitié bue.

M. Bovary père resta encore un mois à Yonville, dont
il éblouit les habitants par un superbe bonnet de police
à galons d'argent, qu'il portait le matin, pour fumer sa
pipe sur la place. Ayant aussi l'habitude de boire beaucoup d'eau-de-vie, souvent il envoyait la servante au
*Lion d'or* lui en acheter une bouteille, que l'on inscrivait
au compte de son fils; et il usa, pour parfumer ses
foulards, toute la provision d'eau de Cologne qu'avait
sa bru.

Celle-ci ne se déplaisait point dans sa compagnie.
Il avait couru le monde : il parlait de Berlin, de Vienne,
de Strasbourg, de son temps d'officier, des maîtresses
qu'il avait eues, des grands déjeuners qu'il avait faits,
puis il se montrait aimable, et parfois même, soit dans

l'escalier ou au jardin, il lui saisissait la taille en
s'écriant :

— Charles, prends garde à toi!

Alors la mère Bovary s'effraya pour le bonheur de son
fils, et craignant que son époux, à la longue, n'eût une
influence immorale sur les idées de la jeune femme, elle
se hâta de presser le départ. Peut-être avait-elle des
inquiétudes plus sérieuses. M. Bovary était homme à
ne rien respecter.

Un jour, Emma fut prise tout à coup du besoin de
voir sa petite fille, qui avait été mise en nourrice chez la
femme du menuisier, et sans regarder à l'almanach si
les six semaines de la Vierge duraient encore, elle
s'achemina vers la demeure de Rollet, qui se trouvait à
l'extrémité du village, au bas de la côte, entre la grande
route et les prairies.

Il était midi; les maisons avaient leurs volets fermés,
et les toits d'ardoises, qui reluisaient sous la lumière
âpre du ciel bleu, semblaient à la crête de leurs pi-
gnons faire pétiller des étincelles. Un vent lourd soufflait. Emma se sentait faible en marchant; les cailloux
du trottoir la blessaient; elle hésita si elle ne s'en
retournerait pas chez elle, ou entrerait quelque part
pour s'asseoir.

A ce moment, M. Léon sortit d'une porte voisine,
avec une liasse de papiers sous son bras. Il vint la
saluer et se mit à l'ombre devant la boutique de Lheureux, sous la tente grise qui avançait.

Mme Bovary dit qu'elle allait voir son enfant, mais
qu'elle commençait à être lasse.

— Si..., reprit Léon, n'osant poursuivre.

— Avez-vous affaire quelque part? demanda-t-elle.

Et, sur la réponse du clerc, elle le pria de l'accompagner. Dès le soir, cela fut connu dans Yonville, et
Mme Tuvache, la femme du notaire, déclara devant sa
servante que Mme Bovary se compromettait.

Pour arriver chez la nourrice, il fallait, après la rue, tourner à gauche, comme pour gagner le cimetière, et suivre entre des maisonnettes et des cours un petit sentier que bordaient des troènes. Ils étaient en fleur et les véroniques aussi, les églantiers, les orties et les ronces légères qui s'élançaient des buissons. Par le trou des haies, on apercevait, dans les *masures,* quelque pourceau sur un fumier, ou des vaches embricolées, frottant leurs cornes contre le tronc des arbres. Tous les deux, côte à côte, ils marchaient doucement, elle s'appuyant sur lui et lui retenant son pas qu'il mesurait sur les siens; devant eux un essaim de mouches voltigeait, en bourdonnant dans l'air chaud.

Ils reconnurent la maison à un vieux noyer qui l'ombrageait. Basse et couverte de tuiles brunes, elle avait en dehors, sous la lucarne de son grenier, un chapelet d'oignons suspendu. Des bourrées, debout contre la clôture d'épines, entouraient un carré de laitues, quelques pieds de lavande et des pois à fleurs montés sur des rames. De l'eau sale coulait en s'éparpillant sur l'herbe, et il y avait tout autour plusieurs guenilles indistinctes, des bas de tricot, une camisole d'indienne rouge, et un grand drap de toile épaisse étalé en long sur la haie. Au bruit de la barrière, la nourrice parut, tenant sur son bras un enfant qui tétait. Elle tirait de l'autre main un pauvre marmot chétif, couvert de scrofules au visage, le fils d'un bonnetier de Rouen que ses parents trop occupés de leur négoce laissaient à la campagne.

— Entrez, dit-elle; votre petite est là qui dort.

La chambre, au rez-de-chaussée, la seule du logis, avait au fond, contre la muraille, un large lit sans rideaux, tandis que le pétrin occupait le côté de la fenêtre, dont une vitre était raccommodée avec un soleil de papier bleu. Dans l'angle, derrière la porte, des brodequins à clous luisants étaient rangés sous la dalle du lavoir, près d'une bouteille pleine d'huile qui portait une plume à son goulot; un *Mathieu Laensberg* traînait sur la cheminée poudreuse, parmi des pierres à fusil, des bouts de chandelle et des morceaux d'amadou. Enfin la dernière superfluité de cet appartement était une Renommée soufflant dans des trompettes, image découpée sans doute à même quelque prospectus de parfumerie, et que six pointes à sabot clouaient au mur.

L'enfant d'Emma dormait à terre, dans un berceau d'osier. Elle la prit avec la couverture qui l'enveloppait, et se mit à chanter doucement en se dandinant.

Léon se promenait dans la chambre; il lui semblait étrange de voir cette belle dame en robe de nankin tout au milieu de cette misère. Mme Bovary devint rouge; il se détourna, croyant que ses yeux peut-être avaient eu quelque impertinence. Puis elle recoucha la petite qui venait de vomir sur sa collerette. La nourrice aussitôt vint l'essuyer, protestant qu'il n'y paraîtrait pas.

— Elle m'en fait bien d'autres, disait-elle, et je ne suis occupée qu'à la rincer continuellement! Si vous aviez donc la complaisance de commander à Camus l'épicier qu'il me laisse prendre un peu de savon lorsqu'il m'en faut? ce serait plus commode pour vous, que je ne dérangerais pas.

— C'est bien, c'est bien! dit Emma. Au revoir, mère Rollet.

Et elle sortit en essuyant ses pieds sur le seuil.

La bonne femme l'accompagna jusqu'au bout de la cour, tout en parlant du mal qu'elle avait à se relever la nuit.

— J'en suis si rompue quelquefois, que je m'endors sur ma chaise; aussi, vous devriez pour le moins me donner une petite livre de café moulu qui me ferait un mois et que je prendrais le matin avec du lait.

Après avoir subi ses remerciements, Mme Bovary s'en alla; et elle était quelque peu avancée dans le sentier,

lorsque à un bruit de sabots elle tourna la tête : c'était
la nourrice!

— Qu'y a-t-il?

Alors la paysanne, la tirant à l'écart derrière un orme,
se mit à lui parler de son mari, qui, avec son métier et
six francs par an que le capitaine...

— Achevez plus vite, dit Emma.

— Eh bien! reprit la nourrice poussant des soupirs
entre chaque mot, j'ai peur qu'il ne se fasse une tristesse de me voir prendre du café toute seule; vous savez,
les hommes...

— Puisque vous en aurez, répétait Emma, je vous en
donnerai!... Vous m'ennuyez!

— Hélas! ma pauvre chère dame, c'est qu'il a, par
suite de ses blessures, des crampes terribles à la poitrine.
Il dit même que le cidre l'affaiblit.

— Mais dépêchez-vous, mère Rollet!

— Donc, reprit celle-ci faisant une révérence, si ce
n'était pas trop vous demander trop..., elle salua encore
une fois, — quand vous voudrez, — et son regard suppliait, un cruchon d'eau-de-vie, dit-elle enfin, et j'en
frotterai les pieds de votre petite, qui les a tendres
comme la langue.

Débarrassée de la nourrice, Emma reprit le bras de
M. Léon. Elle marcha rapidement pendant quelque
temps; puis elle se ralentit, et son regard qu'elle promenait devant elle rencontra l'épaule du jeune homme,
dont la redingote avait un collet de velours noir. Ses
cheveux châtains tombaient dessus, plats et bien peignés. Elle remarqua ses ongles, qui étaient plus longs
qu'on ne les portait à Yonville. C'était une des grandes
occupations du clerc que de les entretenir; et il gardait,
à cet usage, un canif tout particulier dans son écritoire.

Ils s'en revinrent à Yonville en suivant le bord de
l'eau. Dans la saison chaude, la berge plus élargie découvrait jusqu'à leur base les murs des jardins, qui avaient

un escalier de quelques marches descendant à la rivière. Elle coulait sans bruit, rapide et froide à l'œil; de grandes herbes minces s'y courbaient ensemble, selon le courant qui les poussait, et comme des chevelures vertes abandonnées s'étalaient dans sa limpidité. Quelquefois, à la pointe des joncs ou sur la feuille des nénufars, un insecte à pattes fines marchait ou se posait. Le soleil traversait d'un rayon les petits globules bleus des ondes qui se succédaient en se crevant; les vieux saules ébranchés miraient dans l'eau leur écorce grise; au delà, tout alentour, la prairie semblait vide. C'était l'heure du dîner dans les fermes, et la jeune femme et son compagnon n'entendaient en marchant que la cadence de leurs pas sur la terre du sentier, les paroles qu'ils se disaient, et le frôlement de la robe d'Emma qui bruissait tout autour d'elle.

Les murs des jardins, garnis à leur chaperon de morceaux de bouteilles, étaient chauds comme le vitrage d'une serre. Dans les briques, des ravenelles avaient poussé; et, du bord de son ombrelle déployée, Mme Bovary, tout en passant, faisait s'égrener en poussière jaune un peu de leurs fleurs flétries, ou bien quelque branche des chèvrefeuilles et des clématites qui pendaient au dehors traînait un moment sur la soie en s'accrochant aux effilés.

Ils causaient d'une troupe de danseurs espagnols, que l'on attendait bientôt sur le théâtre de Rouen.

— Vous irez? demanda-t-elle.

— Si je le peux, répondit-il.

N'avaient-ils rien autre chose à se dire? Leurs yeux pourtant étaient pleins d'une causerie plus sérieuse; et, tandis qu'ils s'efforçaient à trouver des phrases banales, ils sentaient une même langueur les envahir tous les deux; c'était comme un murmure de l'âme, profond, continu, qui dominait celui des voix. Surpris d'étonnement à cette suavité nouvelle, ils ne songeaient pas

à s'en raconter la sensation ou à en découvrir la cause.
Les bonheurs futurs, comme les rivages des tropiques,
projettent sur l'immensité qui les précède leurs mollesses
natales, une brise parfumée, et l'on s'assoupit dans cet
enivrement, sans même s'inquiéter de l'horizon que l'on
n'aperçoit pas.

La terre, à un endroit, se trouvait effondrée par le
pas des bestiaux; il fallut marcher sur de grosses pierres
vertes, espacées dans la boue. Souvent, elle s'arrêtait
une minute à regarder où poser sa bottine, et, chancelant sur le caillou qui tremblait, les coudes en l'air, la
taille penchée, l'œil indécis, elle riait alors, de peur de
tomber dans les flaques d'eau.

Quand ils furent arrivés devant son jardin, Mme Bovary poussa la petite barrière, monta les marches en
courant et disparut.

Léon rentra à son étude. Le patron était absent; il
jeta un coup d'œil sur les dossiers, puis se tailla une
plume, prit enfin son chapeau et s'en alla.

Il alla sur la Pâture, au haut de la côte d'Argueil, à
l'entrée de la forêt; il se coucha par terre sous les sapins, et regarda le ciel à travers ses doigts.

— Comme je m'ennuie! se disait-il, comme je m'ennuie!

Il se trouvait à plaindre de vivre dans ce village, avec
Homais pour ami et M. Guillaumin pour maître. Ce
dernier, tout occupé d'affaires, portant des lunettes à
branches d'or et favoris rouges sur cravate blanche,
n'entendait rien aux délicatesses de l'esprit, quoiqu'il
affectât un genre raide et anglais qui avait ébloui le
clerc dans les premiers temps. Quant à la femme du
pharmacien, c'était la meilleure épouse de Normandie,
douce comme un mouton, chérissant ses enfants, son
père, sa mère, ses cousins, pleurant aux maux d'autrui,
laissant tout aller dans son ménage, et détestant les
corsets; — mais si lente à se mouvoir, si ennuyeuse à

écouter, d'un aspect si commun et d'une conversation si restreinte, qu'il n'avait jamais songé, quoiqu'elle eût trente ans, qu'il en eût vingt, qu'ils couchassent porte à porte, et qu'il lui parlât chaque jour, qu'elle pût être une femme pour quelqu'un, ni qu'elle possédât de son sexe autre chose que la robe.

Et ensuite, qu'y avait-il? Binet, quelques marchands, deux ou trois cabaretiers, le curé, et enfin M. Tuvache, le maire, avec ses deux fils, gens cossus, bourrus, obtus, cultivant leurs terres eux-mêmes, faisant des ripailles en famille, dévots d'ailleurs, et d'une société tout à fait insupportable.

Mais, sur le fond de tous ces visages humains, la figure d'Emma se détachait isolée et plus lointaine cependant; car il sentait entre elle et lui comme de vagues abîmes.

Au commencement, il était venu chez elle plusieurs fois dans la compagnie du pharmacien. Charles n'avait point paru extrêmement curieux de le recevoir; et Léon ne savait comment s'y prendre entre la peur d'être indiscret et le désir d'une intimité qu'il estimait presque impossible.

# IV

Dès les premiers froids, Emma quitta sa chambre pour habiter la salle, longue pièce à plafond bas où il y avait, sur la cheminée, un polypier touffu s'étalant contre la glace. Assise dans son fauteuil, près de la fenêtre, elle voyait passer les gens du village sur le trottoir.

Léon, deux fois par jour, allait de son étude au *Lion d'or*. Emma, de loin, l'entendait venir; elle se penchait en écoutant; et le jeune homme glissait derrière le rideau, toujours vêtu de même façon et sans détourner la tête. Mais, au crépuscule, lorsque, le menton dans sa main gauche, elle avait abandonné sur ses genoux sa tapisserie commencée, souvent elle tressaillait à l'apparition de cette ombre glissant tout à coup. Elle se levait et commandait qu'on mît le couvert.

M. Homais arrivait pendant le dîner. Bonnet grec à la main, il entrait à pas muets pour ne déranger personne et toujours en répétant la même phrase : « Bonsoir la compagnie! » Puis, quand il s'était posé à sa place, contre la table, entre les deux époux, il demandait au médecin des nouvelles de ses malades; et celui-ci le consultait sur la probabilité des honoraires. Ensuite, on causait de ce qu'il y avait *dans le journal*. Homais, à cette heure-là, le savait presque par cœur; et il le rapportait intégralement avec les réflexions du journaliste et toutes les histoires des catastrophes individuelles arrivées en France ou à l'étranger. Mais, le sujet se

tarissant, il ne tardait pas à lancer quelques observations
sur les mets qu'il voyait. Parfois même, se levant à demi,
il indiquait délicatement à Madame le morceau le plus
tendre, ou, se tournant vers la bonne, lui adressait des
conseils pour la manipulation des ragoûts et l'hygiène
des assaisonnements; il parlait arôme, osmazôme, sucs
et gélatine d'une façon à éblouir. La tête d'ailleurs plus
remplie de recettes que sa pharmacie ne l'était de bocaux, Homais excellait à faire quantité de confitures,
vinaigres et liqueurs douces, et il connaissait aussi toutes
les inventions nouvelles de caléfacteurs économiques,
avec l'art de conserver les fromages et de soigner les
vins malades.

A huit heures, Justin venait le chercher pour fermer
la pharmacie. Alors M. Homais le regardait d'un œil
narquois, surtout si Félicité se trouvait là, s'étant aperçu
que son élève affectionnait la maison du médecin.

— Mon gaillard, disait-il, commence à avoir des idées,
et je crois, diable m'emporte! qu'il est amoureux de
votre bonne.

Mais un défaut plus grave, et qu'il lui reprochait,
c'était d'écouter continuellement les conversations. Le
dimanche, par exemple, on ne pouvait le faire sortir du
salon, où Mme Homais l'avait appelé pour prendre les
enfants, qui s'endormaient dans les fauteuils, en tirant
avec leurs dos les housses de calicot, trop larges.

Il ne venait pas grand monde à ces soirées du pharmacien, sa médisance et ses opinions politiques ayant
écarté de lui successivement différentes personnes res-
pectables. Le clerc ne manquait pas de s'y trouver. Dès
qu'il entendait la sonnette, il courait au-devant de
Mme Bovary, prenait son châle, et posait à l'écart, sous
le bureau de la pharmacie, les grosses pantoufles de lisière qu'elle portait sur sa chaussure, quand il y avait
de la neige.

On faisait d'abord quelques parties de trente-et-un;

ensuite M. Homais jouait à l'écarté avec Emma; Léon,
derrière elle, lui donnait des avis. Debout et les mains
sur le dossier de sa chaise, il regardait les dents de son
peigne qui mordait son chignon. A chaque mouvement
qu'elle faisait pour jeter les cartes, sa robe du côté droit
remontait. De ses cheveux retroussés, il descendait une
couleur brune sur son dos, et qui, s'apâlissant graduelle-
ment, peu à peu se perdait dans l'ombre. Son vêtement,
ensuite, retombait des deux côtés sur le siège, en bouf-
fant, plein de plis, et s'étalait jusqu'à terre. Quand Léon,
parfois, sentait la semelle de sa botte poser dessus, il
s'écartait, comme s'il eût marché sur quelqu'un.

Lorsque la partie de cartes était finie, l'apothicaire
et le médecin jouaient aux dominos, et Emma, changeant de place, s'accoudait sur la table, à feuilleter *L'Illustration*. Elle avait apporté son journal de modes. Léon
se mettait près d'elle; ils regardaient ensemble les gravures et s'attendaient au bas des pages. Souvent elle le
priait de lui dire des vers; Léon les déclamait d'une voix
traînante et qu'il faisait expirer soigneusement aux passages d'amour. Mais le bruit des dominos le contrariait;
M. Homais y était fort, il battait Charles à plein double-
six. Puis, les trois centaines terminées, ils s'allongeaient
tous deux devant le foyer et ne tardaient pas à s'endormir. Le feu se mourait dans les cendres; la théière était
vide; Léon lisait encore. Emma l'écoutait, en faisant
tourner machinalement l'abat-jour de la lampe, où
étaient peints sur la gaze des pierrots dans des voitures
et des danseuses de corde avec leurs balanciers. Léon
s'arrêtait, désignant d'un geste son auditoire endormi;
alors ils se parlaient à voix basse, et la conversation
qu'ils avaient leur semblait plus douce, parce qu'elle
n'était pas entendue.

Ainsi s'établit entre eux une sorte d'association, un
commerce continuel de livres et de romances; M. Bovary,
peu jaloux, ne s'en étonnait pas.

Il reçut pour sa fête une belle tête phrénologique, toute marquetée de chiffres jusqu'au thorax et peinte en bleu. C'était une attention du clerc. Il en avait bien d'autres, jusqu'à lui faire, à Rouen, ses commissions; et le livre d'un romancier ayant mis à la mode la manie des plantes grasses, Léon en achetait pour Madame, qu'il rapportait sur ses genoux, dans l'*Hirondelle*, tout en se piquant les doigts à leurs poils durs.

Elle fit ajuster, contre sa croisée, une planchette à balustrade pour tenir ses potiches. Le clerc eut aussi son jardinet suspendu; ils s'apercevaient soignant leurs fleurs à leur fenêtre.

Parmi les fenêtres du village, il y en avait une encore plus souvent occupée; car, le dimanche, depuis le matin jusqu'à la nuit, et chaque après-midi si le temps était clair, on voyait à la lucarne d'un grenier le profil maigre de M. Binet penché sur son tour, dont le ronflement monotone s'entendait jusqu'au *Lion d'or*.

Un soir, en rentrant, Léon trouva dans sa chambre un tapis de velours et de laine avec des feuillages sur fond pâle; il appela Mme Homais, M. Homais, Justin, les enfants, la cuisinière, il en parla à son patron; tout le monde désira connaître ce tapis; pourquoi la femme du médecin faisait-elle au clerc des *générosités* ? Cela parut drôle, et l'on pensa définitivement qu'elle devait être *sa bonne amie*.

Il le donnait à croire, tant il vous entretenait sans cesse de ses charmes et de son esprit, si bien que Binet lui répondit une fois fort brutalement :

— Que m'importe, à moi, puisque je ne suis pas de sa société !

Il se torturait à découvrir par quel moyen lui *faire sa déclaration;* et, toujours hésitant entre la crainte de lui déplaire et la honte d'être si pusillanime, il en pleurait de découragement et de désirs. Puis il prenait des décisions énergiques; il écrivait des lettres qu'il déchirait,

s'ajournait à des époques qu'il reculait. Souvent il se
mettait en marche, dans le projet de tout oser; mais
cette résolution l'abandonnait bien vite en la présence
d'Emma; et quand Charles, survenant, l'invitait à monter dans son *boc,* pour aller voir ensemble quelque malade aux environs, il acceptait aussitôt, saluait Madame
et s'en allait. Son mari, n'était-ce pas quelque chose
d'elle?

Quant à Emma, elle ne s'interrogea point pour savoir
si elle l'aimait. L'amour, croyait-elle, devait arriver tout
à coup, avec de grands éclats et des fulgurations, — ouragan des cieux qui tombe sur la vie, la bouleverse, ar-
rache les volontés comme des feuilles et emporte à
l'abîme le cœur entier. Elle ne savait pas que, sur la
terrasse des maisons, la pluie fait des lacs quand les
gouttières sont bouchées, et elle fût ainsi demeurée en
sa sécurité, lorsqu'elle découvrit subitement une lézarde
dans le mur.

# V

Ce fut un dimanche de février, une après-midi qu'il neigeait.

Ils étaient tous, M. et Mme Bovary, Homais et M. Léon, partis voir, à une demi-lieue d'Yonville, dans la vallée, une filature de lin que l'on établissait. L'apothicaire avait amené avec lui Napoléon et Athalie, pour leur faire faire de l'exercice, et Justin les accompagnait, portant des parapluies sur son épaule.

Rien pourtant n'était moins curieux que cette curiosité. Un grand espace de terrain vide où se trouvaient pêle-mêle, entre des tas de sable et de cailloux, quelques roues d'engrenage déjà rouillées, entourait un long bâtiment quadrangulaire que perçaient quantité de petites fenêtres. Il n'était pas achevé d'être bâti, et l'on voyait le ciel à travers les lambourdes de la toiture. Attaché à la poutrelle du pignon, un bouquet de paille entremêlé d'épis faisait claquer au vent ses rubans tricolores.

Homais parlait. Il expliquait à *la compagnie* l'importance future de cet établissement, supputait la force des planchers, l'épaisseur des murailles, et regrettait beaucoup de n'avoir pas de canne métrique, comme M. Binet en possédait une pour son usage particulier.

Emma, qui lui donnait le bras, s'appuyait un peu sur son épaule, et elle regardait le disque du soleil irradiant au loin, dans la brume, sa pâleur éblouissante; mais elle

tourna la tête : Charles était là. Il avait sa casquette enfoncée sur ses sourcils, et ses deux grosses lèvres trem-
blotaient, ce qui ajoutait à son visage quelque chose
de stupide; son dos même, son dos tranquille, était
irritant à voir, et elle y trouvait étalée sur la redingote
toute la platitude du personnage.

Pendant qu'elle le considérait, goûtant ainsi dans son
irritation une sorte de volupté dépravée, Léon s'avança
d'un pas. Le froid qui le pâlissait semblait déposer sur
sa figure une langueur plus douce; entre sa cravate et
son cou, le col de la chemise, un peu lâche, laissait voir
la peau; un bout d'oreille dépassait sous une mèche de
cheveux, et son grand œil bleu, levé vers les nuages,
parut à Emma plus limpide et plus beau que ces lacs de
montagne où le ciel se mire.

— Malheureux! s'écria tout à coup l'apothicaire.

Et il courut à son fils, qui venait de se précipiter dans
un tas de chaux pour peindre ses souliers en blanc. Aux
reproches dont on l'accablait, Napoléon se prit à
pousser des hurlements, tandis que Justin lui essuyait
ses chaussures avec un torchis de paille. Mais il eût fallu
un couteau; Charles offrit le sien.

— Ah! se dit-elle, il porte un couteau dans sa poche,
comme un paysan!

Le givre tombait, et l'on s'en retourna vers Yonville.

Mme Bovary, le soir, n'alla pas chez ses voisins, et
quand Charles fut parti, lorsqu'elle se sentit seule, le
parallèle recommença dans la netteté d'une sensation
presque immédiate et avec cet allongement de perspective que le souvenir donne aux objets. Regardant de
son lit le feu clair qui brûlait, elle voyait encore, comme
là-bas, Léon debout, faisant plier d'une main sa badine
et tenant de l'autre Athalie, qui suçait tranquillement
un morceau de glace. Elle le trouvait charmant; elle ne
pouvait s'en détacher; elle se rappela ses autres attitudes
en d'autres jours, des phrases qu'il avait dites, le son de

sa voix, toute sa personne; et elle répétait, en avançant ses lèvres comme pour un baiser :

— Oui, charmant! charmant!... N'aime-t-il pas? se demanda-t-elle. Qui donc?... mais c'est moi!

Toutes les preuves à la fois s'en étalèrent, son cœur bondit. La flamme de la cheminée faisait trembler au plafond une clarté joyeuse; elle se tourna sur le dos en s'étirant les bras.

Alors commença l'éternelle lamentation : « Oh! si le ciel l'avait voulu! Pourquoi n'est-ce pas? Qui empêchait donc?... »

Quand Charles, à minuit, rentra, elle eut l'air de s'éveiller, et, comme il fit du bruit en se déshabillant, elle se plaignit de la migraine; puis demanda nonchalamment ce qui s'était passé dans la soirée.

— M. Léon, dit-il, est remonté de bonne heure.

Elle ne put s'empêcher de sourire, et elle s'endormit l'âme remplie d'un enchantement nouveau.

Le lendemain, à la nuit tombante, elle reçut la visite du sieur Lheureux, marchand de nouveautés. C'était un homme habile que ce boutiquier.

Né Gascon, mais devenu Normand, il doublait sa faconde méridionale de cautèle cauchoise. Sa figure grasse, molle et sans barbe, semblait teinte par une décoction de réglisse claire, et sa chevelure blanche rendait plus vif encore l'éclat rude de ses petits yeux noirs. On ignorait ce qu'il avait été jadis : porteballe, disaient les uns, banquier à Routot, selon les autres. Ce qu'il y a de sûr, c'est qu'il faisait, de tête, des calculs compliqués à effrayer Binet lui-même. Poli jusqu'à l'obséquiosité, il se tenait toujours les reins à demi courbés, dans la position de quelqu'un qui salue ou qui invite.

Après avoir laissé à la porte son chapeau garni d'un crêpe, il posa sur la table un carton vert, et commença par se plaindre à Madame, avec force civilités, d'être resté jusqu'à ce jour sans obtenir sa confiance. Une pauvre boutique comme la sienne n'était pas faite pour attirer une *élégante*; il appuya sur le mot. Elle n'avait pourtant qu'à commander, et il se chargerait de lui fournir ce qu'elle voudrait, tant en mercerie que lingerie, bonneterie ou nouveautés; car il allait à la ville quatre fois par mois, régulièrement. Il était en relation avec les plus fortes maisons. On pouvait parler de lui aux *Trois Frères*, à la *Barbe d'or* ou au *Grand Sauvage*, tous ces messieurs le connaissaient comme leurs poches! Aujourd'hui donc il venait montrer à Madame, en passant, différents articles qu'il se trouvait avoir, grâce à une occasion des plus rares. Et il retira de la boîte une demi-douzaine de cols brodés.

Mme Bovary les examina.

— Je n'ai besoin de rien, dit-elle.

Alors M. Lheureux exhiba délicatement trois écharpes algériennes, plusieurs paquets d'aiguilles anglaises, une paire de pantoufles en paille, et enfin, quatre coquetiers en coco, ciselés à jour par des forçats. Puis, les deux mains sur la table, le cou tendu, la taille penchée, il suivait, bouche béante, le regard d'Emma qui se promenait indécis parmi ces marchandises. De temps à autre, comme pour en chasser la poussière, il donnait un coup d'ongle sur la soie des écharpes, dépliées dans toute leur longueur; et elles frémissaient avec un bruit léger en faisant, à la lumière verdâtre du crépuscule, scintiller, comme de petites étoiles, les paillettes d'or de leur tissu.

— Combien coûtent-elles?

— Une misère, répondit-il; mais rien ne presse; quand vous voudrez; nous ne sommes pas des Juifs!

Elle réfléchit quelques instants, et finit encore par remercier M. Lheureux, qui répliqua sans s'émouvoir:

— Eh bien! nous nous entendrons plus tard; avec les dames je me suis toujours arrangé, si ce n'est avec la mienne, cependant!

Emma sourit.

— C'était pour vous dire, reprit-il d'un air bonhomme, après sa plaisanterie, que ce n'est pas l'argent
qui m'inquiète... Je vous en donnerais, s'il le fallait.

Elle eut un geste de surprise.

— Ah! fit-il vivement et à voix basse, je n'aurais pas
besoin d'aller loin pour vous en trouver; comptez-y!

Et il se mit à demander des nouvelles du père Tellier,
le maître du *Café Français,* que M. Bovary soignait alors.

— Qu'est-ce qu'il a donc, le père Tellier?... Il tousse
qu'il en secoue toute sa maison, et j'ai bien peur que,
prochainement, il ne lui faille plutôt un paletot de
sapin qu'une camisole de flanelle. Il a fait tant de
bamboches quand il était jeune! Ces gens-là, madame,
n'avaient pas le moindre ordre! Il s'est calciné avec
l'eau-de-vie! Mais c'est fâcheux tout de même de voir
une connaissance s'en aller.

Et, tandis qu'il rebouchait son carton, il discourait
ainsi sur la clientèle du médecin.

— C'est le temps, sans doute, dit-il en regardant les
carreaux avec une figure rechignée, qui est la cause de
ces maladies-là! Moi aussi, je ne me sens pas en mon
assiette, il faudra même un de ces jours que je vienne
consulter Monsieur, pour une douleur que j'ai dans le
dos. Enfin, au revoir, madame Bovary; à votre disposition, serviteur très humble!

Et il referma la porte doucement.

Emma se fit servir à dîner dans sa chambre, au coin
du feu, sur un plateau; elle fut longue à manger; tout
lui sembla bon.

— Comme j'ai été sage! se disait-elle en songeant aux
écharpes.

Elle entendit des pas dans l'escalier : c'était Léon.
Elle se leva, et prit sur la commode, parmi des torchons
à ourler, le premier de la pile. Elle semblait fort occupée quand il parut.

La conversation fut languissante, Mme Bovary l'abandonnant à chaque minute, tandis qu'il demeurait lui-même comme tout embarrassé. Assis sur une chaise basse, près de la cheminée, il faisait tourner dans ses doigts l'étui d'ivoire; elle poussait son aiguille, ou, de temps à autre, avec son ongle, fronçait les plis de la toile. Elle ne parlait pas; il se taisait, captivé par son silence, comme il l'eût été par ses paroles.

— Pauvre garçon! pensait-elle.

— En quoi lui déplais-je? se demandait-il.

Léon, cependant, finit par dire qu'il devait, un de ces jours, aller à Rouen, pour une affaire de son étude.

— Votre abonnement de musique est terminé, dois-je le reprendre?

— Non, répondit-elle.

— Pourquoi?

— Parce que...

Et, pinçant ses lèvres, elle tira lentement une longue aiguillée de fil gris.

Cet ouvrage irritait Léon. Les doigts d'Emma semblaient s'y écorcher par le bout; il lui vint en tête une phrase galante, mais qu'il ne risquait pas.

— Vous l'abandonnez donc? reprit-il.

— Quoi? dit-elle vivement; la musique? Ah! mon Dieu, oui! n'ai-je pas ma maison à tenir, mon mari à soigner, mille choses enfin, bien des devoirs qui passent auparavant!

Elle regarda la pendule. Charles était en retard. Alors elle fit la soucieuse. Deux ou trois fois même, elle répéta :

— Il est si bon!

Le clerc affectionnait M. Bovary. Mais cette tendresse à son endroit l'étonna d'une façon désagréable; néanmoins il continua son éloge, qu'il entendait faire à chacun, disait-il, et surtout au pharmacien.

— Ah! c'est un brave homme, reprit Emma.

— Certes, reprit le clerc.

Et il se mit à parler de Mme Homais, dont la tenue fort négligée leur prêtait à rire ordinairement.

— Qu'est-ce que cela fait? interrompit Emma. Une bonne mère de famille ne s'inquiète pas de sa toilette.

Puis elle retomba dans son silence.

Il en fut de même les jours suivants; ses discours, ses manières, tout changea. On la vit prendre à cœur son ménage, retourner à l'église régulièrement et tenir sa servante avec plus de sévérité.

Elle retira Berthe de nourrice. Félicité l'amenait quand il venait des visites, et Mme Bovary la déshabillait afin de faire voir ses membres. Elle déclarait adorer les enfants; c'était sa consolation, sa joie, sa folie, et elle accompagnait ses caresses d'expansions lyriques, qui, à d'autres qu'à des Yonvillais, eussent rappelé la Sachette de *Notre-Dame de Paris*.

Quand Charles rentrait, il trouvait auprès des cendres ses pantoufles à chauffer. Ses gilets maintenant ne manquaient plus de doublure, ni ses chemises de boutons, et même il y avait plaisir à considérer dans l'armoire tous les bonnets de coton rangés par piles égales. Elle ne rechignait plus, comme autrefois, à faire des tours dans le jardin; ce qu'il proposait était toujours consenti, bien qu'elle ne devinât pas les volontés auxquelles elle se soumettait sans un murmure; — et lorsque Léon le voyait au coin du feu, après le dîner, les deux mains sur son ventre, les deux pieds sur les chenets, la joue rougie par la digestion, les yeux humides de bonheur, avec l'enfant qui se traînait sur le tapis, et cette femme à taille mince qui, par-dessus le dossier du fauteuil, venait le baiser au front :

— Quelle folie! se disait-il, et comment arriver jusqu'à elle?

Elle lui parut donc si vertueuse et inaccessible, que toute espérance, même la plus vague, l'abandonna.

Mais, par ce renoncement, il la plaçait en des conditions extraordinaires. Elle se dégagea, pour lui, des

qualités charnelles dont il n'avait rien à obtenir; et elle
alla, dans son cœur, montant toujours et s'en détachant,
à la manière magnifique d'une apothéose qui s'envole.
C'était un de ces sentiments purs qui n'embarrassent
pas l'exercice de la vie, que l'on cultive parce qu'ils
sont rares, et dont la perte affligerait plus que la possession n'est réjouissante.

Emma maigrit, ses joues pâlirent, sa figure s'allongea.
Avec ses bandeaux noirs, ses grands yeux, son nez droit,
sa démarche d'oiseau, et toujours silencieuse maintenant,
ne semblait-elle pas traverser l'existence en y touchant
à peine, et porter au front la vague empreinte de quelque
prédestination sublime? Elle était si triste et si calme,
si douce à la fois et si réservée, que l'on se sentait
près d'elle pris par un charme glacial, comme l'on fris-
sonne dans les églises sous le parfum des fleurs mêlé au
froid des marbres. Les autres même n'échappaient point
à cette séduction. Le pharmacien disait :

— C'est une femme de grands moyens et qui ne serait
pas déplacée dans une sous-préfecture.

Les bourgeoises admiraient son économie, les clients sa
politesse, les pauvres sa charité.

Mais elle était pleine de convoitises, de rage, de haine.
Cette robe aux plis droits cachait un cœur bouleversé,
et ces lèvres si pudiques n'en racontaient pas la tourmente. Elle était amoureuse de Léon, et elle recherchait
la solitude, afin de pouvoir plus à l'aise se délecter en
son image. La vue de sa personne troublait la volupté
de cette méditation. Emma palpitait au bruit de ses pas; puis,
en sa présence, l'émotion tombait, et il ne lui restait
ensuite qu'un étonnement qui se finissait en tristesse.

Léon ne savait pas, lorsqu'il sortait de chez elle désespéré, qu'elle se levait derrière lui, afin de le voir dans
la rue. Elle s'inquiétait de ses démarches; elle épiait son
visage; elle inventa toute une histoire pour trouver prétexte à visiter sa chambre. La femme du pharmacien

lui semblait bien heureuse de dormir sous le même toit; et ses pensées continuellement s'abattaient sur cette maison, comme les pigeons du *Lion d'or* qui venaient tremper là, dans les gouttières, leurs pattes roses et leurs ailes blanches. Mais plus Emma s'apercevait de son amour, plus elle le refoulait, afin qu'il ne parût pas, et pour le diminuer. Elle aurait voulu que Léon s'en doutât; et elle imaginait des hasards, des catastrophes qui l'eussent facilité. Ce qui la retenait, sans doute, c'était la paresse ou l'épouvante, et la pudeur aussi. Elle songeait qu'elle l'avait repoussé trop loin, qu'il n'était plus temps, que tout était perdu. Puis l'orgueil, la joie de se dire : « Je suis vertueuse », et de se regarder dans la glace en prenant des poses résignées, la consolait un peu du sacrifice qu'elle croyait faire.

Alors, les appétits de la chair, les convoitises d'argent et les mélancolies de la passion, tout se confondit dans une même souffrance; — et, au lieu d'en détourner sa pensée, elle l'y attachait davantage, s'excitant à la douleur et en cherchant partout les occasions. Elle s'irritait d'un plat mal servi ou d'une porte entre-bâillée, gémissait du velours qu'elle n'avait pas, du bonheur qui lui manquait, de ses rêves trop hauts, de sa maison trop étroite.

Ce qui l'exaspérait, c'est que Charles n'avait pas l'air de se douter de son supplice. La conviction où il était de la rendre heureuse lui semblait une insulte imbécile, et sa sécurité là-dessus de l'ingratitude. Pour qui donc était-elle sage? N'était-il pas, lui, l'obstacle à toute félicité, la cause de toute misère, et comme l'ardillon pointu de cette courroie complexe qui la bouclait de tous côtés?

Donc, elle reporta sur lui seul la haine nombreuse qui résultait de ses ennuis, et chaque effort pour l'amoindrir ne servait qu'à l'augmenter; car cette peine inutile s'ajoutait aux autres motifs de désespoir et contribuait encore plus à l'écartement. Sa propre douceur à elle-même lui donnait des rébellions. La médiocrité domes-

tique la poussait à des fantaisies luxueuses, la tendresse
matrimoniale en des désirs adultères. Elle aurait voulu
que Charles la battît, pour pouvoir plus justement le
détester, s'en venger. Elle s'étonnait parfois des conjectures atroces qui lui arrivaient à la pensée; et il fallait
continuer à sourire, s'entendre répéter qu'elle était
heureuse, faire semblant de l'être, le laisser croire!

Elle avait des dégoûts, cependant, de cette hypocrisie.
Des tentations la prenaient de s'enfuir avec Léon, quelque part, bien loin, pour essayer une destinée nouvelle;
mais aussitôt il s'ouvrait dans son âme un gouffre
vague, plein d'obscurité.

— D'ailleurs il ne m'aime plus, pensait-elle; que
devenir? quel secours attendre, quelle consolation, quel
allégement?

Elle restait brisée, haletante, inerte, sanglotant à voix
basse et avec des larmes qui coulaient.

— Pourquoi ne point le dire à Monsieur? lui demandait la domestique, lorsqu'elle entrait pendant ces crises.

— Ce sont les nerfs, répondait Emma; ne lui en parle
pas, tu l'affligerais.

— Ah! oui, reprenait Félicité, vous êtes justement
comme la Guérine, la fille au père Guérin, le pêcheur
du Pollet, que j'ai connue à Dieppe, avant de venir chez
vous. Elle était si triste, si triste, qu'à la voir debout
sur le seuil de sa maison, elle vous faisait l'effet d'un drap
d'enterrement tendu devant la porte. Son mal, à ce qu'il
paraît, était une manière de brouillard qu'elle avait dans
la tête, et les médecins n'y pouvaient rien, ni le curé non
plus. Quand ça la prenait trop fort, elle s'en allait toute
seule sur le bord de la mer, si bien que le lieutenant de
la douane, en faisant sa tournée, souvent la trouvait étendue à plat ventre et pleurant sur les galets. Puis, après
son mariage, ça lui a passé, dit-on.

— Mais, moi, reprenait Emma, c'est après le mariage
que ça m'est venu.

# VI

Un soir que la fenêtre était ouverte, et que, assise au bord, elle venait de regarder Lestiboudois, le bedeau, qui taillait le buis, elle entendit tout à coup sonner l'*Angelus*.

On était au commencement d'avril, quand les primevères sont écloses; un vent tiède se roule sur les plates-bandes labourées, et les jardins, comme des femmes, semblent faire leur toilette pour les fêtes de l'été. Par les barreaux de la tonnelle et au delà tout alentour, on voyait la rivière dans la prairie, où elle dessinait sur l'herbe des sinuosités vagabondes. La vapeur du soir passait entre les peupliers sans feuilles, estompant leurs contours d'une teinte violette, plus pâle et plus transparente qu'une gaze subtile arrêtée sur leurs branchages. Au loin, des bestiaux marchaient, on n'entendait ni leurs pas, ni leurs mugissements; et la cloche, sonnant toujours, continuait dans les airs sa lamentation pacifique.

A ce tintement répété, la pensée de la jeune femme s'égarait dans ses vieux souvenirs de jeunesse et de pension. Elle se rappela les grands chandeliers, qui dépassaient sur l'autel les vases pleins de fleurs et le tabernacle à colonnettes. Elle aurait voulu, comme autrefois, être encore confondue dans la longue ligne des voiles blancs, que marquaient de noir çà et là les

capuchons raides des bonnes sœurs inclinées sur leur
prie-Dieu; le dimanche à la messe, quand elle relevait
sa tête, elle apercevait le doux visage de la Vierge, parmi
les tourbillons bleuâtres de l'encens qui montait. Alors
un attendrissement la saisit; elle se sentit molle et tout
abandonnée, comme un duvet d'oiseau qui tournoie
dans la tempête; et ce fut sans en avoir conscience
qu'elle s'achemina vers l'église, disposée à n'importe
quelle dévotion, pourvu qu'elle y absorbât son âme et
que l'existence entière y disparût.

Elle rencontra, sur la place, Lestiboudois, qui s'en
revenait; car, pour ne pas rogner la journée, il préférait
interrompre sa besogne, puis la reprendre, si bien qu'il
tintait l'*Angelus* selon sa commodité. D'ailleurs, la sonnerie, faite plus tôt, avertissait les gamins de l'heure du
catéchisme.

Déjà quelques-uns, qui se trouvaient arrivés, jouaient
aux billes sur les dalles du cimetière. D'autres, à cali-
fourchon sur le mur, agitaient leurs jambes, en fau-
chant avec leurs sabots les grandes orties poussées
entre la petite enceinte et les dernières tombes. C'était
la seule place qui fût verte; tout le reste n'était que
pierres, et couvert continuellement d'une poudre fine,
malgré le balai de la sacristie.

Les enfants en chaussons couraient là comme sur un
parquet fait pour eux, et on entendait les éclats de leurs
voix à travers le bourdonnement de la cloche. Il dimi-
nuait avec les oscillations de la grosse corde qui, tombant des hauteurs du clocher, traînait à terre par le bout.
Des hirondelles passaient en poussant de petits cris, coupaient l'air au tranchant de leur vol, et rentraient vite
dans leurs nids jaunes, sous les tuiles du larmier. Au
fond de l'église, une lampe brûlait, c'est-à-dire une
mèche de veilleuse dans un verre suspendu. Sa lumière,
de loin, semblait une tache blanchâtre qui tremblait
sur l'huile. Un long rayon de soleil traversait toute la

nef· et rendait plus sombres encore les bas-côtés et les angles.

— Où est le curé? demanda Mme Bovary à un jeune garçon qui s'amusait à secouer le tourniquet dans son trou trop lâche.

— Il va venir, répondit-il.

En effet, la porte du presbytère grinça, l'abbé Bournisien parut; les enfants, pêle-mêle, s'enfuirent dans l'église.

— Ces polissons-là! murmura l'ecclésiastique, toujours les mêmes!

Et, ramassant un catéchisme en lambeaux qu'il venait de heurter avec son pied :

— Ça ne respecte rien.

Mais, dès qu'il aperçut Mme Bovary :

— Excusez-moi, dit-il, je ne vous remettais pas.

Il fourra le catéchisme dans sa poche et s'arrêta, continuant à balancer entre deux doigts la lourde clef de la sacristie.

La lueur du soleil couchant qui frappait en plein son visage pâlissait le lasting de sa soutane, luisante sous les coudes, effiloquée pas le bas. Des taches de graisse et de tabac suivaient sur sa poitrine large la ligne de petits boutons, et elles devenaient plus nombreuses en s'écartant de son rabat, où reposaient les plis abondants de sa peau rouge; elle était semée de macules jaunes qui disparaissaient dans les poils rudes de sa barbe grisonnante. Il venait de dîner et respirait bruyamment.

— Comment vous portez-vous? ajouta-t-il.

— Mal, répondit Emma; je souffre.

— Eh bien! moi aussi, reprit l'ecclésiastique. Ces premières chaleurs, n'est-ce pas? vous amollissent étonnamment. Enfin, que voulez-vous! nous sommes nés pour souffrir, comme dit saint Paul. Mais, M. Bovary, qu'est-ce qu'il en pense?

— Lui! fit-elle avec un geste de dédain.

— Quoi! répliqua le bonhomme tout étonné, il ne vous ordonne pas quelque chose?

— Ah! dit Emma, ce ne sont pas les remèdes de la terre qu'il me faudrait.

Mais le curé, de temps à autre, regardait dans l'église, où tous les gamins agenouillés se poussaient de l'épaule, et tombaient comme des capucins de cartes.

— Je voudrais savoir... reprit-elle.

— Attends, attends, Riboudet, cria l'ecclésiastique d'une voix colère, je m'en vas aller te chauffer les oreilles, mauvais galopin!

— C'est le fils de Boudet le charpentier; ses parents sont à leur aise et lui laissent faire ses fantaisies. Pourtant il apprendrait vite, s'il le voulait, car il est plein d'esprit. Et moi quelquefois, par plaisanterie, je l'appelle donc Riboudet (comme la côte que l'on prend pour aller à Maromme), et je dis même : mon Riboudet. Ah! ah! Mont-Riboudet! L'autre jour, j'ai apporté ce mot-là à Monseigneur, qui en a ri... il a daigné en rire. — Et M. Bovary, comment va-t-il?

Elle semblait ne pas entendre. Il continua :

— Toujours fort occupé, sans doute? car nous sommes certainement, lui et moi, les deux personnes de la paroisse qui avons le plus à faire. Mais lui, il est le médecin des corps, ajouta-t-il avec un rire épais, et moi, je le suis des âmes!

Elle fixa sur le prêtre des yeux suppliants :

— Oui..., dit-elle, vous soulagez toutes les misères.

— Ah! ne m'en parlez pas, madame Bovary! Ce matin même, il a fallu que j'aille dans le Bas-Diauville pour une vache qui avait l'*enfle,* ils croyaient que c'était un sort. Toutes leurs vaches, je ne sais comment... Mais, pardon! Longuemarre et Boudet! sac à papier! voulez-vous bien finir!

Et, d'un bond, il s'élança dans l'église.

Les gamins, alors, se pressaient autour du grand

pupitre, grimpaient sur le tabouret du chantre, ouvraient le missel; et d'autres, à pas de loup, allaient se hasarder bientôt jusque dans le confessionnal. Mais le curé, soudain, distribua sur tous une grêle de soufflets. Les prenant par le collet de la veste, il les enlevait de terre et les reposait à deux genoux sur les pavés du chœur, fortement, comme s'il eût voulu les y planter.

— Allez, dit-il, quand il fut revenu près d'Emma, et en déployant son large mouchoir d'indienne, dont il mit un angle entre ses dents, les cultivateurs sont bien à plaindre!

— Il y en a d'autres, répondit-elle.

— Assurément! les ouvriers des villes, par exemple.

— Ce ne sont pas eux...

— Pardonnez-moi! j'ai connu là de pauvres mères de famille, des femmes vertueuses, je vous assure, de véritables saintes, qui manquaient même de pain.

— Mais celles, reprit Emma (et les coins de sa bouche se tordaient en parlant), celles, monsieur le curé, qui ont du pain, et qui n'ont pas...

— De feu l'hiver, dit le prêtre.

— Eh! qu'importe?

— Comment! qu'importe? il me semble, à moi, que lorsqu'on est bien chauffé, bien nourri... car enfin...

— Mon Dieu! mon Dieu! soupirait-elle.

— Vous vous trouvez gênée? dit-il, en s'avançant d'un air inquiet; c'est la digestion, sans doute? Il faut rentrer chez vous, madame Bovary, boire un peu de thé; ça vous fortifiera, ou bien un verre d'eau fraîche avec de la cassonade.

— Pourquoi?

Et elle avait l'air de quelqu'un qui se réveille d'un songe.

— C'est que vous passiez la main sur votre front. J'ai cru qu'un étourdissement vous prenait.

Puis, se ravisant :

— Mais vous me demandiez quelque chose? Qu'est-ce donc? Je ne sais plus.

— Moi? Rien..., rien..., répétait Emma.

Et son regard, qu'elle promenait autour d'elle, s'abaissa lentement sur le vieillard à soutane. Ils se considéraient tous les deux, face à face, sans parler.

— Alors, madame Bovary, dit-il enfin, faites excuse, mais le devoir avant tout, vous savez; il faut que j'expédie mes garnements. Voilà les premières communions qui vont venir. Nous serons encore surpris, j'en ai peur! Aussi, à partir de l'Ascension, je les tiens *recta* tous les mercredis une heure de plus. Ces pauvres enfants! on ne saurait les diriger trop tôt dans la voie du Seigneur, comme, du reste, il nous l'a recommandé lui-même par la bouche de son divin Fils... Bonne santé, madame; mes respects à monsieur votre mari!

Et il entra dans l'église, en faisant, dès la porte, une génuflexion.

Emma le vit qui disparaissait entre la double ligne de bancs, marchant à pas lourds, la tête un peu penchée sur l'épaule et avec ses deux mains entr'ouvertes, qu'il portait en dehors.

Puis elle tourna sur ses talons, tout d'un bloc comme une statue sur un pivot, et prit le chemin de sa maison. Mais la grosse voix du curé, la voix claire des gamins arrivaient encore à son oreille et continuaient derrière elle :

— Êtes-vous chrétien?

— Oui, je suis chrétien.

— Qu'est-ce qu'un chrétien?

— C'est celui qui, étant baptisé..., baptisé..., baptisé...

Elle monta les marches de son escalier en se tenant à la rampe, et, quand elle fut dans sa chambre, se laissa tomber dans un fauteuil.

Le jour blanchâtre des carreaux s'abaissait doucement avec des ondulations. Les meubles à leur place semblaient devenus plus immobiles et se perdre dans l'ombre comme dans un océan ténébreux. La cheminée était éteinte, la pendule battait toujours, et Emma vaguement s'ébahissait à ce calme des choses, tandis qu'il y avait en elle-même tant de bouleversements. Mais, entre la fenêtre et la table à ouvrage, la petite Berthe était là, qui chancelait sur ses bottines de tricot, et essayait de se rapprocher de sa mère, pour lui saisir, par le bout, les rubans de son tablier.

— Laisse-moi! dit celle-ci en l'écartant avec la main.

La petite fille bientôt revint plus près encore contre ses genoux; et, s'y appuyant des bras, elle levait vers elle son gros œil bleu, pendant qu'un filet de salive pure découlait de sa lèvre sur la soie du tablier.

— Laisse-moi! répéta la jeune femme tout irritée.

Sa figure épouvanta l'enfant, qui se mit à crier.

— Eh! laisse-moi donc! fit-elle en la repoussant du coude.

Berthe alla tomber au pied de la commode, contre la patère de cuivre; elle s'y coupa la joue, le sang sortit. Mme Bovary se précipita pour la relever, cassa le cordon de la sonnette, appela la servante de toutes ses forces, et elle allait commencer à se maudire, lorsque Charles parut. C'était l'heure du dîner, il rentrait.

— Regarde donc, cher ami, lui dit Emma d'une voix tranquille : voilà la petite qui, en jouant, vient de se blesser par terre.

Charles la rassura, le cas n'était point grave, et il alla chercher du diachylum.

Mme Bovary ne descendit pas dans la salle; elle voulut demeurer seule à garder son enfant. Alors, en la contemplant dormir, ce qu'elle conservait d'inquiétude se dissipa par degrés, et elle se parut à elle-même bien sotte et bien bonne de s'être troublée tout à l'heure pour si peu de chose. Berthe, en effet, ne sanglotait plus. Sa respiration, maintenant, soulevait insensiblement

la couverture de coton. De grosses larmes s'arrêtaient
au coin de ses paupières à demi closes, qui laissaient
voir entre les cils deux prunelles pâles, enfoncées; le
sparadrap, collé sur sa joue, en tirait obliquement la
peau tendue.

— C'est une chose étrange, pensait Emma, comme
cette enfant est laide!

Quand Charles, à onze heures du soir, revint de la
pharmacie (où il avait été remettre, après le dîner, ce qui
lui restait du diachylum), il trouva sa femme debout
auprès du berceau.

— Puisque je t'assure que ce ne sera rien, dit-il en la
baisant au front; ne te tourmente pas, pauvre chérie,
tu te rendras malade!

Il était resté longtemps chez l'apothicaire. Bien qu'il
ne s'y fût pas montré fort ému, M. Homais, néanmoins,
s'était efforcé de le raffermir, de lui *remonter le moral*.
Alors on avait causé des dangers divers qui menacent
l'enfance et de l'étourderie des domestiques. Mme Homais en savait quelque chose, ayant encore sur la poitrine les marques d'une écuellée de braise qu'une cuisinière, autrefois, avait laissé tomber dans son sarrau.
Aussi ces bons parents prenaient-ils quantité de précautions. Les couteaux jamais n'étaient effilés, ni les
appartements cirés. Il y avait aux fenêtres des grilles de
fer et aux chambranles de fortes barres. Les petits
Homais, malgré leur indépendance, ne pouvaient remuer
sans un surveillant derrière eux; au moindre rhume, leur
père les bourrait de pectoraux, et jusqu'à plus de quatre
ans ils portaient tous, impitoyablement, des bourrelets
matelassés. C'était, il est vrai, une manie de Mme Homais;
son époux en était intérieurement affligé, redoutant
pour les organes de l'intellect les résultats possibles d'une
pareille compression, et il s'échappait jusqu'à lui dire :

— Tu prétends donc en faire des Caraïbes ou des
Botocudos?

Charles, cependant, avait essayé plusieurs fois d'interrompre la conversation.

— J'aurais à vous entretenir, avait-il soufflé bas à l'oreille du clerc, qui se mit à marcher devant lui dans l'escalier.

— Se douterait-il de quelque chose? se demandait Léon. Il avait des battements de cœur et se perdait en conjectures.

Enfin Charles, ayant fermé la porte, le pria de voir lui-même à Rouen quels pouvaient être les prix d'un beau daguerréotype; c'était une surprise sentimentale qu'il réservait à sa femme, un attention fine, son portrait en habit noir. Mais il voulait auparavant *savoir à quoi s'en tenir;* ces démarches ne devaient pas embarrasser M. Léon, puisqu'il allait à la ville toutes les semaines, à peu près.

Dans quel but? Homais soupçonnait là-dessous quelque *histoire de jeune homme,* une intrigue. Mais il se trompait; Léon ne poursuivait aucune amourette. Plus que jamais il était triste, et Mme Lefrançois s'en apercevait bien à la quantité de nourriture qu'il laissait maintenant sur son assiette. Pour en savoir plus long, elle interrogea le percepteur; Binet répliqua, d'un ton rogue, qu'il n'était *point payé par la police.*

Son camarade, toutefois, lui paraissait fort singulier; car souvent Léon se renversait sur sa chaise en écartant les bras, et se plaignait vaguement de l'existence.

— C'est que vous ne prenez point assez de distractions, disait le percepteur.

— Lesquelles?

— Moi! à votre place, j'aurais un tour!

— Mais je ne sais pas tourner, répondait le clerc.

— Oh! c'est vrai! faisait l'autre en caressant sa mâchoire, avec un air de dédain mêlé de satisfaction.

Léon était las d'aimer sans résultats; puis il commençait à sentir cet accablement que vous cause la répé-

tition de la même vie, lorsque aucun intérêt ne la
dirige et qu'aucune espérance ne la soutient. Il était
si ennuyé d'Yonville et des Yonvillais, que la vue de
certaines gens, de certaines maisons l'irritait à n'y
pouvoir tenir; et le pharmacien, tout bonhomme qu'il
était, lui devenait complètement insupportable. Cependant, la perspective d'une situation nouvelle l'effrayait
autant qu'elle le séduisait.

Cette appréhension se tourna vite en impatience, et
Paris alors agita pour lui, dans le lointain, la fanfare
de ses bals masqués avec le rire de ses grisettes. Puisqu'il devait y terminer son droit, pourquoi ne partait-
il pas? qui l'empêchait? Et il se mit à faire des préparatifs intérieurs; il arrangea d'avance ses occupations. Il se meubla, dans sa tête, un appartement.
Il y mènerait une vie d'artiste! Il y prendrait des
leçons de guitare! Il aurait une robe de chambre, un
béret basque, des pantoufles de velours bleu! Et même
il admirait déjà sur sa cheminée deux fleurets en
sautoir, avec une tête de mort et la guitare au-dessus.

La chose difficile était le consentement de sa mère;
rien pourtant ne paraissait plus raisonnable. Son patron
même l'engageait à visiter une autre étude, où il pût se
développer davantage. Prenant donc un parti moyen,
Léon chercha quelque place de second clerc à Rouen,
n'en trouva pas; il écrivit enfin à sa mère une longue
lettre détaillée, où il exposait les raisons d'aller habiter
Paris immédiatement. Elle y consentit.

Il ne se hâta point. Chaque jour, durant tout un
mois, Hivert transporta pour lui d'Yonville à Rouen, de
Rouen à Yonville, des coffres, des valises, des paquets;
et, quand Léon eut remonté sa garde-robe, fait rembourrer
ses trois fauteuils, acheté une provision de foulards, pris,
en un mot, plus de dispositions que pour un voyage autour
du monde, il s'ajourna de semaine en semaine, jusqu'à ce
qu'il reçût une seconde lettre maternelle où on le pressait

de partir, puisqu'il désirait, avant les vacances, passer son examen.

Lorsque le moment fut venu des embrassades, Mme Homais pleura, Justin sanglotait; Homais, en homme fort, dissimula son émotion, il voulut lui-même porter le paletot de son ami jusqu'à la grille du notaire qui emmenait Léon à Rouen dans sa voiture. Ce dernier avait juste le temps de faire ses adieux à M. Bovary.

Quand il fut au haut de l'escalier, il s'arrêta, tant il se sentait hors d'haleine. A son entrée, Mme Bovary se leva vivement.

— C'est encore moi! dit Léon.

— J'en étais sûre!

Elle se mordit les lèvres, et un flot de sang lui courut sous la peau, qui se colora tout en rose, depuis la racine des cheveux jusqu'au bord de sa collerette. Elle restait debout, s'appuyant de l'épaule contre la boiserie.

— Monsieur n'est donc pas là? reprit-il.

— Il est absent.

Elle répéta :

— Il est absent.

Alors il y eut un silence. Ils se regardèrent; et leurs pensées, confondues dans la même angoisse, s'étreignaient étroitement, comme deux poitrines palpitantes.

— Je voudrais bien embrasser Berthe, dit Léon.

Emma descendit quelques marches, et elle appela Félicité.

Il jeta vite autour de lui un large coup d'œil qui s'étala sur les murs, les étagères, la cheminée, comme pour pénétrer tout, emporter tout.

Mais elle rentra, et la servante amena Berthe, qui secouait au bout d'une ficelle un moulin à vent la tête en bas.

Léon la baisa sur le cou à plusieurs reprises.

— Adieu, pauvre enfant! adieu, chère petite, adieu!

Et il la remit à sa mère.

— Emmenez-la, dit celle-ci.

Ils restèrent seuls.

Mme Bovary, le dos tourné, avait la figure posée contre un carreau; Léon tenait sa casquette à la main et la battait doucement le long de sa cuisse.

— Il va pleuvoir, dit Emma.

— J'ai un manteau, répondit-il.

— Ah!

Elle se détourna, le menton baissé et le front en avant. La lumière y glissait comme sur un marbre, jusqu'à la courbe des sourcils, sans que l'on pût savoir ce qu'Emma regardait à l'horizon ni ce qu'elle pensait au fond d'elle-même.

— Allons, adieu! soupira-t-il.

Elle releva sa tête d'un mouvement brusque :

— Oui, adieu..., partez!

Ils s'avancèrent l'un vers l'autre; il tendit la main, elle hésita.

— A l'anglaise donc, fit-elle, abandonnant la sienne, tout en s'efforçant de rire. ·

Léon la sentit entre ses doigts, et la substance même de tout son être lui semblait descendre dans cette paume humide.

Puis il ouvrit la main; leurs yeux se rencontrèrent encore, et il disparut.

Quand il fut sous les halles, il s'arrêta, et il se cacha derrière un pilier, afin de contempler une dernière fois cette maison blanche avec ses quatre jalousies vertes. Il crut voir une ombre derrière la fenêtre, dans la chambre; mais le rideau, se décrochant de la patère comme si personne n'y touchait, remua lentement ses longs plis obliques, qui d'un seul bond s'étalèrent tous, et il resta droit, plus immobile qu'un mur de plâtre. Léon se mit à courir.

Il aperçut de loin, sur la route, le cabriolet de son

patron, et à côté un homme en serpillière qui tenait le cheval. Homais et M. Guillaumin causaient ensemble. On l'attendait.

— Embrassez-moi, dit l'apothicaire, les larmes aux yeux. Voilà votre paletot, mon bon ami; prenez garde au froid! Soignez-vous! ménagez-vous!

— Allons, Léon, en voiture! dit le notaire.

Homais se pencha sur le garde-crotte, et d'une voix entrecoupée par les sanglots, laissa tomber ces deux mots tristes :

— Bon voyage!

— Bonsoir, répondit M. Guillaumin. Lâchez tout!

Ils partirent, et Homais s'en retourna.

Mme Bovary avait ouvert sa fenêtre sur le jardin, et elle regardait les nuages.

Ils s'amoncelaient au couchant, du côté de Rouen, et roulaient vite leurs volutes noires, d'où dépassaient par derrière les grandes lignes du soleil, comme les flèches d'or d'un trophée suspendu, tandis que le reste du ciel avait la blancheur d'une porcelaine. Mais une rafale de vent fit se courber les peupliers, et tout à coup, la pluie tomba; elle crépitait sur les feuilles vertes. Puis le soleil reparut, les poules chantèrent, des moineaux battaient des ailes dans les buissons humides, et les flaques d'eau sur le sable emportaient en s'écoulant les fleurs roses d'un acacia.

— Ah! qu'il doit être loin déjà! pensa-t-elle.

M. Homais, comme de coutume, vint à six heures et demie, pendant le dîner.

— Eh bien! dit-il en s'asseyant, nous avons donc tantôt embarqué notre jeune homme?

— Il paraît! répondit le médecin.

Puis, se tournant sur sa chaise :

— Et quoi de neuf chez vous?

— Pas grand'chose. Ma femme, seulement, a été cette

après-midi un peu émue. Vous savez, les femmes, un rien les trouble! la mienne surtout! Et l'on aurait tort de se révolter là contre, puisque leur organisation nerveuse est beaucoup plus malléable que la nôtre.

— Ce pauvre Léon! disait Charles, comment va-t-il vivre à Paris?... S'y accoutumera-t-il?

Mme Bovary soupira.

— Allons donc! dit le pharmacien en claquant de la langue, les parties fines chez le traiteur! les bals masqués! le champagne! tout cela va rouler, je vous assure.

— Je ne crois pas qu'il se dérange, objecta Bovary.

— Ni moi! reprit vivement M. Homais, quoiqu'il lui faudra pourtant suivre les autres, au risque de passer pour un jésuite. Eh! vous ne savez pas la vie que mènent ces farceurs-là, dans le quartier Latin, avec les actrices! Du reste, les étudiants sont fort bien vus à Paris. Pour peu qu'ils aient quelque talent d'agrément, on les reçoit dans les meilleures sociétés, et il y a même des dames du faubourg Saint-Germain qui en deviennent amoureuses, ce qui leur fournit, par la suite, les occasions de faire de très beaux mariages.

— Mais, dit le médecin, j'ai peur pour lui que... là-bas...

— Vous avez raison, interrompit l'apothicaire, c'est le revers de la médaille! et l'on y est obligé continuellement d'avoir la main posée sur son gousset. Ainsi, vous êtes dans un jardin public, je suppose; un quidam se présente, bien mis, décoré même, et qu'on prendrait pour un diplomate; il vous aborde; vous causez; il s'insinue, vous offre une prise ou vous ramasse votre chapeau. Puis on se lie davantage; il vous mène au café, vous invite à venir dans sa maison de campagne, vous fait faire, entre deux vins, toutes sortes de connaissances, et, les trois quarts du temps, ce n'est que pour flibuster votre bourse ou vous entraîner en des démarches pernicieuses.

— C'est vrai, répondit Charles; mais je pensais surtout aux maladies, à la fièvre typhoïde, par exemple, qui attaque les étudiants de la province.

Emma tressaillit.

— A cause du changement de régime, continua le pharmacien, et de la perturbation qui en résulte dans l'économie générale. Et puis, l'eau de Paris, voyez-vous! les mets des restaurateurs, toutes ces nourritures épicées finissent par vous échauffer le sang et ne valent pas, quoi qu'on en dise, un bon pot-au-feu. J'ai toujours, quant à moi, préféré la cuisine bourgeoise, c'est plus sain! Aussi, lorsque j'étudiais à Rouen la pharmacie, je m'étais mis en pension dans une pension; je mangeais avec les professeurs.

Et il continua donc à exposer ses opinions générales et ses sympathies personnelles, jusqu'au moment où Justin vint le chercher pour un lait de poule qu'il fallait faire.

— Pas un instant de répit! s'écria-t-il, toujours à la chaîne! Je ne peux sortir une minute! Il faut, comme un cheval de labour, être à suer sang et eau! Quel collier de misère!

Puis, quand il fut sur la porte :

— A propos, dit-il, savez-vous la nouvelle?

— Quoi donc?

— C'est qu'il est fort probable, reprit Homais, en dressant ses sourcils et en prenant une figure des plus sérieuses, que les comices agricoles de la Seine-Inférieure se tiendront cette année à Yonville-l'Abbaye. Le bruit, du moins, en circule. Ce matin, le journal en touchait quelque chose. Ce serait pour notre arrondissement de la dernière importance! Mais nous en causerons plus tard. J'y vois, je vous remercie; Justin a la lanterne.

# VII

Le lendemain fut, pour Emma, une journée funèbre. Tout lui parut enveloppé par une atmosphère noire qui flottait confusément sur l'extérieur des choses, et le chagrin s'engouffrait dans son âme avec des hurlements doux, comme fait le vent d'hiver dans les châteaux abandonnés. C'était cette rêverie que l'on a sur ce qui ne reviendra plus, la lassitude qui vous prend après chaque fait accompli, cette douleur, enfin, que vous apportent l'interruption de tout mouvement accoutumé, la cessation brusque d'une vibration prolongée.

Comme au retour de la Vaubyessard, quand les quadrilles tourbillonnaient dans sa tête, elle avait une mélancolie morne, un désespoir engourdi. Léon réapparaissait plus grand, plus beau, plus suave, plus vague; quoiqu'il fût séparé d'elle, il ne l'avait pas quittée, il était là, et les murailles de la maison semblaient garder son ombre. Elle ne pouvait détacher sa vue de ce tapis où il avait marché, de ces meubles vides où il s'était assis. La rivière coulait toujours, et poussait lentement ses petits flots le long de la berge glissante. Ils s'y étaient promenés bien des fois, à ce même murmure des ondes sur les cailloux couverts de mousse. Quels bons soleils ils avaient eus! quelles bonnes après-midi, seuls, à l'ombre, dans le fond du jardin! Il lisait tout haut, tête nue, posé sur un tabouret de bâtons secs;

le vent frais de la prairie faisait trembler les pages du
livre et les capucines de la tonnelle... Ah! il était parti,
le seul charme de sa vie, le seul espoir possible d'une
félicité! Comment n'avait-elle pas saisi ce bonheur-là,
quand il se présentait! Pourquoi ne l'avoir pas retenu
à deux mains, à deux genoux, quand il voulait s'enfuir?
Et elle se maudit de n'avoir pas aimé Léon; elle eut
soif de ses lèvres. L'envie la prit de courir le rejoindre,
de se jeter dans ses bras, de lui dire : « C'est moi, je suis
à toi! » Mais Emma s'embarrassait d'avance aux
difficultés de l'entreprise, et ses désirs, s'augmentant
d'un regret, n'en devenaient que plus actifs.

Dès lors, ce souvenir de Léon fut comme le centre
de son ennui; il y pétillait plus fort que, dans une steppe
de Russie, un feu de voyageurs abandonné sur la neige.
Elle se précipitait vers lui, elle se blottissait contre, elle
remuait délicatement ce foyer près de s'éteindre, elle
allait cherchant tout autour d'elle ce qui pouvait l'aviver
davantage; et les réminiscences les plus lointaines comme
les plus immédiates occasions, ce qu'elle éprouvait avec
ce qu'elle imaginait, ses envies de volupté qui se dispersaient, ses projets de bonheur qui craquaient au
vent comme des branchages morts, sa vertu stérile, ses
espérances tombées, la litière domestique, elle ramassait
tout, prenait tout, et faisait servir tout à réchauffer sa
tristesse.

Cependant les flammes s'apaisèrent, soit que la provision d'elle-même s'épuisât, ou que l'entassement fût trop
considérable. L'amour, peu à peu, s'éteignit par l'absence, le regret s'étouffla sous l'habitude; et cette lueur
d'incendie qui empourprait son ciel pâle se couvrit de
plus d'ombre et s'effaça par degrés. Dans l'assoupissement de sa conscience, elle prit même les répugnances
du mari pour des aspirations vers l'amant, les brûlures
de la haine pour des réchauffements de la tendresse;
mais, comme l'ouragan soufflait toujours, et que la

passion se consuma jusqu'aux cendres, et qu'aucun
secours ne vint, qu'aucun soleil ne parut, il fut de tous
côtés nuit complète, et elle demeura perdue dans un
froid horrible qui la traversait.

Alors les mauvais jours de Tostes recommencèrent.
Elle s'estimait à présent beaucoup plus malheureuse,
car elle avait l'expérience du chagrin, avec la certitude
qu'il ne finirait pas.

Une femme qui s'était imposé de si grands sacrifices
pouvait bien se passer des fantaisies. Elle s'acheta un
prie-Dieu gothique, et elle dépensa en un mois pour
quatorze francs de citrons à se nettoyer les ongles; elle
écrivit à Rouen, afin d'avoir une robe en cachemire bleu;
elle choisit, chez Lheureux, la plus belle de ses écharpes;
elle se la nouait à la taille par-dessus sa robe de
chambre; et, les volets fermés, avec un livre à la main,
elle restait étendue sur un canapé, dans cet accoutrement.

Souvent, elle variait sa coiffure : elle se mettait à la
chinoise, en boucles molles, en nattes tressées; elle se fit
une raie sur le côté de la tête et roula ses cheveux en
dessous, comme un homme.

Elle voulut apprendre l'italien : elle acheta des dictionnaires, une grammaire, une provision de papier blanc.
Elle essaya des lectures sérieuses, de l'histoire et de la
philosophie. La nuit, quelquefois, Charles se réveillait
en sursaut, croyant qu'on venait le chercher pour un
malade :

— J'y vais, balbutiait-il.

Et c'était le bruit d'une allumette qu'Emma frottait
afin de rallumer sa lampe. Mais il en était de ses lectures
comme de ses tapisseries, qui, toutes commencées,
encombraient son armoire; elle les prenait, les quittait,
passait à d'autres.

Elle avait des accès, où on l'eût poussée facilement
à des extravagances. Elle soutint un jour, contre son
mari, qu'elle boirait bien un grand demi-verre d'eau-

de-vie, et, comme Charles eut la bêtise de l'en défier, elle avala l'eau-de-vie jusqu'au bout.

Malgré ses airs évaporés (c'était le mot des bourgeoises d'Yonville), Emma pourtant ne paraissait pas joyeuse, et, d'habitude, elle gardait aux coins de la bouche cette immobile contraction qui plisse la figure des vieilles filles et celle des ambitieux déchus. Elle était pâle partout, blanche comme du linge; la peau du nez se tirait vers les narines, ses yeux vous regardaient d'une manière vague. Pour s'être découvert trois cheveux gris sur les tempes, elle parla de sa vieillesse.

Souvent des défaillances la prenaient. Un jour même elle eut un crachement de sang, et, comme Charles s'empressait, laissant apercevoir son inquiétude :

— Ah bah! répondit-elle, qu'est-ce que cela fait?

Charles s'alla réfugier dans son cabinet; et il pleura, les deux coudes sur la table, assis dans son fauteuil de bureau, sous la tête phrénologique.

Alors il écrivit à sa mère pour la prier de venir, et ils eurent ensemble de longues conférences au sujet d'Emma.

A quoi se résoudre? que faire, puisqu'elle se refusait à tout traitement?

— Sais-tu ce qu'il faudrait à ta femme? reprenait la mère Bovary. Ce seraient des occupations forcées, des ouvrages manuels! Si elle était comme tant d'autres contrainte à gagner son pain, elle n'aurait pas ces vapeurs-là, qui lui viennent d'un tas d'idées qu'elle se fourre dans la tête, et du désœuvrement où elle vit.

— Pourtant elle s'occupe, disait Charles.

— Ah! elle s'occupe! A quoi donc? A lire des romans, de mauvais livres, des ouvrages qui sont contre la religion et dans lesquels on se moque des prêtres par des discours tirés de Voltaire. Mais tout cela va loin, mon pauvre enfant, et quelqu'un qui n'a pas de religion finit toujours par tourner mal.

Donc, il fut résolu que l'on empêcherait Emma de lire des romans. L'entreprise ne semblait point facile. La bonne dame s'en chargea : elle devait, quand elle passerait par Rouen, aller en personne chez le loueur de livres et lui représenter qu'Emma cessait ses abonnements. N'aurait-on pas le droit d'avertir la police, si le libraire persistait quand même dans son métier d'empoisonneur ?

Les adieux de la belle-mère et de la bru furent secs. Pendant les trois semaines qu'elles étaient restées ensemble, elles n'avaient pas échangé quatre paroles, à part les informations et compliments, quand elles se rencontraient à table, et le soir avant de se mettre au lit.

Mme Bovary mère partit un mercredi, qui était jour de marché à Yonville.

La place, dès le matin, était encombrée par une file de charrettes qui, toutes à cul et les brancards en l'air, s'étendaient le long des maisons depuis l'église jusqu'à l'auberge. De l'autre côté, il y avait des baraques de toile et l'on vendait des cotonnades, des couvertures et des bas de laine, avec des licous pour les chevaux et des paquets de rubans bleus, qui par le bout s'envolaient au vent. De la grosse quincaillerie s'étalait par terre, entre les pyramides d'œufs et les bannettes de fromages, d'où sortaient des pailles gluantes; près des machines à blé, des poules qui gloussaient dans des cages plates passaient leurs cous par les barreaux. La foule, s'encombrant au même endroit sans en vouloir bouger, menaçait quelquefois de rompre la devanture de la pharmacie. Les mercredis, elle ne désemplissait pas et l'on s'y poussait, moins pour acheter des médicaments que pour prendre des consultations, tant était fameuse la réputation du sieur Homais, dans les villages circonvoisins. Son robuste aplomb avait fasciné les campagnards. Ils le regardaient comme un plus grand médecin que tous les médecins.

Emma était accoudée à sa fenêtre (elle s'y mettait souvent : la fenêtre, en province, remplace les théâtres et la promenade), et elle s'amusait à considérer la cohue des rustres, lorsqu'elle aperçut un monsieur vêtu d'une redingote de velours vert. Il était ganté de gants jaunes, quoiqu'il fût chaussé de fortes guêtres; et il se dirigeait vers la maison du médecin, suivi d'un paysan marchant la tête basse d'un air tout réfléchi.

— Puis-je voir Monsieur? demanda-t-il à Justin, qui causait sur le seuil avec Félicité.

Et, le prenant pour le domestique de la maison :

— Dites-lui que M. Rodolphe Boulanger, de la Huchette, est là.

Ce n'était point par vanité territoriale que le nouvel arrivant avait ajouté à son nom la particule, mais afin de se faire mieux connaître. La Huchette, en effet, était un domaine près d'Yonville, dont il venait d'acquérir le château, avec deux fermes qu'il cultivait lui-même, sans trop se gêner cependant. Il vivait en garçon, et passait pour avoir *au moins quinze mille livres de rentes!*

Charles entra dans la salle. M. Boulanger lui présenta son homme, qui voulait être saigné, parce qu'il éprouvait *des fourmis le long du corps.*

— Ça me purgera, objectait-il à tous les raisonnements.

Bovary commanda donc d'apporter une bande et une cuvette, et pria Justin de la soutenir. Puis, s'adressant au villageois déjà blême :

— N'ayez point peur, mon brave.

— Non, non, répondit l'autre, marchez toujours!

Et d'un air fanfaron, il tendit son gros bras. Sous la piqûre de la lancette, le sang jaillit et alla s'éclabousser contre la glace.

— Approche le vase! exclama Charles.

— *Guête!* disait le paysan, on jurerait une petite fontaine qui coule! Comme j'ai le sang rouge! ce doit être bon signe, n'est-ce pas?

— Quelquefois, reprit l'officier de santé, l'on n'éprouve rien au commencement, puis la syncope se déclare, et plus particulièrement chez les gens bien constitués, comme celui-ci.

Le campagnard, à ces mots, lâcha l'étui qu'il tournait entre ses doigts. Une saccade de ses épaules fit craquer le dossier de la chaise. Son chapeau tomba.

— Je m'en doutais, dit Bovary en appliquant son doigt sur la veine.

La cuvette commençait à trembler aux mains de Justin; ses genoux chancelèrent, il devint pâle.

— Ma femme! ma femme! appela Charles.

D'un bond, elle descendit l'escalier.

— Du vinaigre! cria-t-il. Ah! mon Dieu, deux à la fois!

Et, dans son émotion, il avait peine à poser la compresse.

— Ce n'est rien, disait tout tranquillement M. Boulanger, tandis qu'il prenait Justin entre ses bras.

Et il l'assit sur la table, lui appuyant le dos contre la muraille.

Mme Bovary se mit à lui retirer sa cravate. Il y avait un nœud aux cordons de la chemise; elle resta quelques minutes à remuer ses doigts légers dans le cou du jeune garçon; ensuite elle versa du vinaigre sur son mouchoir de batiste; elle lui en mouillait les tempes à petits coups et elle soufflait dessus, délicatement.

Le charretier se réveilla : mais la syncope de Justin durait encore, et ses prunelles disparaissaient dans leur sclérotique pâle, comme des fleurs bleues dans du lait.

— Il faudrait, dit Charles, lui cacher cela.

Mme Bovary prit la cuvette. Pour la mettre sous la table, dans le mouvement qu'elle fit en s'inclinant, sa robe (c'était une robe d'été à quatre volants, de couleur jaune, longue de taille, large de jupe), sa robe s'évasa autour d'elle sur les carreaux de la salle; — et, comme Emma, baissée, chancelait un peu en écartant les bras, le gonflement de l'étoffe se crevait de place en place, selon les inflexions du corsage. Ensuite, elle alla prendre une carafe d'eau, et elle faisait fondre des morceaux de sucre lorsque le pharmacien arriva. La servante l'avait été chercher dans l'algarade; en apercevant son élève les yeux ouverts, il reprit haleine. Puis, tournant autour de lui, il le regardait de haut en bas.

— Sot! disait-il, petit sot, vraiment! sot en trois lettres! Grand'chose, après tout, qu'une phlébotomie! et un gaillard qui n'a peur de rien! une espèce d'écureuil, tel que vous le voyez, qui monte locher des noix à des hauteurs vertigineuses. Ah! oui, parle, vante-toi! voilà de belles dispositions à exercer plus tard la pharmacie; car tu peux te trouver appelé en des circonstances graves, par-devant les tribunaux, afin d'y éclairer la conscience des magistrats; et il faudra pourtant garder son sang-froid, raisonner, se montrer homme, ou bien passer pour un imbécile!

Justin ne répondait pas. L'apothicaire continuait :

— Qui t'a prié de venir? Tu importunes toujours monsieur et madame! Les mercredis, d'ailleurs, ta présence m'est plus indispensable. Il y a maintenant vingt personnes à la maison. J'ai tout quitté, à cause de l'intérêt que je te porte. Allons, va-t'en! cours! attends-moi, et surveille les bocaux!

Quand Justin, qui se rhabillait, fut parti, l'on causa quelque peu des évanouissements. Mme Bovary n'en avait jamais eu.

— C'est extraordinaire pour une dame! dit M. Boulanger. Du reste, il y a des gens bien délicats. Ainsi j'ai vu, dans une rencontre, un témoin perdre connaissance rien qu'au bruit des pistolets que l'on chargeait.

— Moi, dit l'apothicaire, la vue du sang des autres ne me fait rien du tout; mais l'idée seulement du mien qui coule suffirait à me causer des défaillances, si j'y réfléchissais trop.

Cependant M. Boulanger congédia son domestique,
en l'engageant à se tranquilliser l'esprit, puisque sa
fantaisie était passée.

— Elle m'a procuré l'avantage de votre connaissance, ajouta-t-il.

Et il regardait Emma durant cette phrase.

Puis il déposa trois francs sur le coin de la table, salua
négligemment et s'en alla.

Il fut bientôt de l'autre côté de la rivière (c'était son
chemin pour s'en retourner à la Huchette); et Emma
l'aperçut dans la prairie, qui marchait sous les peupliers, se ralentissant de temps à autre, comme quelqu'un qui réfléchit.

— Elle est fort gentille! se disait-il; elle est fort
gentille, cette femme du médecin! De belles dents,
les yeux noirs, le pied coquet, et de la tournure comme
une Parisienne. D'où diable sort-elle? Où donc l'a-t-il
trouvée, ce gros garçon-là?

M. Rodolphe Boulanger avait trente-quatre ans; il
était de tempérament brutal et d'intelligence perspicace,
ayant d'ailleurs beaucoup fréquenté les femmes, et s'y
connaissant bien. Celle-là lui avait paru jolie; il y rêvait
donc, et à son mari.

— Je le crois très bête. Elle en est fatiguée sans doute.
Il porte des ongles sales et une barbe de trois jours.
Tandis qu'il trottine à ses malades, elle reste à ravau-
der des chaussettes. Et on s'ennuie! on voudrait habiter
la ville, danser la polka tous les soirs! Pauvre petite
femme! Ça bâille après l'amour, comme une carpe après
l'eau sur une table de cuisine. Avec trois mots de galanterie, cela vous adorerait, j'en suis sûr! ce serait tendre!
charmant!... Oui, mais comment s'en débarrasser
ensuite?

Alors les encombrements du plaisir, entrevus en perspective, le firent, par contraste, songer à sa maîtresse.
C'était une comédienne de Rouen, qu'il entretenait; et,

quand il se fut arrêté sur cette image, dont il avait, en souvenir même, des rassasiements :

— Ah! Mme Bovary, pensa-t-il, est bien plus jolie qu'elle; plus fraîche surtout. Virginie, décidément, commence à devenir trop grosse. Elle est si fastidieuse, avec ses joies. Et, d'ailleurs, quelle manie de salicoques!

La campagne était déserte, et Rodolphe n'entendait autour de lui que le battement régulier des herbes qui fouettaient sa chaussure, avec le cri des grillons tapis au loin sous les avoines; il revoyait Emma dans la salle, habillée comme il l'avait vue, et il la déshabillait.

— Oh! je l'aurai! s'écria-t-il en écrasant, d'un coup de bâton, une motte de terre devant lui.

Et, aussitôt, il examina la partie politique de l'entreprise. Il se demandait :

— Où se rencontrer? par quel moyen? On aura continuellement le marmot sur les épaules, et la bonne, les voisins, le mari, toute sorte de tracasseries considérables. Ah bah! dit-il, on y perd trop de temps!

Puis il recommença :

— C'est qu'elle a des yeux qui vous entrent au cœur comme des vrilles. Et ce teint pâle!... Moi qui adore les femmes pâles!...

Au haut de la côte d'Argueil, sa résolution était prise.

— Il n'y a plus qu'à chercher les occasions. Eh bien! j'y passerai quelquefois, je leur enverrai du gibier, de la volaille; je me ferai saigner, s'il le faut; nous deviendrons amis, je les inviterai chez moi... Ah! parbleu! ajouta-t-il, voilà les Comices bientôt; elle y sera, je la verrai. Nous commencerons, et hardiment, car c'est le plus sûr.

# VIII

Ils arrivèrent, en effet, ces fameux Comices! Dès le matin de la solennité, tous les habitants, sur leurs portes, s'entretenaient des préparatifs; on avait enguirlandé de lierres le fronton de la mairie; une tente, dans un pré, était dressée pour le festin, et, au milieu de la place, devant l'église, une espèce de bombarde devait signaler l'arrivée de M. le préfet et le nom des cultivateurs lauréats. La garde nationale de Buchy (il n'y en avait point à Yonville) était venue s'adjoindre au corps des pompiers, dont Binet était le capitaine. Il portait, ce jour-là, un col encore plus haut que de coutume; et, sanglé dans sa tunique, il avait le buste si roide et immobile, que toute la partie vitale de sa personne semblait être descendue dans ses deux jambes, qui se levaient en cadence, à pas marqués, d'un seul mouvement. Comme une rivalité subsistait entre le percepteur et le colonel, l'un et l'autre, pour montrer leurs talents, faisaient à part manœuvrer leurs hommes. On voyait alternativement passer et repasser les épaulettes rouges et les plastrons noirs. Cela ne finissait pas et toujours recommençait! Jamais il n'y avait eu pareil déploiement de pompe! Plusieurs bourgeois, dès la veille, avaient lavé leurs maisons; des drapeaux tricolores pendaient aux fenêtres entr'ouvertes; tous les cabarets étaient pleins; et, par le beau temps qu'il faisait, les bonnets empesés, les croix d'or et les fichus de couleur paraissaient plus blancs que neige, miroitaient au soleil clair, et relevaient de leur bigarrure éparpillée la sombre monotonie des redingotes et des bourgerons bleus. Les fermières des environs retiraient, en descendant de cheval, la grosse épingle qui leur serrait autour du corps leur robe retroussée de peur des taches; et les maris, au contraire, afin de ménager leurs chapeaux, gardaient par-dessus des mouchoirs de poche, dont ils tenaient un angle entre les dents.

La foule arrivait dans la grande rue par les deux bouts du village. Il s'en dégorgeait des ruelles, des allées, des maisons, et l'on entendait de temps à autre retomber le marteau des portes, derrière les bourgeoises en gants de fil, qui sortaient pour aller voir la fête. Ce que l'on admirait surtout, c'étaient deux longs ifs couverts de lampions qui flanquaient une estrade où s'allaient tenir les autorités; et il y avait de plus, contre les quatre colonnes de la mairie, quatre manières de gaules, portant chacune un petit étendard de toile verdâtre, enrichi d'inscriptions en lettres d'or. On lisait sur l'un : « Au Commerce »; sur l'autre : « A l'Agriculture »; sur le troisième : « A l'Industrie »; et sur le quatrième : « Aux Beaux-Arts ».

Mais la jubilation qui épanouissait tous les visages paraissait assombrir Mme Lefrançois, l'aubergiste. Debout sur les marches de sa cuisine, elle murmurait dans son menton :

— Quelle bêtise! quelle bêtise avec leur baraque de toile! Croient-ils que le préfet sera bien aise de dîner là-bas, sous une tente, comme un saltimbanque? Ils appellent ces embarras-là, faire le bien du pays! Ce n'était pas la peine, alors, d'aller chercher un gargotier à Neufchâtel! Et pour qui? pour des vachers! des va-nu-pieds!...

L'apothicaire passa. Il portait un habit noir, un pan-

talon de nankin, des souliers de castor, et par extraordinaire un chapeau, un chapeau bas de forme.

— Serviteur! dit-il; excusez-moi, je suis pressé.

Et comme la grosse veuve lui demanda où il allait :

— Cela vous semble drôle, n'est-ce pas? moi qui reste
toujours plus confiné dans mon laboratoire que le rat
du bonhomme dans son fromage.

— Quel fromage? fit l'aubergiste.

— Non, rien! ce n'est rien! reprit Homais. Je voulais
vous exprimer seulement, madame Lefrançois, que je
demeure d'habitude tout reclus chez moi. Aujourd'hui
cependant, vu la circonstance, il faut bien que...

— Ah! vous allez là-bas? dit-elle avec un air de
dédain.

— Oui, j'y vais, répliqua l'apothicaire étonné; ne
fais-je point partie de la commission consultative?

La mère Lefrançois le considéra quelques minutes, et
finit par répondre en souriant :

— C'est autre chose! Mais qu'est-ce que la culture
vous regarde? vous vous y entendez donc?

— Certainement, je m'y entends, puisque je suis pharmacien, c'est-à-dire chimiste! et la chimie, madame Lefrançois, ayant pour objet la connaissance de l'action
réciproque et moléculaire de tous les corps de la nature,
il s'ensuit que l'agriculture se trouve comprise dans son
domaine! Et en effet, composition des engrais, fermen-
tation des liquides, analyse des gaz et influence des
miasmes, qu'est-ce que tout cela, je vous le demande,
si ce n'est de la chimie pure et simple?

L'aubergiste ne répondit rien. Homais continua :

— Croyez-vous qu'il faille, pour être agronome, avoir
soi-même labouré la terre ou engraissé des volailles?
Mais il faut connaître plutôt la constitution des sub-
stances dont il s'agit, les gisements géologiques, les
actions atmosphériques, la qualité des terrains, des
minéraux, des eaux, la densité des différents corps et

leur capillarité! que sais-je? Et il faut posséder à fond
tous les principes d'hygiène, pour diriger, critiquer la
construction des bâtiments, le régime des animaux,
l'alimentation des domestiques! il faut encore, madame Lefrançois, posséder la botanique; pouvoir discerner les plantes, entendez-vous? quelles sont les salu-
taires d'avec les délétères, quelles les improductives et
quelles les nutritives; s'il est bon de les arracher par-ci
et de les ressemer par-là, de propager les unes, de
détruire les autres; bref, il faut se tenir au courant de
la science par les brochures et papiers publics, être
toujours en haleine, afin d'indiquer les améliorations...

L'aubergiste ne quittait point des yeux la porte du
*Café Français,* et le pharmacien poursuivit :

— Plût à Dieu que nos agriculteurs fussent des chi-
mistes, ou que du moins ils écoutassent davantage les
conseils de la science! Ainsi, moi, j'ai dernièrement
écrit un fort opuscule, un mémoire de plus de soixante
et douze pages, intitulé : *Du cidre, de sa fabrication et de
ses effets; suivi de quelques réflexions nouvelles à ce sujet,*
que j'ai envoyé à la Société agronomique de Rouen; ce
qui m'a même valu l'honneur d'être reçu parmi ses
membres, section d'agriculture, classe de pomologie;
eh bien, si mon ouvrage avait été livré à la publicité...

Mais l'apothicaire s'arrêta, tant Mme Lefrançois paraissait préoccupée.

— Voyez-les donc! disait-elle, on n'y comprend rien!
une gargote semblable!

Et, avec des haussements d'épaules qui tiraient sur sa
poitrine les mailles de son tricot, elle montrait des
deux mains le cabaret de son rival, d'où sortaient alors
des chansons.

Du reste, il n'en a pas pour longtemps, ajouta-t-elle;
avant huit jours, tout est fini.

Homais se recula de stupéfaction. Elle descendit ses
trois marches, et, lui parlant à l'oreille :

— Comment! vous ne savez pas cela? On va le saisir cette semaine. C'est Lheureux qui le fait vendre. Il l'a assassiné de billets.

— Quelle épouvantable catastrophe! s'écria l'apothicaire, qui avait toujours des expressions congruantes à toutes les circonstances imaginables.

L'hôtesse donc se mit à lui raconter cette histoire, qu'elle savait par Théodore, le domestique de M. Guillaumin, et, bien qu'elle exécrât Tellier, elle blâmait Lheureux. C'était un enjôleur, un rampant.

— Ah! tenez, dit-elle, le voilà sous les halles; il salue Mme Bovary, qui a un chapeau vert. Elle est même au bras de M. Boulanger.

— Mme Bovary! fit Homais. Je m'empresse d'aller lui offrir mes hommages. Peut-être qu'elle sera bien aise d'avoir une place dans l'enceinte, sous le péristyle.

Et sans écouter la mère Lefrançois, qui le rappelait pour lui en conter plus long, le pharmacien s'éloigna d'un pas rapide, sourire aux lèvres et jarret tendu, distribuant de droite et de gauche quantité de salutations et emplissant beaucoup d'espace avec les grandes basques de son habit noir, qui flottaient au vent derrière lui.

Rodolphe, l'ayant aperçu de loin, avait pris un train rapide; mais Mme Bovary s'essouffla; il se ralentit donc et lui dit en souriant, d'un ton brutal :

— C'est pour éviter ce gros bonhomme : vous savez, l'apothicaire.

Elle lui donna un coup de coude.

— Qu'est-ce que cela signifie? se demanda-t-il.

Et il la considéra du coin de l'œil, tout en continuant à marcher.

Son profil était si calme, que l'on n'y devinait rien. Il se détachait en pleine lumière, dans l'ovale de sa capote qui avait des rubans pâles ressemblant à des feuilles de roseau. Ses yeux aux longs cils courbes regar-

daient devant elle, et, quoique bien ouverts, ils semblaient un peu bridés par les pommettes, à cause du
sang, qui battait doucement sous sa peau fine. Une
couleur rose traversait la cloison de son nez. Elle inclinait la tête sur l'épaule, et l'on voyait entre ses lèvres le
bout nacré de ses dents blanches.

— Se moque-t-elle de moi? songeait Rodolphe.

Ce geste d'Emma pourtant n'avait été qu'un avertisse-
ment; car M. Lheureux les accompagnait, et il leur parlait de temps à autre, comme pour entrer en conversation :

— Voici une journée superbe! tout le monde est
dehors! les vents sont à l'Est.

Et Mme Bovary, non plus que Rodolphe, ne lui
répondait guère, tandis qu'au moindre mouvement
qu'ils faisaient, il se rapprochait en disant : « Plaît-il? »
et portait la main à son chapeau.

Quand ils furent devant la maison du maréchal, au
lieu de suivre la route jusqu'à la barrière, Rodolphe,
brusquement, prit un sentier, entraînant Mme Bovary;
il cria :

— Bonsoir, monsieur Lheureux! au plaisir!

— Comme vous l'avez congédié! dit-elle en riant.

— Pourquoi, reprit-il, se laisser envahir par les autres?
et puisque, aujourd'hui, j'ai le bonheur d'être avec
vous...

Emma rougit. Il n'acheva point sa phrase. Alors il
parla du beau temps et du plaisir de marcher sur
l'herbe. Quelques marguerites étaient repoussées.

— Voici de gentilles pâquerettes, dit-il, et de quoi
fournir bien des oracles à toutes les amoureuses du
pays.

Il ajouta :

— Si j'en cueillais. Qu'en pensez-vous?

— Est-ce que vous êtes amoureux? fit-elle en toussant
un peu.

— Eh! eh! qui sait? répondit Rodolphe.

Le pré commençait à se remplir, et les ménagères vous heurtaient avec leurs grands parapluies, leurs paniers et leurs bambins. Souvent, il fallait se déranger devant une longue file de campagnardes, servantes en bas bleus, à souliers plats, à bagues d'argent, et qui sentaient le lait, quand on passait près d'elles. Elles marchaient en se tenant par la main, et se répandaient ainsi sur toute la longueur de la prairie, depuis la ligne des trembles jusqu'à la tente du banquet. Mais c'était le moment de l'examen, et les cultivateurs, les uns après les autres, entraient dans une manière d'hippodrome que formait une longue corde portée sur des bâtons.

Les bêtes étaient là, le nez tourné vers la ficelle, et alignant confusément leurs croupes inégales. Des porcs assoupis enfonçaient en terre leur groin; des veaux beuglaient, des brebis bêlaient; les vaches, un jarret replié, étalaient leur ventre sur le gazon, et, ruminant lentement, clignaient leurs paupières lourdes, sous les moucherons qui bourdonnaient autour d'elles. Des charretiers, les bras nus, retenaient par le licou des étalons cabrés, qui hennissaient à pleins naseaux du côté des juments. Elles restaient paisibles, allongeant la tête et la crinière pendante, tandis que leurs poulains se reposaient à leur ombre, ou venaient les téter quelquefois; et, sur la longue ondulation de tous ces corps tassés, on voyait se lever au vent, comme un flot, quelque crinière blanche, ou bien saillir des cornes aiguës, et des têtes d'hommes qui couraient. A l'écart, en dehors des lices, cent pas plus loin, il y avait un grand taureau noir muselé, portant un cercle de fer à la narine, et qui ne bougeait pas plus qu'une bête de bronze. Un enfant en haillons le tenait par une corde.

Cependant, entre les deux rangées, des messieurs s'avançaient d'un pas lourd, examinant chaque animal, puis se consultaient à voix basse. L'un d'eux, qui semblait plus considérable, prenait, tout en marchant, quelques notes sur un album. C'était le président du jury : M. Derozerays de la Panville. Sitôt qu'il reconnut Rodolphe, il s'avança vivement, et lui dit en souriant d'un air aimable :

— Comment, monsieur Boulanger, vous nous abandonnez?

Rodolphe protesta qu'il allait venir. Mais quand le président eut disparu :

— Ma foi, non, reprit-il, je n'irai pas; votre compagnie vaut bien la sienne.

Et, tout en se moquant des comices, Rodolphe, pour circuler plus à l'aise, montrait au gendarme sa pancarte bleue, et même il s'arrêtait parfois devant quelque beau *sujet,* que Mme Bovary n'admirait guère. Il s'en aperçut, et alors se mit à faire des plaisanteries sur les dames d'Yonville, à propos de leur toilette; puis il s'excusa lui-même du négligé de la sienne. Elle avait cette incohérence de choses communes et recherchées, où le vulgaire, d'habitude, croit entrevoir la révélation d'une existence excentrique, les désordres du sentiment, les tyrannies de l'art, et toujours un certain mépris des conventions sociales, ce qui le séduit ou l'exaspère. Ainsi, sa chemise de batiste à manchettes plissées bouffait au hasard du vent, dans l'ouverture de son gilet, qui était de coutil gris, et son pantalon à larges raies découvrait aux chevilles ses bottines de nankin, claquées de cuir verni. Elles étaient si vernies, que l'herbe s'y reflétait. Il foulait avec elles les crottins de cheval, une main dans la poche de sa veste et son chapeau de paille mis de côté.

— D'ailleurs, ajouta-t-il, quand on habite la campagne...

— Tout est peine perdue, dit Emma.

— C'est vrai! répliqua Rodolphe. Songer que pas un seul de ces braves gens n'est capable de comprendre même la tournure d'un habit!

Alors ils parlèrent de la médiocrité provinciale, des
existences qu'elle étouffait, des illusions qui s'y perdaient.

— Aussi, disait Rodolphe, je m'enfonce dans une tristesse...

— Vous! fit-elle avec étonnement. Mais je vous croyais
très gai?

— Ah! oui, d'apparence, parce qu'au milieu du
monde je sais mettre sur mon visage un masque railleur;
et cependant que de fois, à la vue d'un cimetière, au
clair de lune, je me suis demandé si je ne ferais pas
mieux d'aller rejoindre ceux qui sont à dormir...

— Oh! Et vos amis? dit-elle. Vous n'y pensez pas!

— Mes amis? lesquels donc? en ai-je? Qui s'inquiète
de moi?

Et il accompagna ces derniers mots d'une sorte de
sifflement entre ses lèvres.

Mais ils furent obligés de s'écarter l'un de l'autre à
cause d'un grand échafaudage de chaises qu'un homme
portait derrière eux. Il en était si surchargé, que l'on
apercevait seulement la pointe de ses sabots, avec
le bout de ses deux bras, écartés droit. C'était Lestiboudois, le fossoyeur, qui charriait dans la multitude les
chaises de l'église. Plein d'imagination pour tout ce qui
concernait ses intérêts, il avait découvert ce moyen de
tirer parti des comices; et son idée lui réussissait, car
il ne savait plus auquel entendre. En effet, les villageois,
qui avaient chaud, se disputaient ces sièges dont la paille
sentait l'encens, et s'appuyaient contre leurs gros dossiers salis par la cire des cierges, avec une certaine véné-
ration.

Mme Bovary reprit le bras de Rodolphe; il continua
comme se parlant à lui-même :

— Oui! tant de choses m'ont manqué! toujours seul!
Ah! si j'avais eu un but dans la vie, si j'eusse rencontré
une affection, si j'avais trouvé quelqu'un... Oh! comme

j'aurais dépensé toute l'énergie dont je suis capable, j'aurais surmonté tout, brisé tout!

— Il me semble pourtant, dit Emma, que vous n'êtes guère à plaindre.

— Ah! vous trouvez? fit Rodolphe.

— Car enfin..., reprit-elle, vous êtes libre.

Elle hésita :

— Riche.

— Ne vous moquez pas de moi, répondit-il.

Et elle jurait qu'elle ne se moquait pas, quand un coup de canon retentit; aussitôt, on se poussa pêle-mêle vers le village.

C'était une fausse alerte; M. le Préfet n'arrivait pas, et les membres du jury se trouvaient fort embarrassés, ne sachant s'il fallait commencer la séance ou bien attendre encore.

Enfin, au fond de la place, parut un grand landau de louage, traîné par deux chevaux maigres, que fouettait à tour de bras un cocher en chapeau blanc. Binet n'eut que le temps de crier : « Aux armes! » et le colonel de l'imiter. On courut vers les faisceaux. On se précipita. Quelques-uns même oublièrent leur col. Mais l'équipage préfectoral sembla deviner cet embarras, et les deux rosses accouplées, se dandinant sur leur chaî-nette, arrivèrent au petit trot devant le péristyle de la mairie, juste au moment où la garde nationale et les pompiers s'y déployaient, tambour battant, et mar-quant le pas.

— Balancez! cria Binet.

— Halte! cria le colonel. Par file à gauche!

Et après un port d'armes où le cliquetis des capu-cines, se déroulant, sonna comme un chaudron de cuivre qui dégringole les escaliers, tous les fusils retombèrent.

Alors on vit descendre du carrosse un monsieur vêtu d'un habit court à broderie d'argent, chauve sur le front, portant toupet à l'occiput, ayant le teint blafard

et l'apparence des plus bénignes. Ses deux yeux, fort
gros et couverts de paupières épaisses, se fermaient à
demi pour considérer la multitude, en même temps
qu'il levait son nez pointu et faisait sourire sa bouche
rentrée. Il reconnut le maire à son écharpe, et lui exposa
que M. le Préfet n'avait pu venir. Il était, lui, un conseiller de préfecture; puis il ajouta quelques excuses.
Tuvache y répondit par des civilités, l'autre s'avoua
confus; et ils restaient ainsi, face à face, et leurs fronts
se touchant presque, avec les membres du jury tout
alentour, le conseil municipal, les notables, la garde
nationale et la foule. M. le Conseiller, appuyant contre
sa poitrine son petit tricorne noir, réitérait ses salutations, tandis que Tuvache, courbé comme un arc, souriait aussi, bégayait, cherchait ses phrases, protestait
de son dévouement à la monarchie, et de l'honneur que
l'on faisait à Yonville.

Hippolyte, le garçon de l'auberge, vint prendre par
la bride les chevaux du cocher, et tout en boitant de
son pied bot, il les conduisit sous le porche du *Lion d'or,*
où beaucoup de paysans s'amassèrent à regarder la voiture. Le tambour battit, l'obusier tonna, et les messieurs
à la file montèrent s'asseoir sur l'estrade, dans les fauteuils en utrecht rouge qu'avait prêtés Mme Tuvache.

Tous ces gens-là se ressemblaient. Leurs molles figures
blondes, un peu hâlées par le soleil, avaient la couleur
du cidre doux, et leurs favoris bouffants s'échappaient
de grands cols roides, que maintenaient des cravates
blanches à rosette bien étalée. Tous les gilets étaient
de velours à châle; toutes les montres portaient au bout
d'un long ruban quelque cachet ovale en cornaline;
et l'on appuyait ses deux mains sur ses deux cuisses,
en écartant avec soin la fourche du pantalon, dont le
drap non décati reluisait plus brillamment que le cuir
des fortes bottes.

Les dames de la société se tenaient derrière, sous le

vestibule, entre les colonnes, tandis que le commun
de la foule était en face, debout ou bien assis sur des
chaises. En effet, Lestiboudois avait apporté là toutes
celles qu'il avait déménagées de la prairie, et même il
courait à chaque minute en chercher d'autres dans
l'église, et causait un tel encombrement par son commerce, que l'on avait grand'peine à parvenir jusqu'au
petit escalier de l'estrade.

— Moi, je trouve, dit M. Lheureux (s'adressant au
pharmacien, qui passait pour gagner sa place), que
l'on aurait dû planter là deux mâts vénitiens : avec
quelque chose d'un peu sévère et de riche comme nouveauté, c'eût été d'un fort joli coup d'œil.

— Certes, répondit Homais. Mais, que voulez-vous!
c'est le maire qui a tout pris sous son bonnet. Il n'a pas
grand goût, ce pauvre Tuvache, et il est même complètement dénué de ce qui s'appelle le génie des arts.

Cependant Rodolphe, avec Mme Bovary, était monté
au premier étage de la mairie, dans la *salle des délibéra-
tions,* et comme elle était vide, il avait déclaré que l'on
y serait bien pour jouir du spectacle plus à son aise.
Il prit trois tabourets autour de la table ovale, sous le
buste du monarque, et, les ayant approchés de l'une
des fenêtres, ils s'assirent l'un près de l'autre.

Il y eut une agitation sur l'estrade, de longs chucho-
tements, des pourparlers. Enfin, M. le Conseiller se
leva. On savait maintenant qu'il s'appelait Lieuvain, et
l'on se répétait son nom de l'un à l'autre, dans la foule.
Quand il eut donc collationné quelques feuilles et
appliqué dessus son œil pour y mieux voir, il commença :

« Messieurs,

« Qu'il me soit permis d'abord (avant de vous entretenir de l'objet de cette réunion d'aujourd'hui, et ce
sentiment, j'en suis sûr, sera partagé par vous tous),

qu'il me soit permis, dis-je, de rendre justice à l'administration supérieure, au gouvernement, au monarque,
Messieurs, à notre souverain, à ce roi bien-aimé à qui
aucune branche de la prospérité publique ou particulière n'est indifférente, et qui dirige à la fois d'une
main si ferme et si sage le char de l'État parmi les périls
incessants d'une mer orageuse, sachant d'ailleurs faire
respecter la paix comme la guerre, l'industrie, le
commerce, l'agriculture et les beaux-arts. »

— Je devrais, dit Rodolphe, me reculer un peu.
— Pourquoi? dit Emma.
Mais, à ce moment, la voix du Conseiller s'éleva d'un
ton extraordinaire. Il déclamait :

« Le temps n'est plus, Messieurs, où la discorde
civile ensanglantait nos places publiques, où le propriétaire, le négociant, l'ouvrier lui-même, en s'endormant le soir d'un sommeil paisible, tremblaient de se
voir réveillés tout à coup au bruit des tocsins incendiaires, où les maximes les plus subversives sapaient
audacieusement les bases... »

— C'est qu'on pourrait, reprit Rodolphe, m'apercevoir d'en bas; puis j'en aurais pour quinze jours à
donner des excuses, et, avec ma mauvaise réputation...
— Oh! vous vous calomniez, dit Emma.
— Non, non, elle est exécrable, je vous jure.

« Mais, Messieurs, poursuivait le Conseiller, que si,
écartant de mon souvenir ces sombres tableaux, je
reporte mes yeux sur la situation actuelle de notre belle
patrie, qu'y vois-je? Partout fleurissent le commerce et
les arts; partout des voies nouvelles de communication,
comme autant d'artères nouvelles dans le corps de l'État,
y établissent des rapports nouveaux; nos grands centres

manufacturiers ont repris leur activité; la religion, plus affermie, sourit à tous les cœurs; nos ports sont pleins, la confiance renaît, et enfin la France respire...! »

— Du reste, ajouta Rodolphe, peut-être, au point de vue du monde, a-t-on raison!

— Comment cela? fit-elle.

— Eh quoi! dit-il, ne savez-vous pas qu'il y a des âmes sans cesse tourmentées? Il leur faut tour à tour le rêve et l'action, les passions les plus pures, les jouissances les plus furieuses, et l'on se jette ainsi dans toutes sortes de fantaisies, de folies.

Alors elle le regarda comme on contemple un voyageur qui a passé par des pays extraordinaires, et elle reprit :

— Nous n'avons pas même cette distraction, nous autres pauvres femmes!

— Triste distraction, car on n'y trouve pas le bonheur.

— Mais le trouve-t-on jamais? demanda-t-elle.

— Oui, il se rencontre un jour, répondit-il.

« Et c'est là ce que vous avez compris, disait le Conseiller. Vous, agriculteurs et ouvriers des campagnes! vous, pionniers pacifiques d'une œuvre toute de civilisation! vous, hommes de progrès et de moralité! vous avez compris, dis-je, que les orages politiques sont encore plus redoutables vraiment que les désordres de l'atmosphère... »

— Il se rencontre un jour, répéta Rodolphe, un jour, tout à coup, et quand on en désespérait. Alors des horizons s'entr'ouvrent, c'est comme une voix qui crie : « Le voilà! » Vous sentez le besoin de faire à cette personne la confidence de votre vie, de lui donner tout, de lui sacrifier tout! On ne s'explique pas, on se devine. On s'est entrevu dans ses rêves. (Et il la regardait.)

Enfin, il est là, ce trésor que l'on a tant cherché, là, devant vous; il brille, il étincelle. Cependant on en doute encore, on n'ose y croire; on en reste ébloui, comme si l'on sortait des ténèbres à la lumière.

Et, en achevant ces mots, Rodolphe ajouta la pantomime à sa phrase. Il se passa la main sur le visage, tel qu'un homme pris d'étourdissement; puis il la laissa retomber sur celle d'Emma. Elle retira la sienne. Mais le Conseiller lisait toujours:

« Et qui s'en étonnerait, Messieurs! Celui-là seul qui serait assez aveugle, assez plongé (je ne crains pas de le dire), assez plongé dans les préjugés d'un autre âge pour méconnaître encore l'esprit des populations agricoles. Où trouver, en effet, plus de patriotisme que dans les campagnes, plus de dévouement à la cause publique, plus d'intelligence en un mot? Et je n'entends pas, Messieurs, cette intelligence superficielle, vain ornement des esprits oisifs, mais plus de cette intelligence profonde et modérée, qui s'applique par-dessus toute chose à poursuivre des buts utiles, contribuant ainsi au bien de chacun, à l'amélioration commune et au soutien des États, fruit du respect des lois et de la pratique des devoirs... »

— Ah! encore, dit Rodolphe. Toujours les devoirs, je suis assommé de ces mots-là. Ils sont un tas de vieilles ganaches en gilet de flanelle, et de bigotes à chaufferette et à chapelet, qui continuellement nous chantent aux oreilles: « Le devoir! le devoir! » Eh! parbleu! le devoir, c'est de sentir ce qui est grand, de chérir ce qui est beau, et non pas d'accepter toutes les conventions de la société, avec les ignominies qu'elle nous impose.

— Cependant..., cependant..., objectait Mme Bovary.

— Eh non! pourquoi déclamer contre les passions?

Ne sont-elles pas la seule belle chose qu'il y ait sur la terre, la source de l'héroïsme, de l'enthousiasme, de la poésie, de la musique, des arts, de tout enfin!

— Mais il faut bien, dit Emma, suivre un peu l'opinion du monde et obéir à sa morale.

— Ah! c'est qu'il y en a deux, répliqua-t-il. La petite, la convenue, celle des hommes, celle qui varie sans cesse et qui braille si fort, s'agite en bas, terre à terre, comme ce rassemblement d'imbéciles que vous voyez. Mais l'autre, l'éternelle, elle est tout autour et au-dessus, comme le paysage qui nous environne et le ciel bleu qui nous éclaire.

M. Lieuvain venait de s'essuyer la bouche avec son mouchoir de poche. Il reprit :

« Et qu'aurais-je à faire, Messieurs, de vous démontrer ici l'utilité de l'agriculture? Qui donc pourvoit à nos besoins? qui donc fournit à notre subsistance? N'est-ce pas l'agriculteur? L'agriculteur, Messieurs, qui, ensemençant d'une main laborieuse les sillons féconds des campagnes, fait naître le blé, lequel broyé est mis en poudre au moyen d'ingénieux appareils, en sort sous le nom de farine, et, de là, transporté dans les cités, est bientôt rendu chez le boulanger, qui en confectionne un aliment pour le pauvre comme pour le riche. N'est-ce pas l'agriculteur encore qui engraisse pour nos vêtements ses abondants troupeaux dans les pâturages? Car comment nous vêtirions-nous, car comment nous nourririons-nous sans l'agriculteur? Et même, Messieurs, est-il besoin d'aller si loin chercher des exemples? Qui n'a souvent réfléchi à toute l'importance que l'on retire de ce modeste animal, ornement de nos basses-cours, qui fournit à la fois un oreiller moelleux pour nos couches, sa chair succulente pour nos tables, et des œufs? Mais je n'en finirais pas, s'il fallait énumérer les uns après les autres les différents

produits que la terre bien cultivée, telle qu'une mère
généreuse, prodigue à ses enfants. Ici, c'est la vigne;
ailleurs, ce sont les pommiers à cidre; là, le colza; plus
loin, les fromages; et le lin; Messieurs, n'oublions pas
le lin! qui a pris dans ces dernières années un accrois-
sement considérable et sur lequel j'appellerai plus
particulièrement votre attention. »

Il n'avait pas besoin de l'appeler : car toutes les bouches de la multitude se tenaient ouvertes, comme pour
boire ses paroles. Tuvache, à côté de lui, l'écoutait en
écarquillant les yeux; M. Derozerays, de temps à autre,
fermait doucement les paupières; et, plus loin, le pharmacien, avec son fils Napoléon entre les jambes, bombait sa main contre son oreille pour ne pas en perdre une
seule syllabe. Les autres membres du jury balançaient
lentement leur menton dans leur gilet, en signe d'approbation. Les pompiers, au bas de l'estrade, se reposaient
sur leurs baïonnettes; et Binet, immobile, restait le coude
en dehors, avec la pointe du sabre en l'air. Il entendait
peut-être, mais il ne devait rien apercevoir, à cause de
la visière de son casque qui lui descendait sur le nez.
Son lieutenant, le fils cadet du sieur Tuvache, avait
encore exagéré le sien, car il en portait un énorme et
qui lui vacillait sur la tête, en laissant dépasser un bout
de son foulard d'indienne. Il souriait là-dessous avec
une douceur tout enfantine, et sa petite figure pâle, où
des gouttes ruisselaient, avait une expression de jouissance, d'accablement et de sommeil.

La place jusqu'aux maisons était comble de monde.
On voyait des gens accoudés à toutes les fenêtres, d'autres debout sur toutes les portes; et Justin, devant la
devanture de la pharmacie, paraissait tout fixé dans la
contemplation de ce qu'il regardait. Malgré le silence,
la voix de M. Lieuvain se perdait dans l'air. Elle vous
arrivait par lambeaux de phrases, qu'interrompait çà

et là le bruit des chaises dans la foule; puis on entendait, tout à coup, partir derrière soi un long mugisse-
ment de bœuf, ou bien les bêlements des agneaux qui se
répondaient au coin des rues. En effet, les vachers et les
bergers avaient poussé leurs bêtes jusque-là, et elles
beuglaient de temps à autre, tout en arrachant avec leur
langue quelque bribe de feuillage qui leur pendait sur
le museau.

Rodolphe s'était rapproché d'Emma, et il disait d'une
voix basse, en parlant vite :

— Est-ce que cette conjuration du monde ne vous
révolte pas? Est-il un seul sentiment qu'il ne condamne?
Les instincts les plus nobles, les sympathies les plus
pures sont persécutés, calomniés, et, s'il se rencontre
enfin deux pauvres âmes, tout est organisé pour qu'elles
ne puissent se joindre. Elles essayeront cependant, elles
battront des ailes, elles s'appelleront. Oh! n'importe,
tôt ou tard, dans six mois, dix ans, elles se réuniront,
s'aimeront, parce que la fatalité l'exige et qu'elles sont
nées l'une pour l'autre.

Il se tenait les bras croisés sur ses genoux, et, ainsi
levant la figure vers Emma, il la regardait de près, fixement. Elle distinguait dans ses yeux des petits rayons
d'or s'irradiant tout autour de ses pupilles noires, et
même elle sentait le parfum de la pommade qui lustrait
sa chevelure. Alors une mollesse la saisit, elle se rappela
ce vicomte qui l'avait fait valser à la Vaubyessard, et
dont la barbe exhalait, comme ces cheveux-là, cette
odeur de vanille et de citron; et, machinalement, elle
entreferma les paupières pour la mieux respirer. Mais,
dans ce geste qu'elle fit en se cambrant sur sa chaise,
elle aperçut au loin, tout au fond de l'horizon, la vieille
diligence l'*Hirondelle,* qui descendait lentement la côte
des Leux, en traînant après soi un long panache de
poussière. C'était dans cette voiture jaune que Léon,
si souvent, était revenu vers elle; et par cette route là-

bas qu'il était parti pour toujours! Elle crut le voir en
face, à sa fenêtre; puis tout se confondit, des nuages
passèrent; il lui sembla qu'elle tournait encore dans la
valse, sous le feu des lustres, au bras du vicomte, et que
Léon n'était pas loin, qu'il allait venir... et cependant
elle sentait toujours la tête de Rodolphe à côté d'elle.
La douceur de cette sensation pénétrait ainsi ses désirs
d'autrefois, et comme des grains de sable sous un coup
de vent, ils tourbillonnaient dans la bouffée subtile du
parfum qui se répandait sur son âme. Elle ouvrit les
narines à plusieurs reprises, fortement, pour aspirer la
fraîcheur des lierres autour des chapiteaux. Elle retira
ses gants, elle s'essuya les mains; puis, avec son mouchoir, elle s'éventait la figure, tandis qu'à travers le
battement de ses tempes elle entendait la rumeur de la
foule et la voix du Conseiller qui psalmodiait ses phrases.

Il disait :

« Continuez! persévérez! n'écoutez ni les suggestions
de la routine, ni les conseils trop hâtifs d'un empirisme
téméraire! Appliquez-vous surtout à l'amélioration du
sol, aux bons engrais, au développement des races
chevalines, bovines, ovines et porcines! Que ces comices
soient pour vous comme des arènes pacifiques où le
vainqueur, en en sortant, tendra la main au vaincu et
fraternisera avec lui, dans l'espoir d'un succès meilleur!
Et vous, vénérables serviteurs, humbles domestiques,
dont aucun gouvernement jusqu'à ce jour n'avait pris
en considération les pénibles labeurs, venez recevoir la
récompense de vos vertus silencieuses, et soyez convaincus
que l'État, désormais, a les yeux fixés sur vous, qu'il
vous encourage, qu'il vous protège, qu'il fera droit à
vos justes réclamations et allégera, autant qu'il est en
lui, le fardeau de vos pénibles sacrifices! »

M. Lieuvain se rassit alors; M. Derozerays se leva,
commençant un autre discours. Le sien, peut-être, ne

fut point aussi fleuri que celui du Conseiller; mais il se
recommandait par un caractère de style plus positif,
c'est-à-dire par des connaissances plus spéciales et des
considérations plus relevées. Ainsi, l'éloge du gouvernement y tenait moins de place; la religion et l'agriculture en occupaient davantage. On y voyait le rapport
de l'une et de l'autre, et comment elles avaient concouru
toujours à la civilisation. Rodolphe, avec Mme Bovary,
causait rêves, pressentiments, magnétisme. Remontant
au berceau des sociétés, l'orateur vous dépeignait ces
temps farouches où les hommes vivaient de glands, au
fond des bois. Puis ils avaient quitté la dépouille des
bêtes, endossé le drap, creusé des sillons, planté la
vigne. Était-ce un bien, et n'y avait-il pas dans cette
découverte plus d'inconvénients que d'avantages? M.
Derozerays se posait ce problème. Du magnétisme, peu
à peu, Rodolphe en était venu aux affinités, et, tandis
que M. le président citait Cincinnatus à sa charrue,
Dioclétien plantant ses choux, et les empereurs de la
Chine inaugurant l'année par des semailles, le jeune
homme expliquait à la jeune femme que ces attractions
irrésistibles tiraient leur cause de quelque existence
antérieure.

— Ainsi, nous, disait-il, pourquoi nous sommes-nous
connus? quel hasard l'a voulu? C'est qu'à travers l'éloignement, sans doute, comme deux fleuves qui coulent
pour se rejoindre, nos pentes particulières nous
avaient poussés l'un vers l'autre.

Et il saisit sa main; elle ne la retira pas.

« Ensemble de bonnes cultures! » cria le président.

— Tantôt, par exemple, quand je suis venu chez
vous...

« A M. Binet, de Quincampoix. »

— Savais-je que je vous accompagnerais?

« Soixante et dix francs! »

— Cent fois j'ai voulu partir, et je vous ai suivie, je
suis resté.

« Fumiers. »

— Comme je resterais ce soir, demain, les autres
jours, toute ma vie!

« A M. Caron, d'Argueil, une médaille d'or! »

— Car jamais je n'ai trouvé dans la société de personne un charme aussi complet.

« A M. Bain, de Givry-Saint-Martin! »

— Aussi, moi, j'emporterai votre souvenir.

« Pour un bélier mérinos... »

— Mais vous m'oublierez, j'aurai passé comme une
ombre.

« A M. Belot, de Notre-Dame... »

— Oh! non, n'est-ce-pas, je serai quelque chose dans
votre pensée, dans votre vie?

« Race porcine, prix *ex æquo :* à MM. Lehérissé et
Cullembourg; soixante francs! »

Rodolphe lui serrait la main, et il la sentait toute
chaude et frémissante comme une tourterelle captive

qui veut reprendre sa volée; mais, soit qu'elle essayât de la dégager, ou bien qu'elle répondît à cette pression, elle fit un mouvement des doigts; il s'écria :

— Oh! merci! Vous ne me repoussez pas! Vous êtes bonne! Vous comprenez que je suis à vous! Laissez que je vous voie, que je vous contemple!

Un coup de vent qui arriva par les fenêtres fronça le tapis de la table, et, sur la place, en bas, tous les grands bonnets des paysannes se soulevèrent, comme des ailes de papillons blancs qui s'agitent.

« Emploi de tourteaux de graines oléagineuses », continua le président.

Il se hâtait :

« Engrais flamand, — culture du lin, — drainage, baux à longs termes, — services de domestiques. »

Rodolphe ne parlait plus. Ils se regardaient. Un désir suprême faisait frissonner leurs lèvres sèches; et mollement, sans efforts, leurs doigts se confondirent.

« Catherine-Nicaise-Élisabeth Leroux, de Sassetot-la-Guerrière, pour cinquante-quatre ans de service dans la même ferme, une médaille d'argent — du prix de vingt-cinq francs!

« Où est-elle, Catherine Leroux? » répéta le Conseiller.

Elle ne se présentait pas, et l'on entendait des voix qui chuchotaient :

— Vas-y!

— Non.

— A gauche!

— N'aie pas peur!

— Ah! qu'elle est bête!

— Enfin y est-elle? s'écria Tuvache.

— Oui!... la voilà!

— Qu'elle approche donc!

Alors on vit s'avancer sur l'estrade une petite vieille femme de maintien craintif, et qui paraissait se ratatiner dans ses pauvres vêtements. Elle avait aux pieds de grosses galoches de bois, et le long des hanches, un grand tablier bleu. Son visage maigre, entouré d'un béguin sans bordure, était plus plissé de rides qu'une pomme de reinette flétrie, et des manches de sa camisole rouge dépassaient deux longues mains, à articulations noueuses. La poussière des granges, la potasse des lessives et le suint des laines les avaient si bien encroûtées, éraillées, durcies, qu'elles semblaient sales quoiqu'elles fussent rincées d'eau claire; et, à force d'avoir servi, elles restaient entr'ouvertes comme pour présenter d'elles-mêmes l'humble témoignage de tant de souffrances subies. Quelque chose d'une rigidité monacale relevait l'expression de sa figure. Rien de triste ou d'attendri n'amollissait ce regard pâle. Dans la fréquentation des animaux, elle avait pris leur mutisme et leur placidité. C'était la première fois qu'elle se voyait au milieu d'une compagnie si nombreuse; et, intérieurement effarouchée par les drapeaux, par les tambours, par les messieurs en habit noir et par la croix d'honneur du Conseiller, elle demeurait tout immobile, ne sachant s'il fallait s'avancer ou s'enfuir, ni pourquoi la foule la poussait et pourquoi les examinateurs lui souriaient. Ainsi se tenait, devant ces bourgeois épanouis, ce demi-siècle de servitude.

— Approchez, vénérable Catherine-Nicaise-Élisabeth Leroux! dit M. le Conseiller, qui avait pris des mains du président la liste des lauréats.

Et tour à tour examinant la feuille de papier, puis la vieille femme, il répétait d'un ton paternel :

— Approchez, approchez!

— Etes-vous sourde? dit Tuvache, en bondissant sur son fauteuil.

Et il se mit à lui crier dans l'oreille :

— Cinquante-quatre ans de service! Une médaille d'argent! Vingt-cinq francs! C'est pour vous.

Puis, quand elle eut sa médaille, elle la considéra. Alors un sourire de béatitude se répandit sur sa figure, et on l'entendit qui marmottait en s'en allant :

— Je la donnerai au curé de chez nous, pour qu'il me dise des messes.

— Quel fanatisme! exclama le pharmacien, en se penchant vers le notaire.

La séance était finie; la foule se dispersa; et, maintenant que les discours étaient lus, chacun reprenait son rang et tout rentrait dans la coutume; les maîtres rudoyaient les domestiques et ceux-ci frappaient les animaux, triomphateurs indolents qui s'en retournaient à l'étable, une couronne verte entre les cornes.

Cependant les gardes nationaux étaient montés au premier étage de la mairie, avec des brioches embrochées à leurs baïonnettes, et le tambour du bataillon qui portait un panier de bouteilles. Mme Bovary prit le bras de Rodolphe; il la reconduisit chez elle; ils se séparèrent devant sa porte; puis il se promena seul dans la prairie, tout en attendant l'heure du banquet.

Le festin fut long, bruyant, mal servi; l'on était si tassé, que l'on avait peine à remuer les coudes, et les planches étroites qui servaient de bancs faillirent se rompre sous le poids des convives. Ils mangeaient abondamment. Chacun s'en donnait pour sa quote-part. La sueur coulait sur tous les fronts; et une vapeur blanchâtre, comme la buée d'un fleuve par un matin d'automne, flottait au-dessus de la table, entre les quinquets suspendus. Rodolphe, le dos appuyé contre le calicot de la tente, pensait si fort à Emma, qu'il n'entendait rien. Derrière lui, sur le gazon, des domestiques empilaient des assiettes sales; ses voisins parlaient, il ne leur répondait pas; on lui emplissait son verre, et un silence s'établissait dans sa pensée, malgré les accroissements de la rumeur. Il rêvait à ce qu'elle avait dit et à la forme de ses lèvres; sa figure, comme en un miroir magique, brillait sur la plaque des shakos; les plis de sa robe descendaient le long des murs, et des journées d'amour se déroulaient à l'infini dans les perspectives de l'avenir.

Il la revit le soir, pendant le feu d'artifice; mais elle était avec son mari, Mme Homais et le pharmacien, lequel se tourmentait beaucoup sur le danger des fusées perdues; et, à chaque moment, il quittait la compagnie pour aller faire à Binet des recommandations.

Les pièces pyrotechniques envoyées à l'adresse du sieur Tuvache avaient, par excès de précaution, été enfermées dans sa cave; aussi la poudre humide ne s'enflammait guère, et le morceau principal, qui devait figurer un dragon se mordant la queue, rata complètement. De temps à autre, il partait une pauvre chandelle romaine; alors la foule béante poussait une clameur où se mêlait le cri des femmes à qui on chatouillait la taille pendant l'obscurité. Emma, silencieuse, se blottissait doucement contre l'épaule de Charles; puis, le menton levé, elle suivait dans le ciel noir le jet lumineux des fusées. Rodolphe la contemplait à la lueur des lampions qui brûlaient.

Ils s'éteignirent peu à peu. Les étoiles s'allumèrent. Quelques gouttes de pluie vinrent à tomber. Elle noua son fichu sur sa tête nue.

A ce moment, le fiacre du Conseiller sortit de l'auberge. Son cocher, qui était ivre, s'assoupit tout à coup; et l'on apercevait de loin, par-dessus la capote, entre les deux lanternes, la masse de son corps qui se balançait de droite et de gauche, selon le tangage des soupentes.

— En vérité, dit l'apothicaire, on devrait bien sévir contre l'ivresse! Je voudrais que l'on inscrivît, hebdomadairement, à la porte de la mairie, sur un tableau *ad hoc,* les noms de tous ceux qui, durant la semaine, se seraient intoxiqués avec des alcools. D'ailleurs, sous le rapport de la statistique, on aurait là comme des annales patentes qu'on irait au besoin... Mais excusez.

Et il courut encore vers le capitaine.

Celui-ci rentrait à sa maison. Il allait revoir son tour.

— Peut-être ne feriez-vous pas mal, lui dit Homais, d'envoyer un de vos hommes ou d'aller vous-même...

— Laissez-moi donc tranquille, répondit le percepteur, puisqu'il n'y a rien!

— Rassurez-vous, dit l'apothicaire, quand il fut revenu près de ses amis. M. Binet m'a certifié que les mesures étaient prises. Nulle flammèche ne sera tombée. Les pompes sont pleines. Allons dormir.

— Ma foi! j'en ai besoin, fit Mme Homais, qui bâillait considérablement; mais qu'importe, nous avons eu pour notre fête une bien belle journée.

Rodolphe répéta d'une voix basse et avec un regard tendre :

— Oh! oui, bien belle!

Et, s'étant salués, on se tourna le dos.

Deux jours après, dans le *Fanal de Rouen,* il y avait un grand article sur les comices. Homais l'avait composé, de verve, dès le lendemain :

« Pourquoi ces festons, ces fleurs, ces guirlandes? Où courait cette foule, comme les flots d'une mer en furie, sous les torrents d'un soleil tropical qui répandait sa chaleur sur nos guérets? »

Ensuite, il parlait de la condition des paysans.

Certes, le gouvernement faisait beaucoup, mais pas assez! « Du courage! lui criait-il; mille réformes sont indispensables, accomplissons-les. » Puis, abordant l'entrée du Conseiller, il n'oubliait point « l'air martial de notre milice », ni « nos plus sémillantes villageoises », ni les vieillards à tête chauve, sorte de patriarches qui étaient là, et dont quelques-uns, « débris de nos immor-

telles phalanges, sentaient encore battre leurs cœurs au
son mâle des tambours ». Il se citait des premiers parmi
les membres du jury, et même il rappelait, dans une
note, que M. Homais, pharmacien, avait envoyé un
mémoire sur le cidre à la Société d'agriculture. Quand
il arrivait à la distribution des récompenses, il dépeignait
la joie des lauréats en traits dithyrambiques. Le père
embrassait son fils, le frère le frère, l'époux l'épouse.
Plus d'un montrait avec orgueil son humble médaille,
et sans doute, revenu chez lui, près de sa bonne ména-
gère, il l'aura suspendue en pleurant aux murs discrets
de sa chaumine.

« Vers six heures, un banquet, dressé dans l'herbage
de M. Liégeard, a réuni les principaux assistants de la
fête. La plus grande cordialité n'a cessé d'y régner.
Divers toasts ont été portés : M. Lieuvain, au monarque! M. Tuvache, au préfet! M. Derozerays, à l'agriculture! M. Homais, à l'industrie et aux beaux-arts, ces
deux sœurs! M. Leplichey, aux améliorations! Le soir,
un brillant feu d'artifice a tout à coup illuminé les airs.
On eût dit un véritable kaléidoscope, un vrai décor
d'opéra, et un moment notre petite localité a pu se
croire transportée au milieu d'un rêve des *Mille et une
Nuits*.

« Constatons qu'aucun événement fâcheux n'est venu
troubler cette réunion de famille. »

Et il ajoutait :

« On y a seulement remarqué l'absence du clergé.
Sans doute les sacristies entendent le progrès d'une
autre manière. Libre à vous, messieurs de Loyola! »

# IX

Six semaines s'écoulèrent. Rodolphe ne revint pas. Un soir, enfin, il parut.

Il s'était dit, le lendemain des comices :

— N'y retournons pas de sitôt, ce serait une faute.

Et, au bout de la semaine, il était parti pour la chasse. Après la chasse, il avait songé qu'il était trop tard, puis il fit ce raisonnement :

— Mais, si du premier jour elle m'a aimé, elle doit, par l'impatience de me revoir, m'aimer davantage. Continuons donc!

Et il comprit que son calcul avait été bon, lorsque, en entrant dans la salle, il aperçut Emma pâlir.

Elle était seule. Le jour tombait. Les petits rideaux de mousseline, le long des vitres, épaississaient le crépuscule, et la dorure du baromètre, sur qui frappait un rayon de soleil, étalait des feux dans la glace, entre les découpures du polypier.

Rodolphe resta debout; et à peine si Emma répondit à ses premières phrases de politesse.

— Moi, dit-il, j'ai eu des affaires. J'ai été malade.

— Gravement? s'écria-t-elle.

— Eh bien! fit Rodolphe en s'asseyant à ses côtés sur un tabouret, non!... C'est que je n'ai pas voulu revenir.

— Pourquoi?

— Vous ne devinez pas?

Il la regarda encore une fois, mais d'une façon si violente qu'elle baissa la tête en rougissant. Il reprit :

— Emma...

— Monsieur! fit-elle en s'écartant un peu.

— Ah! vous voyez bien, répliqua-t-il d'une voix
mélancolique, que j'avais raison de vouloir ne pas revenir; car ce nom, ce nom qui remplit mon âme et qui
m'est échappé, vous me l'interdisez! Madame Bovary!...
Eh! tout le monde vous appelle comme cela!... Ce n'est
pas votre nom, d'ailleurs; c'est le nom d'un autre!

Il répéta :

— D'un autre!

Et il se cacha la figure entre les mains.

— Oui, je pense à vous continuellement!... Votre souvenir me désespère! Ah! pardon!... Je vous quitte...
Adieu!... J'irai loin...; si loin, que vous n'entendrez
plus parler de moi!... Et cependant... aujourd'hui...,
je ne sais quelle force encore m'a poussé vers vous! Car
on ne lutte pas contre le ciel, on ne résiste point au sourire des anges! on se laisse entraîner par ce qui est beau,
charmant, adorable!

C'était la première fois qu'Emma s'entendait dire ces
choses; et son orgueil, comme quelqu'un qui se délasse
dans une étuve, s'étirait mollement et tout entier à la
chaleur de ce langage.

— Mais, si je ne suis pas venu, continua-t-il, si je n'ai
pu vous voir, ah! du moins j'ai bien contemplé ce qui
vous entoure. La nuit, toutes les nuits, je me relevais,
j'arrivais jusqu'ici, je regardais votre maison, le toit qui
brillait sous la lune, les arbres du jardin qui se balançaient à votre fenêtre, et une petite lampe, une lueur,
qui brillait à travers les carreaux, dans l'ombre. Ah!
vous ne saviez guère qu'il y avait là, si près et si loin,
un pauvre misérable...

Elle se tourna vers lui avec un sanglot :

— Oh! vous êtes bon! dit-elle.

— Non, je vous aime, voilà tout! Vous n'en doutez pas!
Dites-le-moi; un mot! un seul mot!

Et Rodolphe, insensiblement, se laissait glisser du tabouret jusqu'à terre; mais on entendit un bruit de sabots
dans la cuisine, et la porte de la salle, il s'en aperçut,
n'était pas fermée.

— Que vous seriez charitable, poursuivit-il en se relevant, de satisfaire une fantaisie!

C'était de visiter sa maison; il désirait la connaître;
et Mme Bovary n'y voyant point d'inconvénient, ils se
levaient tous deux, quand Charles entra.

— Bonjour, docteur, lui dit Rodolphe.

Le médecin, flatté de ce titre inattendu, se répandit
en obséquiosités, et l'autre en profita pour se remettre
un peu.

— Madame m'entretenait, fit-il, de sa santé...

Charles l'interrompit : il avait mille inquiétudes, en
effet; les oppressions de sa femme recommençaient. Alors
Rodolphe demanda si l'exercice du cheval ne serait pas
bon.

— Certes! excellent, parfait!... Voilà une idée! Tu
devrais la suivre.

Et, comme elle objectait qu'elle n'avait point de cheval, M. Rodolphe en offrit un; elle refusa ses offres; il
n'insista pas; puis, afin de motiver sa visite, il conta que
son charretier, l'homme à la saignée, éprouvait toujours
des étourdissements.

— J'y passerai, dit Bovary.

— Non, non, je vous l'enverrai; nous viendrons, ce sera
plus commode pour vous.

— Ah! fort bien. Je vous remercie.

Et, dès qu'ils furent seuls :

— Pourquoi n'acceptes-tu pas les propositions de
M. Boulanger, qui sont si gracieuses?

Elle prit un air boudeur, chercha mille excuses, et
déclara finalement *que cela peut-être semblerait drôle.*

— Ah! je m'en moque pas mal! dit Charles en faisant
une pirouette. La santé avant tout! Tu as tort!

— Eh! comment veux-tu que je monte à cheval, puisque je n'ai pas d'amazone?

— Il faut t'en commander une! répondit-il.

L'amazone la décida.

Quand le costume fut prêt, Charles écrivit à M. Boulanger que sa femme était à sa disposition, et qu'ils
comptaient sur sa complaisance.

Le lendemain, à midi, Rodolphe arriva devant la
porte de Charles avec deux chevaux de maître. L'un portait des pompons roses aux oreilles et une selle de femme
en peau de daim.

Rodolphe avait mis de longues bottes molles, se disant
que sans doute elle n'en avait jamais vu de pareilles; en
effet, Emma fut charmée de sa tournure lorsqu'il apparut
sur le palier avec son grand habit de velours et sa culotte
de tricot blanc. Elle était prête, elle l'attendait.

Justin s'échappa de la pharmacie pour la voir, et l'apothicaire aussi se dérangea. Il faisait à M. Boulanger des
recommandations.

— Un malheur arrive si vite! Prenez garde! Vos chevaux peut-être sont fougueux?

Elle entendit du bruit au-dessus de sa tête : c'était
Félicité qui tambourinait contre les carreaux pour
divertir la petite Berthe. L'enfant envoya de loin un
baiser; sa mère lui répondit d'un signe avec le pommeau de sa cravache.

— Bonne promenade! cria M. Homais. De la prudence,
surtout! de la prudence!

Et il agita son journal en les regardant s'éloigner.

Dès qu'il sentit la terre, le cheval d'Emma prit le galop.
Rodolphe galopait à côté d'elle. Par moments ils échan-
geaient une parole. La figure un peu baissée, la main
haute et le bras droit déployé, elle s'abandonnait à la
cadence du mouvement qui la berçait sur la selle.

Au bas de la côte, Rodolphe lâcha les rênes; ils partirent ensemble, d'un seul bond; puis, en haut, tout à coup, les chevaux s'arrêtèrent, et son grand voile bleu retomba.

On était aux premiers jours d'octobre. Il y avait du brouillard sur la campagne. Des vapeurs s'allongeaient à l'horizon, entre le contour des collines; et d'autres, se déchirant, montaient, se perdaient. Quelquefois, dans un écartement des nuées, sous un rayon de soleil, on apercevait au loin les toits d'Yonville, avec les jardins au bord de l'eau, les cours, les murs et le clocher de l'église. Emma fermait à demi les paupières pour reconnaître sa maison, et jamais ce pauvre village où elle vivait ne lui avait semblé si petit. De la hauteur où ils étaient, toute la vallée paraissait un immense lac pâle, s'évaporant à l'air. Les massifs d'arbres, de place en place, saillissaient comme des rochers noirs; et les hautes lignes des peupliers, qui dépassaient la brume, figuraient des grèves que le vent remuait.

A côté, sur la pelouse, entre les sapins, une lumière brune circulait dans l'atmosphère tiède. La terre, roussâtre comme de la poudre de tabac, amortissait le bruit des pas; et, du bout de leurs fers, en marchant, les chevaux poussaient devant eux des pommes de pin tombées.

Rodolphe et Emma suivirent ainsi la lisière du bois. Elle se détournait de temps en temps, afin d'éviter son regard, et alors elle ne voyait que les troncs des sapins alignés, dont la succession continue l'étourdissait un peu. Les chevaux soufflaient. Le cuir des selles craquait.

Au moment où ils entrèrent dans la forêt, le soleil parut.

— Dieu nous protège! dit Rodolphe.

— Vous croyez! fit-elle.

— Avançons! avançons! reprit-il.

Il claqua de la langue. Les deux bêtes couraient.

De longues fougères, au bord du chemin, se prenaient dans l'étrier d'Emma. Rodolphe, tout en allant, se penchait et il les retirait à mesure. D'autres fois, pour écarter les branches, il passait près d'elle, et Emma sentait son genou lui frôler la jambe. Le ciel était devenu bleu. Les feuilles ne remuaient pas. Il y avait de grands espaces pleins de bruyères tout en fleurs; et des nappes violettes s'alternaient avec le fouillis des arbres, qui étaient gris, fauves ou dorés, selon la diversité des feuillages. Souvent on entendait, sous les buissons, glisser un petit battement d'ailes, ou bien le cri rauque et doux des corbeaux, qui s'envolaient dans les chênes.

Ils descendirent. Rodolphe attacha les chevaux. Elle allait devant, sur la mousse, entre les ornières.

Mais sa robe trop longue l'embarrassait, bien qu'elle la portât relevée par la queue, et Rodolphe, marchant derrière elle, contemplait entre ce drap noir et la bottine noire la délicatesse de son bas blanc, qui lui semblait quelque chose de sa nudité.

Elle s'arrêta.

— Je suis fatiguée, dit-elle.

— Allons, essayez encore! reprit-il. Du courage!

Puis cent pas plus loin elle s'arrêta de nouveau; et, à travers son voile, qui de son chapeau d'homme descendait obliquement sur ses hanches, on distinguait son visage dans une transparence bleuâtre, comme si elle eût nagé sous des flots d'azur.

— Où allons-nous donc?

Il ne répondit rien. Elle respirait d'une façon saccadée. Rodolphe jetait les yeux autour de lui et il se mordait la moustache.

Ils arrivèrent à un endroit plus large, où l'on avait abattu des baliveaux. Ils s'assirent sur un tronc d'arbre renversé, et Rodolphe se mit à lui parler de son amour.

Il ne l'effraya point d'abord par des compliments. Il fut calme, sérieux, mélancolique.

Emma l'écoutait la tête basse, et tout en remuant, avec la pointe de son pied, des copeaux par terre.

Mais à cette phrase :

— Est-ce que nos destinées maintenant ne sont pas communes?

— Eh non! répondit-elle. Vous le savez bien. C'est impossible.

Elle se leva pour partir. Il la saisit au poignet. Elle s'arrêta. Puis, l'ayant considéré quelques minutes d'un œil amoureux et tout humide, elle dit vivement :

— Ah! tenez, n'en parlons plus... Où sont les chevaux? Retournons.

Il eut un geste de colère et d'ennui. Elle répéta :

— Où sont les chevaux? où sont les chevaux?

Alors souriant d'un sourire étrange et la prunelle fixe, les dents serrées, il s'avança en écartant les bras. Elle se recula tremblante. Elle balbutiait :

— Oh! vous me faites peur! vous me faites mal! Partons.

— Puisqu'il le faut, reprit-il en changeant de visage.

Et il redevint aussitôt respectueux, caressant, timide. Elle lui donna son bras. Ils s'en retournèrent. Il disait :

— Qu'aviez-vous donc? Pourquoi? Je n'ai pas compris. Vous vous méprenez, sans doute? Vous êtes dans mon âme comme une madone sur un piédestal, à une place haute, solide et immaculée. Mais j'ai besoin de vous pour vivre! J'ai besoin de vos yeux, de votre voix, de votre pensée. Soyez mon amie, ma sœur, mon ange!

Et il allongeait son bras et lui en entourait la taille. Elle tâchait de se dégager mollement. Il la soutenait ainsi, en marchant.

Mais ils entendirent les deux chevaux qui broutaient le feuillage.

— Oh! encore, dit Rodolphe. Ne partons pas! Restez!

Il l'entraîna plus loin, autour d'un petit étang, où des lentilles d'eau faisaient une verdure sur les ondes. Des

nénufars flétris se tenaient immobiles entre les joncs. Au
bruit de leurs pas dans l'herbe, des grenouilles sau-
taient pour se cacher.

— J'ai tort, j'ai tort, disait-elle. Je suis folle de vous
entendre.

— Pourquoi?... Emma! Emma!

— Oh! Rodolphe!... fit lentement la jeune femme en
se penchant sur son épaule.

Le drap de sa robe s'accrochait au velours de l'habit.
Elle renversa son cou blanc, qui se gonflait d'un soupir,
et, défaillante, tout en pleurs, avec un long frémissement
et se cachant la figure, elle s'abandonna.

Les ombres du soir descendaient; le soleil horizontal,
passant entre les branches, lui éblouissait les yeux. Çà
et là, tout autour d'elle, dans les feuilles ou par terre,
des taches lumineuses tremblaient, comme si des colibris,
en volant, eussent éparpillé leurs plumes. Le silence était
partout; quelque chose de doux semblait sortir des
arbres; elle sentait son cœur, dont les battements recommençaient, et le sang circuler dans sa chair comme un
fleuve de lait. Alors, elle entendit tout au loin, au delà
du bois, sur les autres collines, un cri vague et prolongé,
une voix qui se traînait, et elle l'écoutait silencieusement, se mêlant comme une musique aux dernières
vibrations de ses nerfs émus. Rodolphe, le cigare aux
dents, raccommodait avec son canif une des deux brides
cassée.

Ils s'en revinrent à Yonville, par le même chemin.
Ils revirent sur la boue les traces de leurs chevaux, côte
à côte, et les mêmes buissons, les mêmes cailloux dans
l'herbe. Rien autour d'eux n'avait changé; et pour elle,
cependant, quelque chose était survenu de plus considérable que si les montagnes se fussent déplacées. Rodolphe, de temps à autre, se penchait et lui prenait sa
main pour la baiser.

Elle était charmante, à cheval. Droite, avec sa taille

mince, le genou plié sur la crinière de sa bête et un peu colorée par le grand air, dans la rougeur du soir.

En entrant dans Yonville, elle caracola sur les pavés. On la regardait des fenêtres.

Son mari, au dîner, lui trouva bonne mine; mais elle eut l'air de ne pas l'entendre lorsqu'il s'informa de sa promenade; et elle restait le coude au bord de son assiette, entre les deux bougies qui brûlaient.

— Emma! dit-il.

— Quoi?

— Eh bien, j'ai passé cette après-midi chez M. Alexandre; il a une ancienne pouliche encore fort belle, un peu couronnée seulement, et qu'on aurait, je suis sûr, pour une centaine d'écus...

Il ajouta :

— Pensant même que cela te serait agréable, je l'ai retenue..., je l'ai achetée... Ai-je bien fait? Dis-moi donc?

Elle remua la tête en signe d'assentiment; puis, un quart d'heure après :

— Sors-tu ce soir? demanda-t-elle.

— Oui. Pourquoi?

— Oh! rien, rien, mon ami.

Et, dès qu'elle fut débarrassée de Charles, elle monta s'enfermer dans sa chambre.

D'abord, ce fut comme un étourdissement; elle voyait les arbres, les chemins, les fossés, Rodolphe, et elle sentait encore l'étreinte de ses bras, tandis que le feuillage frémissait et que les joncs sifflaient.

Mais, en s'apercevant dans la glace, elle s'étonna de son visage. Jamais elle n'avait eu les yeux si grands, si noirs, ni d'une telle profondeur. Quelque chose de subtil épandu sur sa personne la transfigurait.

Elle se répétait : « J'ai un amant! un amant! », se délectant à cette idée comme à celle d'une autre puberté qui lui serait survenue. Elle allait donc posséder enfin ces joies de l'amour, cette fièvre du bonheur dont elle

avait désespéré. Elle entrait dans quelque chose de merveilleux où tout serait passion, extase, délire; une
immensité bleuâtre l'entourait, les sommets du sentiment
étincelaient sous sa pensée, et l'existence ordinaire n'apparaissait qu'au loin, tout en bas, dans l'ombre, entre les
intervalles de ces hauteurs.

Alors elle se rappela les héroïnes des livres qu'elle
avait lus, et la légion lyrique de ces femmes adultères
se mit à chanter dans sa mémoire avec des voix de sœurs
qui la charmaient. Elle devenait elle-même comme une
partie véritable de ces imaginations et réalisait la longue
rêverie de sa jeunesse, en se considérant dans ce type
d'amoureuse qu'elle avait tant envié. D'ailleurs, Emma
éprouvait une satisfaction de vengeance. N'avait-elle pas
assez souffert! Mais elle triomphait maintenant, et l'a-
mour, si longtemps contenu, jaillissait tout entier avec
des bouillonnements joyeux. Elle le savourait sans remords,
sans inquiétude, sans trouble.

La journée du lendemain se passa dans une douceur
nouvelle. Ils se firent des serments. Elle lui raconta
ses tristesses. Rodolphe l'interrompait par ses baisers;
et elle lui demandait, en le contemplant les paupières
à demi closes, de l'appeler encore par son nom et de
répéter qu'il l'aimait. C'était dans la forêt, comme la
veille, sous une hutte de saboteurs. Les murs en étaient
de paille et le toit descendait si bas, qu'il fallait se tenir
courbé. Ils étaient assis l'un contre l'autre, sur un lit de
feuilles sèches.

A partir de ce jour-là, ils s'écrivirent régulièrement
tous les soirs. Emma portait sa lettre au bout du jardin,
près de la rivière, dans une fissure de la terrasse. Rodolphe venait l'y chercher et en plaçait une autre, qu'elle
accusait toujours d'être trop courte.

Un matin, que Charles était sorti dès avant l'aube, elle
fut prise par la fantaisie de voir Rodolphe à l'instant.
On pouvait arriver promptement à la Huchette, y rester

une heure et être rentré dans Yonville, que tout le monde
encore serait endormi. Cette idée la fit haleter de convoitise, et elle se trouva bientôt au milieu de la prairie, où
elle marchait à pas rapides sans regarder derrière elle.

Le jour commençait à paraître. Emma, de loin, reconnut la maison de son amant, dont les deux girouettes
à queue d'aronde se découpaient en noir sur le crépuscule
pâle.

Après la cour de la ferme, il y avait un corps de logis
qui devait être le château. Elle y entra, comme si les
murs, à son approche, se fussent écartés d'eux-mêmes.
Un grand escalier droit montait vers un corridor. Emma
tourna la clenche d'une porte, et tout à coup, au fond
de la chambre, elle aperçut un homme qui dormait.
C'était Rodolphe. Elle poussa un cri.

— Te voilà! te voilà! répétait-il. Comment as-tu fait
pour venir?... Ah! ta robe est mouillée!

— Je t'aime! répondit-elle en lui passant les bras
autour du cou.

Cette première audace lui ayant réussi, chaque fois
maintenant que Charles sortait de bonne heure, Emma
s'habillait vite et descendait à pas de loup le perron
qui conduisait au bord de l'eau.

Mais, quand la planche aux vaches était levée, il fallait
suivre les murs qui longeaient la rivière; la berge était
glissante; elle s'accrochait de la main, pour ne pas
tomber, aux bouquets de ravenelles flétries. Puis elle
prenait à travers des champs en labour, où elle s'enfonçait, trébuchait et empêtrait ses bottines minces.
Son foulard, noué sur sa tête, s'agitait au vent dans
les herbages; elle avait peur des bœufs, elle se mettait
à courir; elle arrivait essoufflée, les joues roses, et
exhalant de toute sa personne un frais parfum de sève,
de verdure et de grand air. Rodolphe, à cette heure-là,
dormait encore. C'était comme une matinée de printemps qui entrait dans sa chambre.

Les rideaux jaunes, le long des fenêtres, laissaient passer doucement une lourde lumière blonde. Emma tâton-
nait en clignant des yeux, tandis que les gouttes de rosée
suspendues à ses bandeaux faisaient comme une auréole
de topazes tout autour de sa figure. Rodolphe, en riant,
l'attirait à lui et il la prenait sur son cœur.

Ensuite, elle examinait l'appartement, elle ouvrait les
tiroirs des meubles, elle se peignait avec son peigne et
se regardait dans le miroir à barbe. Souvent même,
elle mettait entre ses dents le tuyau d'une grosse pipe
qui était sur la table de nuit, parmi des citrons et des
morceaux de sucre, près d'une carafe d'eau.

Il leur fallait un bon quart d'heure pour les adieux.
Alors Emma pleurait; elle aurait voulu ne jamais abandonner Rodolphe. Quelque chose de plus fort qu'elle la
poussait vers lui, si bien qu'un jour, la voyant survenir
à l'improviste, il fronça le visage, comme quelqu'un de
contrarié.

— Qu'as-tu donc? dit-elle. Souffres-tu? Parle-moi!

Enfin il déclara, d'un air sérieux, que ses visites devenaient imprudentes et qu'elle se compromettait.

# X

Peu à peu, ces craintes de Rodolphe la gagnèrent. L'amour l'avait enivrée d'abord, et elle n'avait songé à rien au delà. Mais, à présent qu'il était indispensable à sa vie, elle craignait d'en perdre quelque chose, ou même qu'il ne fût troublé. Quand elle s'en revenait de chez lui, elle jetait tout alentour des regards inquiets, épiant chaque forme qui passait à l'horizon et chaque lucarne du village d'où l'on pouvait l'apercevoir. Elle écoutait les pas, les cris, le bruit des charrues; et elle s'arrêtait plus blême et plus tremblante que les feuilles des peupliers qui se balançaient sur sa tête.

Un matin, qu'elle s'en retournait ainsi, elle crut distinguer tout à coup le long canon d'une carabine qui semblait la tenir en joue. Il dépassait obliquement le bord d'un petit tonneau, à demi enfoui entre les herbes, sur la marge d'un fossé. Emma, prête à défaillir de terreur, avança cependant, et un homme sortit du tonneau, comme ces diables à boudin qui se dressent au fond des boîtes. Il avait des guêtres bouclées jusqu'aux genoux, sa casquette enfoncée jusqu'aux yeux, les lèvres grelottantes et le nez rouge. C'était le capitaine Binet à l'affût des canards sauvages.

— Vous auriez dû parler de loin! s'écria-t-il. Quand on aperçoit un fusil, il faut toujours avertir.

Le percepteur, par là, tâchait de dissimuler la crainte

qu'il venait d'avoir; car, un arrêté préfectoral ayant
interdit la chasse aux canards autrement qu'en bateau,
M. Binet, malgré son respect pour les lois, se trouvait
en contravention. Aussi croyait-il à chaque minute
entendre arriver le garde champêtre. Mais cette inquiétude irritait son plaisir, et, tout seul dans son tonneau,
il s'applaudissait de son bonheur et de sa malice.

A la vue d'Emma, il parut soulagé d'un grand poids,
et aussitôt, entamant la conversation :

— Il ne fait pas chaud, *ça pique!*

Emma ne répondit pas. Il poursuivit :

— Et vous voilà sortie de bien bonne heure?

— Oui, dit-elle en balbutiant; je viens de chez la
nourrice de mon enfant.

— Ah! fort bien! fort bien! Quant à moi, tel que vous
me voyez, dès la pointe du jour, je suis là; mais le
temps est si crassineux, qu'à moins d'avoir la plume
juste au bout...

— Bonsoir, monsieur Binet, interrompit-elle en lui
tournant les talons.

— Serviteur, madame, reprit-il d'un ton sec.

Et il rentra dans son tonneau.

Emma se repentit d'avoir quitté si brusquement le
percepteur. Sans doute, il allait faire des conjectures
défavorables. L'histoire de la nourrice était la pire
excuse, tout le monde sachant bien à Yonville que la
petite Bovary, depuis un an, était revenue chez ses
parents. D'ailleurs, personne n'habitait aux environs;
ce chemin ne conduisait qu'à la Huchette; Binet donc
avait deviné d'où elle venait, et il ne se tairait pas, il
bavarderait, c'était certain! Elle resta jusqu'au soir à se
torturer l'esprit dans tous les projets de mensonges
imaginables, et avait sans cesse devant les yeux cet imbécile à carnassière.

Charles, après le dîner, la voyant soucieuse, voulut,
par distraction, la conduire chez le pharmacien; et la

première personne qu'elle aperçut dans la pharmacie, ce fut encore lui, le percepteur! Il était debout devant le comptoir, éclairé par la lumière du bocal rouge, et il disait :

— Donnez-moi, je vous prie, une demi-once de vitriol.

— Justin, cria l'apothicaire, apporte-nous l'acide sulfurique.

Puis, à Emma, qui voulait monter dans l'appartement de Mme Homais :

— Non, restez, ce n'est pas la peine, elle va descendre. Chauffez-vous au poêle en attendant... Excusez-moi... Bonjour, docteur (car le pharmacien se plaisait beaucoup à prononcer ce mot *docteur,* comme si, en l'adressant à un autre, il eût fait rejaillir sur lui-même quelque chose de la pompe qu'il y trouvait)... Mais prends garde de renverser les mortiers! va plutôt chercher les chaises de la petite salle; tu sais bien qu'on ne dérange pas les fauteuils du salon.

Et, pour remettre en place son fauteuil, Homais se précipitait hors du comptoir, quand Binet lui demanda une demi-once d'acide de sucre.

— Acide de sucre? fit le pharmacien dédaigneusement. Je ne connais pas, j'ignore! Vous voulez peut-être de l'acide oxalique? C'est oxalique, n'est-il pas vrai?

Binet expliqua qu'il avait besoin d'un mordant pour composer lui-même une eau de cuivre avec quoi dérouiller diverses garnitures de chasse. Emma tressaillit. Le pharmacien se mit à dire :

— En effet, le temps n'est pas propice, à cause de l'humidité.

— Cependant, reprit le percepteur d'un air finaud, il y a des personnes qui s'en arrangent.

Elle étouffait.

— Donnez-moi encore...

— Il ne s'en ira donc jamais! pensait-elle.

— Une demi-once d'arcanson et de térébenthine,

quatre onces de cire jaune et trois demi-onces de noir
animal, s'il vous plaît, pour nettoyer les cuirs vernis de
mon équipement.

L'apothicaire commençait à tailler de la cire, quand
Mme Homais parut avec Irma dans ses bras, Napoléon
à ses côtés et Athalie qui la suivait. Elle alla s'asseoir
sur le banc de velours, contre la fenêtre, et le gamin
s'accroupit sur un tabouret, tandis que sa sœur aînée
rôdait autour de la boîte à jujube, près de son petit
papa. Celui-ci emplissait des entonnoirs et bouchait des
flacons, il collait des étiquettes, il confectionnait des
paquets. On se taisait autour de lui; et l'on entendait
seulement de temps à autre tinter les poids dans les
balances, avec quelques paroles basses du pharmacien
donnant des conseils à son élève.

— Comment va votre jeune personne? demanda tout
à coup Mme Homais.

— Silence! exclama son mari, qui écrivait des chiffres
sur le cahier de brouillons.

— Pourquoi ne l'avez-vous pas amenée? reprit-elle
à demi-voix.

— Chut! chut! fit Emma en désignant du doigt l'apothicaire.

Mais Binet, tout entier à la lecture de l'addition,
n'avait rien entendu probablement. Enfin il sortit. Alors
Emma, débarrassée, poussa un grand soupir.

— Comme vous respirez fort! dit Mme Homais.

— Ah! c'est qu'il fait un peu chaud, répondit-elle.

Ils avisèrent donc, le lendemain, à organiser leurs rendez-vous; Emma voulait corrompre sa servante par un
cadeau; mais il eût mieux valu découvrir à Yonville quelque maison discrète. Rodolphe promit d'en chercher une.

Pendant tout l'hiver, trois ou quatre fois la semaine,
à la nuit noire, il arrivait dans le jardin. Emma, tout
exprès, avait retiré la clef de la barrière, que Charles
crut perdue.

Pour l'avertir, Rodolphe jetait contre les persiennes une poignée de sable. Elle se levait en sursaut; mais quelquefois il lui fallait attendre, car Charles avait la manie de bavarder au coin du feu, et il n'en finissait pas. Elle se dévorait d'impatience; si ses yeux l'avaient pu, ils l'eussent fait sauter par les fenêtres. Enfin, elle commençait sa toilette de nuit; puis elle prenait un livre et continuait à lire tranquillement, comme si la lecture l'eût amusée. Mais Charles, qui était au lit, l'appelait pour se coucher.

— Viens donc, Emma, disait-il, il est temps.

— Oui, j'y vais! répondait-elle.

Cependant, comme les bougies l'éblouissaient, il se tournait vers le mur et s'endormait. Elle s'échappait, en retenant son haleine, souriante, palpitante, déshabillée.

Rodolphe avait un grand manteau; il l'en enveloppait tout entière, et, passant le bras autour de sa taille, il l'entraînait sans parler jusqu'au fond du jardin.

C'était sous la tonnelle, sur ce même banc de bâtons pourris où autrefois Léon la regardait si amoureusement, durant les soirs d'été. Elle ne pensait guère à lui maintenant!

Les étoiles brillaient à travers les branches du jasmin sans feuilles. Ils entendaient derrière eux la rivière qui coulait, et de temps à autre, sur la berge, le claquement des roseaux secs. Des massifs d'ombre, çà et là, se bombaient dans l'obscurité, et parfois, frissonnant tous d'un seul mouvement, ils se dressaient et se penchaient comme d'immenses vagues noires qui se fussent avancées pour les recouvrir. Le froid de la nuit les faisait s'étreindre davantage; les soupirs de leurs lèvres leur semblaient plus forts; leurs yeux, qu'ils entrevoyaient à peine, leur paraissaient plus grands, et, au milieu du silence, il y avait des paroles dites tout bas qui tombaient sur leur âme avec une sonorité cristalline et qui s'y répercutaient en vibrations multipliées.

Lorsque la nuit était pluvieuse, ils s'allaient réfugier dans le cabinet aux consultations, entre le hangar et l'écurie. Elle allumait un des flambeaux de la cuisine, qu'elle avait caché derrière les livres. Rodolphe s'installait là comme chez lui. La vue de la bibliothèque et du bureau, de tout l'appartement enfin, excitait sa gaieté; et il ne pouvait se retenir de faire sur Charles quantité de plaisanteries qui embarrassaient Emma. Elle eût désiré le voir plus sérieux, et même plus dramatique à l'occasion, comme cette fois où elle crut entendre dans l'allée un bruit de pas qui s'approchaient.

— On vient! dit-elle.

Il souffla la lumière.

— As-tu tes pistolets?

— Pourquoi?

— Mais... pour te défendre, reprit Emma.

— Est-ce de ton mari? Ah! le pauvre garçon!

Et Rodolphe acheva sa phrase avec un geste qui signifiait : « Je l'écraserais d'une chiquenaude. »

Elle fut ébahie de sa bravoure, bien qu'elle y sentît une sorte d'indélicatesse et de grossièreté naïve qui la scandalisa.

Rodolphe réfléchit beaucoup à cette histoire de pistolets. Si elle avait parlé sérieusement, cela était fort ridicule, pensait-il, odieux même, car il n'avait, lui, aucune raison de haïr ce bon Charles, n'étant pas ce qui s'appelle dévoré de jalousie; — et, à ce propos, Emma lui avait fait un grand serment qu'il ne trouvait pas non plus du meilleur goût.

D'ailleurs, elle devenait bien sentimentale. Il avait fallu échanger des miniatures, on s'était coupé des poignées de cheveux, et elle demandait à présent une bague, un véritable anneau de mariage, en signe d'alliance éternelle. Souvent elle lui parlait des cloches du soir ou des *voix de la nature;* puis elle l'entretenait de sa mère, à elle, et de sa mère, à lui. Rodolphe l'avait perdue depuis vingt ans. Emma, néanmoins, l'en consolait avec des mièvreries de langage, comme on eût fait à un marmot abandonné, et même lui disait quelquefois, en regardant la lune :

— Je suis sûre que là-haut, ensemble, elles approuvent notre amour.

Mais elle était si jolie! il en avait possédé si peu d'une candeur pareille! Cet amour sans libertinage était pour lui quelque chose de nouveau et qui, le sortant de ses habitudes faciles, caressait à la fois son orgueil et sa sensualité. L'exaltation d'Emma, que son bon sens bourgeois dédaignait, lui semblait, au fond du cœur, charmante, puisqu'elle s'adressait à sa personne. Alors, sûr d'être aimé, il ne se gêna pas, et insensiblement ses façons changèrent.

Il n'avait plus, comme autrefois, de ces mots si doux qui la faisaient pleurer, ni de ces véhémentes caresses qui la rendaient folle; si bien que leur grand amour, où elle vivait plongée, parut se diminuer sous elle, comme l'eau d'un fleuve qui s'absorberait dans son lit, et elle aperçut la vase. Elle n'y voulut pas croire; elle redoubla de tendresse; et Rodolphe, de moins en moins, cacha son indifférence.

Elle ne savait pas si elle regrettait de lui avoir cédé, ou si elle ne souhaitait point, au contraire, le chérir davantage. L'humiliation de se sentir faible se tournait en une rancune que les voluptés tempéraient. Ce n'était pas de l'attachement, c'était comme une séduction permanente. Il la subjuguait. Elle en avait presque peur.

Les apparences, néanmoins, étaient plus calmes que jamais, Rodolphe ayant réussi à conduire l'adultère selon sa fantaisie; et, au bout de six mois, quand le printemps arriva, ils se trouvaient, l'un vis-à-vis de l'autre, comme deux mariés qui entretiennent tranquillement une flamme domestique.

C'était l'époque où le père Rouault envoyait *son* dinde, en souvenir de sa jambe remise. Le cadeau arrivait toujours avec une lettre. Emma coupa la corde qui la retenait au panier, et lut les lignes suivantes :

Mes chers enfants,

« J'espère que la présente vous trouvera en bonne santé et que celui-là vaudra bien les autres; car il me semble un peu plus mollet, si j'ose dire, et plus massif. Mais, la prochaine fois, par changement, je vous donnerai un coq, à moins que vous ne teniez de préférence aux *picots,* et renvoyez-moi la bourriche, s'il vous plaît, avec les deux anciennes. J'ai eu un malheur à ma charretterie, dont la couverture, une nuit qu'il ventait fort, s'est envolée dans les arbres. La récolte non plus n'a pas été très fameuse. Enfin, je ne sais pas quand j'irai vous voir. Ça m'est tellement difficile de quitter maintenant la maison, depuis que je suis seul, ma pauvre Emma! »

Et il y avait ici un intervalle entre les lignes, comme si le bonhomme eût laissé tomber sa plume pour rêver quelque temps.

« Quant à moi, je vais bien, sauf un rhume que j'ai attrapé l'autre jours à la foire d'Yvetot, où j'étais parti pour retenir un berger, ayant mis le mien dehors, par suite de sa trop grande délicatesse de bouche. Comme on est à plaindre avec tous ces brigands-là! Du reste, c'était aussi un malhonnête.

J'ai appris d'un colporteur qui, en voyageant cet hiver par votre pays, s'est fait arracher une dent, que Bovary travaillait toujours dur. Ça ne m'étonne pas, et il m'a montré sa dent; nous avons pris un café ensemble. Je lui ai demandé s'il t'avait vue, il m'a dit que non, mais qu'il avait vu dans l'écurie deux animaux, d'où je conclus que le métier roule. Tant mieux, mes chers enfants, et

que le bon Dieu vous envoie tout le bonheur imagi-
nable!

Il me fait deuil de ne pas connaître encore ma bien-
aimée petite-fille Berthe Bovary. J'ai planté pour elle,
dans le jardin, sous ta chambre, un prunier de prunes
d'avoines, et je ne veux pas qu'on y touche, si ce n'est
pour lui faire plus tard des compotes, que je garderai
dans l'armoire, à son intention, quand elle viendra.

Adieu, mes chers enfants. Je t'embrasse, ma fille : vous
aussi, mon gendre, et la petite, sur les deux joues.

Je suis, avec bien des compliments,
Votre tendre père,
Théodore Rouault. »

Elle resta quelques minutes à tenir entre ses doigts ce
gros papier. Les fautes d'orthographe s'y enlaçaient les
unes aux autres, et Emma poursuivait la pensée douce
qui caquetait tout au travers comme une poule à demi
cachée dans une haie d'épine. On avait séché l'écriture
avec les cendres du foyer, car un peu de poussière grise
glissa de la lettre sur sa robe, et elle crut presque apercevoir son père se courber vers l'âtre pour saisir les
pincettes. Comme il y avait longtemps qu'elle n'était
plus auprès de lui, sur l'escabeau, dans la cheminée,
quand elle faisait brûler le bout d'un bâton à la grande
flamme des joncs marins qui pétillaient!... Elle se rappela des soirs d'été tout pleins de soleil. Les poulains
hennissaient quand on passait, et galopaient, galopaient... Il y avait sous la fenêtre une ruche à miel, et
quelquefois les abeilles, tournoyant dans la lumière,
frappaient contre les carreaux comme des balles d'or
rebondissantes. Quel bonheur dans ce temps-là! quelle
liberté! quel espoir! quelle abondance d'illusions! Il
n'en restait plus maintenant! Elle en avait dépensé à
toutes les aventures de son âme, par toutes les conditions
successives, dans la virginité, dans le mariage et dans

l'amour; — les perdant ainsi continuellement le long de sa vie, comme un voyageur qui laisse quelque chose de sa richesse à toutes les auberges de la route.

Mais qui donc la rendait si malheureuse? où était la catastrophe extraordinaire qui l'avait bouleversée? Et elle releva la tête, regardant autour d'elle, comme pour chercher la cause qui la faisait souffrir.

Un rayon d'avril chatoyait sur les porcelaines de l'étagère; le feu brûlait; elle sentait sous ses pantoufles la douceur du tapis; le jour était blanc, l'atmosphère tiède, et elle entendit son enfant qui poussait des éclats de rire.

En effet, la petite fille se roulait alors sur le gazon, au milieu de l'herbe qu'on fanait. Elle était couchée à plat ventre, au haut d'une meule. Sa bonne la retenait par la jupe. Lestiboudois ratissait à côté, et chaque fois qu'il s'approchait, elle se penchait en battant l'air de ses deux bras.

— Amenez-la-moi! dit sa mère, se précipitant pour l'embrasser. Comme je t'aime, ma pauvre enfant! comme je t'aime!

Puis, s'apercevant qu'elle avait le bout de l'oreille un peu sale, elle sonna vite pour avoir de l'eau chaude et la nettoya, la changea de linge, de bas, de souliers, fit mille questions sur sa santé, comme au retour d'un voyage, et enfin, la baisant encore et pleurant un peu, elle la remit aux mains de la domestique, qui restait fort ébahie devant cet excès de tendresse.

Rodolphe, le soir, la trouva plus sérieuse que d'habitude.

— Cela se passera, jugea-t-il, c'est un caprice.

Et il manqua consécutivement à trois rendez-vous. Quand il revint, elle se montra froide et presque dédaigneuse.

— Ah! tu perds ton temps, ma mignonne...

Et il eut l'air de ne point remarquer ses soupirs mélancoliques, ni le mouchoir qu'elle tirait.

C'est alors qu'Emma se repentit!

Elle se demanda même pourquoi donc elle exécrait Charles, et s'il n'eût pas été meilleur de le pouvoir aimer. Mais il n'offrait pas grande prise à ces retours du sentiment, si bien qu'elle demeurait fort embarrassée dans sa velléité de sacrifice, lorsque l'apothicaire vint à propos lui fournir une occasion.

# XI

Il avait lu dernièrement l'éloge d'une nouvelle méthode pour la cure des pieds bots; et comme il était partisan du progrès, il conçut cette idée patriotique que Yonville, pour *se mettre au niveau,* devait avoir des opérations de stréphopodie.

— Car, disait-il à Emma, que risque-t-on? Examinez (et il énumérait, sur ses doigts, les avantages de la tentative) : succès presque certain, soulagement et embellissement du malade, célébrité vite acquise à l'opérateur. Pourquoi votre mari, par exemple, ne voudrait-il pas débarrasser ce pauvre Hippolyte, du *Lion d'or?* Notez qu'il ne manquerait pas de raconter sa guérison à tous les voyageurs, et puis (Homais baissait la voix et regardait autour de lui) qui donc m'empêcherait d'envoyer au journal une petite note là-dessus? Eh! mon Dieu! un article circule..., on en parle..., cela finit par faire la boule de neige! Et qui sait? qui sait?

En effet, Bovary pouvait réussir; rien n'affirmait à Emma qu'il ne fût pas habile, et quelle satisfaction pour elle que de l'avoir engagé à une démarche d'où sa réputation et sa fortune se trouveraient accrues? Elle ne demandait qu'à appuyer sur quelque chose de plus solide que l'amour.

Charles, sollicité par l'apothicaire et par elle, se laissa convaincre. Il fit venir de Rouen le volume du docteur

Duval, et, tous les soirs, se prenant la tête entre les mains, il s'enfonçait dans cette lecture.

Tandis qu'il étudiait les équins, les varus et les valgus, c'est-à-dire la stréphocatopodie, la stréphendopodie et la stréphexopodie (ou, pour parler mieux, les différentes déviations du pied, soit en bas, en dedans, ou en dehors), avec la stréphypopodie et la stréphanopodie (autrement dit, torsion en dessous et redressement en haut), M. Homais, par toute sorte de raisonnements, exhortait le garçon d'auberge à se faire opérer.

— A peine sentiras-tu, peut-être, une légère douleur; c'est une simple piqûre comme une petite saignée, moins que l'extirpation de certains cors.

Hippolyte, réfléchissant, roulait des yeux stupides.

— Du reste, reprenait le pharmacien, ça ne me regarde pas! c'est pour toi! par humanité pure! Je voudrais te voir, mon ami, débarrassé de ta hideuse claudication, avec ce balancement de la région lombaire, qui, bien que tu prétendes, doit te nuire considérablement dans l'exercice de ton métier.

Alors Homais lui représentait combien il se sentirait ensuite plus gaillard et plus ingambe, et même lui donnait à entendre qu'il s'en trouverait mieux pour plaire aux femmes, et le valet d'écurie se prenait à sourire lourdement. Puis il l'attaquait par la vanité :

— N'es-tu pas un homme, saprelotte? Que serait-ce donc, s'il t'avait fallu servir, aller combattre sous les drapeaux?... Ah! Hippolyte!

Et Homais s'éloignait, déclarant qu'il ne comprenait pas cet entêtement, cet aveuglement à se refuser aux bienfaits de la science.

Le malheureux céda, car ce fut comme une conjuration. Binet, qui ne se mêlait jamais des affaires d'autrui, Mme Lefrançois, Artémise, les voisins, et jusqu'au maire, M. Tuvache, tout le monde l'engagea, le sermonna, lui faisait honte; mais ce qui acheva de le

décider, *c'est que ça ne lui coûterait rien*. Bovary se chargeait même de fournir la machine pour l'opération.
Emma avait eu l'idée de cette générosité; et Charles y
consentit, se disant au fond du cœur que sa femme
était un ange.

Avec les conseils du pharmacien, et en recommençant
trois fois, il fit donc construire par le menuisier, aidé
du serrurier, une manière de boîte pesant huit livres
environ, et où le fer, le bois, la tôle, le cuir, les vis et les
écrous ne se trouvaient point épargnés.

Cependant, pour savoir quel tendon couper à Hippolyte, il fallait connaître d'abord quelle espèce de pied
bot il avait.

Il avait un pied faisant avec la jambe une ligne
presque droite, ce qui ne l'empêchait pas d'être tourné
en dedans, de sorte que c'était un équin mêlé d'un peu
de varus, ou bien un léger varus fortement accusé
d'équin. Mais, avec cet équin, large en effet comme
un pied de cheval, à peau rugueuse, à tendons secs, à
gros orteils, et où les ongles noirs figuraient les clous
d'un fer, le stréphopode, depuis le matin jusqu'à la nuit,
galopait comme un cerf. On le voyait continuellement
sur la place, sautiller tout autour des charrettes, en jetant
en avant son support inégal. Il semblait même plus
vigoureux de cette jambe-là que de l'autre. A force
d'avoir servi, elle avait contracté comme des qualités
morales de patience et d'énergie, et quand on lui
donnait quelque gros ouvrage, il s'écorait dessus, pré-
férablement.

Or, puisque c'était un équin, il fallait couper le tendon d'Achille, quitte à s'en prendre plus tard au muscle
tibial antérieur pour se débarrasser du varus; car le
médecin n'osait d'un seul coup risquer deux opérations,
et même il tremblait déjà, dans la peur d'attaquer quelque région importante qu'il ne connaissait pas.

Ni Ambroise Paré, appliquant pour la première fois

depuis Celse, après quinze siècles d'intervalle, la ligature immédiate d'une artère; ni Dupuytren allant ouvrir un abcès à travers une couche épaisse d'encéphale; ni Gensoul, quand il fit la première ablation de maxillaire supérieur, n'avaient certes le cœur si palpitant, la main si frémissante, l'intellect aussi tendu que M. Bovary quand il approcha d'Hippolyte, son *ténotome* entre les doigts. Et, comme dans les hôpitaux, on voyait à côté, sur une table, un tas de charpie, des fils cirés, beaucoup de bandes, une pyramide de bandes, tout ce qu'il y avait de bandes chez l'apothicaire. C'était M. Homais qui avait organisé dès le matin tous ces préparatifs, autant pour éblouir la multitude que pour s'illusionner lui-même. Charles piqua la peau; on entendit un craquement sec. Le tendon était coupé, l'opération était finie. Hippolyte n'en revenait pas de surprise; il se penchait sur les mains de Bovary pour les couvrir de baisers.

— Allons, calme-toi, disait l'apothicaire, tu témoigneras plus tard ta reconnaissance envers ton bienfaiteur!

Et il descendit conter le résultat à cinq ou six curieux qui stationnaient dans la cour, et qui s'imaginaient qu'Hippolyte allait reparaître marchant droit. Puis Charles, ayant bouclé son malade dans le moteur mécanique, s'en retourna chez lui, où Emma, tout anxieuse, l'attendait sur la porte. Elle lui sauta au cou; ils se mirent à table; il mangea beaucoup, et même il voulut, au dessert, prendre une tasse de café, débauche qu'il ne se permettait que le dimanche lorsqu'il y avait du monde.

La soirée fut charmante, pleine de causeries, de rêves en commun. Ils parlèrent de leur fortune future, d'améliorations à introduire dans leur ménage; il voyait sa considération s'étendant, son bien-être s'augmentant, sa femme l'aimant toujours; et elle se trouvait heureuse de se rafraîchir dans un sentiment nouveau, plus sain,

meilleur, enfin d'éprouver quelque tendresse pour ce
pauvre garçon qui la chérissait. L'idée de Rodolphe, un
moment, lui passa par la tête; mais ses yeux se repor-
tèrent sur Charles : elle remarqua même avec surprise
qu'il n'avait point les dents vilaines.

Ils étaient au lit lorsque M. Homais, malgré la cuisinière, entra tout à coup dans la chambre, en tenant à
la main une feuille de papier fraîche écrite. C'était la
réclame qu'il destinait au *Fanal de Rouen*. Il la leur
apportait à lire.

— Lisez vous-même, dit Bovary.

Il lut :

— « Malgré les préjugés qui recouvrent encore une
partie de la face de l'Europe comme un réseau, la lumière cependant commence à pénétrer dans nos campagnes. C'est ainsi que, mardi, notre petite cité d'Yonville s'est vue le théâtre d'une expérience chirurgicale qui
est en même temps un acte de haute philanthropie.
M. Bovary, un de nos praticiens les plus distingués... »

— Ah! c'est trop! c'est trop! disait Charles, que l'émotion suffoquait.

— Mais non, pas du tout! comment donc!... « a opéré
d'un pied bot... » Je n'ai pas mis le terme scientifique,
parce que, vous savez, dans un journal..., tout le monde
peut-être ne comprendrait pas; il faut que les masses...

— En effet, dit Bovary. Continuez.

— Je reprends, dit le pharmacien. « M. Bovary, un de
nos praticiens les plus distingués, a opéré d'un pied
bot le nommé Hippolyte Tautain, garçon d'écurie depuis
vingt-cinq ans à l'hôtel du *Lion d'or,* tenu par Mme veuve
Lefrançois, sur la place d'Armes. La nouveauté de la
tentative et l'intérêt qui s'attachait au sujet avaient attiré
un tel concours de population, qu'il y avait véritablement encombrement au seuil de l'établissement. L'opération, du reste, s'est pratiquée comme par enchantement, et à peine si quelques gouttes de sang sont

venues sur la peau, comme pour dire que le tendon
rebelle venait enfin de céder sous les efforts de l'art. Le
malade, chose étrange (nous l'affirmons *de visu*), n'accusa
point de douleur. Son état, jusqu'à présent, ne laisse
rien à désirer. Tout porte à croire que la convalescence
sera courte; et qui sait même si, à la prochaine fête villa-
geoise, nous ne verrons pas notre brave Hippolyte figurer dans des danses bachiques, au milieu d'un chœur de
joyeux drilles, et ainsi prouver à tous les yeux, par sa
verve et ses entrechats, sa complète guérison? Honneur
donc aux savants généreux! honneur à ces esprits infa-
tigables qui consacrent leurs veilles à l'amélioration ou
bien au soulagement de leur espèce! Honneur! trois fois
honneur! N'est-ce pas le cas de s'écrier que les aveugles
verront et les boiteux marcheront! Mais ce que le fanatisme autrefois promettait à ses élus, la science maintenant l'accomplit pour tous les hommes! Nous tien-
drons nos lecteurs au courant des phases successives de
cette cure si remarquable. »

Ce qui n'empêcha pas que, cinq jours après, la mère
Lefrançois n'arrivât tout effarée en s'écriant :

— Au secours! il se meurt!... J'en perds la tête!

Charles se précipita vers le *Lion d'or,* et le pharmacien
qui l'aperçut passant sur la place, sans chapeau, abandonna la pharmacie. Il parut lui-même, haletant, rouge,
inquiet, et demandant à tous ceux qui montaient l'escalier :

— Qu'a donc notre intéressant stréphopode?

Il se tordait, le stréphopode, dans des convulsions
atroces, si bien que le moteur mécanique où était
enfermée sa jambe frappait contre la muraille à la
défoncer.

Avec beaucoup de précautions, pour ne pas déranger
la position du membre, on retira la boîte, et l'on vit un
spectacle affreux. Les formes du pied disparaissaient
dans une telle bouffissure, que la peau tout entière sem-

blait près de se rompre, et elle était couverte d'ecchy-
moses occasionnées par la fameuse machine. Hippolyte
déjà s'était plaint d'en souffrir; on n'y avait pris garde;
il fallut reconnaître qu'il n'avait pas eu tort complètement, et on le laissa libre quelques heures. Mais à peine
l'œdème eut-il un peu disparu, que les deux savants
jugèrent à propos de rétablir le membre dans l'appareil,
et en l'y serrant davantage, pour accélérer les choses.
Enfin, trois jours après, Hippolyte n'y pouvant plus
tenir, ils retirèrent encore une fois la mécanique, tout
en s'étonnant beaucoup du résultat qu'ils aperçurent.
Une tuméfaction livide s'étendait sur la jambe, et avec
des phlyctènes de place en place, par où suintait un
liquide noir. Cela prenait une tournure sérieuse. Hippolyte commençait à s'ennuyer, et la mère Lefrançois
l'installa dans la petite salle, près de la cuisine, pour
qu'il eut au moins quelque distraction.

Mais le percepteur, qui tous les jours y dînait, se
plaignit avec amertume d'un tel voisinage. Alors on
transporta Hippolyte dans la salle de billard.

Il était là, geignant sous ses grosses couvertures, pâle,
la barbe longue, les yeux caves, et, de temps à autre,
tournant sa tête en sueur sur le sale oreiller où s'abattaient les mouches. Mme Bovary le venait voir. Elle lui
apportait des linges pour ses cataplasmes, et le consolait,
l'encourageait. Du reste, il ne manquait pas de compagnie, les jours de marché surtout, lorsque les paysans
autour de lui poussaient les billes du billard, s'escri-
maient avec les queues, fumaient, buvaient, chantaient,
braillaient.

— Comment vas-tu? disaient-ils en lui frappant sur
l'épaule. Ah! tu n'es pas fier, à ce qu'il paraît! mais c'est
ta faute. Il faudrait faire ceci, faire cela.

Et on lui racontait des histoires de gens qui avaient
tous été guéris par d'autres remèdes que les siens; puis,
en manière de consolation, ils ajoutaient :

— C'est que tu t'écoutes trop! lève-toi donc! tu te dorlotes comme un roi! Ah! n'importe, vieux farceur! tu ne sens pas bon!

La gangrène, en effet, montait de plus en plus, Bovary en était malade lui-même. Il venait à chaque heure, à tout moment. Hippolyte le regardait avec des yeux pleins d'épouvante et balbutiait en sanglotant :

— Quand est-ce que je serai guéri?... Ah! sauvez-moi!... Que je suis malheureux! que je suis malheureux!

Et le médecin s'en allait, toujours en lui recommandant la diète.

— Ne l'écoute point, mon garçon, reprenait la mère Lefrançois; ils t'ont déjà bien assez martyrisé! tu vas t'affaiblir encore. Tiens, avale!

Et elle lui présentait quelque bon bouillon, quelque tranche de gigot, quelque morceau de lard, et parfois des petits verres d'eau-de-vie, qu'il n'avait pas le courage de porter à ses lèvres.

L'abbé Bournisien, apprenant qu'il empirait, fit demander à le voir. Il commença par le plaindre de son mal, tout en déclarant qu'il fallait s'en réjouir, puisque c'était la volonté du Seigneur, et profiter vite de l'occasion pour se réconcilier avec le ciel.

— Car, disait l'ecclésiastique d'un ton paterne, tu négligeais un peu tes devoirs; on te voyait rarement à l'office divin; combien y a-t-il d'années que tu ne t'es approché de la sainte table? Je comprends que tes occupations, que le tourbillon du monde aient pu t'écarter du soin de ton salut. Mais, à présent, c'est l'heure d'y réfléchir. Ne désespère pas cependant, j'ai connu de grands coupables qui, près de comparaître devant Dieu (tu n'en es point encore là, je le sais bien), avaient imploré sa miséricorde, et qui certainement sont morts dans les meilleures dispositions. Espérons que, tout comme eux, tu nous donneras de bons exemples! Ainsi, par précaution, qui donc t'empêcherait

de réciter matin et soir un « Je vous salue, Marie, pleine
de grâce », et un « Notre Père, qui êtes aux cieux »!
Oui, fais cela! pour moi, pour m'obliger. Qu'est-ce que
ça coûte?... Me le promets-tu?

Le pauvre diable promit. Le curé revint les jours suivants. Il causait avec l'aubergiste et même racontait des
anecdotes entremêlées de plaisanteries, de calembours
qu'Hippolyte ne comprenait pas. Puis, dès que la circonstance le permettait, il retombait sur les matières de
religion, en prenant une figure convenable.

Son zèle parut réussir; car bientôt le stréphopode témoigna l'envie d'aller en pèlerinage à Bon-Secours, s'il
se guérissait : à quoi M. Bournisien répondit qu'il ne
voyait pas d'inconvénient; deux précautions valaient
mieux qu'une. *On ne risquait rien.*

L'apothicaire s'indigna contre ce qu'il appelait les *manœuvres du prêtre;* elles nuisaient, prétendait-il, à la convalescence d'Hippolyte, et il répétait à Mme Lefrançois :

— Laissez-le! laissez-le! vous lui perturbez le moral
avec votre mysticisme!

Mais la bonne femme ne voulait plus l'entendre. Il
était *cause de tout.* Par esprit de contradiction, elle
accrocha même au chevet du malade un bénitier tout
plein, avec une branche de buis.

Cependant la religion pas plus que la chirurgie ne
paraissait le secourir, et l'invincible pourriture allait
montant toujours des extrémités vers le ventre. On avait
beau varier les potions et changer les cataplasmes, les
muscles chaque jour se décollaient davantage, et enfin
Charles répondit par un signe de tête affirmatif quand
la mère Lefrançois lui demanda si elle ne pourrait
point, en désespoir de cause, faire venir M. Canivet, de
Neufchâtel, qui était une célébrité.

Docteur en médecine, âgé de cinquante ans, jouissant
d'une bonne position et sûr de lui-même, le confrère
ne se gêna pas pour rire dédaigneusement lorsqu'il

découvrit cette jambe gangrenée jusqu'au genou. Puis, ayant déclaré net qu'il la fallait amputer, il s'en alla chez le pharmacien déblatérer contre les ânes qui avaient pu réduire un malheureux homme en un tel état. Secouant M. Homais par le bouton de sa redingote, il vociférait dans la pharmacie.

— Ce sont là des inventions de Paris! Voilà les idées de ces messieurs de la Capitale! c'est comme le strabisme, le chloroforme et la lithotritie, un tas de monstruosités que le gouvernement devrait défendre! Mais on veut faire le malin, et l'on vous fourre des remèdes sans s'inquiéter des conséquences. Nous ne sommes pas si forts que cela, nous autres; nous ne sommes pas des savants, des mirliflores, des jolis cœurs; nous sommes des praticiens, des guérisseurs, et nous n'imaginerions pas d'opérer quelqu'un qui se porte à merveille! Redresser des pieds bots! est-ce qu'on peut redresser les pieds bots? c'est comme si l'on voulait, par exemple, rendre droit un bossu!

Homais souffrait en écoutant ce discours, et il dissimulait son malaise sous un sourire de courtisan, ayant besoin de ménager M. Canivet dont les ordonnances quelquefois arrivaient jusqu'à Yonville; aussi ne prit-il pas la défense de Bovary, ne fit-il même aucune observation, et, abandonnant ses principes, il sacrifia sa dignité aux intérêts plus sérieux de son négoce.

Ce fut dans le village un événement considérable que cette amputation de cuisse par le docteur Canivet! Tous les habitants, ce jour-là, s'étaient levés de meilleure heure, et la Grande-Rue, bien que pleine de monde, avait quelque chose de lugubre comme s'il se fût agi d'une exécution capitale. On discutait chez l'épicier sur la maladie d'Hippolyte; les boutiques ne vendaient rien, et Mme Tuvache, la femme du maire, ne bougeait pas de sa fenêtre, par l'impatience où elle était de voir venir l'opérateur.

Il arriva dans son cabriolet, qu'il conduisait lui-même. Mais, le ressort du côté droit s'étant à la longue affaissé sous le poids de sa corpulence, il se faisait que la voiture penchait un peu tout en allant, et l'on apercevait sur l'autre coussin près de lui une vaste boîte, recouverte de basane rouge, dont les trois fermoirs de cuivre brillaient magistralement.

Quand il fut entré comme un tourbillon sous le porche du *Lion d'or,* le docteur, criant très haut, ordonna de dételer son cheval, puis il alla dans l'écurie voir s'il mangeait bien l'avoine; car, en arrivant chez ses malades, il s'occupait de sa jument et de son cabriolet. On disait même à ce propos : « Ah! M. Canivet, c'est un original! » Et on l'estimait davantage pour cet inébranlable aplomb. L'univers aurait pu crever jusqu'au dernier homme, qu'il n'eût pas failli à la moindre de ses habitudes.

Homais se présenta.

— Je compte sur vous, fit le docteur. Sommes-nous prêts? En marche!

Mais l'apothicaire, en rougissant, avoua qu'il était trop sensible pour assister à une pareille opération.

— Quand on est simple spectateur, disait-il, l'imagination, vous savez, se frappe! Et puis j'ai le système nerveux tellement...

— Ah bah! interrompit Canivet, vous me paraissez, au contraire, porté à l'apoplexie. Et d'ailleurs, cela ne m'étonne pas; car, vous autres, messieurs les pharmaciens, vous êtes continuellement fourrés dans votre cuisine, ce qui doit finir par altérer votre tempérament. Regardez-moi, plutôt : tous les jours, je me lève à quatre heures, je fais ma barbe à l'eau froide (je n'ai jamais froid) et je ne porte pas de flanelle, je n'attrape aucun rhume, le coffre est bon! Je vis tantôt d'une manière, tantôt d'une autre, en philosophe, au hasard de la fourchette. C'est pourquoi je ne suis point délicat comme vous, et il m'est aussi parfaitement égal de découper un chrétien que la première volaille venue. Après ça, direz-vous, l'habitude!... l'habitude!...

Alors, sans aucun regard pour Hippolyte, qui suait d'angoisse entre ses draps, ces messieurs engagèrent une conversation où l'apothicaire compara le sang-froid d'un chirurgien à celui d'un général; et ce rapprochement fut agréable à Canivet, qui se répandit en paroles sur les exigences de son art. Il le considérait comme un sacerdoce, bien que les officiers de santé le déshonorassent. Enfin, revenant au malade, il examina les bandes apportées par Homais, les mêmes qui avaient comparu lors du pied bot, et demanda quelqu'un pour lui tenir le membre. On envoya chercher Lestiboudois, et M. Canivet, ayant retroussé ses manches, passa dans la salle de billard, tandis que l'apothicaire restait avec Artémise et l'aubergiste, plus pâles toutes les deux que leur tablier, et l'oreille tendue contre la porte.

Bovary, pendant ce temps-là, n'osait bouger de sa maison. Il se tenait en bas, dans la salle, assis au coin de la cheminée sans feu, le menton sur sa poitrine, les mains jointes, les yeux fixes. Quelle mésaventure! pensait-il, quel désappointement! Il avait pris pourtant toutes les précautions imaginables. La fatalité s'en était mêlée. N'importe! si Hippolyte plus tard venait à mourir, c'est lui qui l'aurait assassiné. Et puis, quelle raison donnerait-il dans les visites, quand on l'interrogerait? Peut-être, cependant, s'était-il trompé en quelque chose? Il cherchait, ne trouvait pas. Mais les plus fameux chirurgiens se trompaient bien. Voilà ce qu'on ne voudrait jamais croire! on allait rire, au contraire, clabauder! Cela se répandrait jusqu'à Forges! jusqu'à Neufchâtel! jusqu'à Rouen! partout! Qui sait si des confrères n'écriraient pas contre lui? Une polémique s'ensuivrait, il faudrait répondre dans les journaux. Hippolyte même pouvait lui faire un procès. Il se voyait déshonoré, ruiné, perdu! Et son imagination, assaillie par une multitude d'hypothèses, ballottait au milieu d'elles comme un tonneau vide emporté à la mer et qui roule sur les flots.

Emma, en face de lui, le regardait; elle ne partageait pas son humiliation, elle en éprouvait une autre : c'était de s'être imaginé qu'un pareil homme pût valoir quelque chose, comme si vingt fois déjà elle n'avait pas suffisamment aperçu sa médiocrité.

Charles se promenait de long en large, dans la chambre. Ses bottes craquaient sur le parquet.

— Assieds-toi, dit-elle, tu m'agaces!

Il se rassit.

Comment donc avait-elle fait (elle qui était si intelligente!) pour se méprendre encore une fois? Du reste, par quelle déplorable manie avoir ainsi abîmé son existence en sacrifices continuels? Elle se rappela tous ses instincts de luxe, toutes les privations de son âme, les bassesses du mariage, du ménage, ses rêves tombant dans la boue comme des hirondelles blessées, tout ce qu'elle avait désiré, tout ce qu'elle s'était refusé, tout ce qu'elle aurait pu avoir! Et pourquoi? et pourquoi?

Au milieu du silence qui emplissait le village, un cri déchirant traversa l'air. Bovary devint pâle à s'évanouir. Elle fronça les sourcils d'un geste nerveux, puis continua. C'était pour lui cependant, pour cet être, pour cet homme qui ne comprenait rien, qui ne sentait rien! car il était là, tout tranquillement, et sans même se douter que le ridicule de son nom allait désormais la salir comme lui. Elle avait fait des efforts pour l'aimer, et elle s'était repentie en pleurant d'avoir cédé à un autre.

— Mais c'était peut-être un valgus? exclama soudain Bovary, qui méditait.

Au choc imprévu de cette phrase, tombant sur sa pensée comme une balle de plomb dans un plat d'argent, Emma tressaillant leva la tête pour deviner ce

qu'il voulait dire; et ils se regardèrent silencieusement,
presque ébahis de se voir, tant ils étaient par leur conscience éloignés l'un de l'autre. Charles la considérait
avec le regard trouble d'un homme ivre, tout en écoutant, immobile, les derniers cris de l'amputé qui se suivaient en modulations traînantes, coupées de saccades
aiguës, comme le hurlement lointain de quelque bête
qu'on égorge. Emma mordait ses lèvres blêmes, et, roulant entre ses doigts un des brins du polypier qu'elle avait
cassé, elle fixait sur Charles la pointe ardente de ses
prunelles, comme deux flèches de feu prêtes à partir.
Tout en lui l'irritait maintenant, sa figure, son costume,
ce qu'il ne disait pas, sa personne entière, son existence
enfin. Elle se repentait, comme d'un crime, de sa vertu
passée, et ce qui en restait encore s'écroulait sous les
coups furieux de son orgueil. Elle se délectait dans toutes
les ironies mauvaises de l'adultère triomphant. Le souvenir de son amant revenait à elle avec des attractions
vertigineuses; elle y jetait son âme, emportée vers cette
image par un enthousiasme nouveau; et Charles lui
semblait aussi détaché de sa vie, aussi absent pour toujours, aussi impossible et anéanti, que s'il allait mourir
et qu'il eût agonisé sous ses yeux.

Il se fit un bruit de pas sur le trottoir. Charles regarda; et, à travers la jalousie baissée, il aperçut au bord
des halles, en plein soleil, le docteur Canivet qui s'essuyait le front avec son foulard. Homais, derrière lui,
portait à la main une grande boîte rouge, et ils se diri-
geaient tous les deux du côté de la pharmacie.

Alors, par tendresse subite et découragement, Charles
se tourna vers sa femme en lui disant :

— Embrasse-moi donc, ma bonne!

— Laisse-moi! fit-elle, toute rouge de colère.

— Qu'as-tu? qu'as-tu? répétait-il stupéfait. Calme-
toi! reprends-toi!... Tu sais bien que je t'aime!... viens!

— Assez! cria-t-elle d'un air terrible.

Et s'échappant de la salle, Emma ferma la porte si
fort, que le baromètre bondit de la muraille et s'écrasa
par terre.

Charles s'affaissa dans son fauteuil, bouleversé, cherchant ce qu'elle pouvait avoir, imaginant une maladie
nerveuse, pleurant, et sentant vaguement circuler autour
de lui quelque chose de funeste et d'incompréhensible.

Quand Rodolphe, le soir, arriva dans le jardin, il
trouva sa maîtresse qui l'attendait au bas du perron, sur
la première marche. Ils s'étreignirent, et toute leur rancune se fondit comme une neige sous la chaleur de ce
baiser.

# XII

Ils recommencèrent à s'aimer. Souvent même, au milieu de la journée, Emma lui écrivait tout à coup; puis, à travers les carreaux, faisait un signe à Justin, qui, dénouant vite sa serpillière, s'envolait à la Huchette. Rodolphe arrivait; c'était pour lui dire qu'elle s'ennuyait, que son mari était odieux et son existence affreuse!

— Est-ce que j'y peux quelque chose? s'écria-t-il un jour, impatienté.

— Ah! si tu voulais!...

Elle était assise par terre, entre ses genoux, les bandeaux dénoués, le regard perdu.

— Quoi donc? fit Rodolphe.

Elle soupira.

— Nous irions vivre ailleurs..., quelque part...

— Tu es folle, vraiment! dit-il en riant. Est-ce possible?

Elle revint là-dessus; il eut l'air de ne pas comprendre et détourna la conversation.

Ce qu'il ne comprenait pas, c'était tout ce trouble dans une chose aussi simple que l'amour.

Elle avait un motif, une raison, et comme un auxiliaire à son attachement.

Cette tendresse, en effet, chaque jour s'accroissait davantage sous la répulsion du mari. Plus elle se livrait à l'un, plus elle exécrait l'autre; jamais Charles ne lui paraissait aussi désagréable, avoir les doigts aussi carrés,

222        *Madame Bovary*

l'esprit aussi lourd, les façons si communes qu'après ces
rendez-vous avec Rodolphe, quand ils se trouvaient ensemble. Alors, tout en faisant l'épouse et la vertueuse,
elle s'enflammait à l'idée de cette tête dont les cheveux
noirs se tournaient en une boucle vers le front hâlé, de
cette taille à la fois si robuste et si élégante, de cet
homme enfin qui possédait tant d'expérience dans la raison, tant d'emportement dans le désir! C'était pour lui
qu'elle se limait les ongles avec un soin de ciseleur, et
qu'il n'y avait jamais assez de *cold cream* sur sa peau, ni
de patchouli dans ses mouchoirs. Elle se chargeait de
bracelets, de bagues, de colliers. Quand il devait venir,
elle emplissait de roses ses deux grands vases de verre
bleu, et disposait son appartement et sa personne
comme une courtisane qui attend un prince. Il fallait
que la domestique fût sans cesse à blanchir du linge; et,
de toute la journée, Félicité ne bougeait de la cuisine, où
le petit Justin, qui souvent lui tenait compagnie, la
regardait travailler.

Le coude sur la longue planche où elle repassait, il
considérait avidement toutes ces affaires de femmes étalées autour de lui : les jupons de basin, les fichus, les
collerettes, et les pantalons à coulisse, vastes de hanches
et qui se rétrécissaient par le bas.

— A quoi cela sert-il? demandait le jeune garçon en
passant sa main sur la crinoline ou les agrafes.

— Tu n'as donc jamais rien vu? répondait en riant
Félicité; comme si ta patronne, Mme Homais, n'en portait pas de pareils.

— Ah! bien oui! Mme Homais!

Et il ajoutait d'un ton méditatif :

— Est-ce que c'est une dame comme Madame?

Mais Félicité s'impatientait de le voir tourner ainsi
tout autour d'elle. Elle avait six ans de plus, et Théodore, le domestique de M. Guillaumin, commençait à lui
faire la cour.

— Laisse-moi tranquille! disait-elle en déplaçant son
pot d'empois. Va-t'en plutôt piler des amandes; tu es
toujours à fourrager du côté des femmes; attends pour
te mêler de ça, méchant mioche, que tu aies de la barbe
au menton.

— Allons, ne vous fâchez pas, je m'en vais vous *faire
ses bottines*.

Et aussitôt, il atteignait sur le chambranle les chaussures d'Emma, tout empâtées de crotte — la crotte des
rendez-vous — qui se détachait en poudre sous ses
doigts, et qu'il regardait monter doucement dans un
rayon de soleil.

— Comme tu as peur de les abîmer! disait la cuisinière qui n'y mettait pas tant de façons quand elle les
nettoyait elle-même, parce que Madame, dès que l'étoffe
n'était plus fraîche, les lui abandonnait.

Emma en avait une quantité dans son armoire, et
qu'elle gaspillait à mesure sans que jamais Charles se
permît la moindre observation.

C'est ainsi qu'il déboursa trois cents francs pour une
jambe de bois dont elle jugea convenable de faire cadeau
à Hippolyte. Le pilon en était garni de liège, et il avait
des articulations à ressort, une mécanique compliquée
recouverte d'un pantalon noir, que terminait une botte
vernie. Mais Hippolyte, n'osant à tous les jours se servir
d'une si belle jambe, supplia Mme Boravy de lui en procurer une autre plus commode. Le médecin, bien entendu, fit encore les frais de cette acquisition.

Donc, le garçon d'écurie peu à peu recommença son
métier. On le voyait comme autrefois parcourir le village, et quand Charles entendait de loin, sur les pavés,
le bruit sec de son bâton, il prenait bien vite une autre
route.

C'était M. Lheureux, le marchand, qui s'était chargé
de la commande; cela lui fournit l'occasion de fréquen-
ter Emma. Il causait avec elle des nouveaux déballages

de Paris, de mille curiosités féminines, se montrait fort complaisant, et jamais ne réclamait d'argent. Emma s'abandonnait à cette facilité de satisfaire tous ses caprices. Ainsi, elle voulut avoir, pour la donner à Rodolphe, une fort belle cravache qui se trouvait à Rouen dans un magasin de parapluies. M. Lheureux, la semaine d'après, la lui posa sur la table.

Mais le lendemain il se présenta chez elle avec une facture de deux cent soixante et dix francs sans compter les centimes. Emma fut très embarrassée : tous les tiroirs du secrétaire étaient vides; on devait plus de quinze jours à Lestiboudois, deux trimestres à la servante, quantité d'autres choses encore, et Bovary attendait impatiemment l'envoi de M. Derozerays, qui avait coutume, chaque année, de le payer vers la Saint-Pierre.

Elle réussit d'abord à éconduire Lheureux; enfin il perdit patience : on le poursuivait, ses capitaux étaient absents, et, s'il ne rentrait dans quelques-uns, il serait forcé de lui reprendre toutes les marchandises qu'elle avait.

— Eh! reprenez-les! dit Emma.

— Oh! c'est pour rire! répliqua-t-il. Seulement, je ne regrette que la cravache. Ma foi! je la redemanderai à Monsieur.

— Non! non! fit-elle.

— Ah! je te tiens! pensa Lheureux.

Et, sûr de sa découverte, il sortit en répétant à demi-voix et avec son petit sifflement habituel :

— Soit! nous verrons! nous verrons!

Elle rêvait comment se tirer de là, quand la cuisinière entrant déposa sur la cheminée un petit rouleau de papier bleu, *de la part de M. Derozerays*. Emma sauta dessus, l'ouvrit. Il y avait quinze napoléons. C'était le compte. Elle entendit Charles dans l'escalier; elle jeta l'or au fond de son tiroir et prit la clef.

Trois jours après, Lheureux reparut.

— J'ai un arrangement à vous proposer, dit-il; si, au lieu de la somme convenue, vous vouliez prendre...

— La voilà, fit-elle en lui plaçant dans la main quatorze napoléons.

Le marchand fut stupéfait. Alors, pour dissimuler son désappointement, il se répandit en excuses et en offres de service qu'Emma refusa toutes; puis elle resta quelques minutes palpant dans la poche de son tablier les deux pièces de cent sous qu'il lui avait rendues. Elle se promettait d'économiser, afin de rendre plus tard...

— Ah bah! songea-t-elle, il n'y pensera plus.

Outre la cravache à pommeau de vermeil, Rodolphe avait reçu un cachet avec cette devise : *Amor nel cor;* de plus, une écharpe pour se faire un cache-nez, et enfin un porte-cigares tout pareil à celui du vicomte, que Charles avait autrefois ramassé sur la route et qu'Emma conservait. Cependant ces cadeaux l'humiliaient. Il en refusa plusieurs; elle insista, et Rodolphe finit par obéir, la trouvant tyrannique et trop envahissante.

Puis elle avait d'étranges idées :

— Quand minuit sonnera, disait-elle, tu penseras à moi!

Et, s'il avouait n'y avoir pas songé, c'étaient des reproches en abondance, et qui se terminaient toujours par l'éternel mot :

— M'aimes-tu?

— Mais oui, je t'aime! répondait-il.

— Beaucoup?

— Certainement!

— Tu n'en as pas aimé d'autres, hein?

— Crois-tu m'avoir pris vierge? exclamait-il en riant.

Emma pleurait, et il s'efforçait de la consoler, enjolivant de calembours ses protestations.

— Oh! c'est que je t'aime! reprenait-elle, je t'aime à ne pouvoir me passer de toi, sais-tu bien? J'ai quelquefois des envies de te revoir où toutes les colères de l'amour me déchirent. Je me demande : « Où est-il? Peut-être il parle à d'autres femmes? Elles lui sourient, il s'approche... » Oh! non, n'est-ce pas, aucune ne te plaît? Il y en a de plus belles; mais moi, je sais mieux aimer! Je suis ta servante et ta concubine! Tu es mon roi, mon idole! tu es bon! tu es beau! tu es intelligent! tu es fort!

Il s'était tant de fois entendu dire ces choses, qu'elles n'avaient pour lui rien d'original. Emma ressemblait à toutes les maîtresses; et le charme de la nouveauté, peu à peu tombant comme un vêtement, laissait voir à nu l'éternelle monotonie de la passion, qui a toujours les mêmes formes et le même langage. Il ne distinguait pas, cet homme si plein de pratique, la dissemblance des sentiments sous la parité des expressions. Parce que des lèvres libertines ou vénales lui avaient murmuré des phrases pareilles, il ne croyait que faiblement à la candeur de celles-là; on en devait rabattre, pensait-il, les discours exagérés cachant les affections médiocres; comme si la plénitude de l'âme ne débordait pas quelquefois par les métaphores les plus vides, puisque personne, jamais, ne peut donner l'exacte mesure de ses besoins, ni de ses conceptions, ni de ses douleurs, et que la parole humaine est comme un chaudron fêlé où nous battons des mélodies à faire danser les ours, quand on voudrait attendrir les étoiles.

Mais, avec cette supériorité de critique appartenant à celui qui, dans n'importe quel engagement, se tient en arrière, Rodolphe aperçut en cet amour d'autres jouissances à exploiter. Il jugea toute pudeur incommode. Il la traita sans façon. Il en fit quelque chose de souple et de corrompu. C'était une sorte d'attachement idiot plein d'admiration pour lui, de volupté pour elle, une béatitude qui l'engourdissait; et son âme s'enfonçait en cette ivresse et s'y noyait, ratatinée, comme le duc de Clarence dans son tonneau de malvoisie.

Par l'effet seul de ses habitudes amoureuses, Mme Bovary changea d'allures. Ses regards devinrent plus hardis, ses discours plus libres; elle eut même l'inconvenance de se promener avec M. Rodolphe une cigarette à la bouche, *comme pour narguer le monde;* enfin, ceux qui doutaient encore ne doutèrent plus quand on la vit, un jour, descendre de l'*Hirondelle,* la taille serrée dans un gilet, à la façon d'un homme, et Mme Bovary mère, qui, après une épouvantable scène avec son mari, était venue se réfugier chez son fils, ne fut pas la bourgeoise la moins scandalisée. Bien d'autres choses lui déplurent : d'abord Charles n'avait point écouté ses conseils pour l'interdiction des romans; puis, *le genre de la maison* lui déplaisait; elle se permit des observations, et l'on se fâcha, une fois surtout, à propos de Félicité.

Mme Bovary mère, la veille au soir, en traversant le corridor, l'avait surprise dans la compagnie d'un homme, un homme à collier brun, d'environ quarante ans, et qui, au bruit de ses pas, s'était vite échappé de la cuisine. Alors Emma se prit à rire; mais la bonne dame s'emporta, déclarant qu'à moins de se moquer des mœurs, on devait surveiller celles des domestiques.

— De quel monde êtes-vous? dit la bru, avec un regard tellement impertinent que Mme Bovary lui demanda si elle ne défendait point sa propre cause.

— Sortez! fit la jeune femme en se levant d'un bond.

— Emma!... maman!... s'écriait Charles pour les rapatrier.

Mais elles s'étaient enfuies toutes les deux dans leur exaspération. Emma trépignait en répétant :

— Ah! quel savoir-vivre! quelle paysanne!

Il courut à sa mère; elle était hors des gonds, elle balbutiait :

— C'est une insolente! une évaporée! pire peut-être!

Et elle voulait partir immédiatement, si l'autre ne venait lui faire des excuses. Charles retourna donc vers

sa femme et la conjura de céder; il se mit à genoux; elle
finit par répondre :

— Soit! j'y vais.

En effet, elle tendit la main à sa belle-mère avec
une dignité de marquise, en lui disant :

— Excusez-moi, madame.

Puis, remontée chez elle, Emma se jeta tout à plat
ventre sur son lit, et elle y pleura comme un enfant, la
tête enfoncée dans l'oreiller.

Ils étaient convenus, elle et Rodolphe, qu'en cas d'événement extraordinaire, elle attacherait à la persienne
un petit chiffon de papier blanc, afin que, si par hasard
il se trouvait à Yonville, il accourût dans la ruelle,
derrière la maison. Emma fit le signal; elle attendait depuis trois quarts d'heure, quand tout à coup elle aperçut Rodolphe au coin des halles. Elle fut tentée d'ouvrir
la fenêtre, de l'appeler; mais déjà il avait disparu. Elle
retomba désespérée.

Bientôt pourtant il lui sembla que l'on marchait sur le
trottoir. C'était lui, sans doute; elle descendit l'escalier,
traversa la cour. Il était là, dehors. Elle se jeta dans ses
bras.

— Prends donc garde, dit-il.

— Ah! si tu savais! reprit-elle.

Et elle se mit à lui raconter tout, à la hâte, sans suite,
exagérant les faits, en inventant plusieurs, et prodiguant
les parenthèses si abondamment qu'il n'y comprenait
rien.

— Allons, mon pauvre ange, du courage, console-toi,
patience!

— Mais voilà quatre ans que je patiente et que je souffre!... Un amour comme le nôtre devrait s'avouer à la
face du ciel! Ils sont à me torturer. Je n'y tiens plus!
Sauve-moi!

Elle se serrait contre Rodolphe. Ses yeux, pleins de
larmes, étincelaient comme des flammes sous l'onde; sa

gorge haletait à coups rapides; jamais il ne l'avait tant
aimée; si bien qu'il en perdit la tête et qu'il lui dit :

— Que faut-il faire? que veux-tu?

— Emmène-moi! s'écria-t-elle. Enlève-moi!... Oh! je
t'en supplie!

Et elle se précipita sur sa bouche, comme pour y saisir
le consentement inattendu qui s'en exhalait dans un
baiser.

— Mais... reprit Rodolphe.

— Quoi donc?

— Et ta fille?

Elle réfléchit quelques minutes, puis répondit :

— Nous la prendrons, tant pis!

— Quelle femme! se dit-il en la regardant s'éloigner.

Car elle venait de s'échapper dans le jardin. On
l'appelait.

La mère Bovary, les jours suivants, fut très étonnée de
la métamorphose de sa bru. En effet, Emma se montra
plus docile, et même poussa la déférence jusqu'à lui demander une recette pour faire mariner des cornichons.

Était-ce afin de les mieux duper l'un et l'autre? ou
bien voulait-elle, par une sorte de stoïcisme voluptueux,
sentir plus profondément l'amertume des choses qu'elle
allait abandonner! Mais elle n'y prenait garde, au contraire; elle vivait comme perdue dans la dégustation
anticipée de son bonheur prochain. C'était avec Rodolphe un éternel sujet de causeries. Elle s'appuyait sur
son épaule, elle murmurait :

— Hein! quand nous serons dans la malle-poste!...
Y songes-tu? Est-ce possible? Il me semble qu'au moment où je sentirai la voiture s'élancer, ce sera comme
si nous montions en ballon, comme si nous partions
vers les nuages. Sais-tu que je compte les jours?... Et
toi?

Jamais Mme Bovary ne fut aussi belle qu'à cette époque; elle avait cette indéfinissable beauté qui résulte de

la joie, de l'enthousiasme, du succès, et qui n'est que
l'harmonie du tempérament avec les circonstances. Ses
convoitises, ses chagrins, l'expérience du plaisir et ses
illusions toujours jeunes, comme font aux fleurs le
fumier, la pluie, les vents et le soleil, l'avaient par gradations développée, et elle s'épanouissait enfin dans la
plénitude de sa nature. Ses paupières semblaient taillées tout exprès pour ses longs regards amoureux où
la prunelle se perdait, tandis qu'un souffle fort écartait
ses narines minces et relevait le coin charnu de ses lèvres,
qu'ombrageait à la lumière un peu de duvet noir. On
eût dit qu'un artiste habile en corruptions avait disposé
sur sa nuque la torsade de ses cheveux : ils s'enroulaient
en une masse lourde, négligemment, et selon les hasards
de l'adultère, qui les dénouait tous les jours. Sa voix
maintenant prenait des inflexions plus molles, sa taille
aussi; quelque chose de subtil qui vous pénétrait se
dégageait même des draperies de sa robe et de la cambrure de son pied. Charles, comme aux premiers temps
de son mariage, la trouvait délicieuse et tout irrésistible.

Quand il rentrait au milieu de la nuit, il n'osait pas
la réveiller. La veilleuse de porcelaine arrondissait au
plafond une clarté tremblante, et les rideaux fermés du
petit berceau faisaient comme une hutte blanche qui se
bombait dans l'ombre, au bord du lit. Charles les regardait. Il croyait entendre l'haleine légère de son enfant.
Elle allait grandir maintenant; chaque saison, vite, amènerait un progrès. Il la voyait déjà revenant de l'école à
la tombée du jour, toute rieuse, avec sa brassière tachée
d'encre, et portant au bras son panier; puis il faudrait
la mettre en pension; cela coûterait beaucoup; comment
faire? Alors il réfléchissait. Il pensait à louer une petite
ferme aux environs, et qu'il surveillerait lui-même, tous
les matins, en allant voir ses malades. Il en économiserait
le revenu, il le placerait à la caisse d'épargne; ensuite il
achèterait des actions, quelque part, n'importe où; d'ail-

leurs, la clientèle augmenterait; il y comptait, car il voulait que Berthe fût bien élevée, qu'elle eût des talents,
qu'elle apprît le piano. Ah! quelle serait jolie, plus tard,
à quinze ans, quand, ressemblant à sa mère, elle porte-
rait comme elle, dans l'été, de grands chapeaux de paille!
on les prendrait de loin pour les deux sœurs. Il se la
figurait travaillant le soir auprès d'eux, sous la lumière
de la lampe; elle lui broderait des pantoufles; elle
s'occuperait du ménage; elle emplirait toute la maison de
sa gentillesse et de sa gaieté. Enfin, ils songeraient à son
établissement : on lui trouverait quelque brave garçon
ayant un état solide; il la rendrait heureuse; cela durerait
toujours.

Emma ne dormait pas, elle faisait semblant d'être endormie; et, tandis qu'il s'assoupissait à ses côtés, elle se
réveillait en d'autres rêves.

Au galop de quatre chevaux, elle était emportée
depuis huit jours vers un pays nouveau, d'où ils ne
reviendraient plus. Ils allaient, ils allaient, les bras enla-
cés, sans parler. Souvent, du haut d'une montagne, ils
apercevaient tout à coup quelque cité splendide avec des
dômes, des ponts, des navires, des forêts de citronniers
et des cathédrales de marbre blanc, dont les clochers
aigus portaient des nids de cigognes. On marchait au
pas, à cause des grandes dalles, et il y avait par terre
des bouquets de fleurs que vous offraient des femmes
habillées en corset rouge. On entendait sonner des clochers, hennir les mulets, avec le murmure des guitares
et le bruit des fontaines, dont la vapeur s'envolant rafraîchissait des tas de fruits, disposés en pyramide au pied
des statues pâles, qui souriaient sous les jets d'eau. Et
puis ils arrivaient, un soir, dans un village de pêcheurs,
où des filets bruns séchaient au vent le long de la falaise
et des cabanes. C'est là qu'ils s'arrêteraient pour vivre :
ils habiteraient une maison basse, à toit plat, ombragée
d'un palmier, au fond d'un golfe, au bord de la mer. Ils

se promèneraient en gondole, ils se balanceraient en
hamac : et leur existence serait facile et large comme
leurs vêtements de soie, toute chaude et étoilée comme
les nuits douces qu'ils contempleraient. Cependant, sur
l'immensité de cet avenir qu'elle se faisait apparaître,
rien de particulier ne surgissait; les jours, tous magni-
fiques, se ressemblaient comme des flots; et cela se
balançait à l'horizon, infini, harmonieux, bleuâtre et
couvert de soleil. Mais l'enfant se mettait à tousser dans
son berceau, ou bien Bovary ronflait plus fort, et Emma
ne s'endormait que le matin, quand l'aube blanchissait
les carreaux et que déjà le petit Justin, sur la place, ouvrait les auvents de la pharmacie.

Elle avait fait venir M. Lheureux et lui avait dit :

— J'aurais besoin d'un manteau, un grand manteau,
à long collet, doublé.

— Vous partez en voyage? demanda-t-il.

— Non! mais..., n'importe, je compte sur vous, n'est-
ce pas? et vivement.

Il s'inclina.

— Il me faudrait encore, reprit-elle, une caisse..., pas
trop lourde..., commode.

— Oui, oui, j'entends, de quatre-vingt-douze centi-
mètres environ, sur cinquante, comme on les fait à présent.

— Avec un sac de nuit.

Décidément, pensa Lheureux, il y a du grabuge là-
dessous.

— Et tenez, dit Mme Bovary, en tirant sa montre de sa
ceinture, prenez cela; vous vous payerez dessus.

Mais le marchand s'écria qu'elle avait tort; ils se
connaissaient; est-ce qu'il doutait d'elle? Quel enfan-
tillage! Elle insista cependant pour qu'il prît au moins
la chaîne, et déjà Lheureux l'avait mise dans sa poche
et s'en allait, quand elle le rappela.

— Vous laisserez tout chez vous. Quant au manteau, -

elle eut l'air de réfléchir, — ne l'apportez pas non plus;
seulement, vous me donnerez l'adresse de l'ouvrier et
avertirez qu'on le tienne à ma disposition.

C'était le mois prochain qu'ils devaient s'enfuir. Elle
partirait d'Yonville comme pour aller faire des commissions à Rouen. Rodolphe aurait retenu les places, pris
des passeports, et même écrit à Paris, afin d'avoir la
malle entière jusqu'à Marseille, où ils achèteraient une
calèche, et, de là, continueraient sans s'arrêter, par la
route de Gênes. Elle aurait eu soin d'envoyer chez Lheureux son bagage, qui serait directement porté à l'*Hirondelle,* de manière que personne ainsi n'aurait de soupçons; et, dans tout cela, jamais il n'était question de son
enfant. Rodolphe évitait d'en parler; peut-être qu'elle
n'y pensait pas.

Il voulut avoir encore deux semaines devant lui, pour
terminer quelques dispositions; puis, au bout de huit
jours, il en demanda quinze autres, puis il se dit malade;
ensuite il fit un voyage, le mois d'août se passa, et, après
tous ces retards, ils arrêtèrent que ce serait irrévocable-
ment pour le 4 septembre, un lundi.

Enfin le samedi, l'avant-veille, arriva.

Rodolphe vint le soir, plus tôt que de coutume.

— Tout est-il prêt? lui demanda-t-elle.

— Oui.

Alors ils firent le tour d'une plate-bande, et allèrent
s'asseoir près de la terrasse, sur la margelle du mur.

— Tu es triste, dit Emma.

— Non, pourquoi?

Et cependant il la regardait singulièrement, d'une
façon tendre.

— Est-ce de t'en aller? reprit-elle, de quitter tes affections, ta vie? Ah! je comprends... Mais, moi, je n'ai rien
au monde! tu es tout pour moi. Aussi je serai tout pour
toi, je te serai une famille, une patrie; je te soignerai, je
t'aimerai.

— Que tu es charmante! dit-il en la saisissant dans ses bras.

— Vrai? fit-elle avec un rire de volupté. M'aimes-tu? Jure-le donc!

— Si je t'aime! si je t'aime! mais je t'adore, mon amour!

La lune, toute ronde et couleur de pourpre, se levait à ras de terre, au fond de la prairie. Elle montait vite entre les branches des peupliers, qui la cachaient de place en place, comme un rideau noir, troué. Puis elle parut, éclatante de blancheur, dans le ciel vide qu'elle éclairait; et alors, se ralentissant, elle laissa tomber sur la rivière une grande tache, qui faisait une infinité d'étoiles; et cette lueur d'argent semblait s'y tordre jusqu'au fond, à la manière d'un serpent sans tête couvert d'écailles lumineuses. Cela ressemblait aussi à quelque monstrueux candélabre, d'où ruisselaient, tout au long, des gouttes de diamant en fusion. La nuit douce s'étalait autour d'eux; des nappes d'ombre emplissaient les feuillages. Emma, les yeux à demi clos, aspirait avec de grands soupirs le vent frais qui soufflait. Ils ne se parlaient pas, trop perdus qu'ils étaient dans l'envahissement de leur rêverie. La tendresse des anciens jours leur revenait au cœur, abondante et silencieuse comme la rivière qui coulait, avec autant de mollesse qu'en apportait le parfum des seringas, et projetait dans leurs souvenirs des ombres plus démesurées et plus mélancoliques que celles des saules immobiles qui s'allongeaient sur l'herbe. Souvent quelque bête nocturne, hérisson ou belette, se mettant en chasse, dérangeait les feuilles, ou bien on entendait par moments une pêche mûre qui tombait toute seule de l'espalier.

— Ah! la belle nuit! dit Rodolphe.

— Nous en aurons d'autres! reprit Emma.

Et, comme se parlant à elle-même:

— Oui, il fera bon voyager... Pourquoi ai-je le cœur

triste, cependant? Est-ce l'appréhension de l'inconnu...,
l'effet des habitudes quittées..., ou plutôt... ? Non, c'est
l'excès du bonheur! Que je suis faible, n'est-ce pas?
Pardonne-moi!

— Il est encore temps! s'écria-t-il. Réfléchis, tu t'en
repentiras peut-être.

— Jamais! répondit-elle impétueusement.

Et en se rapprochant de lui :

— Quel malheur donc peut-il me survenir? Il n'y a
pas de désert, pas de précipice ni d'océan que je traver-
serais avec toi. A mesure que nous vivrons ensemble, ce
sera comme une étreinte chaque jour plus serrée, plus
complète. Nous n'aurons rien qui nous trouble, pas de
soucis, nul obstacle! Nous serons seuls, tout à nous,
éternellement... Parle donc, réponds-moi.

Il répondait à intervalles réguliers : « Oui... oui... »
Elle lui avait passé les mains dans ses cheveux, et elle
répétait d'une voix enfantine, malgré de grosses larmes
qui coulaient :

— Rodolphe! Rodolphe!... ah! Rodolphe, cher petit
Rodolphe!

Minuit sonna.

— Minuit! dit-elle. Allons, c'est demain! encore un
jour!

Il se leva pour partir; et, comme si ce geste qu'il faisait eût été le signal de leur fuite, Emma, tout à coup,
prenant un air gai :

— Tu as les passeports?

— Oui.

— Tu n'oublies rien?

— Non.

— Tu en es sûr?

— Certainement.

— C'est à l'*Hôtel de Provence,* n'est-ce pas, que tu
m'attendras?... à midi?

Il fit un signe de tête.

— A demain, donc! dit Emma dans une dernière
caresse.

Et elle le regarda s'éloigner.

Il ne se détournait pas. Elle courut après lui, et, se
penchant au bord de l'eau entre des broussailles :

— A demain! s'écria-t-elle.

Il était déjà de l'autre côté de la rivière et marchait
vite dans la prairie.

Au bout de quelques minutes, Rodolphe s'arrêta; et,
quand il la vit avec son vêtement blanc peu à peu s'évanouir dans l'ombre comme un fantôme, il fut pris d'un
tel battement de cœur, qu'il s'appuya contre un arbre
pour ne pas tomber.

— Quel imbécile je suis! fit-il en jurant épouvantablement. N'importe, c'était une jolie maîtresse!

Et, aussitôt, la beauté d'Emma, avec tous les plaisirs
de cet amour, lui réapparurent. D'abord il s'attendrit,
puis il se révolta contre elle.

— Car enfin, exclamait-il en gesticulant, je ne peux
pas m'expatrier, avoir la charge d'un enfant!

Il se disait ces choses pour s'affermir davantage.

— Et d'ailleurs, les embarras, la dépense... Ah! non,
non, mille fois non! cela eût été trop bête!

# XIII

A PEINE arrivé chez lui, Rodolphe s'assit brusquement à
son bureau, sous la tête de cerf faisant trophée contre
la muraille. Mais, quand il eut la plume entre les doigts,
il ne sut rien trouver, si bien que, s'appuyant sur les
deux coudes, il se mit à réfléchir. Emma lui semblait
être reculée dans un passé lointain, comme si la résolution qu'il avait prise venait de placer entre eux, tout à
coup, un immense intervalle.

Afin de ressaisir quelque chose d'elle, il alla chercher
dans l'armoire, au chevet de son lit, une vieille boîte à
biscuits de Reims où il enfermait d'habitude ses lettres
de femmes, et il s'en échappa une odeur de poussière
humide et de roses flétries. D'abord il aperçut un mouchoir de poche, couvert de ·gouttelettes pâles. C'était un
mouchoir à elle, une fois qu'elle avait saigné du nez, en
promenade; il ne s'en souvenait plus. Il y avait auprès,
se cognant à tous les angles, la miniature donnée par
Emma; sa toilette lui parut prétentieuse et son regard
*en coulisse* du plus pitoyable effet; puis, à force de considérer cette image et d'évoquer le souvenir du modèle,
les traits d'Emma peu à peu se confondirent en sa mémoire, comme si la figure vivante et la figure peinte, se
frottant l'une contre l'autre, se fussent réciproquement
effacées. Enfin, il lut de ses lettres; elles étaient pleines
d'explications relatives à leur voyage, courtes, techniques
et pressantes comme des billets d'affaires. Il voulut revoir

les longues, celles d'autrefois; pour les trouver au fond de la boîte, Rodolphe dérangea toutes les autres; et machinalement il se mit à fouiller dans ce tas de papiers et de choses, y retrouvant pêle-mêle des bouquets, une jarretière, un masque noir, des épingles et des cheveux — des cheveux! de bruns, de blonds; quelques-uns même, s'accrochant à la ferrure de la boîte, se cassaient quand on l'ouvrait.

Ainsi flânant parmi ses souvenirs, il examinait les écritures et le style des lettres, aussi variés que leurs orthographes. Elles étaient tendres ou joviales, facétieuses, mélancoliques; il y en avait qui demandaient de l'amour et d'autres qui demandaient de l'argent. A propos d'un mot, il se rappelait des visages, de certains gestes, un son de voix; quelquefois pourtant il ne se rappelait rien.

En effet, ces femmes, accourant à la fois dans sa pensée, s'y gênaient les unes les autres et s'y rapetissaient, comme sous un même niveau d'amour qui les égalisait. Prenant donc à poignée les lettres confondues, il s'amusa pendant quelques minutes à les faire tomber en cascades, de sa main droite dans sa main gauche. Enfin, ennuyé, assoupi, Rodolphe alla reporter la boîte dans l'armoire en se disant :

— Quel tas de blagues!...

Ce qui résumait son opinion; car les plaisirs, comme des écoliers dans la cour d'un collège, avaient tellement piétiné sur son cœur, que rien de vert n'y poussait, et ce qui passait par là, plus étourdi que les enfants, n'y laissait pas même, comme eux, son nom gravé sur la muraille.

— Allons, se dit-il, commençons!

Il écrivit :

« Du courage, Emma! du courage! Je ne veux pas faire le malheur de votre existence... »

— Après tout, c'est vrai, pensa Rodolphe; j'agis dans son intérêt; je suis honnête.

« Avez-vous mûrement pesé votre détermination? Savez-vous l'abîme où je vous entraînais, pauvre ange? Non, n'est-ce pas? Vous alliez confiante et folle, croyant au bonheur, à l'avenir... Ah! malheureux que nous sommes! insensés! »

Rodolphe s'arrêta pour trouver ici quelque bonne excuse.
— Si je lui disais que toute ma fortune est perdue?... Ah! non, et d'ailleurs, cela n'empêcherait rien. Ce serait à recommencer plus tard. Est-ce qu'on peut faire entendre raison à des femmes pareilles!
Il réfléchit, puis ajouta :

« Je ne vous oublierai pas, croyez-le bien, et j'aurai continuellement pour vous un dévouement profond, mais, un jour, tôt ou tard, cette ardeur (c'est là le sort des choses humaines) se fût diminuée, sans doute! Il nous serait venu des lassitudes, et qui sait même si je n'aurais pas eu l'atroce douleur d'assister à vos remords et d'y participer moi-même, puisque je les aurais causés! L'idée seule des chagrins qui vous arrivent me torture, Emma! Oubliez-moi! Pourquoi faut-il que je vous aie connue? Pourquoi étiez-vous si belle? Est-ce ma faute? Ô mon Dieu! non, non, n'en accusez que la fatalité! »

— Voilà un mot qui fait toujours de l'effet, se dit-il.

« Ah! si vous eussiez été une de ces femmes au cœur frivole comme on en voit, certes j'aurais pu, par égoïsme, tenter une expérience alors sans danger pour vous. Mais cette exaltation délicieuse, qui fait à la fois votre

charme et votre tourment, vous a empêchée de comprendre, adorable femme que vous êtes, la fausseté de notre
position future. Moi non plus, je n'y avais pas réfléchi
d'abord, et je me reposais à l'ombre de ce bonheur idéal,
comme à celle du mancenillier, sans prévoir les conséquences. »

— Elle va peut-être croire que c'est par avarice que j'y
renonce... Ah! n'importe! tant pis, il faut en finir!

« Le monde est cruel, Emma. Partout où nous eus-
sions été, il nous aurait poursuivis. Il vous aurait fallu
subir les questions indiscrètes, la calomnie, le dédain,
l'outrage peut-être. L'outrage à vous! Oh!... Et moi qui
voudrais vous faire asseoir sur un trône! moi qui emporte votre pensée comme un talisman! Car je me punis
par l'exil de tout le mal que je vous ai fait. Je pars. Où?
Je n'en sais rien, je suis fou! Adieu! Soyez toujours
bonne! Conservez le souvenir du malheureux qui vous a
perdue. Apprenez mon nom à votre enfant, qu'il le
redise dans ses prières. »

La mèche des deux bougies tremblait. Rodolphe se
leva pour aller fermer la fenêtre, et, quand il se fut
rassis :
— Il me semble que c'est tout. Ah! encore ceci, de
peur qu'elle vienne *à me relancer* :

« Je serai loin quand vous lirez ces tristes lignes; car
j'ai voulu m'enfuir au plus vite afin d'éviter la tentation
de vous revoir. Pas de faiblesse! Je reviendrai; et peut-
être que, plus tard, nous causerons ensemble très froi-
dement de nos anciennes amours. Adieu! »

Et il y avait un dernier adieu, séparé en deux mots :
*A Dieu!* ce qu'il jugeait d'un excellent goût.

— Comment vais-je signer, maintenant? se dit-il.
Votre tout dévoué?... Non. Votre ami?... Oui, c'est cela.

« Votre ami. »

Il relut sa lettre. Elle lui parut bonne.

— Pauvre petite femme! pensa-t-il avec attendrissement. Elle va me croire plus insensible qu'un roc; il
eût fallu quelques larmes là-dessus; mais, moi, je ne
peux pas pleurer; ce n'est pas ma faute. Alors, s'étant
versé de l'eau dans un verre, Rodolphe y trempa son
doigt et il laissa tomber de haut une grosse goutte, qui
fit une tache pâle sur l'encre; puis, cherchant à cacheter
la lettre, le cachet *Amor nel cor* se rencontra.

— Cela ne va guère à la circonstance... Ah bah! n'importe!

Après quoi, il fuma trois pipes et s'alla coucher.

Le lendemain, quand il fut debout (vers deux heures
environ, il avait dormi tard), Rodolphe se fit cueillir une
corbeille d'abricots. Il disposa la lettre dans le fond, sous
des feuilles de vigne, et ordonna tout de suite à Girard,
son valet de charrue, de porter cela délicatement chez
Mme Bovary. Il se servait de ce moyen pour correspondre avec elle, lui envoyant, selon la saison, des fruits ou
du gibier.

— Si elle te demande de mes nouvelles, dit-il, tu
répondras que je suis parti en voyage. Il faut remettre
le panier à elle-même, en mains propres... Va, et prends
garde!

Girard passa sa blouse neuve, noua son mouchoir autour des abricots, et marchant à grands pas lourds dans
ses grosses galoches ferrées, prit tranquillement le
chemin d'Yonville.

Mme Bovary, quand il arriva chez elle, arrangeait avec
Félicité, sur la table de la cuisine, un paquet de linge.

— Voilà, dit le valet, ce que notre maître vous envoie.

Elle fut saisie d'une appréhension, et, tout en cher-

chant quelque monnaie dans sa poche, elle considérait
le paysan d'un œil hagard, tandis qu'il la regardait lui-
même avec ébahissement, ne comprenant pas qu'un pareil cadeau pût tant émouvoir quelqu'un. Enfin il sortit.
Félicité restait. Elle n'y tenait plus, elle courut dans la
salle comme pour y porter les abricots, renversa le panier,
arracha les feuilles, trouva la lettre, l'ouvrit, et, comme
s'il y avait eu derrière elle un effroyable incendie, Emma
se mit à fuir vers sa chambre, tout épouvantée.

Charles y était, elle l'aperçut; il lui parla, elle n'entendit rien, et elle continua vivement à monter les marches,
haletante, éperdue, ivre, et toujours tenant cette horrible feuille de papier, qui lui claquait dans les doigts
comme une plaque de tôle. Au second étage, elle s'arrêta
devant la porte du grenier, qui était fermée.

Alors elle voulut se calmer; elle se rappela la lettre; il
fallait la finir, elle n'osait pas. D'ailleurs, où? comment?
on la verrait.

— Ah! non, ici, pensa-t-elle, je serai bien.

Emma poussa la porte et entra.

Les ardoises laissaient tomber d'aplomb une chaleur
lourde, qui lui serrait les tempes et l'étouffait; elle se
traîna jusqu'à la mansarde close, dont elle tira le verrou,
et la lumière éblouissante jaillit d'un bond.

En face, par-dessus les toits, la pleine campagne s'étalait à perte de vue. En bas, sous elle, la place du village
était vide; les cailloux du trottoir scintillaient, les girouettes des maisons se tenaient immobiles; au coin de
la rue, il partit d'un étage inférieur une sorte de ronflement à modulations stridentes. C'était Binet qui tournait.

Elle s'était appuyée contre l'embrasure de la mansarde
et elle relisait la lettre avec des ricanements de colère.
Mais plus elle y fixait d'attention, plus ses idées se
confondaient. Elle le revoyait, elle l'entendait, elle l'entourait de ses deux bras; et des battements de cœur, qui
la frappaient sous la poitrine comme à grands coups de

bélier, s'accéléraient l'un après l'autre, à intermittences inégales. Elle jetait les yeux tout autour d'elle avec l'envie que la terre croulât. Pourquoi n'en pas finir? Qui la retenait donc? Elle était libre. Et elle s'avança, elle regarda les pavés en se disant :

— Allons! allons!

Le rayon lumineux qui montait d'en bas directement tirait vers l'abîme le poids de son corps. Il lui semblait que le sol de la place oscillant s'élevait le long des murs, et que le plancher s'inclinait par le bout, à la manière d'un vaisseau qui tangue. Elle se tenait tout au bord, presque suspendue, entourée d'un grand espace. Le bleu du ciel l'envahissait, l'air circulait dans sa tête creuse, elle n'avait qu'à céder, qu'à se laisser prendre; et le ronflement du tour ne discontinuait pas, comme une voix furieuse qui l'appelait.

— Ma femme! ma femme! cria Charles.

Elle s'arrêta.

L'idée qu'elle venait d'échapper à la mort faillit la faire s'évanouir de terreur; elle ferma les yeux; puis elle tressaillit au contact d'une main sur sa manche : c'était Félicité.

— Monsieur vous attend, Madame; la soupe est servie.

Et il fallut descendre! il fallut se mettre à table!

Elle essaya de manger. Les morceaux l'étouffaient. Alors elle déplia sa serviette comme pour en examiner les reprises et voulut réellement s'appliquer à ce travail, compter les fils de la toile. Tout à coup, le souvenir de la lettre lui revint. L'avait-elle donc perdue? Où la retouver? Mais elle éprouvait une telle lassitude dans l'esprit, que jamais elle ne put inventer un prétexte à sortir de table. Puis elle était devenue lâche; elle avait peur de Charles; il savait tout, c'était sûr! En effet, il prononça ces mots, singulièrement :

— Nous ne sommes pas près, à ce qu'il paraît, de voir M. Rodolphe.

— Qui te l'a dit? fit-elle en tressaillant.

— Qui me l'a dit? répliqua-t-il un peu surpris de ce
ton brusque; c'est Girard, que j'ai rencontré tout à
l'heure à la porte du *Café Français*. Il est parti en voyage,
ou il doit partir.

Elle eut un sanglot.

— Quoi donc t'étonne? Il s'absente ainsi de temps à
autre pour se distraire, et, ma foi! je l'approuve. Quand
on a de la fortune et que l'on est garçon!... Du reste, il
s'amuse joliment, notre ami! c'est un farceur. M. Langlois
m'a raconté...

Il se tut, par convenance, à cause de la domestique
qui entrait.

Celle-ci replaça dans la corbeille les abricots répandus
sur l'étagère; Charles, sans remarquer la rougeur de sa
femme, se les fit apporter, en prit un et mordit à même.

— Oh! parfait! disait-il. Tiens, goûte.

Et il tendit la corbeille, qu'elle repoussa doucement.

— Sens donc : quelle odeur! fit-il en la lui passant
sous le nez à plusieurs reprises.

— J'étouffe! s'écria-t-elle en se levant d'un bond.
Mais, par un effort de volonté, ce spasme disparut;
puis :

— Ce n'est rien! dit-elle, ce n'est rien! c'est nerveux!
Assieds-toi, mange!

Car elle redoutait qu'on ne fût à la questionner, à la
soigner, qu'on ne la quittât plus.

Charles, pour lui obéir, s'était rassis, et il crachait
dans sa main les noyaux des abricots, qu'il déposait
ensuite dans son assiette.

Tout à coup, un tilbury bleu passa au grand trot sur la
place. Emma poussa un cri et tomba roide par terre, à
la renverse.

En effet, Rodolphe, après bien des réflexions, s'était
décidé à partir pour Rouen. Or, comme il n'y a, de la
Huchette à Buchy, pas d'autre chemin que celui d'Yon-

ville, il lui avait fallu traverser le village, et Emma l'avait reconnu à la lueur des lanternes qui coupaient comme un éclair le crépuscule.

Le pharmacien, au tumulte qui se faisait dans la maison, s'y précipita. La table, avec toutes les assiettes, était renversée; de la sauce, de la viande, les couteaux, la salière et l'huilier jonchaient l'appartement; Charles appelait au secours; Berthe, effarée, criait; et Félicité, dont les mains tremblaient, délaçait Madame, qui avait le long du corps des mouvements convulsifs.

— Je cours, dit l'apothicaire, chercher dans mon laboratoire un peu de vinaigre aromatique.

Puis, comme elle rouvrait les yeux en respirant le flacon :

— J'en étais sûr, fit-il; cela vous réveillerait un mort.

— Parle-nous! disait Charles, parle-nous! Remets-toi! C'est moi, ton Charles qui t'aime! Me reconnais-tu? Tiens, voilà ta petite fille : embrasse-la donc!

L'enfant avançait les bras vers sa mère pour se pendre à son cou. Mais, détournant la tête, Emma dit d'une voix saccadée :

— Non, non... personne!

Elle s'évanouit encore. On la porta sur son lit.

Elle restait étendue, la bouche ouverte, les paupières fermées, les mains à plat, immobile, et blanche comme une statue de cire. Il sortait de ses yeux deux ruisseaux de larmes qui coulaient lentement sur l'oreiller.

Charles, debout, se tenait au fond de l'alcôve, et le pharmacien, près de lui, gardait ce silence méditatif qu'il est convenable d'avoir dans les occasions sérieuses de la vie.

— Rassurez-vous, dit-il en lui poussant le coude, je crois que le paroxysme est passé.

— Oui, elle repose un peu maintenant! répondit Charles, qui la regardait dormir. Pauvre femme!... pauvre femme!... la voilà retombée!

Alors Homais demanda comment cet accident était
survenu. Charles répondit que cela l'avait saisie tout à
coup, pendant qu'elle mangeait des abricots.

— Extraordinaire!... reprit le pharmacien. Mais il se
pourrait que les abricots eussent occasionné la syncope! Il y a des natures si impressionnables à l'encontre
de certaines odeurs! et ce serait même une belle question à étudier, tant sous le rapport pathologique que
sous le rapport physiologique. Les prêtres en connaissaient l'importance, eux qui ont toujours mêlé des
aromates à leurs cérémonies. C'est pour vous stupéfier
l'entendement et provoquer des extases, chose d'ailleurs
facile à obtenir chez les personnes du sexe, qui sont plus
délicates que les autres. On en cite qui s'évanouissent
à l'odeur de la corne brûlée, du pain tendre...

— Prenez garde de l'éveiller! dit à voix basse Bovary.

— Et non seulement, continua l'apothicaire, les
humains sont en butte à ces anomalies, mais encore les
animaux. Ainsi, vous n'êtes pas sans savoir l'effet singulièrement aphrodisiaque que produit le *nepeta cataria,*
vulgairement appelé herbe-au-chat, sur la gent féline;
et d'autre part, pour citer un exemple que je garantis
authentique, Bridoux (un de mes anciens camarades,
actuellement établi rue Malpalu) possède un chien qui
tombe en convulsions dès qu'on lui présente une taba-
tière. Souvent même il en fait l'expérience devant ses
amis, à son pavillon du Bois-Guillaume. Croirait-on
qu'un simple sternutatoire pût exercer de tels ravages
dans l'organisme d'un quadrupède? C'est extrêmement
curieux, n'est-il pas vrai?

— Oui, dit Charles, qui n'écoutait pas.

— Cela nous prouve, reprit l'autre en souriant avec
un air de suffisance bénigne, les irrégularités sans
nombre du système nerveux. Pour ce qui est de Madame,
elle m'a toujours paru, je l'avoue, une vraie sensitive.
Aussi ne vous conseillerai-je point, mon bon ami, aucun

de ces prétendus remèdes qui, sous prétexte d'attaquer les symptômes, attaquent le tempérament. Non, pas de médicamentation oiseuse! du régime, voilà tout! des sédatifs, des émollients, des dulcifiants. Puis, ne pensez-vous pas qu'il faudrait peut-être frapper l'imagination?

— En quoi? comment? dit Bovary.

— Ah! c'est là la question! Telle est effectivement la question : *That is the question!* comme je lisais dernière-ment dans le journal.

Mais Emma, se réveillant, s'écria :

— Et la lettre? et la lettre?

On crut qu'elle avait le délire; elle l'eut à partir de minuit : une fièvre cérébrale s'était déclarée.

Pendant quarante-trois jours, Charles ne la quitta pas. Il abandonna tous ses malades; il ne se couchait plus, il était continuellement à lui tâter le pouls, à lui poser des sinapismes, des compresses d'eau froide. Il envoyait Justin jusqu'à Neufchâtel chercher de la glace; la glace se fondait en route; il le renvoyait. Il appela M. Canivet en consultation : il fit venir de Rouen le docteur Larivière, son ancien maître; il était désespéré. Ce qui l'effrayait le plus, c'était l'abattement d'Emma; car elle ne parlait pas, n'entendait rien et même semblait ne point souffrir, — comme si son corps et son âme se fussent ensemble reposés de toutes leurs agitations.

Vers le milieu d'octobre, elle put se tenir assise dans son lit, avec des oreillers derrière elle. Charles pleura quand il la vit manger sa première tartine de confitures. Les forces lui revinrent; elle se levait quelques heures pendant l'après-midi, et, un jour qu'elle se sentait mieux, il essaya de lui faire faire, à son bras, un tour de promenade dans le jardin. Le sable des allées dispa-raissait sous les feuilles mortes; elle marchait pas à pas, en traînant ses pantoufles, et, s'appuyant de l'épaule contre Charles, elle continuait à sourire.

Ils allèrent ainsi jusqu'au fond, près de la terrasse. Elle se redressa lentement, se mit la main devant les yeux, pour regarder; elle regarda au loin, tout au loin; mais il n'y avait à l'horizon que de grands feux d'herbe, qui fumaient sur les collines.

— Tu vas te fatiguer, ma chérie, dit Bovary.

Et, la poussant doucement pour la faire entrer sous la tonnelle :

— Assieds-toi donc sur ce banc : tu seras bien.

— Oh! non, pas là, pas là! fit-elle d'une voix défaillante.

Elle eut un étourdissement, et, dès le soir, sa maladie recommença avec une allure plus incertaine, il est vrai, et des caractères plus complexes. Tantôt elle souffrait au cœur, puis dans la poitrine, dans le cerveau, dans les membres; il lui survint des vomissements où Charles crut apercevoir les premiers symptômes d'un cancer.

Et le pauvre garçon, par là-dessus, avait des inquiétudes d'argent!

# XIV

D'ABORD, il ne savait comment faire pour dédommager
M. Homais de tous les médicaments pris chez lui; et
quoiqu'il eût pu, comme médecin, ne pas les payer,
néanmoins il rougissait un peu de cette obligation.
Puis la dépense du ménage, à présent que la cuisinière
était maîtresse, devenait effrayante; les notes pleuvaient
dans la maison; les fournisseurs murmuraient; M. Lheureux, surtout, le harcelait. En effet, au plus fort de la
maladie d'Emma, celui-ci, profitant de la circonstance
pour exagérer sa facture, avait vite apporté le manteau,
le sac de nuit, deux caisses au lieu d'une, quantité
d'autres choses encore. Charles eut beau dire qu'il n'en
avait pas besoin, le marchand répondit arrogamment
qu'on lui avait commandé tous ces articles et qu'il ne les
reprendrait pas; d'ailleurs, ce serait contrarier Madame
dans sa convalescence; Monsieur réfléchirait; bref, il était
résolu à le poursuivre en justice plutôt que d'abandonner ses droits et que d'emporter ses marchandises.
Charles ordonna par la suite de les renvoyer à son magasin; Félicité oublia; il avait d'autres soucis; on n'y
pensa plus; M. Lheureux revint à la charge, et, tour à
tour menaçant et gémissant, manœuvra de telle façon,
que Bovary finit par souscrire un billet à six mois
d'échéance. Mais à peine eut-il signé ce billet, qu'une

idée audacieuse lui surgit : c'était d'emprunter mille
francs à M. Lheureux. Donc, il demanda, d'un air embarrassé, s'il n'y avait pas moyen de les avoir, ajoutant
que ce serait pour un an et au taux que l'on voudrait.
Lheureux courut à sa boutique, en rapporta les écus et
dicta un autre billet, par lequel Bovary déclarait devoir
payer à son ordre, le 1$^{er}$ septembre prochain, la somme
de mille soixante et dix francs; ce qui, avec les cent
quatre-vingts déjà stipulés, faisait juste douze cent cinquante. Ainsi, prêtant à six pour cent, augmenté d'un
quart de commission, et les fournitures lui rapportant
un bon tiers pour le moins, cela devait, en douze mois,
donner cent trente francs de bénéfice; et il espérait que
l'affaire ne s'arrêterait pas là, qu'on ne pourrait payer
les billets, qu'on les renouvellerait, et que son pauvre
argent, s'étant nourri chez le médecin comme dans une
maison de santé, lui reviendrait, un jour, considérablement plus dodu, et gros à faire craquer le sac.

Tout, d'ailleurs, lui réussissait. Il était adjudicataire
d'une fourniture de cidre pour l'hôpital de Neufchâtel;
M. Guillaumin lui promettait des actions dans les tourbières de Grumesnil, et il rêvait d'établir un nouveau
service de diligences entre Argueil et Rouen, qui ne tar-
derait pas, sans doute, à ruiner la guimbarde du *Lion
d'or,* et qui, marchant plus vite, étant à prix plus bas
et portant plus de bagages, lui mettrait ainsi dans les
mains tout le commerce d'Yonville.

Charles se demanda plusieurs fois par quel moyen,
l'année prochaine, pouvoir rembourser tant d'argent;
et il cherchait, imaginait des expédients, comme de
recourir à son père ou de vendre quelque chose. Mais
son père serait sourd, et il n'avait, lui, rien à vendre.
Alors il découvrait de tels embarras, qu'il écartait vite
de sa conscience un sujet de méditation aussi désagréable. Il se reprochait d'en oublier Emma; comme si,
toutes ses pensées appartenant à cette femme, c'eût été

lui dérober quelque chose que de n'y pas continuellement réfléchir.

L'hiver fut rude. La convalescence de Madame fut longue. Quand il faisait beau, on la poussait dans son fauteuil auprès de la fenêtre, celle qui regardait la place; car elle avait maintenant le jardin en antipathie, et la persienne de ce côté restait constamment fermée. Elle voulut que l'on vendît le cheval; ce qu'elle aimait autrefois, à présent lui déplaisait. Toutes ses idées paraissaient se borner au soin d'elle-même. Elle restait dans son lit à faire de petites collations, sonnait sa domestique pour s'informer de ses tisanes ou pour causer avec elle. Cependant la neige sur le toit des halles jetait dans la chambre un reflet blanc immobile; ensuite ce fut la pluie qui tombait. Et Emma quotidiennement attendait, avec une sorte d'anxiété, l'infaillible retour d'événements minimes, qui pourtant ne lui importaient guère. Le plus considérable était, le soir, l'arrivée de l'*Hirondelle*. Alors l'aubergiste criait et d'autres voix répondaient, tandis que le falot d'Hippolyte, qui cherchait des coffres sur la bâche, faisait comme une étoile dans l'obscurité. A midi, Charles rentrait; ensuite il sortait; puis elle prenait un bouillon, et, vers cinq heures, à la tombée du jour, les enfants qui s'en revenaient de la classe, traînant leurs sabots sur le trottoir, frappaient tous avec leurs règles la cliquette des auvents, les uns après les autres.

C'était à cette heure-là que M. Bournisien venait la voir. Il s'enquérait de sa santé, lui apportait des nouvelles et l'exhortait à la religion dans un petit bavardage câlin qui ne manquait pas d'agrément. La vue seule de sa soutane la réconfortait.

Un jour qu'au plus fort de sa maladie elle s'était crue agonisante, elle avait demandé la communion; et, à mesure que l'on faisait dans sa chambre les préparatifs pour le sacrement, que l'on disposait en autel la com-

mode encombrée de sirops et que Félicité semait par
terre des fleurs de dahlia, Emma sentait quelque chose
de fort passant sur elle, qui la débarrassait de ses douleurs, de toute perception, de tout sentiment. Sa chair
allégée ne pensait plus, une autre vie commençait; il lui
sembla que son être, montant vers Dieu, allait s'anéantir
dans cet amour comme un encens allumé qui se dissipe
en vapeur. On aspergea d'eau bénite les draps du lit;
le prêtre retira du saint ciboire la blanche hostie; et ce
fut en défaillant d'une joie céleste qu'elle avança les
lèvres pour accepter le corps du Sauveur qui se présentait. Les rideaux de son alcôve se gonflaient mollement, autour d'elle, en façon de nuées, et les rayons des
deux cierges brûlant sur la commode lui parurent être
des gloires éblouissantes. Alors elle laissa retomber sa
tête, croyant entendre dans les espaces le chant des
harpes séraphiques et apercevoir en un ciel d'azur,
sur un trône d'or, au milieu des saints tenant des
palmes vertes, Dieu le Père tout éclatant de majesté, et
qui d'un signe faisait descendre vers la terre des anges
aux ailes de flamme pour l'emporter dans leurs bras.

Cette vision splendide demeura dans sa mémoire
comme la chose la plus belle qu'il fût possible de rêver;
si bien qu'à présent elle s'efforçait d'en ressaisir la sensation, qui continuait cependant, mais d'une manière
moins exclusive et avec une douceur aussi profonde.
Son âme, courbatue d'orgueil, se reposait enfin dans
l'humilité chrétienne; et, savourant le plaisir d'être
faible, Emma contemplait en elle-même la destruction
de sa volonté, qui devait faire aux envahissements de la
grâce une large entrée. Il existait donc à la place du
bonheur des félicités plus grandes, un autre amour
au-dessus de tous les amours, sans intermittence ni fin,
et qui s'accroîtrait éternellement! Elle entrevit, parmi les
illusions de son espoir, un état de pureté flottant au-
dessus de la terre, se confondant avec le ciel, et où elle

aspira d'être. Elle voulut devenir une sainte. Elle acheta
des chapelets, elle porta des amulettes; elle souhaitait
avoir dans sa chambre, au chevet de sa couche, un reliquaire enchâssé d'émeraudes, pour le baiser tous les
soirs.

Le curé s'émerveillait de ces dispositions, bien que la
religion d'Emma, trouvait-il, pût, à force de ferveur,
finir par friser l'hérésie et même l'extravagance. Mais,
n'étant pas très versé dans ces matières, sitôt qu'elles
dépassaient une certaine mesure, il écrivit à M. Boulard,
libraire de Monseigneur, de lui envoyer *quelque chose de
fameux pour une personne du sexe, qui était pleine d'esprit.*
Le libraire, avec autant d'indifférence que s'il eût expédié de la quincaillerie à des nègres, vous emballa pêle-
mêle tout ce qui avait cours pour lors dans le négoce
des livres pieux. C'étaient de petits manuels par de-
mandes et par réponses, des pamphlets d'un ton rogue
dans la manière de M. de Maistre, et des espèces de
romans à cartonnage rose et à style douceâtre, fabriqués
par des séminaristes troubadours ou des bas-bleus
repentis. Il y avait le *Pensez-y bien; L'Homme du monde
aux pieds de Marie, par M. de\*\*\*, décoré de plusieurs ordres;*
des *Erreurs de Voltaire, à l'usage des jeunes gens,* etc.

Mme Bovary n'avait pas encore l'intelligence assez
nette pour s'appliquer sérieusement à n'importe quoi;
d'ailleurs elle entreprit ces lectures avec trop de précipitation. Elle s'irrita contre les prescriptions du culte;
l'arrogance des écrits polémiques lui déplut par leur
acharnement à poursuivre des gens qu'elle ne connaissait
pas; et les contes profanes relevés de religion lui parurent écrits dans une telle ignorance du monde, qu'ils
l'écartèrent insensiblement des vérités dont elle attendait
la preuve. Elle persista pourtant, et, lorsque le volume
lui tombait des mains, elle se croyait prise par la plus
fine mélancolie catholique qu'une âme éthérée pût
recevoir.

Quant au souvenir de Rodolphe, elle l'avait descendu tout au fond de son cœur; et il restait là, plus solennel et plus immobile qu'une momie de roi dans un souterrain. Une exhalaison s'échappait de ce grand amour embaumé et qui, passant à travers tout, parfumait de tendresse l'atmosphère d'immaculation où elle voulait vivre. Quand elle se mettait à genoux sur son prie-Dieu gothique, elle adressait au Seigneur les mêmes paroles de suavité qu'elle murmurait jadis à son amant, dans les épanchements de l'adultère. C'était pour faire venir la croyance; mais aucune délectation ne descendait des cieux, et elle se relevait, les membres fatigués, avec le sentiment vague d'une immense duperie. Cette recherche, pensait-elle, n'était qu'un mérite de plus; et, dans l'orgueil de sa dévotion, Emma se comparait à ces grandes dames d'autrefois, dont elle avait rêvé la gloire sur un portrait de La Vallière, et qui, traînant avec tant de majesté la queue chamarrée de leurs longues robes, se retiraient en des solitudes pour y répandre aux pieds du Christ toutes les larmes d'un cœur que l'existence blessait.

Alors, elle se livra à des charités excessives. Elle cousait des habits pour les pauvres; elle envoyait du bois aux femmes en couches; et Charles, un jour en rentrant, trouva dans la cuisine trois vauriens attablés qui mangeaient un potage. Elle fit revenir à la maison sa petite fille, que son mari, durant sa maladie, avait renvoyée chez la nourrice. Elle voulut lui apprendre à lire; Berthe avait beau pleurer, elle ne s'irritait plus. C'était un parti pris de résignation, une indulgence universelle. Son langage, à propos de tout, était plein d'expressions idéales. Elle disait à son enfant :

— Ta colique est-elle passée, mon ange?

Mme Bovary mère ne trouvait rien à blâmer, sauf peut-être cette manie de tricoter des camisoles pour les orphelins au lieu de raccommoder ses torchons. Mais, harassée de querelles domestiques, la bonne femme se plaisait en cette maison tranquille, et même elle y demeura jusques après Pâques, afin d'éviter les sarcasmes du père Bovary qui ne manquait pas, tous les vendredis saints, de se commander une andouille.

Outre la compagnie de sa belle-mère, qui la raffermissait par sa rectitude de jugement et ses façons graves, Emma, presque tous les jours, avait encore d'autres sociétés. C'étaient Mme Langlois, Mme Caron, Mme Dubreuil, Mme Tuvache et, régulièrement de deux à cinq heures, l'excellente Mme Homais, qui n'avait jamais voulu croire, celle-là, à aucun des cancans que l'on débitait sur sa voisine. Les petits Homais aussi venaient la voir; Justin les accompagnait. Il montait avec eux dans la chambre, et il restait debout près de la porte, immobile, sans parler. Souvent même, Mme Bovary, n'y prenant garde, se mettait à sa toilette. Elle commençait par retirer son peigne, en secouant sa tête d'un mouvement brusque; et, quand il aperçut la première fois cette chevelure entière qui descendait jusqu'aux jarrets en déroulant ses anneaux noirs, ce fut pour lui, le pauvre enfant, comme l'entrée subite dans quelque chose d'extraordinaire et de nouveau dont la splendeur l'effraya.

Emma, sans doute, ne remarquait pas ses empressements silencieux ni ses timidités. Elle ne se doutait point que l'amour, disparu de sa vie, palpitait là, près d'elle, sous cette chemise de grosse toile, dans ce cœur d'adolescent ouvert aux émanations de sa beauté. Du reste, elle enveloppait tout maintenant d'une telle indifférence, elle avait des paroles si affectueuses et des regards si hautains, des façons si diverses, que l'on ne distinguait plus l'égoïsme de la charité, ni la corruption de la vertu. Un soir, par exemple, elle s'emporta contre sa domestique, qui lui demandait à sortir et balbutiait en cherchant un prétexte, puis tout à coup :

— Tu l'aimes donc? dit-elle.

Et, sans attendre la réponse de Félicité, qui rougissait, elle ajouta d'un air triste :

— Allons, cours-y! amuse-toi!

Elle fit, au commencement du printemps, bouleverser le jardin d'un bout à l'autre, malgré les observations de Bovary; il fut heureux, cependant, de lui voir enfin manifester une volonté quelconque. Elle en témoigna davantage à mesure qu'elle se rétablissait. D'abord, elle trouva moyen d'expulser la mère Rollet, la nourrice, qui avait pris l'habitude, pendant sa convalescence, de venir trop souvent à la cuisine avec ses deux nourrissons et son pensionnaire, plus endenté qu'un cannibale. Puis elle se dégagea de la famille Homais, congédia successivement toutes les autres visites et même fréquenta l'église avec moins d'assiduité, à la grande approbation de l'apothicaire, qui lui dit alors amicalement :

— Vous donniez un peu dans la calotte!

M. Bournisien, comme autrefois, survenait tous les jours, en sortant du catéchisme. Il préférait rester dehors à prendre l'air *au milieu du bocage,* il appelait ainsi la tonnelle. C'était l'heure où Charles rentrait. Ils avaient chaud; on apportait du cidre doux, et ils buvaient ensemble au complet rétablissement de Madame.

Binet se trouvait là, c'est-à-dire un peu plus bas, contre le mur de la terrasse, à pêcher des écrevisses. Bovary l'invitait à se rafraîchir, et il s'entendait parfaitement à déboucher les cruchons.

— Il faut, disait-il en promenant autour de lui et jusqu'aux extrémités du paysage un regard satisfait, tenir ainsi la bouteille d'aplomb sur la table, et, après que les ficelles sont coupées, pousser le liège à petits coups, doucement, doucement, comme on fait, d'ailleurs, à l'eau de Seltz, dans les restaurants.

Mais le cidre, pendant sa démonstration, souvent leur jaillissait en plein visage, et alors l'ecclésiastique, avec un rire opaque, ne manquait jamais cette plaisanterie :

— Sa bonté saute aux yeux !

Il était brave homme, en effet, et même, un jour, ne fut point scandalisé du pharmacien, qui conseillait à Charles, pour distraire Madame, de la mener au théâtre de Rouen voir l'illustre ténor Lagardy. Homais, s'étonnant de ce silence, voulut savoir son opinion, et le prêtre déclara qu'il regardait la musique comme moins dangereuse pour les mœurs que la littérature.

Mais le pharmacien prit la défense des lettres. Le théâtre, prétendait-il, servait à fronder les préjugés, et sous le masque du plaisir, enseignait la vertu.

— *Castigat ridendo mores,* monsieur Bournisien ! Ainsi, regardez la plupart des tragédies de Voltaire ; elles sont semées habilement de réflexions philosophiques qui en font pour le peuple une véritable école de morale et de diplomatie.

— Moi, dit Binet, j'ai vu autrefois une pièce intitulée *Le Gamin de Paris,* où l'on remarque le caractère d'un vieux général qui est vraiment tapé ! Il rembarre un fils de famille qui avait séduit une ouvrière, qui à la fin...

— Certainement ! continuait Homais, il y a la mauvaise littérature comme il y a la mauvaise pharmacie ; mais condamner en bloc le plus important des beaux-arts me paraît une balourdise, une idée gothique, digne de ces temps abominables où l'on enfermait Galilée.

— Je sais bien, objecta le curé, qu'il existe de bons ouvrages, de bons auteurs ; cependant, ne serait-ce que ces personnes de sexe différent réunies dans un appartement enchanteur, orné de pompes mondaines, et puis ces déguisements païens, ce fard, ces flambeaux, ces voix efféminées, tout cela doit finir par engendrer un certain libertinage d'esprit et vous donner des pensées déshonnêtes, des tentations impures. Telle est du moins l'opinion de tous les Pères. Enfin, ajouta-t-il en prenant

subitement un ton de voix mystique, tandis qu'il roulait
sur son pouce une prise de tabac, si l'Église a condamné
les spectacles, c'est qu'elle avait raison; il faut nous soumettre à ses décrets.

— Pourquoi, demanda l'apothicaire, excommunie-
t-elle les comédiens? car, autrefois, ils concouraient ou-
vertement aux cérémonies du culte. Oui, on jouait, on
représentait au milieu du chœur des espèces de farces
appelées mystères, dans lesquelles les lois de la décence
souvent se trouvaient offensées.

L'ecclésiastique se contenta de pousser un gémissement, et le pharmacien poursuivit:

— C'est comme dans la Bible; il y a..., savez-vous...,
plus d'un détail... piquant, des choses... vraiment...
gaillardes!

Et, sur un geste d'irritation que faisait M. Boursinien:

— Ah! vous conviendrez que ce n'est pas un livre à
mettre entre les mains d'une jeune personne, et je serais
fâché qu'Athalie...

— Mais ce sont les protestants, et nons pas nous,
s'écria l'autre impatienté, qui recommandent la Bible!

— N'importe! dit Homais, je m'étonne que, de nos
jours, en un siècle de lumière, on s'obstine encore à
proscrire un délassement intellectuel qui est inoffensif,
moralisant et même hygiénique quelquefois, n'est-ce pas,
docteur?

— Sans doute, répondit le médecin nonchalamment,
soit que, ayant les mêmes idées, il voulût n'offenser
personne, ou bien qu'il n'eût pas d'idées.

La conversation semblait finie, quand le pharmacien
jugea convenable de pousser une dernière botte.

— J'en ai connu, des prêtres, qui s'habillaient en
bourgeois pour aller voir gigoter des danseuses.

— Allons donc! fit le curé.

— Ah! j'en ai connu!

Et, séparant les syllabes de sa phrase, Homais répéta:

— J'en-ai-con-nu.

— Eh bien! ils avaient tort, dit Bournisien résigné à tout entendre.

— Parbleu! ils en font bien d'autres! exclama l'apothicaire.

— Monsieur!... reprit l'ecclésiastique avec des yeux si farouches, que le pharmacien en fut intimidé.

— Je veux seulement dire, répliqua-t-il alors d'un ton moins brutal, que la tolérance est le plus sûr moyen d'attirer les âmes à la religion.

— C'est vrai! c'est vrai! concéda le bonhomme en se rasseyant sur sa chaise.

Mais il n'y resta que deux minutes. Puis, dès qu'il fut parti, M. Homais dit au médecin :

— Voilà ce qui s'appelle une prise de bec! Je l'ai roulé, vous avez vu, d'une manière!... Enfin, croyez-moi, conduisez Madame au spectacle, ne serait-ce que pour faire une fois dans votre vie enrager un de ces corbeaux-là, saprelotte! Si quelqu'un pouvait me remplacer, je vous accompagnerais moi-même. Dépêchez-vous! Lagardy ne donnera qu'une seule représentation; il est engagé en Angleterre à des appointements considérables. C'est, à ce qu'on assure, un fameux lapin! Il roule sur l'or! il mène avec lui trois maîtresses et son cuisinier! Tous ces grands artistes brûlent la chandelle par les deux bouts; il leur faut une existence dévergondée qui excite un peu l'imagination. Mais ils meurent à l'hôpital, parce qu'ils n'ont pas eu l'esprit, étant jeunes, de faire des économies. Allons, bon appétit; à demain!

Cette idée de spectacle germa vite dans la tête de Bovary; car aussitôt il en fit part à sa femme, qui refusa tout d'abord, alléguant la fatigue, le dérangement, la dépense; mais, par extraordinaire, Charles ne céda pas, tant il jugeait cette récréation lui devoir être profitable. Il n'y voyait aucun empêchement; sa mère lui avait

expédié trois cents francs sur lesquels il ne comptait
plus, les dettes courantes n'avaient rien d'énorme, et
l'échéance des billets à payer au sieur Lheureux était
encore si longue, qu'il n'y fallait pas songer. D'ailleurs,
imaginant qu'elle y mettait de la délicatesse, Charles
insista davantage; si bien qu'elle finit, à force d'obses-
sions, par se décider. Et, le lendemain, à huit heures,
ils s'emballèrent dans l'*Hirondelle*.

L'apothicaire, que rien ne retenait à Yonville, mais
qui se croyait contraint de n'en pas bouger, soupira
en les voyant partir.

— Allons, bon voyage! leur dit-il, heureux mortels
que vous êtes!

Puis, s'adressant à Emma, qui portait une robe de soie
bleue à quatre falbalas :

— Je vous trouve jolie comme un Amour! Vous allez
*faire florès* à Rouen.

La diligence descendait à l'hôtel de la *Croix-Rouge*, sur
la place Beauvoisine. C'était une de ces auberges comme
il y en a dans tous les faubourgs de province, avec de
grandes écuries et de petites chambres à coucher, où
l'on voit au milieu de la cour des poules picorant
l'avoine sous les cabriolets crottés des commis voyageurs; — bons vieux gîtes à balcon de bois vermoulu
qui craquent au vent dans les nuits d'hiver, continuellement pleins de monde, de vacarme et de mangeaille,
dont les tables noires sont poissées par les *glorias,* les
vitres épaisses jaunies par les mouches, les serviettes
humides tachées par le vin bleu; et qui, sentant toujours
le village, comme des valets de ferme habillés en bourgeois, ont un café sur la rue, et du côté de la campagne
un jardin à légumes. Charles immédiatement se mit en
courses. Il confondit l'avant-scène avec les galeries, le
*parquet* avec les loges, demanda des explications, ne les
comprit pas, fut renvoyé du contrôleur au directeur,
revint à l'auberge, retourna au bureau, et, plusieurs

fois ainsi, arpenta toute la longueur de la ville, depuis
le théâtre jusqu'au boulevard.

Madame s'acheta un chapeau, des gants, un bouquet.
Monsieur craignait beaucoup de manquer le commencement; et, sans avoir eu le temps d'avaler un bouillon,
ils se présentèrent devant les portes du théâtre, qui
étaient encore fermées.

# XV

La foule stationnait contre le mur, parquée symétriquement entre des balustrades. A l'angle des rues voisines,
de gigantesques affiches répétaient en caractères ba-
roques : « *Lucie de Lammermoor*... Lagardy... Opéra...,
etc. » Il faisait beau; on avait chaud; la sueur coulait
dans les frisures, tous les mouchoirs tirés épongeaient
des fronts rouges; et parfois un vent tiède, qui soufflait
de la rivière, agitait mollement la bordure des tentes en
coutil suspendues à la porte des estaminets. Un peu plus
bas, cependant, on était rafraîchi par un courant d'air
glacial qui sentait le suif, le cuir et l'huile. C'était l'exhalaison de la rue des Charrettes, pleine de grands maga-
sins noirs où l'on roule des barriques.

De peur de paraître ridicule, Emma voulut, avant
d'entrer, faire un tour de promenade sur le port, et
Bovary, par prudence, garda les billets à sa main, dans
la poche de son pantalon, qu'il appuyait contre son
ventre.

Un battement de cœur la prit dès le vestibule. Elle
sourit involontairement de vanité, en voyant la foule
qui se précipitait à droite par l'autre corridor, tandis
qu'elle montait l'escalier des *premières*. Elle eut plaisir,
comme un enfant, à pousser de son doigt les larges
portes tapissées; elle aspira de toute sa poitrine l'odeur
poussiéreuse des couloirs, et, quand elle fut assise dans

sa loge, elle se cambra la taille avec une désinvolture de duchesse.

La salle commençait à se remplir, on tirait les lorgnettes de leurs étuis, et les abonnés, s'apercevant de loin, se faisaient des salutations. Ils venaient se délasser dans les beaux-arts des inquiétudes de la vente; mais n'oubliant point *les affaires,* ils causaient encore cotons, trois-six ou indigo. On voyait là des têtes de vieux, inexpressives et pacifiques, et qui, blanchâtres de chevelure et de teint, ressemblaient à des médailles d'argent ternies par une vapeur de plomb. Les jeunes beaux se pavanaient au *parquet,* étalant, dans l'ouverture de leur gilet, leur cravate rose ou vert-pomme; et Mme Bovary les admirait d'en haut, appuyant sur des badines à pomme d'or la paume tendue de leurs gants jaunes.

Cependant, les bougies de l'orchestre s'allumèrent; le lustre descendit du plafond, versant, avec le rayonnement de ses facettes, une gaieté subite dans la salle; puis les musiciens entrèrent les uns après les autres, et ce fut d'abord un long charivari de basses ronflant, de violons grinçant, de pistons trompettant, de flûtes et de flageolets qui piaulaient. Mais on entendit trois coups sur la scène; un roulement de timbales commença, les instruments de cuivre plaquèrent des accords, et le rideau, se levant, découvrit un paysage.

C'était le carrefour d'un bois, avec une fontaine à gauche, ombragée par un chêne. Des paysans et des seigneurs, le plaid sur l'épaule, chantaient tous ensemble une chanson de chasse; puis il survint un capitaine qui invoquait l'ange du mal en levant au ciel ses deux bras; un autre parut; ils s'en allèrent, et les chasseurs reprirent.

Elle se retrouvait dans les lectures de sa jeunesse, en plein Walter Scott. Il lui semblait entendre, à travers le brouillard, le son des cornemuses écossaises se répéter sur les bruyères. D'ailleurs, le souvenir du roman facilitant l'intelligence du libretto, elle suivait l'intrigue

phrase à phrase, tandis que d'insaisissables pensées qui
lui revenaient se dispersaient, aussitôt, sous les rafales
de la musique. Elle se laissait aller au bercement des
mélodies et se sentait elle-même vibrer de tout son être
comme si les archets des violons se fussent promenés
sur ses nerfs. Elle n'avait pas assez d'yeux pour contempler les costumes, les décors, les personnages, les arbres
peints qui tremblaient quand on marchait, et les toques
de velours, les manteaux, les épées, toutes ces imaginations qui s'agitaient dans l'harmonie comme dans
l'atmosphère d'un autre monde. Mais une jeune femme
s'avança en jetant une bourse à un écuyer vert. Elle resta
seule, et alors on entendit une flûte qui faisait comme
un murmure de fontaine ou comme des gazouillements
d'oiseau. Lucie entama d'un air grave sa cavatine en *sol*
majeur; elle se plaignait d'amour, elle demandait des
ailes. Emma, de même, aurait voulu, fuyant la vie,
s'envoler dans une étreinte. Tout à coup, Edgar Lagardy
parut.

Il avait une de ces pâleurs splendides qui donnent
quelque chose de la majesté des marbres aux races
ardentes du Midi. Sa taille vigoureuse était prise dans un
pourpoint de couleur brune; un petit poignard ciselé
lui battait sur la cuisse gauche, et il roulait des regards
langoureusement en découvrant ses dents blanches. On
disait qu'une princesse polonaise, l'écoutant un soir
chanter sur la plage de Biarritz, où il radoubait des cha-
loupes, en était devenue amoureuse. Elle s'était ruinée
à cause de lui. Il l'avait plantée là pour d'autres femmes,
et cette célébrité sentimentale ne laissait pas que de servir
à sa réputation artistique. Le cabotin diplomate avait
même soin de faire toujours glisser dans les réclames
une phrase poétique sur la fascination de sa personne
et la sensibilité de son âme. Un bel organe, un impertur-
bable aplomb, plus de tempérament que d'intelligence et
plus d'emphase que de lyrisme, achevaient de rehausser

cette admirable nature de charlatan, où il y avait du coiffeur et du toréador.

Dès la première scène, il enthousiasma. Il pressait Lucie dans ses bras, il la quittait, il revenait, il semblait désespéré : il avait des éclats de colère, puis des râles élégiaques d'une douceur infinie, et les notes s'échappaient de son cou nu, pleines de sanglots et de baisers. Emma se penchait pour le voir, égratignant avec ses ongles le velours de sa loge. Elle s'emplissait le cœur de ces lamentations mélodieuses qui se traînaient à l'accompagnement des contrebasses, comme des cris de naufragés dans le tumulte d'une tempête. Elle reconnaissait tous les enivrements et les angoisses dont elle avait manqué mourir. La voix de la chanteuse ne lui semblait être que le retentissement de sa conscience, et cette illusion qui la charmait, quelque chose même de sa vie. Mais personne sur la terre ne l'avait aimée d'un pareil amour. Il ne pleurait pas comme Edgar, le dernier soir, au clair de lune, lorsqu'ils se disaient : « A demain; à demain!... » La salle craquait sous les bravos; on recommença la strette entière; les amoureux parlaient des fleurs de leur tombe, de serments, d'exil, de fatalité, d'espérances, et quand ils poussèrent l'adieu final, Emma jeta un cri aigu, qui se confondit avec la vibration des derniers accords.

— Pourquoi donc, demanda Bovary, ce seigneur est-il à la persécuter?

— Mais non, répondit-elle; c'est son amant.

— Pourtant il jure de se venger sur sa famille, tandis que l'autre, celui qui est venu tout à l'heure, disait : « J'aime Lucie et je m'en crois aimé. » D'ailleurs, il est parti avec son père, bras dessus, bras dessous. Car c'est bien son père, n'est-ce pas, le petit laid qui porte une plume de coq à son chapeau?

Malgré les explications d'Emma, dès le duo récitatif où Gilbert expose à son maître Ashton ses abominables

manœuvres, Charles, en voyant le faux anneau de fian-
çailles qui doit abuser Lucie, crut que c'était un souvenir
d'amour envoyé par Edgar. Il avouait, du reste, ne pàs
comprendre l'histoire, — à cause de la musique, — qui
nuisait beaucoup aux paroles.

— Qu'importe? dit Emma; tais-toi!

— C'est que j'aime, reprit-il en se penchant sur son
épaule, à me rendre compte, tu sais bien.

— Tais-toi! tais-toi! fit-elle impatientée.

Lucie s'avançait, à demi soutenue par ses femmes,
une couronne d'oranger dans ses cheveux, et plus pâle
que le satin de sa robe. Emma rêvait au jour de son
mariage; et elle se revoyait là-bas, au milieu des blés,
sur le petit sentier, quand on marchait vers l'église. Pourquoi donc n'avait-elle pas, comme celle-là, résisté,
supplié? Elle était joyeuse, au contraire, sans s'apercevoir de l'abîme où elle se précipitait... Ah! si, dans la
fraîcheur de sa beauté, avant les souillures du mariage
et la désillusion de l'adultère, elle avait pu placer sa vie
sur quelque grand cœur solide, alors la vertu, la tendresse, les voluptés et le devoir se confondant, jamais
elle ne serait descendue d'une félicité si haute. Mais ce
bonheur-là, sans doute, était un mensonge imaginé
pour le désespoir de tout désir. Elle connaissait à présent
la petitesse des passions que l'art exagérait. S'efforçant
donc d'en détourner sa pensée, Emma voulait ne plus
voir dans cette reproduction de ses douleurs qu'une
fantaisie plastique bonne à amuser les yeux, et même
elle souriait intérieurement d'une pitié dédaigneuse,
quand, du fond du théâtre, sous la portière de velours,
un homme apparut en manteau noir.

Son grand chapeau à l'espagnole tomba dans un
geste qu'il fit; et aussitôt les instruments et les chanteurs
entonnèrent le sextuor. Edgar, étincelant de furie, dominait tous les autres de sa voix plus claire. Ashton lui
lançait en notes graves des provocations homicides.

Lucie poussait sa plainte aiguë, Arthur modulait à l'écart des sons moyens, et la basse-taille du ministre ronflait comme un orgue, tandis que les voix de femmes, répétant ses paroles, reprenaient en chœur, délicieusement. Ils étaient tous sur la même ligne à gesticuler; et la colère, la vengeance, la jalousie, la terreur, la miséricorde et la stupéfaction s'exhalaient à la fois de leurs bouches entr'ouvertes. L'amoureux outragé brandissait son épée nue; sa collerette de guipure se levait par saccades, selon les mouvements de sa poitrine, et il allait de droite et de gauche, à grands pas, faisant sonner contre les planches les éperons vermeils de ses bottes molles, qui s'évasaient à la cheville. Il devait avoir, pensait-elle, un intarissable amour, pour en déverser sur la foule à si larges effluves. Toutes ses velléités de dénigrement s'évanouissaient sous la poésie du rôle qui l'envahissait, et, entraînée vers l'homme par l'illusion du personnage, elle tâcha de se figurer sa vie, cette vie retentissante, extraordinaire, splendide, et qu'elle aurait pu mener cependant, si le hasard l'avait voulu. Ils se seraient connus, ils se seraient aimés! Avec lui, par tous les royaumes de l'Europe, elle aurait voyagé de capitale en capitale, partageant ses fatigues et son orgueil, ramassant les fleurs qu'on lui jetait, brodant elle-même ses costumes; puis, chaque soir, au fond d'une loge, derrière la grille à treillis d'or, elle eût recueilli, béante, les expansions de cette âme qui n'aurait chanté que pour elle seule; de la scène, tout en jouant, il l'aurait regardée. Mais une folie la saisit; il la regardait, c'est sûr! Elle eut envie de courir dans ses bras pour se réfugier en sa force, comme dans l'incarnation de l'amour même, et de lui dire, de s'écrier : « Enlève-moi, emmène-moi, partons! A toi, à toi toutes mes ardeurs et tous mes rêves! »

Le rideau se baissa.

L'odeur du gaz se mêlait aux haleines; le vent des

éventails rendait l'atmosphère plus étouffante. Emma
voulut sortit; la foule encombrait les corridors, et
elle retomba dans son fauteuil avec des palpitations
qui la suffoquaient. Charles, ayant peur de la voir
s'évanouir, courut à la buvette lui chercher un verre
d'orgeat.

Il eut grand'peine à regagner sa place; car on lui
heurtait les coudes à tous les pas, à cause du verre qu'il
tenait entre ses mains, et même il en versa les trois
quarts sur les épaules d'une Rouennaise en manches
courtes, qui, sentant le liquide froid lui couler dans les
reins, jeta des cris de paon, comme si on l'eût assassinée.
Son mari, qui était un filateur, s'emporta contre le maladroit; et, tandis qu'avec son mouchoir elle épongeait les
taches sur sa belle robe de taffetas cerise, il murmurait
d'un ton bourru les mots d'indemnité, de frais, de rem-
boursement. Enfin, Charles arriva près de sa femme, et
lui disant tout essoufflé :

— J'ai cru, ma foi, que j'y resterais! Il y a un
monde!... un monde!...

Il ajouta :

— Devine un peu qui j'ai rencontré là-haut? M. Léon!

— Léon?

— Lui-même! Il va venir te présenter ses civilités.

Et, comme il achevait ces mots, l'ancien clerc d'Yonville entra dans la loge.

Il tendit sa main avec un sans-façon de gentilhomme :
et Mme Bovary machinalement avança la sienne, sans
doute obéissant à l'attraction d'une volonté plus forte.
Elle ne l'avait pas sentie depuis ce soir de printemps
où il pleuvait sur les feuilles vertes, quand ils se dirent
adieu, debout au bord de la fenêtre. Mais, vite, se rappelant à la convenance de la situation, elle secoua dans un
effort cette torpeur de ses souvenirs et se mit à balbutier
des phrases rapides.

— Ah! bonjour... Comment! vous voilà?

— Silence! cria une voix du parterre, car le troisième acte commençait.

— Vous êtes donc à Rouen?

— Oui.

— Et depuis quand?

— A la porte! à la porte!

On se tournait vers eux; ils se turent.

Mais, à partir de ce moment, elle n'écouta plus; et le chœur des conviés, la scène d'Ashton et de son valet, le grand duo en *ré* majeur, tout passa pour elle dans l'éloignement, comme si les instruments fussent devenus moins sonores et les personnages plus reculés; elle se rappelait les parties de cartes chez le pharmacien, et la promenade chez la nourrice, les lectures sous la tonnelle, les tête-à-tête au coin du feu, tout ce pauvre amour si calme et si long, si discret, si tendre, et qu'elle avait oublié cependant. Pourquoi donc revenait-il? quelle combinaison d'aventures le replaçait dans sa vie? Il se tenait derrière elle, s'appuyant de l'épaule contre la cloison; et, de temps à autre, elle se sentait frissonner sous le souffle tiède de ses narines qui lui descendait dans la chevelure...

— Est-ce que cela vous amuse? dit-il en se penchant sur elle de si près, que la pointe de sa moustache lui effleura la joue.

Elle répondit nonchalamment :

— Oh! mon Dieu, non, pas beaucoup.

Alors il fit la proposition de sortir du théâtre, pour aller prendre des glaces quelque part.

— Ah! pas encore! restons! dit Bovary. Elle a les cheveux dénoués : cela promet d'être tragique.

Mais la scène de la folie n'intéressait point Emma, et le jeu de la chanteuse lui parut exagéré.

— Elle crie trop fort, dit-elle en se tournant vers Charles, qui écoutait.

— Oui... peut-être... un peu, répliqua-t-il, indécis

entre la franchise de son plaisir et le respect qu'il portait
aux opinions de sa femme.

Puis Léon dit en soupirant :

— Il fait une chaleur...

— Insupportable! c'est vrai.

— Es-tu gênée? demanda Bovary.

— Oui, j'étouffe; partons.

M. Léon posa délicatement sur ses épaules son long
châle de dentelle, et ils allèrent tous les trois s'asseoir
sur le port, en plein air, devant le vitrage d'un café.

Il fut d'abord question de sa maladie, bien qu'Emma
interrompît Charles de temps à autre, par crainte,
disait-elle, d'ennuyer M. Léon; et celui-ci leur raconta
qu'il venait à Rouen passer deux ans dans une forte
étude, afin de se rompre aux affaires, qui étaient différentes en Normandie de celles que l'on traitait à Paris.
Puis il s'informa de Berthe, de la famille Homais, de la
mère Lefrançois; et comme ils n'avaient, en présence
du mari, rien de plus à se dire, bientôt la conversation
s'arrêta.

` Des gens qui sortaient du spectacle passèrent sur le
trottoir, tout en fredonnant ou braillant à plein gosier :
*Ô bel ange, ma Lucie!* Alors Léon, pour faire le dilettante,
se mit à parler musique. Il avait vu Tamburini, Rubini,
Persiani, Grisi; et à côté d'eux, Lagardy, malgré ses
grands éclats, ne valait rien.

— Pourtant, interrompit Charles qui mordait à petits
coups son sorbet au rhum, on prétend qu'au dernier
acte il est admirable tout à fait; je regrette d'être parti
avant la fin, car ça commençait à m'amuser.

— Au reste, reprit le clerc, il donnera bientôt une
autre représentation.

Mais Charles répondit qu'ils s'en allaient dès le
lendemain.

— A moins, ajouta-t-il en se tournant vers sa femme,
que tu ne veuilles rester seule, mon petit chat?

Et, changeant de manœuvre devant cette occasion inattendue qui s'offrait à son espoir, le jeune homme entama l'éloge de Lagardy dans le morceau final. C'était quelque chose de superbe, de sublime! Alors Charles insista :

— Tu reviendrais dimanche. Voyons, décide-toi! tu as tort, si tu sens le moins du monde que cela te fait du bien.

Cependant les tables, alentour, se dégarnissaient; un garçon vint discrètement se poster près d'eux; Charles, qui comprit, tira sa bourse; le clerc le retint par le bras, et même n'oublia point de laisser, en plus, deux pièces blanches, qu'il fit sonner contre le marbre.

— Je suis fâché, vraiment, murmura Bovary, de l'argent que vous...

L'autre eut un geste dédaigneux plein de cordialité, et, prenant son chapeau :

— C'est convenu, n'est-ce pas, demain, à six heures?

Charles se récria encore une fois qu'il ne pouvait s'absenter plus longtemps; mais rien n'empêchait Emma...

— C'est que..., balbutia-t-elle avec un singulier sourire, je ne sais pas trop...

— Eh bien! tu réfléchiras, nous verrons, la nuit porte conseil...

Puis à Léon, qui les accompagnait :

— Maintenant que vous voilà dans nos contrées, vous viendrez, j'espère, de temps à autre nous demander à dîner?

Le clerc affirma qu'il n'y manquerait pas, ayant d'ailleurs besoin de se rendre à Yonville pour une affaire de son étude. Et l'on se sépara devant le passage Saint-Herbland, au moment où onze heures et demie sonnaient à la cathédrale.

# TROISIÈME PARTIE

# I

M. LÉON, tout en étudiant son droit, avait passablement
fréquenté la *Chaumière,* où il obtint même de fort jolis
succès près des grisettes, qui lui trouvaient *l'air distingué.*
C'était le plus convenable des étudiants : il ne portait les
cheveux ni trop longs ni trop courts, ne mangeait pas
le 1er du mois l'argent de son trimestre, et se maintenait
en de bons termes avec ses professeurs. Quant à faire
des excès, il s'en était toujours abstenu, autant par
pusillanimité que par délicatesse.

Souvent, lorsqu'il restait à lire dans sa chambre, ou
bien assis le soir sous les tilleuls du Luxembourg, il
laissait tomber son Code par terre, et le souvenir d'Emma lui revenait. Mais peu à peu ce sentiment s'affaiblit,
et d'autres convoitises s'accumulèrent par-dessus, bien
qu'il persistât cependant à travers elles; car Léon ne
perdait pas toute espérance, et il y avait pour lui comme
une promesse incertaine qui se balançait dans l'avenir,
tel qu'un fruit d'or suspendu à quelque feuillage fantastique.

Puis, en la revoyant après trois années d'absence, sa
passion se réveilla. Il fallait, pensait-il, se résoudre enfin
à la vouloir posséder. D'ailleurs, sa timidité s'était usée
au contact des compagnies folâtres, et il revenait en province, méprisant tout ce qui ne foulait pas d'un pied
verni l'asphalte du boulevard. Auprès d'une Parisienne
en dentelles, dans le salon de quelque docteur illustre,

personnage à décorations et à voiture, le pauvre clerc, sans doute, eût tremblé comme un enfant; mais ici, à Rouen, sur le port, devant la femme de ce petit médecin, il se sentait à l'aise, sûr d'avance qu'il éblouirait. L'aplomb dépend des milieux où il se pose : on ne parle pas à l'entresol comme au quatrième étage, et la femme riche semble avoir autour d'elle, pour garder sa vertu, tous ses billets de banque, comme une cuirasse dans la doublure de son corset.

En quittant, la veille au soir, M. et Mme Bovary, Léon, de loin, les avait suivis dans la rue; puis les ayant vus s'arrêter à la *Croix-Rouge,* il avait tourné les talons et passé toute la nuit à méditer un plan.

Le lendemain donc, vers cinq heures, il entra dans la cuisine de l'auberge, la gorge serrée, les joues pâles, et avec cette résolution des poltrons que rien n'arrête.

— Monsieur n'y est point, répondit un domestique.

Cela lui parut de bon augure. Il monta.

Elle ne fut pas troublée à son abord; elle lui fit, au contraire, des excuses pour avoir oublié de lui dire où ils étaient descendus.

— Oh! je l'ai deviné, reprit Léon.

— Comment?

Il prétendit avoir été guidé vers elle, au hasard, par un instinct. Elle se mit à sourire, et aussitôt, pour réparer sa sottise, Léon raconta qu'il avait passé sa matinée à la chercher successivement dans tous les hôtels de la ville.

— Vous vous êtes donc décidée à rester? ajouta-t-il.

— Oui, dit-elle, et j'ai eu tort. Il ne faut pas s'accoutumer à des plaisirs impraticables, quand on a autour de soi mille exigences...

— Oh! je m'imagine...

— Eh! non! car vous n'êtes pas une femme, vous.

Mais les hommes avaient aussi leurs chagrins; et la conversation s'engagea par quelques réflexions philosophiques. Emma s'étendit beaucoup sur la misère des affections terrestres et l'éternel isolement où le cœur reste enseveli.

Pour se faire valoir, ou par une imitation naïve de cette mélancolie qui provoquait la sienne, le jeune homme déclara s'être ennuyé prodigieusement tout le temps de ses études. La procédure l'irritait, d'autres vocations l'attiraient, et sa mère ne cessait, dans chaque lettre, de le tourmenter. Car ils précisaient de plus en plus les motifs de leur douleur, chacun, à mesure qu'il parlait, s'exaltant un peu dans cette confidence progressive. Mais ils s'arrêtaient quelquefois devant l'exposition complète de leur idée, et cherchaient alors à imaginer une phrase qui pût la traduire cependant. Elle ne confessa point sa passion pour un autre; il ne dit pas qu'il l'avait oubliée.

Peut-être ne se rappelait-il plus ses soupers après le bal, avec des débardeuses; et elle ne se souvenait pas sans doute des rendez-vous d'autrefois, quand elle courait le matin dans les herbes, vers le château de son amant. Les bruits de la ville arrivaient à peine jusqu'à eux; et la chambre semblait petite, tout exprès pour resserrer davantage leur solitude. Emma, vêtue d'un peignoir en basin, appuyait son chignon contre le dossier du vieux fauteuil; le papier jaune de la muraille faisait comme un fond d'or derrière elle; et sa tête nue se répétait dans la glace avec la raie blanche au milieu, et le bout de ses oreilles dépassant sous ses bandeaux.

— Mais pardon, dit-elle, j'ai tort! je vous ennuie avec mes éternelles plaintes!

— Non, jamais, jamais!

— Si vous saviez, reprit-elle, en levant au plafond ses beaux yeux qui roulaient une larme, tout ce que j'avais rêvé!

— Et moi, donc! Oh! j'ai bien souffert! souvent je sortais, je m'en allais, je me traînais le long des quais,

m'étourdissant au bruit de la foule sans pouvoir bannir
l'obsession qui me poursuivait. Il y a sur le boulevard,
chez un marchand d'estampes, une gravure italienne qui
représente une Muse. Elle est drapée d'une tunique et
elle regarde la lune, avec des myosotis sur sa chevelure
dénouée. Quelque chose incessamment me poussait
là; j'y suis resté des heures entières.

Puis, d'une voix tremblante :

— Elle vous ressemblait un peu.

Mme Bovary détourna la tête, pour qu'il ne vît pas sur
ses lèvres l'irrésistible sourire qu'elle y sentait monter.

— Souvent, reprit-il, je vous écrivais des lettres qu'ensuite je déchirais.

Elle ne répondait pas. Il continua :

— Je m'imaginais quelquefois qu'un hasard vous
amènerait. J'ai cru vous reconnaître au coin des rues;
et je courais après tous les fiacres où flottait à la portière
un châle, un voile pareil au vôtre...

Elle semblait déterminée à le laisser parler sans l'interrompre. Croisant les bras et baissant la figure, elle
considérait la rosette de ses pantoufles, et elle faisait
dans leur satin de petits mouvements, par intervalles,
avec les doigts de son pied.

Cependant elle soupira :

— Ce qu'il y a de plus lamentable, n'est-ce pas? c'est
de traîner, comme moi, une existence inutile. Si nos
douleurs pouvaient servir à quelqu'un, on se conso-
lerait dans la pensée du sacrifice!

Il se mit à vanter la vertu, le devoir et les immola-
tions silencieuses, ayant lui-même un incroyable besoin
de dévouement qu'il ne pouvait assouvir.

— J'aimerais beaucoup, dit-elle, à être une religieuse
d'hôpital.

— Hélas! répliqua-t-il, les hommes n'ont point de ces
missions saintes, et je ne vois nulle part aucun métier...,
à moins peut-être que celui de médecin...

Avec un haussement léger de ses épaules, Emma l'interrompit pour se plaindre de sa maladie où elle avait manqué mourir; quel dommage! elle ne souffrirait plus maintenant. Léon tout de suite envia *le calme du tombeau,* et même, un soir, il avait écrit son testament en recommandant qu'on l'ensevelît dans ce beau couvre-pied, à bandes de velours, qu'il tenait d'elle; car c'est ainsi qu'ils auraient voulu avoir été, l'un et l'autre se faisant un idéal sur lequel ils ajustaient à présent leur vie passée. D'ailleurs, la parole est un laminoir qui allonge toujours les sentiments.

Mais à cette invention du couvre-pied :

— Pourquoi donc? demanda-t-elle.

— Pourquoi?

Il hésitait.

— Parce que je vous ai bien aimée!

Et, s'applaudissant d'avoir franchi la difficulté, Léon, du coin de l'œil, épia sa physionomie.

Ce fut comme le ciel, quand un coup de vent chasse les nuages. L'amas des pensées tristes qui les assombrissaient parut se retirer de ses yeux bleus; tout son visage rayonna.

Il attendit. Enfin elle répondit :

— Je m'en étais toujours doutée...

Alors ils se racontèrent les petits événements de cette existence lointaine, dont ils venaient de résumer, par un seul mot, les plaisirs et les mélancolies. Il se rappelait le berceau de clématite, les robes qu'elle avait portées, les meubles de sa chambre, toute sa maison.

— Et nos pauvres cactus, où sont-ils?

— Le froid les a tués cet hiver.

— Ah! que j'ai pensé à eux, savez-vous? Souvent je les revoyais comme autrefois, quand, par les matins d'été, le soleil frappait sur les jalousies... et j'apercevais vos deux bras nus qui passaient entre les fleurs.

— Pauvre ami! fit-elle en lui tendant la main.

Léon, bien vite, y colla ses lèvres. Puis, quand il eut largement respiré :

— Vous étiez, dans ce temps-là, pour moi, je ne sais quelle force incompréhensible qui captivait ma vie. Une fois, par exemple, je suis venu chez vous; mais vous ne vous en souvenez pas, sans doute?

— Si, dit-elle. Continuez.

— Vous étiez en bas, dans l'antichambre, prête à sortir, sur la marche; — vous aviez même un chapeau à petites fleurs bleues; et, sans nulle invitation de votre part, malgré moi, je vous ai accompagnée. A chaque minute, cependant, j'avais de plus en plus conscience de ma sottise, et je continuais à marcher près de vous, n'osant vous suivre tout à fait, et ne voulant pas vous quitter. Quand vous entriez dans une boutique, je restais dans la rue, je vous regardais par le carreau défaire vos gants et compter la monnaie sur le comptoir. Ensuite vous avez sonné chez Mme Tuvache, on vous a ouvert, et je suis resté comme un idiot devant la grande porte lourde, qui était retombée sur vous.

Mme Bovary, en l'écoutant, s'étonnait d'être si vieille; toutes ces choses qui réapparaissaient lui semblaient élargir son existence; cela faisait comme des immensités sentimentales où elle se reportait; et elle disait de temps à autre, à voix basse et les paupières à demi fermées :

— Oui, c'est vrai!... c'est vrai! c'est vrai...

Ils entendirent huit heures sonner aux différentes horloges du quartier Beauvoisine, qui est plein de pensionnats, d'églises et de grands hôtels abandonnés. Ils ne se parlaient plus; mais ils sentaient, en se regardant, un bruissement dans leurs têtes, comme si quelque chose de sonore se fût réciproquement échappé de leurs prunelles fixes. Ils venaient de se joindre les mains; et le passé, l'avenir, les réminiscences et les rêves, tout se trouvait confondu dans la douceur de cette extase. La nuit s'épaississait sur les murs, où brillaient encore, à demi perdues dans l'ombre, les grosses couleurs de quatre estampes représentant quatre scènes de la *Tour de Nesle,* avec une légende en bas, en espagnol et en français. Par la fenêtre à guillotine, on voyait un coin de ciel noir, entre des toits pointus.

Elle se leva pour allumer deux bougies sur la commode, puis elle vint se rasseoir.

— Eh bien?... fit Léon.

— Eh bien?... répondit-elle.

Et il cherchait comment renouer le dialogue interrompu, quand elle lui dit :

— D'où vient que personne, jusqu'à présent, ne m'a jamais exprimé des sentiments pareils?

Le clerc se récria que les natures idéales étaient difficiles à comprendre. Lui, du premier coup d'œil, il l'avait aimée; et il se désespérait en pensant au bonheur qu'ils auraient eu si, par une grâce du hasard, se rencontrant plus tôt, ils se fussent attachés l'un à l'autre d'une manière indissoluble.

— J'y ai songé quelquefois, reprit-elle.

— Quel rêve! murmura Léon.

Et, maniant délicatement le liséré bleu de sa longue ceinture blanche, il ajouta :

— Qui nous empêche donc de recommencer?...

— Non, mon ami, répondit-elle. Je suis trop vieille... vous êtes trop jeune..., oubliez-moi! D'autres vous aimeront..., vous les aimerez.

— Pas comme vous! s'écria-t-il.

— Enfant que vous êtes! Allons, soyons sage! je le veux!

Elle lui représenta les impossibilités de leur amour, et qu'ils devaient se tenir, comme autrefois, dans les simples termes d'une amitié fraternelle.

Était-ce sérieusement qu'elle parlait ainsi? Sans doute qu'Emma n'en savait rien elle-même, tout occupée par le charme de la séduction et la nécessité de s'en défendre;

et, contemplant le jeune homme d'un regard attendri, elle repoussait doucement les timides caresses que ses mains frémissantes essayaient.

— Ah! pardon, dit-il en se reculant.

Et Emma fut prise d'un vague effroi, devant cette timidité, plus dangereuse pour elle que la hardiesse de Rodolphe quand il s'avançait les bras ouverts. Jamais aucun homme ne lui avait paru si beau. Une exquise candeur s'échappait de son maintien. Il baissait ses longs cils fins qui se recourbaient. Sa joue à l'épiderme suave rougissait — pensait-elle — du désir de sa personne, et Emma sentait une invincible envie d'y porter ses lèvres. Alors, se penchant vers la pendule comme pour regarder l'heure :

— Qu'il est tard, mon Dieu! dit-elle; que nous bavardons!

Il comprit l'allusion et chercha son chapeau.

— J'en ai même oublié le spectacle! Ce pauvre Bovary qui m'avait laissée tout exprès! M. Lormeaux, de la rue Grand-Pont, devait m'y conduire avec sa femme.

Et l'occasion était perdue, car elle partait dès le lendemain.

— Vrai? fit Léon.

— Oui.

— Il faut pourtant que je vous voie encore, reprit-il; j'avais à vous dire...

— Quoi?

— Une chose... grave, sérieuse. Eh! non, d'ailleurs, vous ne partirez pas, c'est impossible! Si vous saviez... Écoutez-moi... Vous ne m'avez donc pas compris? vous n'avez donc pas deviné?...

— Cependant vous parlez bien, dit Emma.

— Ah! des plaisanteries! Assez, assez! Faites, par pitié, que je vous revoie..., une fois..., une seule.

— Eh bien!...

Elle s'arrêta; puis, comme se ravisant :

— Oh! pas ici!

— Où vous voudrez.

— Voulez-vous...

Elle parut réfléchir, et, d'un ton bref :

— Demain, à onze heures, dans la cathédrale.

— J'y serai! s'écria-t-il en saisissant ses mains, qu'elle dégagea.

Et, comme ils se trouvaient debout tous les deux, lui placé derrière elle et Emma baissant la tête, il se pencha vers son cou et la baisa longuement à la nuque.

— Mais vous êtes fou! ah! vous êtes fou! disait-elle avec de petits rires sonores, tandis que les baisers se multipliaient.

Alors, avançant la tête par-dessus son épaule, il sembla chercher le consentement de ses yeux. Ils tombèrent sur lui, pleins d'une majesté glaciale.

Léon fit trois pas en arrière, pour sortir. Il resta sur le seuil. Puis il chuchota d'une voix tremblante :

— A demain.

Elle répondit par un signe de tête, et disparut comme un oiseau dans la pièce à côté.

Emma, le soir, écrivit au clerc une interminable lettre où elle se dégageait du rendez-vous : tout maintenant était fini, et ils ne devaient plus, pour leur bonheur, se rencontrer. Mais, quand la lettre fut close, comme elle ne savait pas l'adresse de Léon, elle se trouva fort embarrassée.

— Je la lui donnerai moi-même, se dit-elle; il viendra.

Léon, le lendemain, fenêtre ouverte et chantonnant sur son balcon, vernit lui-même ses escarpins, et à plusieurs couches. Il passa un pantalon blanc, des chaussettes fines, un habit vert, répandit dans son mouchoir tout ce qu'il possédait de senteurs, puis, s'étant fait friser, se défrisa, pour donner à sa chevelure plus d'élégance naturelle.

— Il est encore trop tôt! pensa-t-il en regardant le coucou du perruquier, qui marquait neuf heures.

Il lut un vieux journal de modes, sortit, fuma un cigare, remonta trois rues, songea qu'il était temps de se diriger lestement vers le parvis Notre-Dame.

C'était par un beau matin d'été. Des argenteries reluisaient aux boutiques des orfèvres, et la lumière qui arrivait obliquement sur la cathédrale posait des miroitements à la cassure des pierres grises; une compagnie d'oiseaux tourbillonnaient dans le ciel bleu, autour des clochetons à trèfles; la plade, retentissante de cris, sentait des fleurs qui bordaient son pavé, roses, jasmins, œillets, narcisses et tubéreuses, espacés inégalement par des verdures humides, de l'herbe-au-chat et du mouron pour les oiseaux; la fontaine, au milieu, gargouillait, et sous de larges parapluies, parmi des cantaloups s'étageant en pyramides, des marchandes, nu-tête, tournaient dans du papier des bouquets de violettes.

Le jeune homme en prit un. C'était la première fois qu'il achetait des fleurs pour une femme; et sa poitrine, en les respirant, se gonfla d'orgueil, comme si cet hommage qu'il destinait à une autre se fût retourné vers lui.

Cependant il avait peur d'être aperçu; il entra résolument dans l'église.

Le suisse, alors, se tenait sur le seuil, au milieu du portail à gauche, au-dessous de la *Marianne dansant,* plumet en tête, rapière au mollet, canne au poing, plus majestueux qu'un cardinal et reluisant comme un saint ciboire.

Il s'avança vers Léon, et, avec ce sourire de bénignité pateline que prennent les ecclésiastiques lorsqu'ils interrogent les enfants :

— Monsieur, sans doute, n'est pas d'ici? Monsieur désire voir les curiosités de l'église?

— Non, dit l'autre.

Et il fit d'abord le tour des bas-côtés. Puis il vint regarder sur la place. Emma n'arrivait pas. Il remonta jusqu'au chœur.

La nef se mirait dans les bénitiers pleins, avec le commencement des ogives et quelques portions de vitrail.
Mais le reflet des peintures, se brisant au bord du
marbre, continuait plus loin, sur les dalles, comme un
tapis bariolé. Le grand jour du dehors s'allongeait dans
l'église en trois rayons énormes, par les trois portails
ouverts. De temps à autre, au fond, un sacristain passait
en faisant devant l'autel l'oblique génuflexion des dévots
pressés. Les lustres de cristal pendaient immobiles.
Dans le chœur, une lampe d'argent brûlait; et, des
chapelles latérales, des parties sombres de l'église, il
s'échappait quelquefois comme des exhalaisons de soupirs, avec le son d'une grille qui retombait, en réper-
cutant son écho sous les hautes voûtes.

Léon, à pas sérieux, marchait auprès des murs. Jamais
la vie ne lui avait paru si bonne. Elle allait venir tout
à l'heure, charmante, agitée, épiant derrière elle les
regards qui la suivaient, — et avec sa robe à volants,
son lorgnon d'or, ses bottines minces, dans toutes sortes
d'élégances dont il n'avait pas goûté, et dans l'ineffable
séduction de la vertu qui succombe. L'église, comme un
boudoir gigantesque, se disposait autour d'elle; les
voûtes s'inclinaient pour recueillir dans l'ombre la
confession de son amour : les vitraux resplendissaient
pour illuminer son visage, et les encensoirs allaient
brûler pour qu'elle apparût comme un ange, dans la
fumée des parfums.

Cependant elle ne venait pas. Il se plaça sur une
chaise et ses yeux rencontrèrent un vitrage bleu où l'on
voit des bateliers qui portent des corbeilles. Il le regarda
longtemps, attentivement, et il comptait les écailles
des poissons et les boutonnières des pourpoints, tandis
que sa pensée vagabondait à la recherche d'Emma.

Le suisse, à l'écart, s'indignait intérieurement contre
cet individu, qui se permettait d'admirer seul la cathédrale. Il lui semblait se conduire d'une façon mons-

trueuse, le voler en quelque sorte, et presque commettre un sacrilège.

Mais un froufrou de soie sur les dalles, la bordure d'un chapeau, un camail noir... C'était elle! Léon se leva et courut à sa rencontre.

Emma était pâle. Elle marchait vite.

— Lisez! dit-elle en lui tendant un papier... Oh non! Et brusquement elle retira sa main, pour entrer dans la chapelle de la Vierge, où, s'agenouillant contre une chaise, elle se mit en prière.

Le jeune homme fut irrité de cette fantaisie bigote; puis il éprouva pourtant un certain charme à la voir, au milieu du rendez-vous, ainsi perdue dans les oraisons comme une marquise andalouse; puis il ne tarda pas à s'ennuyer, car elle n'en finissait pas.

Emma priait, ou plutôt s'efforçait de prier, espérant qu'il allait lui descendre du ciel quelque résolution subite; et, pour attirer le secours divin, elle s'emplissait les yeux des splendeurs du tabernacle, elle aspirait le parfum des juliennes blanches épanouies dans les grands vases, et prêtait l'oreille au silence de l'église, qui ne faisait qu'accroître le tumulte de son cœur.

Elle se relevait, et ils allaient partir, quand le suisse s'approcha vivement, en disant :

— Madame, sans doute, n'est pas d'ici? Madame désire voir les curiosités de l'église?

— Eh non! s'écria le clerc.

— Pourquoi pas? reprit-elle.

Car elle se raccrochait de sa vertu chancelante à la Vierge, aux sculptures, aux tombeaux, à toutes les occasions.

Alors, afin de procéder *dans l'ordre,* le suisse les conduisit jusqu'à l'entrée, près de la place, où, leur montrant avec sa canne un grand cercle de pavés noirs, sans inscriptions ni ciselures :

— Voilà, fit-il majestueusement, la circonférence

de la belle cloche d'Amboise. Elle pesait quarante mille livres. Il n'y avait pas sa pareille dans toute l'Europe. L'ouvrier qui l'a fondue en est mort de joie...

— Partons, dit Léon.

Le bonhomme se remit en marche; puis, revenu à la chapelle de la Vierge, il étendit les bras dans un geste synthétique de démonstration, et, plus orgueilleux qu'un propriétaire campagnard vous montrant ses espaliers :

— Cette simple dalle recouvre Pierre de Brézé, seigneur de la Varenne et de Brissac, grand maréchal de Poitou et gouverneur de Normandie, mort à la bataille de Montlhéry, le 16 juillet 1465.

Léon, se mordant les lèvres, trépignait.

— Et, à droite, ce gentilhomme tout bardé de fer, sur un cheval qui se cabre, est son petit-fils Louis de Brézé, seigneur de Breval et de Montchauvet, comte de Maulevrier, baron de Mauny, chambellan du roi, chevalier de l'Ordre et pareillement gouverneur de Normandie, mort le 23 juillet 1531, un dimanche, comme l'inscription porte; et, au-dessous, cet homme prêt à descendre au tombeau vous figure exactement le même. Il n'est point possible, n'est-ce pas, de voir une plus parfaite représentation du néant?

Mme Bovary prit son lorgnon. Léon, immobile, la regardait, n'essayant même plus de dire un seul mot, de faire un seul geste, tant il se sentait découragé devant ce double parti pris de bavardage et d'indifférence.

L'éternel guide continuait :

— Près de lui, cette femme à genoux qui pleure est son épouse, Diane de Poitiers, comtesse de Brézé, duchesse de Valentinois, née en 1499, morte en 1566; et, à gauche, celle qui porte un enfant, la sainte Vierge. Maintenant, tournez-vous de ce côté : voici les tombeaux d'Amboise. Ils ont été tous les deux cardinaux et archevêques de Rouen. Celui-là était ministre du roi

Louis XII. Il a fait beaucoup de bien à là cathédrale.
On a trouvé dans son testament trente mille écus d'or
pour les pauvres.

Et, sans s'arrêter, tout en parlant, il les poussa dans
une chapelle encombrée par des balustrades, en dérangea
quelques-unes, et découvrit une sorte de bloc, qui pouvait bien avoir été une statue mal faite.

— Elle décorait autrefois, dit-il avec un long gémissement, la tombe de Richard Cœur de Lion, roi d'Angleterre et duc de Normandie. Ce sont les calvinistes,
monsieur, qui vous l'ont réduite en cet état. Ils l'avaient,
par méchanceté, ensevelie dans de la terre, sous le siège
épiscopal de Monseigneur. Tenez, voici la porte par où il
se rend à son habitation, Monseigneur. Passons voir
les vitraux de la Gargouille.

Mais Léon tira vivement une pièce blanche de sa
poche et saisit Emma par le bras. Le suisse demeura
tout stupéfait, ne comprenant point cette munificence
intempestive, lorsqu'il restait encore à l'étranger tant
de choses à voir. Aussi, le rappelant :

— Eh! monsieur. La flèche! la flèche!...

— Merci, fit Léon.

— Monsieur a tort! Elle aura quatre cent quarante
pieds, neuf de moins que la grande pyramide d'Égypte.
Elle est toute en fonte, elle...

Léon fuyait; car il lui semblait que son amour,
qui, depuis deux heures bientôt, s'était immobilisé
dans l'église comme les pierres, allait maintenant s'éva-
porer tel qu'une fumée, par cette espèce de tuyau
tronqué de cage oblongue, de cheminée à jour, qui se
hasarde si grotesquement sur la cathédrale, comme
la tentative extravagante de quelque chaudronnier fantaisiste.

— Où allons-nous donc? disait-elle.

Sans répondre, il continuait à marcher d'un pas
rapide, et déjà Mme Bovary trempait son doigt dans

l'eau bénite, quand ils entendirent derrière eux un
grand souffle haletant, entrecoupé régulièrement par le
rebondissement d'une canne. Léon se détourna.

— Monsieur!

— Quoi?

Et il reconnut le suisse, portant sous son bras et
maintenant en équilibre contre son ventre une vingtaine
environ de forts volumes brochés. C'étaient les ouvrages
*qui traitaient de la cathédrale.*

— Imbécile! grommela Léon s'élançant hors de l'église.

Un gamin polissonnait sur le parvis :

— Va me chercher un fiacre!

L'enfant partit comme une balle, par la rue des
Quatre-Vents; alors ils restèrent seuls quelques minutes,
face à face et un peu embarrassés.

— Ah! Léon!... Vraiment... je ne sais... si je dois!...

Elle minaudait. Puis, d'un air sérieux :

— C'est très inconvenant, savez-vous?

— En quoi? répliqua le clerc. Cela se fait à Paris!

Et cette parole, comme un irrésistible argument, la
détermina.

Cependant le fiacre n'arrivait pas. Léon avait peur
qu'elle ne rentrât dans l'église. Enfin le fiacre parut.

— Sortez du moins par le portail du nord! leur cria
le suisse, qui était resté sur le seuil, pour voir la *Résur-
rection,* le *Jugement dernier,* le *Paradis,* le *Roi David,* et les
*Réprouvés* dans les flammes d'enfer.

— Où Monsieur va-t-il? demanda le cocher.

— Où vous voudrez! dit Léon poussant Emma dans
la voiture.

Et la lourde machine se mit en route.

Elle descendit la rue Grand-Pont, traversa la place
des Arts, le quai Napoléon, le pont Neuf et s'arrêta
court devant la statue de Pierre Corneille.

— Continuez! fit une voix qui sortait de l'intérieur.

La voiture repartit, et, se laissant, dès le carrefour

La Fayette, emporter par la descente, elle entra au grand galop dans la gare du chemin de fer.

— Non, tout droit! cria la même voix.

Le fiacre sortit des grilles, et, bientôt arrivé sur le Cours, trotta doucement, au milieu des grands ormes. Le cocher s'essuya le front, mit son chapeau de cuir entre ses jambes et poussa la voiture en dehors des contre-allées, au bord de l'eau, près du gazon.

Elle alla le long de la rivière, sur le chemin de halage pavé de cailloux secs, et longtemps, du côté d'Oyssel, au-delà des îles.

Mais, tout à coup, elle s'élança d'un bond à travers Quatre-Mares, Sotteville, la Grande-Chaussée, la rue d'Elbeuf, et fit sa troisième halte devant le Jardin des plantes.

— Marchez donc! s'écria la voix plus furieusement.

Et aussitôt, reprenant sa course, elle passa par Saint-Sever, par le quai des Curandiers, par le quai aux Meules, encore une fois par le pont, par la place du Champ-de-Mars et derrière les jardins de l'hôpital, où des vieillards en veste noire se promènent au soleil, le long d'une terrasse toute verdie par des lierres. Elle remonta le boulevard Bouvreuil, parcourut le boulevard Cauchoise, puis tout le Mont-Riboudet jusqu'à la côte de Deville.

Elle revint; et alors, sans parti pris ni direction, au hasard, elle vagabonda. On la vit à Saint-Pol, à Lescure, au mont Gargan, à la Rouge-Mare, et place du Gaillard-bois; rue Maladrerie, rue Dinanderie, devant Saint-Romain, Saint-Vivien, Saint-Maclou, Saint-Nicaise, — devant la Douane, — à la basse Vieille-Tour, aux Trois-Pipes et au Cimetière monumental. De temps à autre, le cocher sur son siège jetait aux cabarets des regards désespérés. Il ne comprenait pas quelle fureur de la locomotion poussait ces individus à ne vouloir point s'arrêter. Il essayait quelquefois, et aussitôt il entendait

derrière lui partir des exclamations de colère. Alors il
cinglait de plus belle ses deux rosses tout en sueur, mais
sans prendre garde aux cahots, accrochant par-ci par-là,
ne s'en souciant, démoralisé, et presque pleurant de
soif, de fatigue et de tristesse.

Et sur le port, au milieu des camions et des barriques,
et dans les rues, au coin des bornes, les bourgeois
ouvraient de grands yeux ébahis devant cette chose si
extraordinaire en province, une voiture à stores tendus,
et qui apparaissait ainsi continuellement, plus close
qu'un tombeau et ballottée comme un navire.

Une fois, au milieu du jour, en pleine campagne, au
moment où le soleil dardait le plus fort contre les
vieilles lanternes argentées, une main nue passa sous
les petits rideaux de toile jaune et jeta des déchirures de
papier qui se dispersèrent au vent et s'abattirent plus
loin, comme des papillons blancs, sur un champ de
trèfles rouges tout en fleur.

Puis, vers six heures, la voiture s'arrêta dans une
ruelle du quartier Beauvoisine, et une femme en descendit qui marchait le voile baissé, sans détourner la tête.

## II

En arrivant à l'auberge, Mme Bovary fut étonnée de ne
pas apercevoir la diligence. Hivert, qui l'avait attendue
cinquante-trois minutes, avait fini par s'en aller.

Rien pourtant ne la forçait à partir; mais elle avait
donné sa parole qu'elle reviendrait le soir même. D'ailleurs, Charles l'attendait; et déjà elle se sentait au cœur
cette lâche docilité qui est, pour bien des femmes,
comme le châtiment tout à la fois et la rançon de l'adultère.

Vivement elle fit sa malle, paya la note, prit dans la
cour un cabriolet, et, pressant le palefrenier, l'encou-
rageant, s'informant à toute minute de l'heure et des
kilomètres parcourus, parvint à rattraper l'*Hirondelle*
vers les premières maisons de Quincampoix.

A peine assise dans son coin, elle ferma les yeux et
les rouvrit au bas de la côte, où elle reconnut de loin
Félicité, qui se tenait en vedette devant la maison du
maréchal. Hivert retint ses chevaux, et la cuisinière,
se haussant jusqu'au vasistas, dit mystérieusement :
— Madame, il faut que vous alliez tout de suite
chez M. Homais. C'est pour quelque chose de pressé.

Le village était silencieux comme d'habitude. Au coin
des rues, il y avait de petits tas roses qui fumaient à
l'air, car c'était le moment des confitures, et tout le
monde, à Yonville, confectionnait sa provision le même
jour. Mais on admirait, devant la boutique du pharma-

cien, un tas beaucoup plus large, et qui dépassait les autres de la supériorité qu'une officine doit avoir sur les fourneaux bourgeois, un besoin général sur des fantaisies individuelles.

Elle entra. Le grand fauteuil était renversé, et même le *Fanal de Rouen* gisait par terre, étendu entre les deux pilons. Elle poussa la porte du couloir; et, au milieu de la cuisine, parmi les jarres brunes, pleines de groseilles égrenées, du sucre râpé, du sucre en morceaux, des balances sur la table, des bassines sur le feu, elle aperçut tous les Homais, grands et petits, avec des tabliers qui leur montaient jusqu'au menton et tenant des fourchettes à la main. Justin, debout, baissait la tête et le pharmacien criait :

— Qui t'avait dit de l'aller chercher dans le capharnaüm?

— Qu'est-ce donc? qu'y a-t-il?

— Ce qu'il y a? répondit l'apothicaire. On fait des confitures : elles cuisent; mais elles allaient déborder à cause du bouillon trop fort, et je commande une autre bassine. Alors lui, par mollesse, par paresse, a été prendre, suspendue à son clou, dans mon laboratoire, la clef du capharnaüm!

L'apothicaire appelait ainsi un cabinet, sous les toits, plein des ustensiles et des marchandises de sa profession. Souvent il y passait seul de longues heures à étiqueter, à transvaser, à reficeler; et il le considérait non comme un simple magasin, mais comme un véritable sanctuaire, d'où s'échappaient ensuite, élaborés par ses mains, toutes sortes de pilules, bols, tisanes, lotions et potions, qui allaient répandre aux alentours sa célébrité. Personne au monde n'y mettait les pieds; et il le respectait si fort, qu'il le balayait lui-même. Enfin, si la pharmacie, ouverte à tout venant, était l'endroit où il étalait son orgueil, le capharnaüm était le refuge où, se concentrant égoïstement, Homais se délectait dans l'exercice de ses prédilections; aussi l'étourderie de Justin lui paraissait-elle monstrueuse d'irrévérence; et, plus rubicond que les groseilles, il répétait :

— Oui, du capharnaüm! La clef qui enferme les acides avec les alcalis caustiques! Avoir été prendre une bassine de réserve! une bassine à couvercle! et dont jamais peut-être je ne me servirai! Tout a son importance dans les opérations délicates de notre art! Mais, que diable! il faut établir des distinctions et ne pas employer à des usages presque domestiques ce qui est destiné pour les pharmaceutiques! C'est comme si on découpait une poularde avec un scalpel, comme si un magistrat...

— Mais calme-toi! disait Mme Homais.

Et Athalie, le tirant par sa redingote :

— Papa! Papa!

— Non, laissez-moi! reprenait l'apothicaire, laissez-moi! fichtre! Autant s'établir épicier, ma parole d'honneur! Allons, va! ne respecte rien! casse! brise! lâche les sangsues! brûle la guimauve! marine des cornichons dans les bocaux! lacère les bandages!

— Vous aviez pourtant..., dit Emma.

— Tout à l'heure! — Sais-tu à quoi tu t'exposais?... N'as-tu rien vu dans le coin à gauche, sur la troisième tablette? Parle, réponds, articule quelque chose!

— Je ne... sais pas, balbutia le jeune garçon.

— Ah! tu ne sais pas! Eh bien, je sais, moi! Tu as vu une bouteille, en verre bleu, cachetée avec de la cire jaune, qui contient une poudre blanche, sur laquelle même j'avais écrit : *Dangereux!* et sais-tu ce qu'il y avait dedans! De l'arsenic! et tu vas toucher à cela! prendre une bassine qui est à côté!

— A côté, s'écria Mme Homais en joignant les mains. De l'arsenic! Tu pouvais nous empoisonner tous!

Et les enfants se mirent à pousser des cris, comme s'ils avaient déjà senti dans leurs entrailles d'atroces douleurs.

— Ou bien empoisonner un malade! continuait l'apothicaire. Tu voulais donc que j'allasse sur le banc des
criminels, en cour d'assises? me voir traîner à l'échafaud? Ignores-tu le soin que j'observe dans les manuten-
tions, quoique j'en aie cependant une furieuse habitude?
Souvent je m'épouvante moi-même, lorsque je pense
à ma responsabilité! car le gouvernement nous persécute,
et l'absurde législation qui nous régit est comme une
véritable épée de Damoclès suspendue sur notre tête!

Emma ne songeait plus à demander ce qu'on lui
voulait, et le pharmacien poursuivait en phrases hale-
tantes :

— Voilà comme tu reconnais les bontés qu'on a pour
toi! voilà comme tu me récompenses des soins tout
paternels que je te prodigue! Car sans moi, où serais-tu?
que ferais-tu? Qui te fournit la nourriture, l'éducation,
l'habillement, et tous les moyens de figurer un jour,
avec honneur, dans les rangs de la société? Mais il faut
pour cela suer ferme sur l'aviron, et acquérir, comme
on dit, du cal aux mains : *Fabricando fit faber, age quod agis*.

Il citait du latin, tant il était exaspéré. Il eût cité du
chinois et du groënlandais, s'il eût connu ces deux
langues; car il se trouvait dans une de ces crises où
l'âme entière montre indistinctement ce qu'elle enferme,
comme l'océan, qui, dans les tempêtes, s'entr'ouvre
depuis les fucus de son rivage jusqu'au sable de ses
abîmes.

Et il reprit :

— Je commence à terriblement me repentir de m'être
chargé de ta personne! J'aurais certes mieux fait de te
laisser autrefois croupir dans ta misère et dans la crasse
où tu es né! Tu ne seras jamais bon qu'à être un gardeur
de bêtes à cornes! Tu n'as nulle aptitude pour les
sciences! à peine si tu sais coller une étiquette! Et tu vis
là, chez moi, comme un chanoine, comme un coq en
pâte, à te goberger!

Mais Emma, se tournant vers Mme Homais :

— On m'avait fait venir...

— Ah! mon Dieu! interrompit d'un air triste la bonne dame, comment vous dirai-je bien?... C'est un malheur!

Elle n'acheva pas. L'apothicaire tonnait :

— Vide-la! écure-la! reporte-la! dépêche-toi donc!

Et, secouant Justin par le collet de son bourgeron, il fit tomber un livre de sa poche.

L'enfant se baissa. Homais fut plus prompt, et, ayant ramassé le volume, il le contemplait, les yeux écarquillés, la mâchoire ouverte.

— *L'amour... conjugal!* dit-il en séparant lentement ces deux mots. Ah! très bien! très bien! très joli! Et des gravures!... Ah! c'est trop fort!

Mme Homais s'avança.

— Non, n'y touche pas!

Les enfants voulurent voir les images.

— Sortez! fit-il impérieusement.

Et ils sortirent.

Il marcha d'abord de long en large, à grands pas, gardant le volume ouvert entre ses doigts, roulant les yeux, suffoqué, tuméfié, apoplectique. Puis il vint droit à son élève, et, se plantant devant lui les bras croisés :

— Mais tu as donc tous les vices, petit malheureux?... Prends garde, tu es sur une pente!... Tu n'as donc pas réfléchi qu'il pouvait, ce livre infâme, tomber entre les mains de mes enfants, mettre l'étincelle dans leur cerveau, ternir la pureté d'Athalie, corrompre Napoléon! Il est déjà formé comme un homme. Es-tu bien sûr, au moins, qu'ils ne l'aient pas lu? peux-tu me certifier...?

— Mais enfin, monsieur, fit Emma, vous aviez à me dire...?

— C'est vrai, madame... Votre beau-père est mort!

En effet, le sieur Bovary père venait de décéder l'avant-veille, tout à coup, d'une attaque d'apoplexie, au sortir de table; et, par excès de précaution pour la sensibilité d'Emma, Charles avait prié M. Homais de lui apprendre avec ménagement cette horrible nouvelle.

Il avait médité sa phrase, il l'avait arrondie, polie, rythmée; c'était un chef-d'œuvre de prudence et de transition, de tournures fines et de délicatesse; mais la colère avait emporté la rhétorique.

Emma, renonçant à avoir aucun détail, quitta donc la pharmacie; car M. Homais avait repris le cours de ses vitupérations. Il se calmait cependant, et à présent, il grommelait d'un ton paterne, tout en s'éventant avec son bonnet grec:

— Ce n'est pas que je désapprouve entièrement l'ouvrage! L'auteur était médecin. Il y a là dedans certains côtés scientifiques qu'il n'est pas mal à un homme de connaître et, j'oserais dire, qu'il faut qu'un homme connaisse. Mais plus tard, plus tard! Attends du moins que tu sois homme toi-même et que ton tempérament soit fait.

Au coup de marteau d'Emma, Charles, qui l'attendait, s'avança les bras ouverts et lui dit avec des larmes dans la voix:

— Ah! ma chère amie...

Et il s'inclina doucement pour l'embrasser. Mais, au contact de ses lèvres, le souvenir de l'autre la saisit, et elle se passa la main sur son visage en frissonnant.

Cependant elle répondit:

— Oui, je sais..., je sais...

Il lui montra la lettre où sa mère narrait l'événement, sans aucune hypocrisie sentimentale. Seulement, elle regrettait que son mari n'eût pas reçu les secours de la religion, étant mort à Doudeville, dans la rue, sur le seuil d'un café, après un repas patriotique avec d'anciens officiers.

Emma rendit la lettre; puis, au dîner, par savoir-vivre, elle affecta quelque répugnance. Mais, comme il

la reforçait, elle se mit résolument à manger, tandis
que Charles, en face d'elle, demeurait immobile, dans
une posture accablée.

De temps à autre, relevant la tête, il lui envoyait un
long regard tout plein de détresse. Une fois il soupira :

— J'aurais voulu le revoir encore!

Elle se taisait. Enfin, comprenant qu'il fallait parler :

— Quel âge avait-il, ton père?

— Cinquante-huit ans!

— Ah!

Et ce fut tout.

Un quart d'heure après, il ajouta :

— Ma pauvre mère?... que va-t-elle devenir, à présent?

Elle fit un geste d'ignorance.

A la voir si taciturne, Charles la supposait affligée, et
il se contraignait à ne rien dire, pour ne pas aviver cette
douleur qui l'attendrissait. Cependant, secouant la
sienne :

— T'es-tu bien amusée hier? demanda-t-il.

— Oui.

Quand la nappe fut ôtée, Bovary ne se leva pas, Emma
non plus; et, à mesure qu'elle l'envisageait, la monotonie de ce spectacle bannissait peu à peu tout apitoie-
ment de son cœur. Il lui semblait chétif, faible, nul,
enfin être un pauvre homme, de toutes les façons.
Comment se débarrasser de lui? Quelle interminable
soirée! Quelque chose de stupéfiant comme une vapeur
d'opium l'engourdissait.

Ils entendirent dans le vestibule le bruit sec d'un
bâton sur les planches. C'était Hippolyte qui apportait
les bagages de Madame. Pour les déposer, il décrivit
péniblement un quart de cercle avec son pilon.

— Il n'y pense même plus! se disait-elle en regardant
le pauvre diable, dont la grosse chevelure rouge dégout-
tait de sueur.

Bovary cherchait un patard au fond de sa bourse; et,

sans paraître comprendre tout ce qu'il y avait pour lui
d'humiliation dans la seule présence de cet homme qui
se tenait là, comme le reproche personnifié de son
incurable ineptie :

— Tiens! tu as un joli bouquet! dit-il en remarquant
sur la cheminée les violettes de Léon.

— Oui, fit-elle avec indifférence; c'est un bouquet que
j'ai acheté tantôt... à une mendiante.

Charles prit les violettes, et, rafraîchissant dessus ses
yeux tout rouges de larmes, il les humait délicatement.
Elle les retira vite de sa main, et alla les porter dans un
verre d'eau.

Le lendemain, Mme Bovary mère arriva. Elle et son
fils pleurèrent beaucoup. Emma, sous prétexte d'ordres
à donner, disparut.

Le jour d'après, il fallut aviser ensemble aux affaires
de deuil. On alla s'asseoir, avec les boîtes à ouvrage, au
bord de l'eau, sous la tonnelle.

Charles pensait à son père, et il s'étonnait de sentir
tant d'affection pour cet homme qu'il avait cru jusqu'alors n'aimer que très médiocrement. Mme Bovary
mère pensait à son mari. Les pires jours d'autrefois lui
réapparaissaient enviables. Tout s'effaçait sous le regret
instinctif d'une si longue habitude; et, de temps à autre,
tandis qu'elle poussait son aiguille, une grosse larme
descendait le long de son nez et s'y tenait un moment
suspendue. Emma pensait qu'il y avait quarante-huit
heures à peine, ils étaient ensemble, loin du monde,
tout en ivresse, et n'ayant pas assez d'yeux pour se
contempler. Elle tâchait de ressaisir les plus impercep-
tibles détails de cette journée disparue. Mais la présence
de la belle-mère et du mari la gênait. Elle aurait voulu
ne rien entendre, ne rien voir, afin de ne pas déranger le
recueillement de son amour qui allait se perdant, quoi
qu'elle fît, sous les sensations extérieures.

Elle décousait la doublure d'une robe, dont les bribes

s'éparpillaient autour d'elle; la mère Bovary, sans lever les yeux, faisait crier ses ciseaux, et Charles, avec ses pantoufles de lisière et sa vieille redingote brune qui lui servait de robe de chambre, restait les deux mains dans ses poches et ne parlait pas non plus; près d'eux, Berthe, en petit tablier blanc, raclait avec sa pelle le sable des allées.

Tout à coup, ils virent entrer par la barrière M. Lheureux, le marchand d'étoffes.

Il venait offrir ses services, *eu égard à la fatale circonstance*. Emma répondit qu'elle croyait pouvoir s'en passer. Le marchand ne se tint pas pour battu.

— Mille excuses, dit-il; je désirerais avoir un entretien particulier.

Puis, d'une voix basse :

— C'est relativement à cette affaire..., vous savez?

Charles devint cramoisi jusqu'aux oreilles.

— Ah! oui..., effectivement.

Et, dans son trouble, se tournant vers sa femme :

— Ne pourrais-tu pas..., ma chérie...?

Elle parut le comprendre, car elle se leva, et Charles dit à sa mère :

— Ce n'est rien! sans doute quelque bagatelle de ménage.

Il ne voulait point qu'elle connût l'histoire du billet, redoutant ses observations.

Dès qu'ils furent seuls, M. Lheureux se mit, en termes assez nets, à féliciter Emma sur la succession, puis à causer de choses indifférentes, des espaliers, de la récolte et de sa santé à lui, qui allait toujours *couci-couci entre le zist et le zest*. En effet, il se donnait un mal de cinq cents diables, bien qu'il ne fît pas, malgré les propos du monde, de quoi avoir seulement du beurre sur son pain.

Emma le laissait parler. Elle s'ennuyait si prodigieusement depuis deux jours!

— Et vous voilà tout à fait rétablie? continuait-il.
Ma foi, j'ai vu votre pauvre mari dans de beaux états!
C'est un brave garçon, quoique nous ayons eu ensemble
des difficultés.

Elle demanda lesquelles, car Charles lui avait caché
la contestation des fournitures.

— Mais vous le savez bien! fit Lheureux. C'était pour
vos petites fantaisies, les boîtes de voyage.

Il avait baissé son chapeau sur ses yeux, et, les deux
mains derrière le dos, souriant et sifflotant, il la regardait en face, d'une manière insupportable. Soupçonnait-
il quelque chose? Elle demeurait perdue dans toutes
sortes d'appréhensions. A la fin pourtant, il reprit :

— Nous nous sommes rapatriés, et je venais encore
lui proposer un arrangement.

C'était de renouveler le billet signé par Bovary. Monsieur, du reste, agirait à sa guise; il ne devait point se
tourmenter, maintenant surtout qu'il allait avoir une
foule d'embarras.

— Et même il ferait mieux de s'en décharger sur
quelqu'un, sur vous, par exemple; avec une procuration, ce serait commode, et alors nous aurions ensemble
de petites affaires...

Elle ne comprenait pas. Il se tut. Ensuite, passant à
son négoce, Lheureux déclara que Madame ne pouvait se
dispenser de lui prendre quelque chose. Il lui enverrait
un barège noir, douze mètres, de quoi faire une robe.

— Celle que vous avez là est bonne pour la maison.
Il vous en faut une autre pour les visites. J'ai vu ça,
moi, du premier coup en entrant. J'ai l'œil américain.

Il n'envoya point l'étoffe, il l'apporta. Puis il revint
pour l'aunage; il revint sous d'autres prétextes, tâchant
chaque fois de se rendre aimable, serviable, s'inféodant,
comme eût dit Homais, et toujours glissant à Emma
quelques conseils sur la procuration. Il ne parlait
point du billet. Elle n'y songeait pas; Charles, au début

de sa convalescence, lui en avait bien conté quelque
chose; mais tant d'agitations avaient passé dans sa tête,
qu'elle ne s'en souvenait plus. D'ailleurs, elle se garda
d'ouvrir aucune discussion d'intérêt; la mère Bovary en
fut surprise, et attribua son changement d'humeur aux
sentiments religieux qu'elle avait contractés étant malade.

Mais, dès qu'elle fut partie, Emma ne tarda pas à
émerveiller Bovary par son bon sens pratique. Il allait
falloir prendre des informations, vérifier les hypothèques,
voir s'il y avait lieu à une licitation ou à une liquidation.
Elle citait des termes techniques, au hasard, prononçait
les grands mots d'ordre, d'avenir, de prévoyance, et
continuellement exagérait les embarras de la succession :
si bien qu'un jour elle lui montra le modèle d'une auto-
risation générale pour « gérer et administrer ses affaires,
faire tous emprunts, signer et endosser tous billets,
payer toutes sommes, etc. » Elle avait profité des leçons
de Lheureux.

Charles, naïvement, lui demanda d'où venait ce
papier.

— De M. Guillaumin.

Et avec le plus grand sang-froid du monde elle ajouta :

— Je ne m'y fie pas trop. Les notaires ont si mauvaise réputation! Il faudrait peut-être consulter...
Nous ne connaissons que... Oh! personne.

— A moins que Léon..., répliqua Charles, qui réfléchissait.

Mais il était difficile de s'entendre par correspondance. Alors elle s'offrit à faire ce voyage. Il la remercia.
Elle insista. Ce fut un assaut de prévenances. Enfin, elle
s'écria d'un ton de mutinerie factice :

— Non, je t'en prie, j'irai.

— Comme tu es bonne! dit-il en la baisant au front.

Dès le lendemain, elle s'embarqua dans l'*Hirondelle*,
pour aller à Rouen consulter M. Léon; et elle y resta
trois jours.

# III

CE furent trois jours pleins, exquis, splendides, une vraie lune de miel.

Ils étaient à l'*Hôtel de Boulogne,* sur le port. Et ils vivaient là, volets fermés, portes closes, avec des fleurs par terre et des sirops à la glace, qu'on leur apportait dès le matin.

Vers le soir, ils prenaient une barque couverte et allaient dîner dans une île.

C'était l'heure où l'on entend, au bord des chantiers, retentir le maillet des calfats contre la coque des vaisseaux. La fumée du goudron s'échappait d'entre les arbres, et l'on voyait sur la rivière de larges gouttes grasses, ondulant inégalement sous la couleur pourpre du soleil, comme des plaques de bronze florentin, qui flottaient.

Ils descendaient au milieu des barques amarrées, dont les longs câbles obliques frôlaient un peu le dessus de la barque.

Les bruits de la ville insensiblement s'éloignaient, le roulement des charrettes, le tumulte des voix, le jappement des chiens sur le pont des navires. Elle dénouait son chapeau et ils abordaient à leur île.

Ils se plaçaient dans la salle basse d'un cabaret, qui avait à sa porte des filets noirs suspendus. Ils mangeaient

de la friture d'éperlans, de la crème et des cerises. Ils se
couchaient sur l'herbe; ils s'embrassaient à l'écart sous
les peupliers; et ils auraient voulu, comme deux Robin-
sons, vivre perpétuellement dans ce petit endroit qui leur
semblait, en leur béatitude, le plus magnifique de la terre.
Ce n'était pas la première fois qu'ils apercevaient des
arbres, du ciel bleu, du gazon, qu'ils entendaient l'eau
couler et la brise soufflant dans le feuillage, mais ils
n'avaient sans doute jamais admiré tout cela, comme si
la nature n'existait pas auparavant, ou qu'elle n'eût
commencé à être belle que depuis l'assouvissance de leurs
désirs.

A la nuit, ils repartaient. La barque suivait le bord des
îles. Ils restaient au fond, tous les deux cachés dans
l'ombre, sans parler. Les avirons carrés sonnaient entre
les tolets de fer; et cela marquait dans le silence comme
un battement de métronome, tandis qu'à l'arrière la
bauce qui traînait ne discontinuait pas son petit clapote-
ment doux dans l'eau.

Une fois, la lune parut; alors ils ne manquèrent pas
à faire des phrases, trouvant l'astre mélancolique et plein
de poésie; même elle se mit à chanter :

> *Un soir, t'en souvient-il? nous voguions, etc.*

Sa voix harmonieuse et faible se perdait sur les flots;
et le vent emportait les roulades que Léon écoutait
passer, comme des battements d'ailes, autour de lui.

Elle se tenait en face appuyée contre la cloison de la
chaloupe, où la lune entrait par un des volets ouverts.
Sa robe noire, dont les draperies s'élargissaient en
éventail, l'amincissait, la rendait plus grande. Elle avait
la tête levée, les mains jointes, et les deux yeux vers le
ciel. Parfois l'ombre des saules la cachait en entier,
puis elle réapparaissait tout à coup, comme une vision,
dans la lumière de la lune.

Léon, par terre, à côté d'elle, rencontra sous sa main un ruban de soie ponceau.

Le batelier l'examina et finit par dire :

— Ah! c'est peut-être à une compagnie que j'ai promenée l'autre jour. Ils sont venus un tas de farceurs, messieurs et dames, avec des gâteaux, du champagne, des cornets à pistons, tout le tremblement! Il y en avait un surtout, un grand bel homme, à petites moustaches, qui était joliment amusant! et ils disaient comme ça : « Allons, conte-nous quelque chose..., Adolphe..., Dodolphe... », je crois.

Elle frissonna.

— Tu souffres? fit Léon en se rapprochant d'elle.

— Oh! ce n'est rien. Sans doute, la fraîcheur de la nuit.

— ... et qui ne doit pas manquer de femmes, non plus, ajouta doucement le vieux matelot, croyant dire une politesse à l'étranger.

Puis, crachant dans ses mains, il reprit ses avirons.

Il fallut pourtant se séparer! Les adieux furent tristes. C'était chez la mère Rollet qu'il devait envoyer ses lettres; et elle lui fit des recommandations si précises à propos de la double enveloppe, qu'il admira grandement son astuce amoureuse.

— Ainsi, tu m'affirmes que tout est bien? dit-elle dans le dernier baiser.

— Oui, certes! — Mais pourquoi donc, songea-t-il après, en s'en revenant seul par les rues, tient-elle si fort à cette procuration?

# IV

LÉON, bientôt, prit devant ses camarades un air de supériorité, s'abstint de leur compagnie, et négligea complètement les dossiers.

Il attendait ses lettres; il les relisait. Il lui écrivait. Il l'évoquait de toute la force de son désir et de ses souvenirs. Au lieu de diminuer par l'absence, cette envie de la revoir s'accrut, si bien qu'un samedi matin il s'échappa de son étude.

Lorsque, du haut de la côte, il aperçut dans la vallée le clocher de l'église avec son drapeau de fer-blanc qui tournait au vent, il sentit cette délectation mêlée de vanité triomphante et d'attendrissement égoïste que doivent avoir les millionnaires quand ils reviennent visiter leur village.

Il alla rôder autour de sa maison. Une lumière brillait dans la cuisine. Il guetta son ombre derrière les rideaux. Rien ne parut.

La mère Lefrançois, en le voyant, fit de grandes exclamations, et elle le trouva « grandi et minci », tandis qu'Artémise, au contraire, le trouva « forci et bruni ».

Il dîna dans la petite salle, comme autrefois, mais seul, sans le percepteur; car Binet, *fatigué* d'attendre l'*Hirondelle,* avait définitivement avancé son repas d'une heure, et maintenant il dînait à cinq heures juste, encore prétendait-il le plus souvent que la *vieille patraque retardait.*

Léon pourtant se décida; il alla frapper à la porte du médecin. Madame était dans sa chambre, d'où elle ne descendit qu'un quart d'heure après. Monsieur parut enchanté de le revoir; mais il ne bougea de la soirée, ni de tout le jour suivant.

Il la vit seule, le soir, très tard, derrière le jardin, dans la ruelle; — dans la ruelle, comme avec l'autre! Il faisait de l'orage, et ils causaient sous un parapluie, à la lueur des éclairs.

Leur séparation devenait intolérable.

— Plutôt mourir! disait Emma.

Elle se tordait sur son bras, tout en pleurant.

— Adieu!... adieu!... Quand te reverrai-je?

Ils revinrent sur leurs pas pour s'embrasser encore; et ce fut là qu'elle lui fit la promesse de trouver bientôt, par n'importe quel moyen, l'occasion permanente de se voir en liberté, au moins une fois par semaine. Emma n'en doutait pas. Elle était, d'ailleurs, pleine d'espoir. Il allait lui venir de l'argent.

Aussi, elle acheta pour sa chambre une paire de rideaux jaunes à larges raies, dont M. Lheureux lui avait vanté le bon marché; elle rêva un tapis, et Lheureux, affirmant « que ce n'était pas la mer à boire », s'engagea poliment à lui en fournir un. Elle ne pouvait plus se passer de ses services. Vingt fois dans la journée elle l'envoyait chercher, et aussitôt il plantait là ses affaires, sans se permettre un murmure. On ne comprenait point davantage pourquoi la mère Rollet déjeunait chez elle tous les jours, et même lui faisait dès visites en particulier.

Ce fut vers cette époque, c'est-à-dire vers le commencement de l'hiver, qu'elle parut prise d'une grande ardeur musicale.

Un soir que Charles l'écoutait, elle recommença

quatre fois de suite le même morceau, et toujours en
se dépitant, tandis que, sans y remarquer de différence, il s'écriait :

— Bravo!..., très bien!... Tu as tort! va donc!

— Eh non! c'est exécrable! j'ai les doigts rouillés.

Le lendemain, il la pria *de lui jouer encore quelque chose*.

— Soit, pour te faire plaisir!

Et Charles avoua qu'elle avait un peu perdu. Elle se
trompait de portée, barbouillait; puis s'arrêtant court :

— Ah! c'est fini! il faudrait que je prisse des leçons;
mais...

Elle se mordit les lèvres et ajouta :

— Vingt francs par cachet, c'est trop cher!

— Oui, en effet..., un peu..., dit Charles tout en ricanant niaisement. Pourtant, il me semble que l'on pourrait peut-être à moins; car il y a des artistes sans réputation qui souvent valent mieux que les célébrités.

— Cherche-les, dit Emma.

Le lendemain, en rentrant, il la contempla d'un œil
finaud, et ne put à la fin retenir cette phrase :

— Quel entêtement tu as quelquefois! J'ai été à Barfeuchères aujourd'hui. Eh bien! Mme Liégeard m'a certifié que ses trois demoiselles, qui sont à la Miséricorde,
prenaient des leçons moyennant cinquante sous la
séance, et d'une fameuse maîtresse encore!

Elle haussa les épaules, et ne rouvrit plus son instrument.

Mais lorsqu'elle passait auprès (si Bovary se trouvait
là), elle soupirait :

— Ah! mon pauvre piano!

Et quand on venait la voir, elle ne manquait pas de
vous apprendre qu'elle avait abandonné la musique et
ne pouvait maintenant s'y remettre, pour des raisons
majeures. Alors on la plaignait. C'était dommage! elle
qui avait un si beau talent! On en parla même à Bovary.
On lui faisait honte, et surtout le pharmacien :

— Vous avez tort! il ne faut jamais laisser en friche les facultés de la nature. D'ailleurs, songez, mon bon ami, qu'en engageant Madame à étudier, vous économisez pour plus tard sur l'éducation musicale de votre enfant! Moi, je trouve que les mères doivent instruire elles-mêmes leurs enfants. C'est une idée de Rousseau, peut-être un peu neuve encore, mais qui finira par triompher, j'en suis sûr, comme l'allaitement maternel et la vaccination.

Charles revint donc encore une fois sur cette question du piano. Emma répondit avec aigreur qu'il valait mieux le vendre. Ce pauvre piano, qui lui avait causé tant de vaniteuses satisfactions, le voir s'en aller, c'était pour Mme Bovary comme l'indéfinissable suicide d'une partie d'elle-même.

— Si tu voulais..., disait-il, de temps à autre, une leçon, cela ne serait pas, après tout, extrêmement ruineux.

— Mais les leçons, répliquait-elle, ne sont profitables que suivies.

Et voilà comme elle s'y prit pour obtenir de son époux la permission d'aller à la ville, une fois la semaine, voir son amant. On trouva même, au bout d'un mois, qu'elle avait fait des progrès considérables.

# V

C'ÉTAIT le jeudi. Elle se levait, et elle s'habillait silencieusement pour ne point éveiller Charles, qui lui aurait fait des observations sur ce qu'elle s'apprêtait de trop bonne heure. Ensuite elle marchait de long en large; elle se mettait devant les fenêtres, elle regardait la place. Le petit jour circulait entre les piliers des halles, et la maison du pharmacien, dont les volets étaient fermés, laissait apercevoir dans la couleur pâle de l'aurore les majuscules de son enseigne.

Quand la pendule marquait sept heures et un quart, elle s'en allait au *Lion d'or,* dont Artémise, en bâillant, venait lui ouvrir la porte. Celle-ci déterrait pour Madame les charbons enfouis sous les cendres. Emma restait seule dans la cuisine. De temps à autre, elle sortait. Hivert attelait sans se dépêcher, et en écoutant d'ailleurs la mère Lefrançois, qui, passant par un guichet sa tête en bonnet de coton, le chargeait de commissions et lui donnait des explications à troubler un tout autre homme. Emma battait la semelle de ses bottines contre les pavés de la cour.

Enfin, lorsqu'il avait mangé sa soupe, endossé sa limousine, allumé sa pipe et empoigné son fouet, il s'installait tranquillement sur le siège.

L'*Hirondelle* partait au petit trot, et, durant trois quarts de lieue, s'arrêtait de place en place pour prendre des

voyageurs, qui la guettaient debout, au bord du chemin,
devant la barrière des cours. Ceux qui avaient prévenu
la veille se faisaient attendre; quelques-uns même étaient
encore au lit dans leur maison; Hivert appelait, criait,
sacrait, puis il descendait de son siège et allait frapper
de grands coups contre les portes. Le vent soufflait par
les vasistas fêlés.

Cependant les quatre banquettes se garnissaient, la
voiture roulait, les pommiers à la file se succédaient; et
la route, entre ses deux longs fossés pleins d'eau jaune,
allait continuellement se rétrécissant vers l'horizon.

Emma la connaissait d'un bout à l'autre; elle savait
qu'après un herbage il y avait un poteau, ensuite un
orme, une grange ou une cahute de cantonnier; quelquefois même, afin de se faire des surprises, elle fermait
les yeux. Mais elle ne perdait jamais le sentiment net de
la distance à parcourir.

Enfin les maisons de briques se rapprochaient, la terre
résonnait sous les roues, l'*Hirondelle* glissait entre des
jardins, où l'on apercevait, par une claire-voie, des statues, un vignot, des ifs taillés et une escarpolette. Puis,
d'un seul coup d'œil, la ville apparaissait.

Descendant tout en amphithéâtre et noyée dans le
brouillard, elle s'élargissait au delà des ponts, confusément. La pleine campagne remontait ensuite d'un mouvement monotone, jusqu'à toucher au loin la base indé-
cise du ciel pâle. Ainsi vu d'en haut, le paysage tout
entier avait l'air immobile comme une peinture; les
navires à l'ancre se tassaient dans un coin; le fleuve
arrondissait sa courbe au pied des collines vertes, et les
îles, de forme oblongue, semblaient sur l'eau de grands
poissons noirs arrêtés. Les cheminées des usines poussaient d'immenses panaches bruns qui s'envolaient par
le bout. On entendait le ronflement des fonderies avec
le carillon clair des églises qui se dressaient dans la
brume. Les arbres des boulevards, sans feuilles, faisaient

des broussailles violettes au milieu des maisons, et les
toits, tout reluisants de pluie, miroitaient inégalement,
selon la hauteur des quartiers. Parfois un coup de vent
emportait les nuages vers la côte Sainte-Catherine,
comme des flots aériens qui se brisaient en silence contre
une falaise.

Quelque chose de vertigineux se dégageait pour elle
de ces existences amassées, et son cœur s'en gonflait
abondamment comme si les cent vingt mille âmes qui
palpitaient là lui eussent envoyé toutes à la fois la vapeur
des passions qu'elle leur supposait. Son amour s'agran-
dissait devant l'espace, et s'emplissait de tumulte aux
bourdonnements vagues qui montaient. Elle le reversait
au dehors, sur les places, sur les promenades, sur les
rues, et la vieille cité normande s'étalait à ses yeux
comme une capitale démesurée, comme une Babylone
où elle entrait. Elle se penchait des deux mains par le
vasistas, en humant la brise; les trois chevaux galopaient, les pierres grinçaient dans la boue, la diligence
se balançait, et Hivert, de loin, hélait les carrioles sur
la route, tandis que les bourgeois qui avaient passé la
nuit au Bois-Guillaume descendaient la côte tranquillement, dans leur petite voiture de famille.

On s'arrêtait à la barrière; Emma débouclait ses
socques, mettait d'autres gants, rajustait son châle, et,
vingt pas plus loin, elle sortait de l'*Hirondelle*.

La ville alors s'éveillait. Des commis, en bonnet grec,
frottaient la devanture des boutiques, et des femmes qui
tenaient des paniers sur la hanche poussaient par intervalles un cri sonore, au coin des rues. Elle marchait les
yeux à terre, frôlant les murs, et souriant de plaisir
sous son voile noir baissé.

Par peur d'être vue, elle ne prenait pas ordinairement le chemin le plus court. Elle s'engouffrait dans
les ruelles sombres, et elle arrivait tout en sueur vers
le bas de la rue Nationale, près de la fontaine qui est

là. C'est le quartier du théâtre, des estaminets et des filles. Souvent une charrette passait près d'elle, portant quelque décor qui tremblait. Des garçons en tablier versaient du sable sur des dalles, entre des arbustes verts. On sentait l'absinthe, le cigare et les huîtres.

Elle tournait une rue; elle le reconnaissait à sa chevelure frisée qui s'échappait de son chapeau.

Léon, sur le trottoir, continuait à marcher. Elle le suivait jusqu'à l'hôtel; il montait, il ouvrait la porte, il entrait... Quelle étreinte!

Puis les paroles, après les baisers, se précipitaient. On se racontait les chagrins de la semaine, les pressentiments, les inquiétudes pour les lettres; mais à présent tout s'oubliait, et ils se regardaient face à face, avec des rires de volupté et des appellations de tendresse.

Le lit était un grand lit d'acajou en forme de nacelle. Les rideaux de levantine rouge, qui descendaient du plafond, se cintraient trop bas près du chevet évasé; — et rien au monde n'était beau comme sa tête brune et sa peau blanche se détachant sur cette couleur pourpre, quand, par un geste de pudeur, elle fermait ses deux bras nus, en se cachant la figure dans les mains.

Le tiède appartement, avec son tapis discret, ses ornements folâtres et sa lumière tranquille, semblait tout commode pour les intimités de la passion. Les bâtons se terminant en flèche, les patères de cuivre et les grosses boules de chenets reluisaient tout à coup, si le soleil entrait. Il y avait sur la cheminée, entre les candélabres, deux de ces grandes coquilles roses où l'on entend le bruit de la mer quand on les applique à son oreille.

Comme ils aimaient cette bonne chambre pleine de gaieté, malgré sa splendeur un peu fanée! Ils retrouvaient toujours les meubles à leur place, et parfois des épingles à cheveux qu'elle avait oubliées, l'autre jeudi, sous le socle de la pendule. Ils déjeunaient au coin du feu, sur un petit guéridon incrusté de palissandre.

Emma découpait, lui mettait les morceaux dans son
assiette, en débitant toutes sortes de chatteries; et elle
riait d'un rire sonore et libertin quand la mousse du
vin de Champagne débordait du verre léger sur les
bagues de ses doigts. Ils étaient si complètement perdus
en la possession d'eux-mêmes, qu'ils se croyaient là
dans leur maison particulière, et devant y vivre jusqu'à
la mort, comme deux éternels jeunes époux. Ils disaient
« notre chambre, notre tapis, nos fauteuils », même elle
disait « mes pantoufles », un cadeau de Léon, une fantaisie qu'elle avait eue. C'étaient des pantoufles en satin
rose, bordées de cygne. Quand elle s'asseyait sur ses
genoux, sa jambe, alors trop courte, pendait en l'air,
et la mignarde chaussure, qui n'avait pas de quartier,
tenait seulement par les orteils à son pied nu.

Il savourait pour la première fois l'inexprimable délicatesse des élégances féminines. Jamais il n'avait rencontré cette grâce de langage, cette réserve du vêtement, ces poses de colombe assoupie. Il admirait l'exaltation de son âme et les dentelles de sa jupe. D'ailleurs,
n'était-ce pas *une femme du monde,* et une femme mariée!
une vraie maîtresse enfin?

Par la diversité de son humeur, tour à tour mystique
ou joyeuse, babillarde, taciturne, emportée, noncha-
lante, elle allait rappelant en lui mille désirs, évoquant
des instincts ou des réminiscences. Elle était l'amoureuse de tous les romans, l'héroïne de tous les drames,
le vague *elle* de tous les volumes de vers. Il retrouvait
sur ses épaules la couleur ambrée de *l'odalisque au bain;*
elle avait le corsage long des châtelaines féodales; elle
ressemblait aussi à la *femme pâle de Barcelone,* mais elle
était par-dessus tout Ange!

Souvent, en la regardant, il lui semblait que son âme,
s'échappant vers elle, se répandait comme une onde sur
le contour de sa tête, et descendait entraînée dans la
blancheur de sa poitrine.

Il se mettait par terre, devant elle; et, les deux coudes sur ses genoux, il la considérait avec un sourire, et le front tendu.

Elle se penchait vers lui, et murmurait, comme suffoquée d'enivrement :

— Oh! ne bouge pas! ne parle pas! regarde-moi! Il sort de tes yeux quelque chose de si doux, qui me fait tant de bien!

Elle l'appelait « enfant » :

— Enfant, m'aimes-tu?

Et elle n'entendait guère sa réponse, dans la précipitation de ses lèvres qui lui montaient à la bouche.

Il y avait sur la pendule un petit Cupidon de bronze, qui minaudait en arrondissant les bras sous une guirlande dorée. Ils en rirent bien des fois; mais, quand il fallait se séparer, tout leur semblait sérieux.

Immobiles l'un devant l'autre, ils se répétaient :

— A jeudi!... à jeudi!

Tout à coup elle lui prenait la tête dans les deux mains, le baisait vite au front en s'écriant : « Adieu! » et s'élançait dans l'escalier.

Elle allait rue de la Comédie, chez un coiffeur, se faire arranger ses bandeaux. La nuit tombait; on allumait le gaz dans la boutique.

Elle entendait la clochette du théâtre qui appelait les cabotins à la représentation; et elle voyait, en face, passer des hommes à figure blanche et des femmes en toilette fanée, qui entraient par la porte des coulisses.

Il faisait chaud dans ce petit appartement trop bas, où le poêle bourdonnait au milieu des perruques et des pommades. L'odeur des fers, avec ces mains grasses qui lui maniaient la tête, ne tardait pas à l'étourdir, et elle s'endormait un peu sous son peignoir. Souvent le garçon, en la coiffant, lui proposait des billets pour le bal masqué.

Puis elle s'en allait! Elle remontait les rues; elle arri-

vait à la *Croix-Rouge;* elle reprenait ses socques, qu'elle
avait cachés le matin sous une banquette, et se tassait
à sa place, parmi les voyageurs impatientés. Quelques-
uns descendaient au bas de la côte. Elle restait seule
dans la voiture.

A chaque tournant, on apercevait de plus en plus tous
les éclairages de la ville qui faisaient une large vapeur
lumineuse au-dessus des maisons confondues. Emma se
mettait à genoux sur les coussins, et elle égarait ses yeux
dans cet éblouissement. Elle sanglotait, appelait Léon,
et lui envoyait des paroles tendres, et des baisers qui se
perdaient au vent.

Il y avait dans la côte un pauvre diable vagabondant
avec son bâton, tout au milieu des diligences. Un amas
de guenilles lui recouvrait les épaules et un vieux castor
défoncé, s'arrondissant en cuvette, lui cachait la figure;
mais, quand il le retirait, il découvrait, à la place des
paupières, deux orbites béantes tout ensanglantées. La
chair s'effiloquait par lambeaux rouges; et il en coulait
des liquides qui se figeaient en gales vertes jusqu'au nez,
dont les narines noires reniflaient convulsivement. Pour
vous parler, il se renversait la tête avec un rire idiot;
alors ses prunelles bleuâtres, roulant d'un mouvement
continu, allaient se cogner, vers les tempes, sur le bord
de la plaie vive.

Il chantait une petite chanson en suivant les voitures :

> *Souvent la chaleur d'un beau jour*
> *Fait rêver fillette à l'amour.*

Et il y avait dans tout le reste des oiseaux, du soleil et du
feuillage.

Quelquefois, il apparaissait tout à coup derrière
Emma, tête nue. Elle se retirait avec un cri. Hivert
venait le plaisanter. Il l'engageait à prendre une baraque
à la foire Saint-Romain, ou bien lui demandait, en
riant, comment se portait sa bonne amie.

Souvent on était en marche, lorsque son chapeau, d'un mouvement brusque, entrait dans la diligence par le vasistas, tandis qu'il se cramponnait de l'autre bras sur le marchepied, entre l'éclaboussure des roues. Sa voix, faible d'abord et vagissante, devenait aiguë. Elle se traînait dans la nuit, comme l'indistincte lamentation d'une vague détresse; et à travers la sonnerie des grelots, le murmure des arbres et le ronflement de la boîte creuse, elle avait quelque chose de lointain qui bouleversait Emma. Cela lui descendait au fond de l'âme comme un tourbillon dans un abîme, et l'emportait parmi les espaces d'une mélancolie sans bornes. Mais Hivert, qui s'apercevait d'un contrepoids, allongeait à l'aveugle de grands coups avec son fouet. La mèche le cinglait sur ses plaies, et il tombait dans la boue en poussant un hurlement.

Puis les voyageurs de l'*Hirondelle* finissaient par s'endormir, les uns la bouche ouverte, les autres le menton baissé, s'appuyant sur l'épaule de leur voisin, ou bien le bras passé dans la courroie, tout en oscillant régulièrement au branle de la voiture; et le reflet de la lanterne qui se balançait en dehors, sur la croupe des limoniers, pénétrant dans l'intérieur par les rideaux de calicot chocolat, posait des ombres sanguinolentes sur tous ces individus immobiles. Emma, ivre de tristesse, grelottait sous ses vêtements, et se sentait de plus en plus froid aux pieds, avec la mort dans l'âme.

Charles, à la maison, l'attendait; l'*Hirondelle* était toujours en retard le jeudi. Madame arrivait enfin! à peine si elle embrassait la petite. Le dîner n'était pas prêt, n'importe! elle excusait la cuisinière. Tout maintenant semblait permis à cette fille.

Souvent son mari, remarquant sa pâleur, lui demandait si elle ne se trouvait point malade.

— Non, disait Emma.

— Mais, répliquait-il, tu es toute drôle ce soir?

— Eh! ce n'est rien! ce n'est rien!

Il y avait même des jours où, à peine rentrée, elle montait dans sa chambre; et Justin, qui se trouvait là, circulait à pas muets, plus ingénieux à la servir qu'une excellente camériste. Il plaçait les allumettes, le bougeoir, un livre, disposait sa camisole, ouvrait les draps.

— Allons, disait-elle, c'est bien, va-t'en.

Car il restait debout, les mains pendantes et les yeux ouverts, comme enlacé dans les fils innombrables d'une rêverie soudaine.

La journée du lendemain était affreuse, et les suivantes étaient plus intolérables encore par l'impatience qu'avait Emma de ressaisir son bonheur, — convoitise âpre, enflammée d'images connues, et qui, le septième jour, éclatait tout à l'aise dans les caresses de Léon. Ses ardeurs, à lui, se cachaient sous des expansions d'émerveillement et de reconnaissance. Emma goûtait cet amour d'une façon discrète et absorbée, l'entretenait par tous les artifices de sa tendresse, et tremblait un peu qu'il ne se perdît plus tard.

Souvent elle lui disait, avec des douceurs de voix mélancolique :

— Ah! tu me quitteras, toi!... tu te marieras!... tu seras comme les autres.

Il demandait :

— Quels autres?

— Mais les hommes, enfin, répondait-elle.

Puis elle ajoutait, en le repoussant d'un geste langoureux :

— Vous êtes tous des infâmes!

Un jour qu'ils causaient philosophiquement des désillusions terrestres, elle vint à dire (pour expérimenter sa jalousie, ou cédant peut-être à un besoin d'épanchement trop fort) qu'autrefois, avant lui, elle avait aimé quelqu'un, « pas comme toi! », reprit-elle vite, protestant sur la tête de sa fille *qu'il ne s'était rien passé*.

Le jeune homme la crut, et néanmoins la questionna pour savoir ce qu'*il* faisait.

— Il était capitaine de vaisseau, mon ami.

N'était-ce pas prévenir toute recherche, et en même temps se poser très haut, par cette prétendue fascination exercée sur un homme qui devait être de nature belliqueuse et accoutumé à des hommages?

Le clerc sentit alors l'infimité de sa position; il envia des épaulettes, des croix, des titres. Tout cela devait lui plaire : il s'en doutait à ses habitudes dispendieuses.

Cependant Emma taisait quantité de ses extravagances, telle que l'envie d'avoir, pour l'amener à Rouen, un tilbury bleu, attelé d'un cheval anglais, et conduit par un groom en bottes à revers. C'était Justin qui lui en avait inspiré le caprice, en la suppliant de le prendre chez elle comme valet de chambre; et, si cette privation n'atténuait pas à chaque rendez-vous le plaisir de l'arrivée, elle augmentait certainement l'amertume du retour.

Souvent, lorsqu'ils parlaient ensemble de Paris, elle finissait par murmurer :

— Ah! que nous serions bien là pour vivre!

— Ne sommes-nous pas heureux? reprenait doucement le jeune homme, en lui passant la main sur ses bandeaux.

— Oui, c'est vrai, disait-elle, je suis folle; embrassemoi!

Elle était pour son mari plus charmante que jamais, lui faisait des crèmes à la pistache et jouait des valses après dîner. Il se trouvait donc le plus fortuné des mortels, et Emma vivait sans inquiétude, lorsqu'un soir, tout à coup :

— C'est Mlle Lempereur, n'est-ce pas, qui te donne des leçons?

— Oui.

— Eh bien, je l'ai vue tantôt, reprit Charles, chez Mme Liégeard. Je lui ai parlé de toi; elle ne te connaît pas.

Ce fut comme un coup de foudre. Cependant elle répliqua d'un air naturel :

— Ah! sans doute, elle aura oublié mon nom!

— Mais il y a peut-être à Rouen, dit le médecin, plusieurs demoiselles Lempereur qui sont maîtresses de piano?

— C'est possible!

Puis, vivement :

— J'ai pourtant ses reçus, tiens! regarde.

Et elle alla au secrétaire, fouilla tous les tiroirs, confondit tous les papiers et finit si bien par perdre la tête, que Charles l'engagea fort à ne point se donner tant de mal pour ces misérables quittances.

— Oh! je les trouverai, dit-elle.

En effet, dès le vendredi suivant, Charles, en passant une de ses bottes dans le cabinet noir où l'on serrait ses habits, sentit une feuille de papier entre le cuir et sa chaussette, il la prit et lut :

« Reçu, pour trois mois de leçons, plus diverses fournitures, la somme de soixante-cinq francs.

Félicie l'Empereur,<br>Professeur de musique. »

— Comment diable est-ce dans mes bottes?

— Ce sera, sans doute, répondit-elle, tombé du vieux carton aux factures, qui est sur le bord de la planche.

A partir de ce moment, son existence ne fut plus qu'un assemblage de mensonges, où elle enveloppait son amour comme dans des voiles, pour le cacher.

C'était un besoin, une manie, un plaisir, au point que, si elle disait avoir passé, hier, par le côté droit d'une rue, il fallait croire qu'elle avait pris par le côté gauche.

Un matin qu'elle venait de partir, selon sa coutume, assez légèrement vêtue, il tomba de la neige tout à coup;

et comme Charles regardait le temps à la fenêtre, il aperçut M. Bournisien dans le boc du sieur Tuvache qui le conduisait à Rouen. Alors il descendit confier à l'ecclésiastique un gros châle pour qu'il le remît à Madame, sitôt qu'elle arriverait à la *Croix-Rouge*. A peine fut-il à l'auberge que Bournisien demanda où était la femme du médecin d'Yonville. L'hôtelière répondit qu'elle fréquentait fort peu son établissement. Aussi, le soir, en reconnaissant Mme Bovary dans l'*Hirondelle*, le curé lui conta son embarras, sans paraître, du reste, y attacher de l'importance; car il entama l'éloge d'un prédicateur qui pour lors faisait merveille à la cathédrale, et que toutes les dames couraient entendre.

N'importe, s'il n'avait point demandé d'explications, d'autres plus tard pourraient se montrer moins discrets. Aussi jugea-t-elle utile de descendre chaque fois à la *Croix-Rouge*, de sorte que les bonnes gens de son village qui la voyaient dans l'escalier ne se doutaient de rien.

Un jour pourtant, M. Lheureux la rencontra qui sortait de l'*Hôtel de Boulogne* au bras de Léon; et elle eut peur, s'imaginant qu'il bavarderait. Il n'était pas si bête.

Mais, trois jours après, il entra dans sa chambre, ferma la porte et dit :

— J'aurais besoin d'argent.

Elle déclara ne pouvoir lui en donner. Lheureux se répandit en gémissements, et rappela toutes les complaisances qu'il avait eues.

En effet, des deux billets souscrits par Charles, Emma jusqu'à présent n'en avait payé qu'un seul. Quant au second, le marchand, sur sa prière, avait consenti à le remplacer par deux autres, qui même avaient été renouvelés à une fort longue échéance. Puis il tira de sa poche une liste de fournitures non soldées, à savoir : les rideaux, le tapis, l'étoffe pour les fauteuils, plusieurs robes et divers articles de toilette, dont la valeur se montait à la somme de deux mille francs environ.

Elle baissa la tête; il reprit :

— Mais, si vous n'avez pas d'espèces, vous avez *du bien*.

Et il indiqua une méchante masure sise à Barneville, près d'Aumale, qui ne rapportait pas grand'chose. Cela dépendait autrefois d'une petite ferme vendue par M. Bovary père, car Lheureux savait tout, jusqu'à la contenance d'hectares, avec le nom des voisins.

— Moi, à votre place, disait-il, je me libérerais, et j'aurais encore le surplus de l'argent.

Elle objecta la difficulté d'un acquéreur; il donna l'espoir d'en trouver; mais elle demanda comment faire pour qu'elle pût vendre.

— N'avez-vous pas la procuration? répondit-il.

Ce mot lui arriva comme une bouffée d'air frais.

— Laissez-moi la note, dit Emma.

— Oh! ce n'est pas la peine! reprit Lheureux.

Il revint la semaine suivante, et se vanta d'avoir, après force démarches, fini par découvrir un certain Langlois qui, depuis longtemps, guignait la propriété sans faire connaître son prix.

— N'importe le prix! s'écria-t-elle.

Il fallait attendre, au contraire, tâter ce gaillard-là. La chose valait la peine d'un voyage, et, comme elle ne pouvait faire ce voyage, il offrit de se rendre sur les lieux, pour s'aboucher avec Langlois. Une fois revenu, il annonça que l'acquéreur proposait quatre mille francs.

Emma s'épanouit à cette nouvelle.

— Franchement, ajouta-t-il, c'est bien payé.

Elle toucha la moitié de la somme immédiatement, et, quand elle fut pour solder son mémoire, le marchand lui dit :

— Cela me fait de la peine, parole d'honneur, de vous voir vous dessaisir tout d'un coup d'une somme aussi *conséquente* que celle-là.

Alors elle regarda les billets de banque, et, rêvant au nombre illimité de rendez-vous que ces deux mille francs représentaient :

— Comment! comment! balbutia-t-elle.

— Oh! reprit-il en riant d'un air bonhomme, on met tout ce que l'on veut sur les factures. Est-ce que je ne connais pas les ménages?

Et il la considérait fixement, tout en tenant à sa main deux longs papiers qu'il faisait glisser entre ses ongles. Enfin, ouvrant son portefeuille, il étala sur la table quatre billets à ordre, de mille francs chacun.

— Signez-moi cela, dit-il, et gardez tout.

Elle se récria, scandalisée.

— Mais si je vous donne le surplus, répondit effrontément M. Lheureux, n'est-ce pas vous rendre service, à vous?

Et, prenant une plume, il écrivit au bas du mémoire : « Reçu de Mme Bovary quatre mille francs. »

— Qui vous inquiète, puisque vous toucherez dans six mois l'arriéré de votre baraque, et que je vous place l'échéance du dernier billet pour après le payement?

Emma s'embarrassait un peu dans ses calculs, et les oreilles lui tintaient comme si des pièces d'or, s'éventrant de leurs sacs, eussent sonné tout autour d'elle sur le parquet. Enfin Lheureux expliqua qu'il avait un sien ami Vinçart, banquier à Rouen, lequel allait escompter ces quatre billets, puis il remettrait lui-même à Madame le surplus de la dette réelle.

Mais, au lieu de deux mille francs, il n'en apporta que dix-huit cents, car l'ami Vinçart (comme *de juste*) en avait prélevé deux cents, pour frais de commission et d'escompte.

Puis il réclama négligemment une quittance.

— Vous comprenez..., dans le commerce..., quelquefois... Et avec la date, s'il vous plaît, la date.

Un horizon de fantaisies réalisables s'ouvrit alors

devant Emma. Elle eut assez de prudence pour mettre en réserve mille écus, avec quoi furent payés, lorsqu'ils échurent, les trois premiers billets; mais le quatrième, par hasard, tomba dans la maison un jeudi, et Charles, bouleversé, attendit patiemment le retour de sa femme pour avoir des explications.

Si elle ne l'avait point instruit de ce billet, c'était afin de lui épargner des tracas domestiques; elle s'assit sur ses genoux, le caressa, roucoula, fit une longue énumération de toutes les choses indispensables prises à crédit.

— Enfin, tu conviendras que, vu la quantité, ce n'est pas trop cher.

Charles, à bout d'idées, bientôt eut recours à l'éternel Lheureux, qui jura de calmer les choses, si Monsieur lui signait deux billets, dont l'un de sept cents francs, payable dans trois mois. Pour se mettre en mesure, il écrivit à sa mère une lettre pathétique. Au lieu d'envoyer la réponse, elle vint elle-même; et, quand Emma voulut savoir s'il en avait tiré quelque chose :

— Oui, répondit-il. Mais elle demande à connaître la facture.

Le lendemain, au point du jour, Emma courut chez M. Lheureux le prier de refaire une autre note, qui ne dépassât point mille francs; car pour montrer celle de quatre mille, il eût fallu dire qu'elle en avait payé les deux tiers, avouer conséquemment la vente de l'immeuble, négociation bien conduite par le marchand, et qui ne fut effectivement connue que plus tard.

Malgré le prix très bas de chaque article, Mme Bovary mère ne manqua point de trouver la dépense exagérée.

— Ne pouvait-on se passer d'un tapis? Pourquoi avoir renouvelé l'étoffe des fauteuils? De mon temps, on avait dans une maison un seul fauteuil, pour les personnes âgées, — du moins, c'était comme cela chez ma mère, qui était une honnête femme, je vous assure. — Tout le monde ne peut être riche! Aucune fortune ne tient contre le coulage! Je rougirais de me dorloter comme vous faites! et pourtant, moi, je suis vieille, j'ai besoin de soins... En voilà! en voilà, des ajustements, des fla-flas! Comment! de la soie pour doublure, à deux francs!... tandis qu'on trouve du jaconas à dix sous, et même à huit sous, qui fait parfaitement l'affaire.

Emma, renversée sur la causeuse, répliquait le plus tranquillement possible :

— Eh! madame, assez! assez!...

L'autre continuait à la sermonner, prédisant qu'ils finiraient à l'hôpital. D'ailleurs, c'était la faute de Bovary. Heureusement qu'il avait promis d'anéantir cette procuration...

— Comment?

— Ah! il me l'a juré, reprit la bonne femme.

Emma ouvrit la fenêtre, appela Charles, et le pauvre garçon fut contraint d'avouer la parole arrachée par sa mère.

Emma disparut, puis rentra vite en lui tendant majestueusement une grosse feuille de papier.

— Je vous remercie, dit la vieille femme.

Et elle jeta dans le feu la procuration.

Emma se mit à rire d'un rire strident, éclatant, continu : elle avait une attaque de nerfs.

— Ah! mon Dieu! s'écria Charles. Eh! tu as tort aussi, toi! tu viens lui faire des scènes!...

Sa mère, en haussant les épaules, prétendait que *tout cela c'étaient des gestes*.

Mais Charles, pour la première fois se révoltant, prit la défense de sa femme, si bien que Mme Bovary mère voulut s'en aller. Elle partit dès le lendemain, et, sur le seuil, comme il essayait à la retenir, elle répliqua :

— Non, non! Tu l'aimes mieux que moi, et tu as raison, c'est dans l'ordre. Au reste, tant pis! tu verras!...

Bonne santé... car je ne suis pas près, comme tu dis, de venir lui faire des scènes.

Charles n'en resta pas moins fort penaud vis-à-vis d'Emma, celle-ci ne cachant point la rancune qu'elle lui gardait pour avoir manqué de confiance; il fallut bien des prières avant qu'elle consentît à reprendre sa procuration, et même il l'accompagna chez M. Guillaumin pour lui en faire faire une seconde, toute´pareille.

— Je comprends cela, dit le notaire, un homme de science ne peut s'embarrasser aux détails pratiques de la vie.

Et Charles se sentit soulagé par cette réflexion pateline, qui donnait à sa faiblesse les apparences flatteuses d'une préoccupation supérieure.

Quel débordement, le jeudi d'après, à l'hôtel, dans leur chambre, avec Léon! Elle rit, pleura, chanta, dansa, fit monter des sorbets, voulut fumer des cigarettes, lui parut extravagante, mais adorable, superbe.

Il ne savait pas quelle réaction de tout son être la poussait davantage à se précipiter sur les jouissances de la vie. Elle devenait irritable, gourmande, et voluptueuse; et elle se promenait avec lui dans les rues, tête haute, sans peur, disait-elle, de se compromettre. Parfois, cependant, Emma tressaillit à l'idée soudaine de rencontrer Rodolphe; car il lui semblait, bien qu'ils fussent séparés pour toujours, qu'elle n'était pas complètement affranchie de sa dépendance.

Un soir, elle ne rentra point à Yonville. Charles en perdait la.tête, et la petite Berthe, ne voulant pas se coucher sans sa maman, sanglotait à se rompre la poitrine. Justin était parti au hasard sur la route. M. Homais en avait quitté sa pharmacie.

Enfin, à onze heures, n'y tenant plus, Charles attela son boc, sauta dedans, fouetta sa bête et arriva à deux heures du matin à la *Croix-Rouge*. Personne. Il pensa que le clerc peut-être l'avait vue; mais où demeu-

rait-il? Charles, heureusement, se rappela l'adresse de
son patron. Il y courut.

Le jour commençait à paraître. Il distingua des panonceaux au-dessus d'une porte; il frappa. Quelqu'un, sans
ouvrir, lui cria le renseignement demandé, tout en ajoutant force injures contre ceux qui dérangeaient le monde
pendant la nuit.

La maison que le clerc habitait n'avait ni sonnette, ni
marteau, ni portier. Charles donna de grands coups de
poing contre les auvents. Un agent de police vint à
passer; alors il eut peur et s'en alla.

— Je suis fou, se disait-il; sans doute on l'aura retenue
à dîner chez M. Lormeaux.

La famille Lormeaux n'habitait plus Rouen.

— Elle sera restée à soigner Mme Dubreuil. Eh!
Mme Dubreuil est morte depuis dix mois!... Où est-elle
donc?

Une idée lui vint. Il demanda, dans un café, l'*Annuaire*,
et chercha vite le nom de Mlle Lempereur, qui demeurait rue de la Renelle-des-Maroquiniers, n° 74.

Comme il entrait dans cette rue, Emma parut elle-
même à l'autre bout; il se jeta sur elle plutôt qu'il ne
l'embrassa, en s'écriant :

— Qui t'a retenue, hier?

— J'ai été malade.

— Et de quoi?... Où?... Comment?...

Elle se passa la main sur le front, et répondit :

— Chez Mlle Lempereur.

— J'en étais sûr! J'y allais.

— Oh! ce n'est pas la peine, dit Emma. Elle vient de
sortir tout à l'heure; mais, à l'avenir, tranquillise-toi.
Je ne suis pas libre, tu comprends, si je sais que le
moindre retard te bouleverse ainsi.

C'était une manière de permission qu'elle se donnait
de ne point se gêner dans ses escapades. Aussi en pro-
fita-t-elle tout à son aise, largement. Lorsque l'envie la

prenait de voir Léon, elle partait sous n'importe quel prétexte, et, comme il ne l'attendait pas ce jour-là, elle allait le chercher à son étude.

Ce fut un grand bonheur les premières fois; mais bientôt il ne cacha plus la vérité, à savoir : que son patron se plaignait fort de ces dérangements.

— Ah bah! viens donc, disait-elle.

Et il s'esquivait.

Elle voulut qu'il se vêtît tout en noir et se laissât pousser une pointe au menton, pour ressembler aux portraits de Louis XIII. Elle désira connaître son logement, le trouva médiocre; il en rougit, elle n'y prit garde, puis lui conseilla d'acheter des rideaux pareils aux siens, et comme il objectait la dépense :

— Ah! ah! tu tiens à tes petits écus! dit-elle en riant.

Il fallait que Léon, chaque fois, lui racontât toute sa conduite, depuis le dernier rendez-vous. Elle demanda des vers, des vers pour elle, *une pièce d'amour* en son honneur; jamais il ne put parvenir à trouver la rime du second vers, et il finit par copier un sonnet dans un keepsake.

Ce fut moins par vanité que dans le seul but de lui complaire. Il ne discutait pas ses idées; il acceptait tous ses goûts; il devenait sa maîtresse plutôt qu'elle n'était la sienne. Elle avait des paroles tendres avec des baisers qui lui emportaient l'âme. Où donc avait-elle appris cette corruption, presque immatérielle à force d'être profonde et dissimulée?

# VI

DANS les voyages qu'il faisait pour la voir, Léon souvent avait dîné chez le pharmacien, et s'était cru contraint, par politesse, de l'inviter à son tour.

— Volontiers! avait répondu M. Homais; il faut, d'ailleurs, que je me retrempe un peu, car je m'encroûte ici. Nous irons au spectacle, au restaurant, nous ferons des folies!

— Ah! bon ami! murmura tendrement Mme Homais, effrayée des périls vagues qu'il se disposait à courir.

— Eh bien, quoi? tu trouves que je ne ruine pas assez ma santé à vivre parmi les émanations continuelles de la pharmacie! Voilà, du reste, le caractère des femmes : elles sont jalouses de la science, puis s'opposent à ce que l'on prenne les plus légitimes distractions. N'importe, comptez sur moi; un de ces jours, je tombe à Rouen et nous ferons sauter ensemble les *monacos*.

L'apothicaire, autrefois, se fût bien gardé d'une telle expression; mais il donnait maintenant dans un genre folâtre et parisien qu'il trouvait du meilleur goût, et, comme Mme Bovary, sa voisine, il interrogeait le clerc curieusement sur les mœurs de la capitale; même il parlait argot afin d'éblouir... les bourgeois, disant *turne*, *bazar*, *chicard*, *chicandard*, *Breda-street* et *je me la casse*, pour : je m'en vais.

Donc, un jeudi, Emma fut surprise de rencontrer, dans la cuisine du *Lion d'or*, M. Homais en costume de

voyageur, c'est-à-dire couvert d'un vieux manteau qu'on
ne lui connaissait pas, tandis qu'il portait d'une main
une valise, et de l'autre la chancelière de son établissement. Il n'avait confié son projet à personne, dans la
crainte d'inquiéter le public par son absence.

L'idée de revoir les lieux où s'était passée sa jeunesse
l'exaltait sans doute, car tout le long du chemin il n'arrêta pas de discourir; puis, à peine arrivé, il sauta vivement de la voiture pour se mettre en quête de Léon; et
le clerc eut beau se débattre, M. Homais l'entraîna
vers le grand *Café de Normandie,* où il entra majestueusement, sans retirer son chapeau, estimant fort pro-
vincial de se découvrir dans un endroit public.

Emma attendit Léon trois quarts d'heure. Enfin elle
courut à son étude, et, perdue dans toutes sortes de
conjectures, l'accusant d'indifférence et se reprochant
à elle-même sa faiblesse, elle passa l'après-midi le front
collé contre les carreaux.

Ils étaient encore, à deux heures, attablés l'un devant
l'autre. La grande salle se vidait; le tuyau du poêle, en
forme de palmier, arrondissait au plafond blanc sa
gerbe dorée; et près d'eux, derrière le vitrage, en plein
soleil, un petit jet d'eau gargouillait dans un bassin de
marbre où, parmi du cresson et des asperges, trois
homards engourdis s'allongeaient jusqu'à des cailles,
toutes couchées en pile, sur le flanc.

Homais se délectait. Quoiqu'il se grisât de luxe encore
plus que de bonne chère, le vin de Pommard, cependant, lui excitait un peu les facultés, et, lorsque apparut
l'omelette au rhum, il exposa sur les femmes des théories immorales. Ce qui le séduisait par-dessus tout,
c'était le *chic.* Il adorait une toilette élégante dans un
appartement bien meublé, et, quant aux qualités cor-
porelles, ne détestait pas le *morceau.*

Léon contemplait la pendule avec désespoir. L'apothicaire buvait, mangeait, parlait.

— Vous devez être, dit-il tout à coup, bien privé à
Rouen. Du reste, vos amours ne logent pas loin.

Et, comme l'autre rougissait :

— Allons, soyez franc! Nierez-vous qu'à Yonville...?
Le jeune homme balbutia.

— Chez Mme Bovary, vous ne courtisiez point...?

— Et qui donc?

— La bonne!

Il ne plaisantait pas; mais, la vanité l'emportant sur
toute prudence, Léon, malgré lui, se récria. D'ailleurs,
il n'aimait que les femmes brunes.

— Je vous approuve, dit le pharmacien; elles ont plus
de tempérament.

Et, se penchant à l'oreille de son ami, il indiqua les
symptômes auxquels on reconnaissait qu'une femme
avait du tempérament. Il se lança même dans une digres-
sion ethnographique; l'Allemande était vaporeuse, la
Française libertine, l'Italienne passionnée.

— Et les négresses? demanda le clerc.

— C'est un goût d'artiste, dit Homais. — Garçon!
deux demi-tasses!

— Partons-nous? reprit à la fin Léon s'impatientant.

— *Yes.*

Mais il voulut, avant de s'en aller, voir le maître de
l'établissement et lui adressa quelques félicitations.

Alors le jeune homme, pour être seul, allégua qu'il
avait affaire.

— Ah! je vous escorte! dit Homais.

Et, tout en descendant les rues avec lui, il parlait de sa
femme, de ses enfants, de leur avenir et de sa pharmacie,
racontait en quelle décadence elle était autrefois, et le
point de perfection où il l'avait montée.

Arrivé devant l'*Hôtel de Boulogne,* Léon le quitta brusquement, escalada l'escalier, et trouva sa maîtresse en
grand émoi.

Au nom du pharmacien, elle s'emporta. Cependant, il

accumulait de bonnes raisons; ce n'était pas sa faute, ne connaissait-elle pas M. Homais? pouvait-elle croire qu'il préférât sa compagnie? Mais elle se détournait; il la retint, et, s'affaissant sur les genoux, il lui entoura la taille de ses deux bras, dans une pose langoureuse toute pleine de concupiscence et de supplication.

Elle était debout; ses grands yeux enflammés le regardaient sérieusement et presque d'une façon terrible. Puis des larmes les obscurcirent, ses paupières roses s'abaissèrent, elle abandonna ses mains, et Léon les portait à sa bouche lorsque parut un domestique, avertissant Monsieur qu'on le demandait.

— Tu vas revenir? dit-elle.

— Oui.

— Mais quand?

— Tout à l'heure.

— C'est un *truc,* dit le pharmacien en apercevant Léon. J'ai voulu interrompre cette visite qui me paraissait vous contrarier. Allons chez Bridoux prendre un verre de garus.

Léon jura qu'il lui fallait retourner à son étude. Alors l'apothicaire fit des plaisanteries sur les paperasses, la procédure.

— Laissez donc un peu Cujas et Barthole, que diable! Qui vous empêche? Soyez un brave! Allons chez Bridoux; vous verrez son chien. C'est très curieux.

Et comme le clerc s'obstinait toujours :

— J'y vais aussi. Je lirai un journal en vous attendant, ou je feuilleterai un Code.

Léon, étourdi par la colère d'Emma, le bavardage de M. Homais et peut-être les pesanteurs du déjeuner, restait indécis et comme sous la fascination du pharmacien qui répétait :

— Allons chez Bridoux! c'est à deux pas, rue Malpalu.

Alors, par lâcheté, par bêtise, par cet inqualifiable sentiment qui nous entraîne aux actions les plus antipa-

thiques, il se laissa conduire chez Bridoux; et ils le trou-
vèrent dans sa petite cour, surveillant trois garçons qui
haletaient à tourner la grande roue d'une machine pour
faire de l'eau de Seltz. Homais leur donna des conseils;
il embrassa Bridoux, on prit le garus. Vingt fois Léon
voulut s'en aller; mais l'autre l'arrêtait par le bras en lui
disant :

— Tout à l'heure! je sors. Nous irons au *Fanal de
Rouen,* voir ces messieurs. Je vous présenterai à Tho-
massin.

Il s'en débarrassa pourtant et courut d'un bond jusqu'à l'hôtel. Emma n'y était plus.

Elle venait de partir, exaspérée. Elle le détestait maintenant. Ce manque de parole au rendez-vous lui semblait
un outrage, et elle cherchait encore d'autres raisons pour
s'en détacher : il était incapable d'héroïsme, faible,
banal, plus mou qu'une femme, avare d'ailleurs et
pusillanime.

Puis, se calmant, elle finit par découvrir qu'elle l'avait
sans doute calomnié. Mais le dénigrement de ceux que
nous aimons toujours nous en détache quelque peu. Il
ne faut pas toucher aux idoles : la dorure en reste aux
mains.

Ils en vinrent à parler plus souvent de choses indifférentes à leur amour; et dans les lettres qu'Emma lui
envoyait, il était question de fleurs, de vers, de la lune et
des étoiles, ressources naïves d'une passion affaiblie qui
essayait de s'aviver à tous les secours extérieurs. Elle se
promettait continuellement, pour son prochain voyage,
une félicité profonde, puis elle s'avouait ne rien sentir
d'extraordinaire. Mais cette déception s'effaçait vite sous
un espoir nouveau, et Emma revenait à lui plus enflammée, plus avide. Elle se déshabillait brutalement, arrachant le lacet mince de son corset, qui sifflait autour de
ses hanches comme une couleuvre qui glisse. Elle allait
sur la pointe de ses pieds nus regarder encore une fois

si la porte était fermée, puis elle faisait d'un seul geste tomber ensemble tous ses vêtements; — et pâle, sans parler, sérieuse, elle s'abattait contre sa poitrine, avec un long frisson.

Cependant, il y avait sur ce front couvert de gouttes froides, sur ces lèvres balbutiantes, dans ces prunelles égarées, dans l'étreinte de ces bras, quelque chose d'extrême, de vague et de lugubre, qui semblait à Léon se glisser entre eux, subtilement, comme pour les séparer.

Il n'osait pas lui faire des questions; mais, la discernant si expérimentée, elle avait dû passer, se disait-il, par toutes les épreuves de la souffrance et du plaisir. Ce qui le charmait autrefois l'effrayait un peu maintenant. D'ailleurs, il se révoltait contre l'absorption, chaque jour plus grande, de sa personnalité. Il en voulait à Emma de cette victoire permanente. Il s'efforçait même à ne pas la chérir; puis, au craquement de ses bottines, il se sentait lâche, comme les ivrognes à la vue des liqueurs fortes.

Elle ne manquait point, il est vrai, de lui prodiguer toutes sortes d'attentions, depuis les recherches de table jusqu'aux coquetteries du costume et aux langueurs du regard. Elle apportait d'Yonville des roses dans son sein, qu'elle lui jetait à la figure, montrait des inquiétudes pour sa santé, lui donnait des conseils sur sa conduite, et, afin de le retenir davantage, espérant que le ciel peut-être s'en mêlerait, elle lui passa autour du cou une médaille de la Vierge. Elle s'informait, comme une mère vertueuse, de ses camarades. Elle lui disait :

— Ne les vois pas, ne sors pas, ne pense qu'à nous; aime-moi!

Elle aurait voulu pouvoir surveiller sa vie, et l'idée lui vint de le faire suivre dans les rues. Il y avait toujours, près de l'hôtel, une sorte de vagabond qui accostait les voyageurs et qui ne refuserait pas... Mais sa fierté se révolta.

— Eh! tant pis! qu'il me trompe, que m'importe! est-ce que j'y tiens?

Un jour qu'ils s'étaient quittés de bonne heure, et qu'elle s'en revenait seule par le boulevard, elle aperçut les murs de son couvent; alors elle s'assit sur un banc, à l'ombre des ormes. Quel calme dans ce temps-là! Comme elle enviait les ineffables sentiments d'amour qu'elle tâchait, d'après des livres, de se figurer!

Les premiers mois de son mariage, ses promenades à cheval dans la forêt, le vicomte qui valsait, et Lagardy chantant, tout repassa devant ses yeux... Et Léon lui parut soudain dans le même éloignement que les autres.

— Je l'aime pourtant! se disait-elle.

N'importe! elle n'était pas heureuse, ne l'avait jamais été. D'où venait donc cette insuffisance de la vie, cette pourriture instantanée des choses où elle s'appuyait?... Mais, s'il y avait quelque part un être fort et beau, une nature valeureuse, pleine à la fois d'exaltation et de raffinements, un cœur de poète sous une forme d'ange, lyre aux cordes d'airain, sonnant vers le ciel des épithalames élégiaques, pourquoi, par hasard, ne le trouverait-elle pas? Oh! quelle impossibilité! Rien, d'ailleurs, ne valait la peine d'une recherche; tout mentait! Chaque sourire cachait un bâillement d'ennui, chaque joie une malédiction, tout plaisir son dégoût, et les meilleurs baisers ne vous laissaient sur la lèvre qu'une irréalisable envie d'une volupté plus haute.

Un râle métallique se traîna dans les airs et quatre coups se firent entendre à la cloche du couvent. Quatre heures! et il lui semblait qu'elle était là, sur ce banc, depuis l'éternité. Mais un infini de passions peut tenir dans une minute, comme une foule dans un petit espace. Emma vivait tout occupée des siennes, et ne s'inquiétait pas plus de l'argent qu'une archiduchesse.

Une fois pourtant, un homme d'allure chétive, rubi-

cond et chauve, entra chez elle, se déclarant envoyé par
M. Vinçart, de Rouen. Il retira les épingles qui fermaient
la poche latérale de sa longue redingote verte, les piqua
sur sa manche et tendit poliment un papier.

C'était un billet de sept cents francs, souscrit par elle,
et que Lheureux, malgré toutes ses protestations, avait
passé à l'ordre de Vinçart.

Elle expédia chez lui sa domestique. Il ne pouvait
venir.

Alors l'inconnu, qui était resté debout, lançant de
droite et de gauche des regards curieux que dissimu-
laient ses gros sourcils blonds, demanda d'un air naïf :

— Quelle réponse apporter à M. Vinçart ?

— Eh bien, répondit Emma, dites-lui... que je n'en ai
pas... Ce sera la semaine prochaine... Qu'il attende...
oui, la semaine prochaine.

Et le bonhomme s'en alla sans souffler mot.

Mais le lendemain, à midi, elle reçut un protêt; et la
vue du papier timbré, où s'étalait à plusieurs reprises et
en gros caractères : « Maître Hareng, huissier à Buchy »,
l'effraya si fort, qu'elle courut en toute hâte chez le marchand d'étoffes.

Elle le trouva dans sa boutique, en train de ficeler un
paquet.

— Serviteur ! dit-il, je suis à vous.

Lheureux n'en continua pas moins sa besogne, aidé
par une jeune fille de treize ans environ, un peu bossue,
et qui lui servait à la fois de commis et de cuisinière.

Puis, faisant claquer ses sabots sur les planches de la
boutique, il monta devant Madame au premier étage, et
l'introduisit dans un étroit cabinet, où un gros bureau
en bois de sape supportait quelques registres, défendus
transversalement par une barre de fer cadenassée. Contre
le mur, sous des coupons d'indienne, on entrevoyait un
coffre-fort, mais d'une telle dimension, qu'il devait
contenir autre chose que des billets et de l'argent.

M. Lheureux, en effet, prêtait sur gages, et c'est là qu'il avait mis la chaîne en or de Mme Bovary, avec les boucles d'oreilles du pauvre père Tellier, qui, enfin contraint de vendre, avait acheté à Quincampoix un maigre fonds d'épicerie, où il se mourait de son catarrhe, au milieu de ses chandelles moins jaunes que sa figure.

Lheureux s'assit dans son large fauteuil de paille, en disant :

— Quoi de neuf?

— Tenez.

Et elle lui montra le papier.

— Eh bien, qu'y puis-je?

Alors elle s'emporta, rappelant la parole qu'il avait donnée de ne pas faire circuler ses billets; il en convenait.

— Mais j'ai été forcé moi-même, j'avais le couteau sur la gorge.

— Et que va-t-il arriver, maintenant? reprit-elle.

— Oh! c'est bien simple : un jugement du tribunal, et puis la saisie...; *bernique!*

Emma se retenait pour ne pas le battre. Elle lui demanda doucement s'il n'y avait pas moyen de calmer M. Vinçart.

— Ah bien, oui! calmer Vinçart; vous ne le connaissez guère; il est plus féroce qu'un Arabe.

Pourtant il fallait que M. Lheureux s'en mêlât.

— Écoutez donc! il me semble que, jusqu'à présent, j'ai été assez bon pour vous.

Et déployant un de ses registres :

— Tenez!

Puis remontant la page avec son doigt :

— Voyons..., voyons... Le 3 août, deux cents francs... Au 17 juin, cent cinquante... 23 mars, quarante-six... En avril...

Il s'arrêta comme craignant de faire quelque sottise.

— Et je ne dis rien des billets souscrits par Monsieur,

un de sept cents francs, un autre de trois cents! Quant
à vos petits accomptes, aux intérêts, ça n'en finit pas, on
s'y embrouille. Je ne m'en mêle plus!

Elle pleurait, elle l'appela même « son bon monsieur
Lheureux ». Mais il se rejetait toujours sur ce « mâtin de
Vinçart ». D'ailleurs, il n'avait pas un centime, personne
à présent ne le payait, on lui mangeait la laine sur le
dos, un pauvre boutiquier comme lui ne pouvait faire
d'avances.

Emma se taisait; et M. Lheureux, qui mordillonnait
les barbes d'une plume, sans doute s'inquiéta de son
silence, car il reprit :

— Au moins, si un de ces jours j'avais quelques ren-
trées... je pourrais...

— Du reste, dit-elle, dès que l'arriéré de Barneville...

— Comment?...

Et, en apprenant que Langlois n'avait pas encore payé,
il parut fort surpris. Puis, d'une voix mielleuse :

— Et nous convenons, dites-vous...?

— Oh! de ce que vous voulez!

Alors il ferma les yeux pour réfléchir, écrivit quelques
chiffres, et, déclarant qu'il aurait grand mal, que la
chose était scabreuse et qu'il se *saignait,* il dicta quatre
billets de deux cent cinquante francs chacun, espacés
les uns des autres à un mois d'échéance.

— Pourvu que Vinçart veuille m'entendre! Du reste,
c'est convenu, je ne lanterne pas, je suis rond comme
une pomme.

Ensuite il lui montra négligemment plusieurs marchandises nouvelles, mais dont pas une, dans son
opinion, n'était digne de Madame.

— Quand je pense que voilà une robe à sept sous le
mètre, et certifiée bon teint! Ils gobent cela pourtant!
On ne leur conte pas ce qui en est, vous pensez bien,
voulant par cet aveu de coquinerie envers les autres la
convaincre tout à fait de sa probité.

Puis il la rappela, pour lui montrer trois aunes de guipure qu'il avait trouvées dernièrement « dans une *vendue* ».

— Est-ce beau! disait Lheureux; on s'en sert beaucoup maintenant, comme têtes de fauteuils, c'est le genre.

Et, plus prompt qu'un escamoteur, il enveloppa la guipure de papier bleu et la mit dans les mains d'Emma.

— Au moins, que je sache...?

— Ah! plus tard, reprit-il en lui tournant les talons.

Dès le soir, elle pressa Bovary d'écrire à sa mère pour qu'elle leur envoyât bien vite tout l'arriéré de l'héritage. La belle-mère répondit n'avoir plus rien : la liquidation était close, et il leur restait, outre Barneville, six cents livres de rente, qu'elle leur servirait exactement.

Alors Madame expédia des factures chez deux ou trois clients, et bientôt usa largement de ce moyen, qui lui réussissait. Elle avait toujours soin d'ajouter en post-scriptum : « N'en parlez pas à mon mari, vous savez comme il est fier... Excusez-moi... Votre servante... » Il y eut quelques réclamations; elle les intercepta.

Pour se faire de l'argent, elle se mit à vendre ses vieux gants, ses vieux chapeaux, la vieille ferraille; et elle marchandait avec rapacité, — son sang de paysanne la poussant au gain. Puis, dans ses voyages à la ville, elle brocantait des babioles, que M. Lheureux, à défaut d'autres, lui prendrait certainement. Elle s'acheta des plumes d'autruche, de la porcelaine chinoise et des bahuts; elle empruntait à Félicité, à Mme Lefrançois, à l'hôtelière de la *Croix-Rouge,* à tout le monde, n'importe où. Avec l'argent qu'elle reçut de Barneville, elle paya deux billets, les quinze cents autres francs s'écoulèrent. Elle s'engagea de nouveau, et toujours ainsi!

Parfois, il est vrai, elle tâchait de faire des calculs; mais elle découvrait des choses si exorbitantes, qu'elle n'y pouvait croire. Alors elle recommençait, s'embrouillait vite, plantait tout là et n'y pensait plus.

La maison était bien triste, maintenant! On en voyait sortir les fournisseurs avec des figures furieuses. Il y avait des mouchoirs traînant sur les fourneaux; et la petite Berthe, au grand scandale de Mme Homais, portait des bas percés. Si Charles, timidement, hasardait une observation, elle répondait avec brutalité que ce n'était point sa faute!

Pourquoi ces emportements? Il expliquait tout par son ancienne maladie nerveuse; et, se reprochant d'avoir pris pour des défauts ses infirmités, il s'accusait d'égoïsme, avait envie de courir l'embrasser.

— Oh! non, se disait-il, je l'ennuierais!

Et il restait.

Après le dîner, il se promenait seul dans le jardin; il prenait la petite Berthe sur ses genoux, et, déployant son journal de médecine, essayait de lui apprendre à lire. L'enfant, qui n'étudiait jamais, ne tardait pas à ouvrir de grands yeux tristes et se mettait à pleurer. Alors il la consolait; il allait lui chercher de l'eau dans l'arrosoir pour faire des rivières sur le sable, ou cassait les branches des troènes pour planter des arbres dans les plates-bandes, ce qui gâtait peu le jardin, tout encombré de longues herbes; on devait tant de journées à Lestiboudois! Puis l'enfant avait froid et demandait sa mère.

— Appelle ta bonne, disait Charles. Tu sais bien, ma petite, que ta maman ne veut pas qu'on la dérange.

L'automne commençait et déjà les feuilles tombaient, — comme il y a deux ans, lorsqu'elle était malade! — Quand donc tout cela finirait-il?... Et il continuait à marcher, les deux mains derrière le dos.

Madame était dans sa chambre. On n'y montait pas. Elle restait là tout le long du jour, engourdie, à peine vêtue, et, de temps à autre, faisant fumer des pastilles du sérail qu'elle avait achetées à Rouen, dans la boutique

d'un Algérien. Pour ne pas avoir la nuit auprès d'elle
cet homme étendu qui dormait, elle finit, à force de
grimaces, par le reléguer au second étage; et elle lisait
jusqu'au matin des livres extravagants où il y avait des
tableaux orgiaques avec des situations sanglantes.

Souvent une terreur la prenait, elle poussait un cri,
Charles accourait.

— Ah! va-t'en! disait-elle.

Ou, d'autres fois, brûlée plus fort par cette flamme
intime que l'adultère avivait, haletante, émue, tout en
désir, elle ouvrait sa fenêtre, aspirait l'air froid, éparpillait au vent sa chevelure trop lourde, et, regardant les
étoiles, souhaitait des amours de prince. Elle pensait à
lui, à Léon. Elle eût alors tout donné pour un seul de
ces rendez-vous qui la rassasiaient.

C'étaient ses jours de gala. Elle les voulait splendides!
et, lorsqu'il ne pouvait payer seul la dépense, elle complétait le surplus libéralement, ce qui arrivait à peu
près toutes les fois. Il essaya de lui faire comprendre
qu'ils seraient aussi bien ailleurs, dans quelque hôtel
plus modeste; mais elle trouva des objections.

Un jour, elle tira de son sac six petites cuillers en
vermeil (c'était le cadeau de noces du père Rouault), en
le priant d'aller immédiatement porter cela, pour elle,
au mont-de-piété; et Léon obéit, bien que cette démarche lui déplût. Il avait peur de se compromettre.

Puis, en y réfléchissant, il trouva que sa maîtresse prenait des allures étranges, et qu'on n'avait peut-être pas
tort de vouloir l'en détacher.

En effet, quelqu'un avait envoyé à sa mère une longue
lettre anonyme, pour la prévenir qu'il *se perdait avec une
femme mariée;* et aussitôt la bonne dame, entrevoyant
l'éternel épouvantail des familles, c'est-à-dire la vague
créature pernicieuse, la sirène, le monstre, qui habite
fantastiquement les profondeurs de l'amour, écrivit à
maître Dubocage, son patron, lequel fut parfait dans

cette affaire. Il le tint durant trois quarts d'heure, voulant lui dessiller les yeux, l'avertir du gouffre. Une telle
intrigue nuirait plus tard à son établissement. Il le
supplia de rompre, et, s'il ne faisait ce sacrifice dans son
propre intérêt, qu'il le fît au moins pour lui, Dubocage!

Léon enfin avait juré de ne plus revoir Emma; et il se
reprochait de n'avoir pas tenu sa parole, considérant
tout ce que cette femme pourrait encore lui attirer d'embarras et de discours, sans compter les plaisanteries de
ses camarades, qui se débitaient le matin, autour du
poêle. D'ailleurs, il allait devenir premier clerc : c'était
le moment d'être sérieux. Aussi renonçait-il à la flûte,
aux sentiments exaltés, à l'imagination, — car tout bourgeois, dans l'échauffement de sa jeunesse, ne fût-ce
qu'un jour, une minute, s'est cru capable d'immenses
passions, de hautes entreprises. Le plus médiocre libertin
a rêvé des sultanes; chaque notaire porte en soi les
débris d'un poète.

Il s'ennuyait maintenant lorsque Emma, tout à coup,
sanglotait sur sa poitrine; et son cœur, comme les gens
qui ne peuvent endurer qu'une certaine dose de musique, s'assoupissait d'indifférence au vacarme d'un
amour dont il ne distinguait plus les délicatesses.

Ils se connaissaient trop pour avoir ces ébahissements
de la possession qui en centuplent la joie. Elle était
aussi dégoûtée de lui qu'il était fatigué d'elle. Emma
retrouvait dans l'adultère toutes les platitudes du
mariage.

Mais comment pouvoir s'en débarrasser? Puis elle
avait beau se sentir humiliée de la bassesse d'un tel bonheur, elle y tenait par habitude ou par corruption; et,
chaque jour, elle s'y acharnait davantage, tarissant toute
félicité à la vouloir trop grande. Elle accusait Léon de ses
espoirs déçus, comme s'il l'avait trahie; et même elle
souhaitait une catastrophe qui amenât leur séparation,
puisqu'elle n'avait pas le courage de s'y décider.

Elle n'en continuait pas moins à lui écrire des lettres amoureuses, en vertu de cette idée qu'une femme doit toujours écrire à son amant.

Mais, en écrivant, elle percevait un autre homme, un fantôme fait de ses plus ardents souvenirs, de ses lectures les plus belles, de ses convoitises les plus fortes; et il devenait à la fin si véritable, et accessible, qu'elle en palpitait émerveillée, sans pouvoir néanmoins le nettement imaginer, tant il se perdait, comme un dieu, sous l'abondance de ses attributs. Il habitait la contrée bleuâtre où les échelles de soie se balancent à des balcons, sous le souffle des fleurs, dans la clarté de la lune. Elle le sentait près d'elle, il allait venir et l'enlèverait tout entière dans un baiser. Ensuite elle retombait à plat, brisée; car ces élans d'amour vague la fatiguaient plus que de grandes débauches.

Elle éprouvait maintenant une courbature incessante et universelle. Souvent même, Emma recevait des assignations, du papier timbré qu'elle regardait à peine. Elle aurait voulu ne plus vivre, ou continuellement dormir.

Le jour de la mi-carême, elle ne rentra pas à Yonville; elle alla le soir au bal masqué. Elle mit un pantalon de velours et des bas rouges, avec une perruque à catogan et un lampion sur l'oreille. Elle sauta toute la nuit, au son furieux des trombones; on faisait cercle autour d'elle; et elle se trouva le matin sur le péristyle du théâtre parmi cinq ou six masques, débardeuses et matelots, des camarades de Léon, qui parlaient d'aller souper.

Les cafés d'alentour étaient pleins. Ils avisèrent sur le port un restaurant des plus médiocres, dont le maître leur ouvrit, au quatrième étage, une petite chambre.

Les hommes chuchotèrent dans un coin, sans doute se consultant sur la dépense. Il y avait un clerc, deux carabins et un commis : quelle société pour elle! Quant aux femmes, Emma s'aperçut vite, au timbre de leurs voix, qu'elles devaient être, presque toutes, du dernier rang. Elle eut peur alors, recula sa chaise et baissa les yeux.

Les autres se mirent à manger. Elle ne mangea pas; elle avait le front en feu, des picotements aux paupières et un froid de glace à la peau. Elle sentait dans sa tête le plancher du bal rebondissant encore sous la pulsation rythmique des mille pieds qui dansaient. Puis l'odeur du punch avec la fumée des cigares l'étourdit. Elle s'évanouissait; on la porta devant la fenêtre.

Le jour commençait à se lever, et une grande tache de couleur pourpre s'élargissait dans le ciel pâle du côté de Sainte-Catherine. La rivière livide frissonnait au vent; il n'y avait personne sur les ponts; les réverbères s'éteignaient.

Elle se ranima cependant et vint à penser à Berthe, qui dormait là-bas, dans la chambre de sa bonne. Mais une charrette pleine de longs rubans de fer passa, en jetant contre le mur des maisons une vibration métallique assourdissante.

Elle s'esquiva brusquement, se débarrassa de son costume, dit à Léon qu'il lui fallait s'en retourner, et enfin resta seule à l'*Hôtel de Boulogne*. Tout et elle-même lui lui étaient insupportables. Elle aurait voulu, s'échappant comme un oiseau, aller se rajeunir quelque part, bien loin, dans les espaces immaculés.

Elle sortit, elle traversa le boulevard, la place Cauchoise et le faubourg, jusqu'à une rue découverte qui dominait des jardins. Elle marchait vite, le grand air la calmait : et peu à peu les figures de la foule, les masques, les quadrilles, les lustres, le souper, ces femmes, tout disparaissait comme des brumes emportées. Puis, revenue à la *Croix-Rouge,* elle se jeta sur son lit, dans la petite chambre du second, où il y avait des images de la *Tour de Nesle*. A quatre heures du soir, Hivert la réveilla.

En rentrant chez elle, Félicité lui montra derrière la pendule un papier gris. Elle lut :

« En vertu de la grosse, en forme exécutoire d'un jugement... »

Quel jugement? La veille, en effet, on avait apporté un autre papier qu'elle ne connaissait pas; aussi fut-elle stupéfaite de ces mots :

« Commandement de par le roi, la loi et la justice, à Mme Bovary... »

Alors, sautant plusieurs lignes, elle aperçut :

« Dans vingt-quatre heures pour tout délai. » — Quoi donc? « Payer la somme totale de huit mille francs. » Et même, il y avait plus bas : « Elle y sera contrainte par toute voie de droit, et notamment par la saisie exécutoire de ses meubles et effets. »

Que faire?... C'était dans vingt-quatre heures; demain! Lheureux, pensa-t-elle, voulait sans doute l'effrayer encore; car elle devina du coup toutes ses manœuvres, le but de ses complaisances. Ce qui la rassurait, c'était l'exagération même de la somme.

Cependant, à force d'acheter, de ne pas payer, d'emprunter, de souscrire des billets, puis de renouveler ces billets qui s'enflaient à chaque échéance nouvelle, elle avait fini par préparer au sieur Lheureux un capital, qu'il attendait impatiemment pour ses spéculations.

Elle se présenta chez lui d'un air dégagé.

— Vous savez ce qui m'arrive? C'est une plaisanterie sans doute!

— Non.

— Comment cela?

Il se détourna lentement, et lui dit en se croisant les bras :

— Pensiez-vous, ma petite dame, que j'allais, jusqu'à la consommation des siècles, être votre fournisseur et banquier pour l'amour de Dieu? Il faut bien que je rentre dans mes déboursés, soyons justes!

Elle se récria sur la dette.

— Ah! tant pis! le tribunal l'a reconnue! il y a jugement! On vous l'a signifié! D'ailleurs ce n'est pas moi,
c'est Vinçart.

— Est-ce que vous ne pourriez...?

— Oh! rien du tout.

— Mais..., cependant..., raisonnons.

Et elle battit la campagne; elle n'avait rien su...
c'était une surprise...

— A qui la faute? dit Lheureux en la saluant ironi-
quement. Tandis que je suis, moi, à bûcher comme un
nègre, vous vous repassez du bon temps.

— Ah! pas de morale!

— Ça ne nuit jamais, répliqua-t-il.

Elle fut lâche, elle le supplia; et même elle appuya sa
jolie main blanche et longue sur les genoux du marchand.

— Laissez-moi donc! On dirait que vous voulez me
séduire!

— Vous êtes un misérable! s'écria-t-elle.

— Oh! oh! comme vous y allez! reprit-il en riant.

— Je ferai savoir qui vous êtes. Je dirai à mon mari...

— Eh bien, moi, je lui montrerai quelque chose, à
votre mari!

Et Lheureux tira de son coffre-fort le reçu de dix-huit
cents francs, qu'elle lui avait donné lors de l'escompte
Vinçart.

— Croyez-vous, ajouta-t-il, qu'il ne comprenne pas
votre petit vol, ce pauvre cher homme?

Elle s'affaissa, plus assommée qu'elle n'eût été par
un coup de massue. Il se promenait depuis la fenêtre
jusqu'au bureau, tout en répétant:

— Ah! je lui montrerai bien... je lui montrerai bien...

Ensuite il se rapprocha d'elle, et, d'une voix douce:

— Ce n'est pas amusant, je le sais; personne après
tout n'en est mort, et puisque c'est le seul moyen qui
vous reste de me rendre mon argent...

— Mais où en trouverai-je? dit Emma en se tordant les bras.

— Ah bah! quand on a comme vous des amis!

Et il la regardait d'une façon si perspicace et si terrible, qu'elle en frissonna jusqu'aux entrailles.

— Je vous promets, dit-elle, je signerai...

— J'en ai assez, de vos signatures!

— Je vendrai encore...

— Allons donc! fit-il en haussant les épaules, vous n'avez plus rien.

Et il cria dans le judas qui s'ouvrait sur la boutique :

— Annette! n'oublie pas les trois coupons du n° 14.

La servante parut; Emma comprit, et demanda « ce qu'il faudrait d'argent pour arrêter toutes les poursuites ».

— Il est trop tard!

— Mais, si je vous apportais plusieurs mille francs, le quart de la somme, le tiers, presque tout?

— Eh! non, c'est inutile!

Il la poussait doucement vers l'escalier.

— Je vous en conjure, monsieur Lheureux, quelques jours encore!

Elle sanglotait.

— Allons, bon! des larmes!

— Vous me désespérez!

— Je m'en moque pas mal! dit-il en refermant la porte.

# VII

Elle fut stoïque, le lendemain, lorsque maître Hareng, l'huissier, avec deux témoins, se présenta chez elle pour faire le procès-verbal de la saisie.

Ils commencèrent par le cabinet de Bovary et n'inscrivirent point la tête phrénologique, qui fut considérée comme *instrument de sa profession;* mais ils comptèrent dans la cuisine les plats, les marmites, les chaises, les flambeaux, et, dans sa chambre à coucher, toutes les babioles de l'étagère. Ils examinèrent ses robes, le linge, le cabinet de toilette; et son existence, jusque dans ses recoins les plus intimes, fut, comme un cadavre que l'on autopsie, étalée tout du long aux regards de ces trois hommes.

Me Hareng, boutonné dans un mince habit noir, en cravate blanche, et portant des sous-pieds fort tendus, répétait de temps à autre :

— Vous permettez, madame? vous permettez?

Souvent, il faisait des exclamations :

— Charmant!... fort joli!

Puis il se remettait à écrire, trempant sa plume dans l'encrier de corne qu'il tenait à la main gauche.

Quand ils en eurent fini avec les appartements, ils montèrent au grenier.

Elle y gardait un pupitre où étaient enfermées les lettres de Rodolphe. Il fallut l'ouvrir.

— Ah! une correspondance! dit M<sup>e</sup> Hareng avec un sourire discret. Mais permettez! car je dois m'assurer si la boîte ne contient pas autre chose.

Et il inclina les papiers, légèrement, comme pour en faire tomber les napoléons. Alors l'indignation la prit, à voir cette grosse main, aux doigts rouges et mous comme des limaces, qui se posait sur ces pages où son cœur avait battu.

Ils partirent enfin! Félicité rentra. Elle l'avait envoyée aux aguets pour détourner Bovary; et elles installèrent vivement sous les toits le gardien de la saisie, qui jura de s'y tenir.

Charles, pendant la soirée, lui parut soucieux. Emma l'épiait d'un regard plein d'angoisse, croyant apercevoir dans les rides de son visage des accusations. Puis, quand ses yeux se reportaient sur la cheminée garnie d'écrans chinois, sur les larges rideaux, sur les fauteuils, sur toutes ces choses enfin qui avaient adouci l'amertume de sa vie, un remords la prenait, ou plutôt un regret immense et qui irritait la passion, loin de l'anéantir. Charles tisonnait avec placidité, les deux pieds sur les chenets.

Il y eut un moment où le gardien, sans doute s'ennuyant dans sa cachette, fit un peu de bruit.

— On marche là-haut? dit Charles.

— Non! reprit-elle, c'est une lucarne restée ouverte que le vent remue.

Elle partit pour Rouen, le lendemain dimanche, afin d'aller chez tous les banquiers dont elle connaissait le nom. Ils étaient à la campagne ou en voyage. Elle ne se rebuta pas; et ceux qu'elle put rencontrer, elle leur demandait de l'argent, protestant qu'il lui en fallait, qu'elle le rendrait. Quelques-uns lui rirent au nez; tous refusèrent.

A deux heures, elle courut chez Léon, frappa contre sa porte. On n'ouvrit pas. Enfin il parut.

— Qui t'amène?

— Cela te dérange?...

— Non..., mais...

Et il avoua que le propriétaire n'aimait point que l'on reçût « des femmes ».

— J'ai à te parler, reprit-elle.

Alors il atteignit sa clef. Elle l'arrêta.

— Oh! non, là-bas, chez nous.

Et ils allèrent dans leur chambre, à l'*Hôtel de Boulogne*.

Elle but en arrivant un grand verre d'eau. Elle était très pâle. Elle lui dit :

— Léon, tu vas me rendre un service.

Et, le secouant par ses deux mains, qu'elle serrait étroitement, elle ajouta :

— Écoute, j'ai besoin de huit mille francs!

— Mais tu es folle!

— Pas encore!

Et, aussitôt, racontant l'histoire de la saisie, elle lui exposa sa détresse; car Charles ignorait tout, sa belle-mère la détestait, le père Rouault ne pouvait rien; mais lui, Léon, il allait se mettre en course pour trouver cette indispensable somme...

— Comment veux-tu...?

— Quel lâche tu fais! s'écria-t-elle.

Alors il dit bêtement :

— Tu t'exagères le mal. Peut-être qu'avec un millier d'écus ton bonhomme se calmerait.

Raison de plus pour tenter quelque démarche; il n'était pas possible que l'on ne découvrît point trois mille francs. D'ailleurs, Léon pouvait s'engager à sa place.

— Va! essaye! il le faut! cours!... Oh! tâche! tâche! je t'aimerai bien!

Il sortit, revint au bout d'une heure, et dit avec une figure solennelle :

— J'ai été chez trois personnes... inutilement.

Puis ils restèrent assis l'un en face de l'autre, aux deux coins de la cheminée, immobiles, sans parler. Emma haussait les épaules, tout en trépignant. Il l'entendit qui murmurait :

— Si j'étais à ta place, moi, j'en trouverais bien!

— Où donc?

— A ton étude!

Et elle le regarda.

Une hardiesse infernale s'échappait de ses prunelles enflammées, et les paupières se rapprochaient d'une façon lascive et encourageante; — si bien que le jeune homme se sentit faiblir sous la muette volonté de cette femme qui lui conseillait un crime. Alors il eut peur, et, pour éviter tout éclaircissement, il se frappa le front en s'écriant :

— Morel doit revenir cette nuit! il ne me refusera pas, j'espère (c'était un de ses amis, le fils d'un négociant fort riche), et je t'apporterai cela demain, ajouta-t-il.

Emma n'eut point l'air d'accueillir cet espoir avec autant de joie qu'il l'avait imaginé. Soupçonnait-elle le mensonge? Il reprit en rougissant :

— Pourtant, si tu ne me voyais pas à trois heures, ne m'attends plus, ma chérie. Il faut que je m'en aille, excuse-moi. Adieu!

Il serra sa main, mais il la sentit tout inerte. Emma n'avait plus la force d'aucun sentiment.

Quatre heures sonnèrent; et elle se leva pour s'en retourner à Yonville, obéissant comme un automate à l'impulsion des habitudes.

Il faisait beau; c'était un de ces jours du mois de mars clairs et âpres, où le soleil reluit dans un ciel tout blanc. Des Rouennais endimanchés se promenaient d'un air heureux. Elle arriva sur la place du Parvis. On sortait des vêpres; la foule s'écoulait par les trois portails, comme un fleuve par les trois arches d'un pont, et, au milieu, plus immobile qu'un roc, se tenait le suisse.

Alors elle se rappela ce jour où, tout anxieuse et pleine d'espérances, elle était entrée sous cette grande nef qui s'étendait devant elle moins profonde que son amour; et elle continua de marcher, en pleurant sous son voile, étourdie, chancelante, près de défaillir.

— Gare! cria une voix sortant d'une porte cochère qui s'ouvrait.

Elle s'arrêta pour laisser passer un cheval noir, piaffant dans les brancards d'un tilbury que conduisait un gentleman en fourrure de zibeline. Qui était-ce donc? Elle le connaissait... La voiture s'élança et disparut.

Mais c'était lui, le Vicomte! Elle se détourna; la rue était déserte. Et elle fut si accablée, si triste, qu'elle s'appuya contre un mur pour ne pas tomber.

Puis elle pensa qu'elle s'était trompée. Au reste, elle n'en savait rien. Tout, en elle-même et au dehors, l'abandonnait. Elle se sentait perdue, roulant au hasard dans des abîmes indéfinissables; et ce fut presque avec joie qu'elle aperçut, en arrivant à la *Croix-Rouge,* ce bon Homais qui regardait charger sur l'*Hirondelle* une grande boîte pleine de provisions pharmaceutiques; il tenait à sa main, dans un foulard, six *cheminots* pour son épouse.

Mme Homais aimait beaucoup ces petits pains lourds, en forme de turban, que l'on mange dans le carême avec du beurre salé : dernier échantillon des nourritures gothiques, qui remonte peut-être au siècle des croisades, et dont les robustes Normands s'emplissaient autrefois, croyant voir sur la table, à la lueur des torches jaunes, entre les brocs d'hypocras et les gigantesques charcuteries, des têtes de Sarrasins à dévorer. La femme de l'apothicaire les croquait comme eux, héroïquement, malgré sa détestable dentition; aussi, toutes les fois que M. Homais faisait un voyage à la ville, il ne manquait pas de lui en rapporter, qu'il prenait toujours chez le grand faiseur, rue Massacre.

— Charmé de vous voir! dit-il en offrant la main à Emma pour l'aider à monter dans l'*Hirondelle*.

Puis il suspendit les *cheminots* aux lanières du filet, et resta nu-tête et les bras croisés, dans une attitude pensive et napoléonienne.

Mais, quand l'aveugle, comme d'habitude, apparut au bas de la côte, il s'écria :

— Je ne comprends pas que l'autorité tolère encore de si coupables industries! On devrait enfermer ces malheureux, que l'on forcerait à quelque travail! Le progrès, ma parole d'honneur, marche à pas de tortue! nous pataugeons en pleine barbarie!

L'aveugle tendait son chapeau, qui ballottait au bord de la portière, comme une poche de la tapisserie déclouée.

— Voilà, dit le pharmacien, une affection scrofuleuse!

Et, bien qu'il connût ce pauvre diable, il feignit de le voir pour la première fois, murmura les mots de *cornée, cornée opaque, sclérotique, facies,* puis lui demanda d'un ton paterne :

— Y a-t-il longtemps, mon ami, que tu as cette épouvantable infirmité? Au lieu de t'enivrer au cabaret, tu ferais mieux de suivre un régime.

Il l'engageait à prendre de bon vin, de bonne bière, de bons rôtis. L'aveugle continuait sa chanson; il paraissait d'ailleurs presque idiot. Enfin M. Homais ouvrit sa bourse.

— Tiens, voilà un sou, rends-moi deux liards : et n'oublie pas mes recommandations, tu t'en trouveras bien.

Hivert se permit tout haut quelque doute sur leur efficacité. Mais l'apothicaire certifia qu'il le guérirait luimême, avec une pommade antiphlogistique de sa composition, et il donna son adresse :

— M. Homais, près des halles, suffisamment connu.

— Eh bien, pour la peine, dit Hivert, tu vas nous *montrer la comédie.*

L'aveugle s'affaissa sur ses jarrets, et, la tête renversée, tout en roulant ses yeux verdâtres et tirant la langue, il se frottait l'estomac à deux mains, tandis qu'il poussait une sorte de hurlement sourd, comme un chien affamé. Emma, prise de dégoût, lui envoya, par-dessus l'épaule, une pièce de cinq francs. C'était toute sa fortune. Il lui semblait beau de la jeter ainsi.

La voiture était repartie, quand soudain M. Homais se pencha en dehors du vasistas et cria :

— Pas de farineux ni de laitage! Porter de la laine sur la peau et exposer les parties malades à la fumée de baies de genièvre!

Le spectacle des objets connus qui défilaient devant ses yeux peu à peu détournait Emma de sa douleur présente. Une intolérable fatigue l'accablait, et elle arriva chez elle hébétée, découragée, presque endormie.

— Advienne que pourra! se disait-elle.

Et puis, qui sait? pourquoi, d'un moment à l'autre, ne surgirait-il pas un événement extraordinaire? Lheureux même pouvait mourir.

Elle fut, à neuf heures du matin, réveillée par un bruit de voix sur la place. Il y avait un attroupement autour des halles pour lire une grande affiche collée contre un des poteaux, et elle vit Justin qui montait sur une borne et qui déchirait l'affiche. Mais, à ce moment, le garde champêtre lui posa la main sur le collet. M. Homais sortit de la pharmacie, et la mère Lefrançois, au milieu de la foule, avait l'air de pérorer.

— Madame! madame! s'écria Félicité en entrant, c'est une abomination!

Et la pauvre fille, émue, lui tendit un papier jaune qu'elle venait d'arracher à la porte. Emma lut d'un clin d'œil que tout son mobilier était à vendre.

Alors elles se considérèrent silencieusement. Elles n'avaient, la servante et la maîtresse, aucun secret l'une pour l'autre. Enfin Félicité soupira :

— Si j'étais de vous, madame, j'irais chez M. Guillaumin.

— Tu crois?

Et cette interrogation voulait dire :

— Toi qui connais la maison par le domestique, est-ce que le maître quelquefois aurait parlé de moi?

— Oui, allez-y, vous ferez bien.

Elle s'habilla, mit sa robe noire avec sa capote à grains de jais; et, pour qu'on ne la vît pas (il y avait toujours beaucoup de monde sur la place), elle prit en dehors du village, par le sentier au bord de l'eau.

Elle arriva tout essoufflée devant la grille du notaire; le ciel était sombre et un peu de neige tombait.

Au bruit de la sonnette, Théodore, en gilet rouge, parut sur le perron; il vint lui ouvrir presque familièrement, comme à une connaissance, et l'introduisit dans la salle à manger.

Un large poêle de porcelaine bourdonnait sous un cactus qui emplissait la niche, et, dans des cadres de bois noir, contre la tenture de papier de chêne, il y avait la *Esméralda* de Steuben, avec la *Putiphar* de Schopin. La table servie, deux réchauds d'argent, le bouton des portes en cristal, le parquet et les meubles, tout reluisait d'une propreté méticuleuse, anglaise; les carreaux étaient décorés, à chaque angle, par des verres de couleur.

— Voilà une salle à manger, pensait Emma, comme il m'en faudrait une.

Le notaire entra, serrant du bras gauche contre son corps sa robe de chambre à palmes, tandis qu'il ôtait et remettait vite de l'autre main sa toque de velours marron, prétentieusement posée sur le côté droit, où retombaient les bouts de trois mèches blondes qui, prises à l'occiput, contournaient son crâne chauve.

Après qu'il eut offert un siège, il s'assit pour déjeuner, tout en s'excusant beaucoup de l'impolitesse.

— Monsieur, dit-elle, je vous prierais...

— De quoi, madame? J'écoute.

Elle se mit à lui exposer la situation.

Maître Guillaumin la connaissait, étant lié secrètement avec le marchand d'étoffes, chez lequel il trouvait toujours des capitaux pour les prêts hypothécaires qu'on lui demandait à contracter.

Donc il savait (et mieux qu'elle) la longue histoire de ses billets, minimes d'abord, portant comme endosseurs des noms divers, espacés à de longues échéances et renouvelés continuellement, jusqu'au jour où, ramassant tous les protêts, le marchand avait chargé son ami Vinçart de faire en son propre nom les poursuites qu'il fallait, ne voulant point passer pour un tigre parmi ses concitoyens.

Elle entremêla son récit de récriminations contre Lheureux, récriminations auxquelles le notaire répondait de temps à autre par une parole insignifiante. Mangeant sa côtelette et buvant son thé, il baissait le menton dans sa cravate bleu de ciel, piquée par deux épingles de diamants que rattachait une chaînette d'or, et il souriait d'un singulier sourire, d'une façon douceâtre et ambiguë. Mais, s'apercevant qu'elle avait les pieds humides :

— Approchez-vous donc du poêle... plus haut... contre la porcelaine.

Elle avait peur de la salir. Le notaire reprit d'un ton galant :

— Les belles choses ne gâtent rien.

Alors elle tâcha de l'émouvoir, et, s'émotionnant elle-même, elle vint à lui conter l'étroitesse de son ménage, ses tiraillements, ses besoins. Il comprenait cela : une femme élégante! et, sans s'interrompre de manger, il s'était tourné vers elle complètement, si bien qu'il frôlait du genou sa bottine, dont la semelle se recourbait tout en fumant contre le poêle.

Mais, lorsqu'elle lui demanda mille écus, il serra les lèvres, puis se déclara très peiné de n'avoir pas eu autrefois la direction de sa fortune, car il y avait cent moyens fort commodes, même pour une dame, de faire valoir son argent. On aurait pu, soit dans les tourbières de Grumesnil ou les terrains du Havre, hasarder presque à coup sûr d'excellentes spéculations; et il la laissa se dévorer de rage à l'idée des sommes fantastiques qu'elle aurait certainement gagnées.

— D'où vient, reprit-il, que vous n'êtes pas venue chez moi?

— Je ne sais trop, dit-elle.

— Pourquoi, hein?... Je vous faisais donc bien peur? C'est moi, au contraire, qui devrais me plaindre! A peine si nous nous connaissons! Je vous suis pourtant très dévoué; vous n'en doutez plus, j'espère?

Il tendit sa main, prit la sienne, la couvrit d'un baiser vorace, puis la garda sur son genou; et il jouait avec ses doigts délicatement, tout en lui contant mille douceurs.

Sa voix fade susurrait, comme un ruisseau qui coule; une étincelle jaillissait de sa pupille à travers le miroitement de ses lunettes, et ses mains s'avançaient dans la manche d'Emma, pour lui palper le bras. Elle sentait contre sa joue le souffle d'une respiration haletante. Cet homme la gênait horriblement.

Elle se leva d'un bond et lui dit :

— Monsieur, j'attends!

— Quoi donc? fit le notaire, qui devint tout à coup extrêmement pâle.

— Cet argent.

— Mais...

Puis, cédant à l'interruption d'un désir trop fort :

— Eh bien, oui!...

Il se traînait à genoux vers elle, sans égard pour sa robe de chambre.

— De grâce, restez! je vous aime!

Il la saisit par la taille.

Un flot de pourpre monta vite au visage de Mme Bovary. Elle se recula d'un air terrible, en s'écriant :

— Vous profitez impudemment de ma détresse, monsieur! Je suis à plaindre, mais pas à vendre!

Et elle sortit.

Le notaire resta fort stupéfait, les yeux fixés sur ses belles pantoufles en tapisserie. C'était un présent de l'amour. Cette vue à la fin le consola. D'ailleurs, il songeait qu'une aventure pareille l'aurait entraîné trop loin.

— Quel misérable! quel goujat!... quelle infamie! se disait-elle, en fuyant d'un pied nerveux sous les trembles de la route. Le désappointement de l'insuccès renforçait l'indignation de sa pudeur outragée; il lui semblait que la Providence s'acharnait à la poursuivre, et, s'en rehaussant d'orgueil, jamais elle n'avait eu tant d'estime pour elle-même ni tant de mépris pour les autres. Quelque chose de belliqueux la transportait. Elle aurait voulu battre les hommes, leur cracher au visage, les broyer tous; elle continuait à marcher rapidement devant elle, pâle, frémissante, enragée, furetant d'un œil en pleurs l'horizon vide, et comme se délectant à la haine qui l'étouffait.

Quand elle aperçut sa maison, un engourdissement la saisit. Elle ne pouvait avancer; il le fallait cependant; d'ailleurs, où fuir?

Félicité l'attendait sur la porte.

— Eh bien?

— Non! dit Emma.

Et, pendant un quart d'heure, toutes les deux, elles avisèrent les différentes personnes d'Yonville disposées peut-être à la secourir. Mais, chaque fois que Félicité nommait quelqu'un, Emma répliquait :

— Est-ce possible! Ils ne voudront pas!

— Et monsieur qui va rentrer!

— Je le sais bien... Laisse-moi seule.

Elle avait tout tenté. Il n'y avait plus rien à faire maintenant; et quand Charles paraîtrait, elle allait donc lui dire :

— Retire-toi. Ce tapis où tu marches n'est plus à nous. De ta maison, tu n'as pas un meuble, une épingle, une paille, et c'est moi qui t'ai ruiné, pauvre homme!

Alors ce serait un grand sanglot, puis il pleurerait abondamment, et enfin, la surprise passée, il pardonnerait.

— Oui, murmurait-elle en grinçant des dents, il me pardonnera, lui qui n'aurait pas assez d'un million à m'offrir pour que je l'excuse de m'avoir connue... Jamais! jamais!

Cette idée de la supériorité de Bovary sur elle l'exaspérait. Puis, qu'elle avouât ou n'avouât pas, tout à l'heure, tantôt, demain, il n'en saurait pas moins la catastrophe; donc il fallait attendre cette horrible scène et subir le poids de sa magnanimité. L'envie lui vint de retourner chez Lheureux : à quoi bon? d'écrire à son père : il était trop tard; et peut-être qu'elle se repentait maintenant de n'avoir pas cédé à l'autre, lorsqu'elle entendit le trot d'un cheval dans l'allée. C'était lui, il ouvrait la barrière, il était plus blême que le mur de plâtre. Bondissant dans l'escalier, elle s'échappa vivement par la place; et la femme du maire, qui causait devant l'église avec Lestiboudois, la vit entrer chez le percepteur.

Elle courut le dire à Mme Caron. Ces deux dames montèrent dans le grenier; et, cachées par du linge étendu sur des perches, se postèrent commodément pour apercevoir tout l'intérieur de Binet.

Il était seul, dans sa mansarde, en train d'imiter, avec du bois, une de ces ivoireries indescriptibles, composées de croissants, de sphères creusées les unes dans les autres, le tout droit comme un obélisque et ne servant à rien; et il entamait la dernière pièce, il touchait au but! Dans le clair-obscur de l'atelier, la poussière blonde s'envolait de son outil, comme une aigrette d'étincelles sous les fers d'un cheval au galop; les deux roues tournaient, ronflaient; Binet souriait, le menton baissé, les narines ouvertes et semblait enfin perdu dans un de ces bonheurs complets, n'appartenant sans doute qu'aux occupations médiocres, qui amusent l'intelligence par des difficultés faciles, et l'assouvissent en une réalisation au delà de laquelle il n'y a pas à rêver.

— Ah! la voici! fit Mme Tuvache.

Mais il n'était guère possible, à cause du tour, d'entendre ce qu'elle disait.

Enfin, ces dames crurent distinguer le mot *francs,* et la mère Tuvache souffla tout bas :

— Elle le prie, pour obtenir un retard à ses contributions.

— D'apparence! reprit l'autre.

Elles la virent qui marchait de long en large, examinant contre les murs les ronds de serviette, les chandeliers, les pommes de rampe, tandis que Binet se caressait la barbe avec satisfaction.

— Viendrait-elle lui commander quelque chose? dit Mme Tuvache.

— Mais il ne vend rien! objecta sa voisine.

Le percepteur avait l'air d'écouter, tout en écarquillant les yeux, comme s'il ne comprenait pas. Elle continuait d'une manière tendre, suppliante. Elle se rapprocha; son sein haletait, ils ne parlaient plus.

— Est-ce qu'elle lui fait des avances? dit Mme Tuvache.

Binet était rouge jusqu'aux oreilles. Elle lui prit les mains.

— Ah! c'est trop fort!

Et sans doute qu'elle lui proposait une abomination, car le percepteur, — il était brave pourtant, il avait combattu à Bautzen et à Lutzen, fait la campagne de France, et même été *porté pour la croix;* — tout à coup, comme à la vue d'un serpent, se recula bien loin en criant :

— Madame! y pensez-vous?

— On devrait fouetter ces femmes-là! dit Mme Tuvache.

— Où est-elle donc? reprit Mme Caron.

Car elle avait disparu durant ces mots; puis, l'apercevant qui enfilait la Grande-Rue et tournait à droite comme pour gagner le cimetière, elles se perdirent en conjectures.

— Mère Rollet, dit-elle en arrivant chez la nourrice, j'étouffe!... délacez-moi.

Elle tomba sur le lit; elle sanglotait. La mère Rollet la couvrit d'un jupon et resta debout près d'elle. Puis, comme elle ne répondait pas, la bonne femme s'éloigna, prit son rouet et se mit à filer du lin.

— Oh! finissez, murmura-t-elle, croyant entendre le tour de Binet.

— Qui la gêne? se demandait la nourrice. Pourquoi vient-elle ici?

Elle y était accourue, poussée par une sorte d'épouvante qui la chassait de sa maison.

Couchée sur le dos, immobile et les yeux fixes, elle discernait vaguement les objets, bien qu'elle y appliquât son attention avec une persistance idiote. Elle contemplait les écaillures de la muraille, deux tisons fumant bout à bout, et une longue araignée qui marchait au-dessus de sa tête, dans la fente de la poutrelle. Enfin elle rassembla ses idées. Elle se souvenait... Un jour, avec Léon... Oh! comme c'était loin... Le soleil brillait sur la rivière et les clématites embaumaient... Alors, emportée

dans ses souvenirs comme dans un torrent qui bouil-
lonne, elle arriva bientôt à se rappeler la journée de la
veille.

— Quelle heure est-il? demanda-t-elle.

La mère Rollet sortit, leva les doigts de sa main droite
du côté que le ciel était le plus clair, et rentra lentement en disant :

— Trois heures, bientôt.

— Ah! merci! merci!

Car il allait venir. C'était sûr! Il aurait trouvé de
l'argent. Mais il irait peut-être là-bas, sans se douter
qu'elle fût là; et elle commanda à la nourrice de courir
chez elle pour l'amener.

— Dépêchez-vous!

— Mais, ma chère dame, j'y vais! j'y vais!

Elle s'étonnait, à présent, de n'avoir pas songé à lui
tout d'abord; hier, il avait donné sa parole, il n'y manquerait pas; et elle se voyait déjà chez Lheureux, étalant
sur son bureau les trois billets de banque. Puis il faudrait
inventer une histoire qui expliquât les choses à Bovary.
Laquelle!

Cependant la nourrice était bien longue à revenir.
Mais, comme il n'y avait point d'horloge dans la chaumière, Emma craignait de s'exagérer peut-être la longueur du temps. Elle se mit à faire des tours de promenade dans le jardin, pas à pas; elle alla dans le sentier
le long de la haie, et s'en retourna vivement, espérant
que la bonne femme serait rentrée par une autre route.
Enfin, lasse d'attendre, assaillie de soupçons qu'elle
repoussait, ne sachant plus si elle était là depuis un
siècle ou une minute, elle s'assit dans un coin et ferma
les yeux, se boucha les oreilles. La barrière grinça : elle
fit un bond; avant qu'elle eût parlé, la mère Rollet lui
dit :

— Il n'y a personne chez vous!

— Comment?

— Oh! personne! Et monsieur pleure. Il vous appelle.
On vous cherche.

Emma ne répondit rien. Elle haletait, tout en roulant
les yeux autour d'elle, tandis que la paysanne, effrayée
de son visage, se reculait instinctivement, la croyant
folle. Tout à coup elle se frappa le front, poussa un cri,
car le souvenir de Rodolphe, comme un grand éclair
dans une nuit sombre, lui avait passé dans l'âme. Il
était si bon, si délicat, si généreux! Et, d'ailleurs, s'il
hésitait à lui rendre ce service, elle saurait bien l'y
contraindre en rappelant d'un seul clin d'œil leur amour
perdu. Elle partit donc vers la Huchette, sans s'apercevoir qu'elle courait s'offrir à ce qui l'avait tantôt si
fort exaspérée, ni se douter le moins du monde de cette
prostitution.

# VIII

ELLE se demandait tout en chantant : « Que vais-je dire ?
Par où commencerai-je ? » Et à mesure qu'elle avançait,
elle reconnaissait les buissons, les arbres, les joncs
marins sur la colline, le château là-bas. Elle se retrouvait
dans les sensations de sa première tendresse, et son
pauvre cœur comprimé s'y dilatait amoureusement.
Un vent tiède lui soufflait au visage ; la neige, se fondant,
tombait goutte à goutte des bourgeons sur l'herbe.

Elle entra, comme autrefois, par la petite porte du
parc, puis arriva à la cour d'honneur, que bordait un
double rang de tilleuls touffus. Ils balançaient, en sif-
flant, leurs longues branches. Les chiens au chenil
aboyèrent tous, et l'éclat de leurs voix retentissait sans
qu'il parût personne.

Elle monta le large escalier droit, à balustre de bois,
qui conduisait au corridor pavé de dalles poudreuses
où s'ouvraient plusieurs chambres à la file, comme dans
les monastères ou les auberges. La sienne était au bout,
tout au fond, à gauche. Quand elle vint à poser les
doigts sur la serrure, ses forces subitement l'abandon-
nèrent. Elle avait peur qu'il ne fût pas là, le souhaitait
presque, et c'était pourtant son seul espoir, la dernière
chance du salut. Elle se recueillit une minute, et,
retrempant son courage au sentiment de la nécessité
présente, elle entra.

Il était devant le feu, les deux pieds sur le chambranle, en train de fumer une pipe.

— Tiens! c'est vous! dit-il en se levant brusquement.

— Oui, c'est moi!... je voudrais, Rodolphe, vous demander un conseil.

Et, malgré tous ses efforts, il lui était impossible de desserrer la bouche.

— Vous n'avez pas changé, vous êtes toujours charmante!

— Oh! reprit-elle amèrement, ce sont de tristes charmes, mon ami, puisque vous les avez dédaignés.

Alors il entama une explication de sa conduite, s'excusant en termes vagues, faute de pouvoir inventer mieux.

Elle se laissa prendre à ses paroles, plus encore à sa voix et par le spectacle de sa personne; si bien qu'elle fit semblant de croire, ou crut-elle peut-être, au prétexte de leur rupture; c'était un secret d'où dépendaient l'honneur et même la vie d'une troisième personne.

— N'importe! fit-elle en le regardant tristement, j'ai bien souffert!

Il répondit d'un ton philosophique :

— L'existence est ainsi!

— A-t-elle du moins, reprit Emma, été bonne pour vous depuis notre séparation?

— Oh! ni bonne... ni mauvaise.

— Il aurait peut-être mieux valu ne jamais nous quitter.

— Oui..., peut-être!

— Tu crois? dit-elle en se rapprochant.

Et elle soupira :

— Ô Rodolphe! si tu savais!... je t'ai bien aimé!

Ce fut alors qu'elle prit sa main, et ils restèrent quelque temps les doigts entrelacés, — comme le premier jour, aux Comices! Par un geste d'orgueil, il se débattait sous l'attendrissement. Mais, s'affaissant contre sa poitrine, elle lui dit :

— Comment voulais-tu que je vécusse sans toi! On ne peut pas se déshabituer du bonheur! J'étais désespérée! j'ai cru mourir! Je te conterai tout cela. Et toi... tu m'as fuie!...

Car, depuis trois ans, il l'avait soigneusement évitée, par suite de cette lâcheté naturelle qui caractérise le sexe fort; et Emma continuait avec des gestes mignons de tête, plus câline qu'une chatte amoureuse :

— Tu en aimes d'autres, avoue-le. Oh! je les comprends, va! je les excuse; tu les auras séduites, comme tu m'avais séduite. Tu es un homme, toi! tu as tout ce qu'il faut pour te faire chérir. Mais nous recommencerons, n'est-ce pas? nous nous aimerons? Tiens, je ris, je suis heureuse!... parle donc!

Et elle était ravissante à voir, avec son regard où tremblait une larme, comme l'eau d'un orage dans un calice bleu.

Il l'attira sur ses genoux, et il caressait du revers de la main ses bandeaux lisses, où, dans la clarté du crépuscule, miroitait comme une flèche d'or un dernier rayon du soleil. Elle penchait le front; il finit par la baiser sur les paupières, tout doucement, du bout de ses lèvres.

— Mais tu as pleuré! dit-il. Pourquoi?

Elle éclata en sanglots. Rodolphe crut que c'était l'explosion de son amour; comme elle se taisait, il prit ce silence pour une dernière pudeur, et alors il s'écria :

— Ah! pardonne-moi! tu es la seule qui me plaise. J'ai été imbécile et méchant! Je t'aime, je t'aimerai toujours!... Qu'as-tu? dis-le donc!

Il s'agenouillait.

— Eh bien!... je suis ruinée, Rodolphe! Tu vas me prêter trois mille francs!

— Mais..., mais..., dit-il en se relevant peu à peu, tandis que sa physionomie prenait une expression grave.

— Tu sais, continuait-elle vite, que mon mari avait
placé toute sa fortune chez un notaire; il s'est enfui.
Nous avons emprunté; les clients ne payaient pas. Du
reste, la liquidation n'est pas finie; nous en aurons plus
tard. Mais, aujourd'hui, faute de trois mille francs,
on va nous saisir; c'est à présent; à l'instant même; et,
comptant sur ton amitié, je suis venue.

— Ah! pensa Rodolphe, qui devint très pâle tout à
coup, c'est pour cela qu'elle est venue!

Enfin il dit d'un aïr calme :

— Je ne les ai pas, chère madame.

Il ne mentait point. Il les eût eus qu'il les aurait
donnés, sans doute, bien qu'il soit généralement désagréable de faire de si belles actions : une demande
pécuniaire, de toutes les bourrasques qui tombent sur
l'amour, étant la plus froide et la plus déracinante.

Elle resta d'abord quelques minutes à le regarder.

— Tu ne les as pas!

Elle répéta plusieurs fois :

— Tu ne les as pas! J'aurais dû m'épargner cette
dernière honte. Tu ne m'as jamais aimée! tu ne vaux
pas mieux que les autres!

Elle se trahissait, elle se perdait.

Rodolphe l'interrompit, affirmant qu'il se trouvait
« gêné » lui-même.

— Ah! je te plains! dit Emma. Oui, considérablement!...

Et, arrêtant ses yeux sur une carabine damasquinée
qui brillait dans la panoplie :

— Mais, lorsqu'on est si pauvre, on ne met pas d'argent à la crosse de son fusil! On n'achète pas une pendule avec des incrustations d'écailles! continuait-elle en
montrant l'horloge de Boulle; ni des sifflets de vermeil
pour ses fouets — elle les touchait! — ni des breloques
pour sa montre! Oh! rien ne lui manque! jusqu'à un
porte-liqueurs dans sa chambre; car tu t'aimes, tu vis

bien, tu as un château, des fermes, des bois; tu chasses à
courre, tu voyages à Paris... Eh! quand ce ne serait que
cela, s'écria-t-elle en prenant sur la cheminée ses boutons
de manchettes, que la moindre de ces niaiseries! on en
peut faire de l'argent!... Oh! je n'en veux pas! garde-les.

Et elle lança bien loin les deux boutons, dont la
chaîne d'or se rompit en cognant contre la muraille.

— Mais, moi, je t'aurais tout donné, j'aurais tout
vendu, j'aurais travaillé de mes mains, j'aurais mendié
sur les routes, pour un sourire, pour un regard, pour
t'entendre dire : « Merci! » Et tu restes là tranquillement dans ton fauteuil, comme si déjà tu ne m'avais
pas fait assez souffrir! Sans toi, sais-tu bien, j'aurais pu
vivre heureuse! qui t'y forçait? Était-ce une gageure?
Tu m'aimais cependant, tu le disais... Et tout à l'heure
encore... Ah! il eût mieux valu me chasser! J'ai les mains
chaudes de tes baisers, et voilà la place, sur le tapis, où
tu jurais à mes genoux une éternité d'amour. Tu m'y as
fait croire : tu m'as, pendant deux ans, traînée dans le
rêve le plus magnifique et le plus suave!... Hein! nos
projets de voyage, tu te rappelles? Oh! ta lettre, ta
lettre! elle m'a déchiré le cœur!... Et puis, quand je
reviens vers lui, vers lui, qui est riche, heureux, libre!
pour implorer un secours que le premier venu rendrait,
suppliante et lui rapportant toute ma tendresse, il me
repousse, parce que ça lui coûterait trois mille francs!

— Je ne les ai pas! répondit Rodolphe avec ce calme
parfait dont se recouvrent, comme d'un bouclier, les
colères résignées.

Elle sortit. Les murs tremblaient, le plafond l'écrasait;
et elle repassa par la longue allée, en trébuchant contre
les tas de feuilles mortes que le vent dispersait. Enfin
elle arriva au saut-de-loup devant la grille; elle se cassa
les ongles contre la serrure, tant elle se dépêchait pour
l'ouvrir. Puis, cent pas plus loin, essoufflée, près de
tomber, elle s'arrêta. Et alors, se détournant, elle aperçut

encore une fois l'impassible château, avec le parc, les
jardins, les trois cours, et toutes les fenêtres de la façade.

Elle resta perdue de stupeur, et n'ayant plus conscience d'elle-même que par le battement de ses artères,
qu'elle croyait entendre s'échapper comme une assourdissante musique qui emplissait la campagne. Le sol
sous ses pieds était plus mou qu'une onde, et les sillons
lui parurent d'immenses vagues brunes, qui déferlaient.
Tout ce qu'il y avait dans sa tête de réminiscences,
d'idées, s'échappait à la fois, d'un seul bond, comme les
mille pièces d'un feu d'artifice. Elle vit son père, le
cabinet de Lheureux, leur chambre là-bas, un autre
paysage. La folie la prenait, elle eut peur, et parvint à se
ressaisir, d'une manière confuse, il est vrai; car elle ne se
rappelait point la cause de son horrible état, c'est-à-dire
la question d'argent. Elle ne souffrait que de son amour,
et sentait son âme l'abandonner par ce souvenir, comme
les blessés, en agonisant, sentent l'existence qui s'en va
par leur plaie qui saigne.

La nuit tombait, des corneilles volaient.

Il lui sembla tout à coup que des globules couleur de
feu éclataient dans l'air comme des balles fulminantes
en s'aplatissant, et tournaient, tournaient, pour aller
se fondre sur la neige, entre les branches des arbres. Au
milieu de chacun d'eux, la figure de Rodolphe apparaissait. Ils se multiplièrent, et ils se rapprochaient, la
pénétraient; tout disparut. Elle reconnut les lumières
des maisons, qui rayonnaient de loin dans le brouillard.

Alors sa situation, telle qu'un abîme, se représenta.
Elle haletait à se rompre la poitrine. Puis, dans un
transport d'héroïsme qui la rendait presque joyeuse,
elle descendit la côte en courant, traversa la planche
aux vaches, le sentier, l'allée, les halles, et arriva devant
la boutique du pharmacien.

Il n'y avait personne. Elle allait entrer; mais, au bruit
de la sonnette, on pouvait venir; et, se glissant par la

barrière, retenant son haleine, tâtant les murs, elle
s'avança jusqu'au seuil de la cuisine, où brûlait une
chandelle posée sur le fourneau. Justin, en manches de
chemise, emportait un plat.

— Ah! ils dînent. Attendons.

Il revint. Elle frappa contre la vitre. Il sortit.

— La clef! celle d'en haut, où sont les...

— Comment?

Et il la regardait, tout étonné par la pâleur de son
visage, qui tranchait en blanc sur le fond noir de la
nuit. Elle lui apparut extraordinairement belle, et ma-
jestueuse comme un fantôme; sans comprendre ce
qu'elle voulait, il pressentait quelque chose de terrible.

Mais elle reprit vivement, à voix basse, d'une voix
douce, dissolvante :

— Je la veux! donne-la-moi.

Comme la cloison était mince, on entendait le cliquetis des fourchettes sur les assiettes dans la salle à manger.

Elle prétendit avoir besoin de tuer les rats qui l'empêchaient de dormir.

— Il faudrait que j'avertisse Monsieur.

— Non! reste!

Puis, d'un air indifférent :

— Eh! ce n'est pas la peine, je lui dirai tantôt. Allons,
éclaire-moi!

Elle entra dans le corridor où s'ouvrait la porte du
laboratoire. Il y avait contre la muraille une clef étique-
tée *capharnaüm*.

— Justin! cria l'apothicaire, qui s'impatientait.

— Montons!

Et il la suivit.

La clef tourna dans la serrure, et elle alla droit vers la
troisième tablette, tant son souvenir la guidait bien,
saisit le bocal bleu, en arracha le bouton, y fourra sa
main, et, la retirant pleine d'une poudre blanche, elle
se mit à manger à même.

— Arrêtez! s'écria-t-il en se jetant sur elle.
— Tais-toi! on viendrait...
Il se désespérait, voulait appeler.
— N'en dis rien; tout retomberait sur ton maître!
Puis elle s'en retourna subitement apaisée, et presque dans la sérénité d'un devoir accompli.

Quand Charles, bouleversé par la nouvelle de la saisie, était rentré à la maison, Emma venait d'en sortir. Il cria, pleura, s'évanouit, mais elle ne revint pas. Où pouvait-elle être? Il envoya Félicité chez Homais, chez M. Tuvache, chez Lheureux, au *Lion d'or,* partout; et, dans les intermittences de son angoisse, il voyait sa considération anéantie, leur fortune perdue, l'avenir de Berthe brisé! Par quelle cause?... pas un mot! Il attendit jusqu'à six heures du soir. Enfin, n'y pouvant plus tenir, et imaginant qu'elle était partie pour Rouen, il alla sur la grande route, fit une demie-lieue, ne rencontra personne, attendit encore et s'en revint.

Elle était rentrée.

— Qu'y avait-il?... Pourquoi?... Explique-moi?...
Elle s'assit à son secrétaire, et écrivit une lettre qu'elle cacheta lentement, ajoutant la date du jour et l'heure. Puis elle dit d'un ton solennel:
— Tu la liras demain; d'ici là, je t'en prie, ne m'adresse pas une seule question!... Non, pas une.
— Mais...
— Oh! laisse-moi!
Et elle se coucha tout du long sur son lit.

Une saveur âcre qu'elle sentait dans sa bouche la réveilla. Elle entrevit Charles et referma les yeux.

Elle s'épiait curieusement, pour discerner si elle ne souffrait pas. Mais non! rien encore. Elle entendait le battement de la pendule, le bruit du feu, et Charles, debout près de sa couche, qui respirait.

— Ah! c'est bien peu de chose, la mort! pensait-elle;
je vais m'endormir, et tout sera fini!

Elle but une gorgée d'eau et se tourna vers la muraille.

Cet affreux goût d'encre continuait.

— J'ai soif!... oh! j'ai bien soif! soupira-t-elle.

— Qu'as-tu donc? dit Charles, qui lui tendait un
verre.

— Ce n'est rien!... Ouvre la fenêtre... j'étouffe!

Et elle fut prise d'une nausée si soudaine, qu'elle eut
à peine le temps de saisir son mouchoir sous l'oreiller.

— Enlève-le! dit-elle vivement; jette-le!

Il la questionna; elle ne répondit pas. Elle se tenait
immobile, de peur que la moindre émotion ne la fît
vomir. Cependant, elle sentait un froid de glace qui lui
montait des pieds jusqu'au cœur.

— Ah! voilà que ça commence! murmura-t-elle.

— Que dis-tu?

Elle roulait sa tête avec un geste doux plein d'angoisse, et tout en ouvrant continuellement les mâchoires,
comme si elle eût porté sur sa langue quelque chose de
très lourd. A huit heures, les vomissements reparurent.

Charles observa qu'il y avait au fond de la cuvette une
sorte de gravier blanc, attaché aux parois de la porcelaine.

— C'est extraordinaire! c'est singulier! répéta-t-il.

Mais elle dit d'une voix forte :

— Non, tu te trompes!

Alors, délicatement et presque en la caressant, il lui
passa la main sur l'estomac. Elle jeta un cri aigu. Il se
recula tout effrayé.

Puis elle se mit à geindre, faiblement d'abord. Un
grand frisson lui secouait les épaules, et elle devenait
plus pâle que le drap où s'enfonçaient ses doigts crispés.
Son pouls inégal était presque insensible maintenant.

Des gouttes suintaient sur sa figure bleuâtre, qui semblait comme figée dans l'exhalaison d'une vapeur métallique. Ses dents claquaient, ses yeux agrandis regardaient vaguement autour d'elle, et à toutes les questions elle ne répondit qu'en hochant la tête; même elle sourit deux ou trois fois. Peu à peu, ses gémissements furent plus forts. Un hurlement sourd lui échappa; elle prétendit qu'elle allait mieux et qu'elle se lèverait tout à l'heure. Mais les convulsions la saisirent; elle s'écria :

— Ah! c'est atroce, mon Dieu!

Il se jeta à genoux contre son lit.

— Parle! qu'as-tu mangé? Réponds, au nom du ciel!

Et il la regardait avec des yeux d'une tendresse comme elle n'en avait jamais vu.

— Eh bien, là..., là!... dit-elle d'une voix défaillante.

Il bondit au secrétaire, brisa le cachet et lut tout haut : *Qu'on n'accuse personne...* Il s'arrêta, se passa la main sur les yeux, et relut encore.

— Comment!... Au secours! à moi!

Et il ne pouvait que répéter ce mot : « Empoisonnée; empoisonnée! » Félicité courut chez Homais, qui s'exclama sur la place; Mme Lefrançois l'entendit au *Lion d'or,* quelques-uns se levèrent pour l'apprendre à leurs voisins, et toute la nuit le village fut en éveil.

Éperdu, balbutiant, près de tomber, Charles tournait dans la chambre. Il se heurtait aux meubles, s'arrachait les cheveux, et jamais le pharmacien n'avait cru qu'il pût y avoir de si épouvantable spectacle.

Il revint chez lui pour écrire à M. Canivet et au docteur Larivière. Il perdait la tête; il fit plus de quinze brouillons. Hippolyte partit à Neufchâtel, et Justin talonna si fort le cheval de Bovary, qu'il le laissa dans la côte du Bois-Guillaume, fourbu et aux trois quarts crevé.

Charles voulut feuilleter son dictionnaire de médecine; il n'y voyait pas, les lignes dansaient.

— Du calme! dit l'apothicaire. Il s'agit seulement

d'administrer quelque puissant antidote. Quel est le poison?

Charles montra la lettre. C'était de l'arsenic.

— Eh bien! reprit Homais, il faudrait en faire l'analyse.

Car il savait qu'il faut, dans tous les empoisonnements, faire une analyse; et l'autre, qui ne comprenait pas, répondit :

— Ah! faites! faites! sauvez-la...

Puis, revenu près d'elle, il s'affaissa par terre sur le tapis, et il restait la tête appuyée contre le bord de sa couche, à sangloter.

— Ne pleure pas! lui dit-elle. Bientôt je ne te tourmenterai plus!

— Pourquoi? Qui t'a forcée?

Elle répliqua :

— Il le fallait, mon ami.

— N'étais-tu pas heureuse? Est-ce ma faute? J'ai fait tout ce que j'ai pu pourtant!

— Oui..., c'est vrai..., tu es bon, toi!

Et elle lui passait la main dans les cheveux, lentement. La douceur de cette sensation surchargeait sa tristesse; il sentait tout son être s'écrouler de désespoir à l'idée qu'il fallait la perdre, quand, au contraire, elle avouait pour lui plus d'amour que jamais; et il ne trouvait rien; il ne savait pas, il n'osait, l'urgence d'une résolution immédiate achevant de le bouleverser.

Elle en avait fini, songeait-elle, avec toutes les trahisons, les bassesses et les innombrables convoitises qui la torturaient. Elle ne haïssait personne, maintenant; une confusion de crépuscule s'abattait en sa pensée, et de tous les bruits de la terre Emma n'entendait plus que l'intermittente lamentation de ce pauvre cœur, douce et indistincte, comme le dernier écho d'une symphonie qui s'éloigne.

— Amenez-moi la petite, dit-elle en se soulevant du coude.

— Tu n'es pas plus mal, n'est-ce pas? demanda
Charles.

— Non! non!

L'enfant arriva sur le bras de sa bonne, dans sa longue
chemise de nuit, d'où sortaient ses pieds nus, sérieuse
et presque rêvant encore. Elle considérait avec étonnement la chambre tout en désordre, et clignait des yeux,
éblouie par les flambeaux qui brûlaient sur les meubles.
Ils lui rappelaient sans doute les matins du jour de
l'an ou de la mi-carême, quand, ainsi réveillée de bonne
heure à la clarté des bougies, elle venait dans le lit de
sa mère pour y recevoir ses étrennes, car elle se mit à
dire :

— Où est-ce donc, maman?

Et comme tout le monde se taisait :

— Mais je ne vois pas mon petit soulier!

Félicité la penchait vers le lit, tandis qu'elle regardait
toujours du côté de la cheminée.

— Est-ce nourrice qui l'aurait pris? demanda-t-elle.

Et, à ce nom, qui la reportait dans le souvenir de ses
adultères et de ses calamités, Mme Bovary détourna sa
tête, comme au dégoût d'un autre poison plus fort qui
lui remontait à la bouche. Berthe, cependant, restait
posée sur le lit.

— Oh! comme tu as de grands yeux, maman, comme
tu es pâle! comme tu sues!...

Sa mère la regardait.

— J'ai peur! dit la petite en se reculant.

Emma prit sa main pour la baiser; elle se débattait.

— Assez! qu'on l'emmène! s'écria Charles, qui sanglotait dans l'alcôve.

Puis les symptômes s'arrêtèrent un moment; elle paraissait moins agitée; et, à chaque parole insignifiante,
à chaque souffle de sa poitrine un peu plus calme, il
reprenait espoir. Enfin, lorsque Canivet entra, il se jeta
dans ses bras en pleurant.

— Ah! c'est vous! merci! vous êtes bon! Mais tout va mieux. Tenez, regardez-la...

Le confrère ne fut nullement de cette opinion, et, n'y allant pas, comme il le disait lui-même, *par quatre chemins,* il prescrivit de l'émétique, afin de dégager complètement l'estomac.

Elle ne tarda pas à vomir du sang. Ses lèvres se serrèrent davantage. Elle avait les membres crispés, le corps couvert de taches brunes, et son pouls glissait sous les doigts comme un fil tendu, comme une corde de harpe près de se rompre.

Puis elle se mettait à crier, horriblement. Elle maudissait le poison, l'invectivait, le suppliait de se hâter, et repoussait de ses bras raidis tout ce que Charles, plus agonisant qu'elle, s'efforçait de lui faire boire. Il était debout, son mouchoir sur les lèvres, râlant, pleurant, et suffoqué par des sanglots qui le secouaient jusqu'aux talons; Félicité courait çà et là dans la chambre; Homais, immobile, poussait de gros soupirs, et M. Canivet, gardant toujours son aplomb, commençait néanmoins à se sentir troublé.

— Diable!... cependant... elle est purgée, et, du moment que la cause cesse...

— L'effet doit cesser, dit Homais; c'est évident.

— Mais sauvez-la! exclamait Bovary.

Aussi, sans écouter le pharmacien qui hasardait encore cette hypothèse : « C'est peut-être un paroxysme salutaire », Canivet allait administrer de la thériaque, lorsqu'on entendit le claquement d'un fouet; toutes les vitres frémirent, et une berline de poste, qu'enlevaient à plein poitrail trois chevaux crottés jusqu'aux oreilles, débusqua d'un bond au coin des halles. C'était le docteur Larivière.

L'apparition d'un dieu n'eût pas causé plus d'émoi. Bovary leva les mains, Canivet s'arrêta court, et Homais retira son bonnet grec bien avant que le docteur fût entré.

Il appartenait à la grande école chirurgicale sortie du tablier de Bichat, à cette génération, maintenant disparue, de praticiens philosophes qui, chérissant leur art d'un amour fanatique, l'exerçaient avec exaltation et sagacité! Tout tremblait dans son hôpital quand il se mettait en colère, et ses élèves le vénéraient si bien, qu'ils s'efforçaient, à peine établis, de l'imiter le plus possible; de sorte que l'on retrouvait sur eux, par les villes d'alentour, sa longue douillette de mérinos et son large habit noir, dont les parements déboutonnés couvraient un peu ses mains charnues, de fort belles mains, et qui n'avaient jamais de gants, comme pour être plus promptes à plonger dans les misères. Dédaigneux des croix, des titres et des académies, hospitalier, libéral, paternel avec les pauvres et pratiquant la vertu sans y croire, il eût presque passé pour un saint si la finesse de son esprit ne l'eût fait craindre comme un démon. Son regard, plus tranchant que ses bistouris, vous descendait droit dans l'âme et désarticulait tout mensonge à travers les allégations et les pudeurs. Et il allait ainsi, plein de cette majesté débonnaire que donnent la conscience d'un grand talent, de la fortune, et quarante ans d'une existence laborieuse et irréprochable.

Il fronça les sourcils dès la porte, en apercevant la face cadavéreuse d'Emma, étendue sur le dos, la bouche ouverte. Puis, tout en ayant l'air d'écouter Canivet, il se passait l'index sous les narines et répétait :

— C'est bien, c'est bien.

Mais il fit un geste lent des épaules. Bovary l'observa : ils se regardèrent; et cet homme, si habitué pourtant à l'aspect des douleurs, ne put retenir une larme qui tomba sur son jabot.

Il voulut emmener Canivet dans la pièce voisine. Charles le suivit.

— Elle est bien mal, n'est-ce pas? Si l'on posait des

sinapismes? je ne sais quoi! Trouvez donc quelque
chose, vous qui en avez tant sauvé!

Charles lui entourait le corps de ses deux bras, et il
le contemplait d'une manière effarée, suppliante, à demi
pâmé contre sa poitrine.

— Allons, mon pauvre garçon, du courage! Il n'y a
plus rien à faire.

Et le docteur Larivière se détourna.

— Vous partez?

— Je vais revenir.

Il sortit, comme pour donner un ordre au postillon,
avec le sieur Canivet, qui ne se souciait pas non plus de
voir Emma mourir entre ses mains.

Le pharmacien les rejoignit sur la place. Il ne pouvait, par tempérament, se séparer des gens célèbres.
Aussi conjura-t-il M. Larivière de lui faire cet insigne
honneur d'accepter à déjeuner.

On envoya bien vite prendre des pigeons au *Lion d'or*,
tout ce qu'il y avait de côtelettes à la boucherie, de la
crème chez Tuvache, des œufs chez Lestiboudois, et
l'apothicaire aidait lui-même aux préparatifs, tandis que
Mme Homais disait, en tirant les cordons de sa camisole :

— Vous ferez excuse, monsieur; car dans notre malheureux pays, du moment qu'on n'est pas prévenu la
veille.

— Les verres à patte!!! souffla Homais.

— Au moins, si nous étions à la ville, nous aurions la
ressource des pieds farcis.

— Tais-toi!... A table, docteur!

Il jugea bon, après les premiers morceaux, de fournir
quelques détails sur la catastrophe :

— Nous avons eu d'abord un sentiment de siccité au
pharynx, puis des douleurs intolérables à l'épigastre,
superpurgation, coma.

— Comment s'est-elle donc empoisonnée?

— Je l'ignore, docteur, et même je ne sais pas trop
où elle a pu se procurer cet acide arsénieux.

Justin, qui apportait alors une pile d'assiettes, fut
saisi d'un tremblement.

— Qu'as-tu? dit le pharmacien.

Le jeune homme, à cette question, laissa tout tomber
par terre, avec un grand fracas.

— Imbécile! s'écria Homais, maladroit! lourdaud!
fichu âne!

Mais, soudain, se maîtrisant :

— J'ai voulu, docteur, tenter une analyse, et *primo,*
j'ai délicatement introduit dans un tube...

— Il aurait mieux valu, dit le chirurgien, lui introduire vos doigts dans la gorge.

Son confrère se taisait, ayant tout à l'heure reçu confi-
dentiellement une forte semonce à propos de son émétique, de sorte que ce bon Canivet, si arrogant et ver-
beux lors du pied bot, était très modeste aujourd'hui; il
souriait sans discontinuer, d'une manière approbative.

Homais s'épanouissait dans son orgueil d'amphitryon,
et l'affligeante idée de Bovary contribuait vaguement
à son plaisir, par un retour égoïste qu'il faisait sur lui-
même. Puis la présence du docteur le transportait. Il
étalait son érudition, il citait pêle-mêle les cantharides,
l'upas, le mancenillier, la vipère.

— Et même j'ai lu que différentes personnes s'étaient
trouvées intoxiquées, docteur, et comme foudroyées
par des boudins qui avaient subi une trop véhémente
fumigation! Du moins, c'était dans un fort beau rapport,
composé par une de nos sommités pharmaceutiques,
un de nos maîtres, l'illustre Cadet de Gassicourt!

Mme Homais réapparut, portant une de ces vacil-
lantes machines que l'on chauffe avec de l'esprit-de-vin;
car Homais tenait à faire son café sur la table, l'ayant
d'ailleurs torréfié lui-même, porphyrisé lui-même, mix-
tionné lui-même.

— *Saccharum,* docteur, dit-il en offrant du sucre.

Puis il fit descendre tous ses enfants, curieux d'avoir l'avis du chirurgien sur leur constitution.

Enfin M. Larivière allait partir, quand Mme Homais lui demanda une consultation pour son mari. Il s'épaississait le sang à s'endormir chaque soir après le dîner.

— Oh! ce n'est pas le *sens* qui le gêne.

Et, souriant un peu de ce calembour inaperçu, le docteur ouvrit la porte. Mais la pharmacie regorgeait de monde, et il eut grand'peine à pouvoir se débarrasser du sieur Tuvache, qui redoutait pour son épouse une fluxion de poitrine, parce qu'elle avait coutume de cracher dans les cendres; puis de M. Binet, qui éprouvait parfois des fringales, et de Mme Caron, qui avait des picotements; de Lheureux, qui avait des vertiges; de Lestiboudois, qui avait un rhumatisme; de Mme Lefrançois, qui avait des aigreurs. Enfin les trois chevaux détalèrent, et l'on trouva généralement qu'il n'avait point montré de complaisance.

L'attention publique fut distraite par l'apparition de M. Bournisien, qui passait sous les halles avec les saintes huiles.

Homais, comme il le devait à ses principes, compara les prêtres à des corbeaux qu'attire l'odeur des morts; la vue d'un ecclésiastique lui était personnellement désagréable, car la soutane le faisait rêver au linceul, et il exécrait l'une un peu par épouvante de l'autre.

Néanmoins, ne reculant pas devant ce qu'il appelait *sa mission,* il retourna chez Bovary en compagnie de Canivet, que M. Larivière, avant de partir, avait engagé fortement à cette démarche; et même, sans les représentations de sa femme, il eût emmené avec lui ses deux fils, afin de les accoutumer aux fortes circonstances, pour que ce fût une leçon, un exemple, un tableau solennel qui leur restât plus tard dans la tête.

La chambre, quand ils entrèrent, était toute pleine

d'une solennité lugubre. Il y avait, sur la table à ouvrage recouverte d'une serviette blanche, cinq ou six petites boules de coton dans un plat d'argent, près d'un gros crucifix, entre deux chandeliers qui brûlaient. Emma, le menton contre sa poitrine, ouvrait démesurément les paupières, et ses pauvres mains se traînaient sur les draps, avec ce geste hideux et doux des agonisants qui semblent vouloir déjà se recouvrir du suaire. Pâle comme une statue, et les yeux rouges comme des charbons, Charles, sans pleurer, se tenait en face d'elle, au pied du lit, tandis que le prêtre, appuyé sur un genou, marmottait des paroles basses.

Elle tourna sa figure lentement, et parut saisie de joie à voir tout à coup l'étole violette, sans doute retrouvant au milieu d'un apaisement extraordinaire la volupté perdue de ses premiers élancements mystiques, avec des visions de béatitude éternelle qui commençaient.

Le prêtre se releva pour prendre le crucifix; alors elle allongea le cou comme quelqu'un qui a soif, et, collant ses lèvres sur le corps de l'Homme-Dieu, elle y déposa de toutes sa force expirante le plus grand baiser d'amour qu'elle eût jamais donné. Ensuite il récita le *Misereatur* et l'*Indulgentiam,* trempa son pouce droit dans l'huile et commença les onctions : d'abord sur les yeux, qui avaient tant convoité toutes les somptuosités terrestres; puis sur les narines, friandes de brises tièdes et de senteurs amoureuses; puis sur la bouche, qui s'était ouverte pour le mensonge, qui avait gémi d'orgueil et crié dans la luxure; puis sur les mains, qui se délectaient aux contacts suaves, et enfin sur la plante des pieds si rapides autrefois quand elle courait à l'assouvissance de ses désirs, et qui maintenant ne marcheraient plus.

Le curé s'essuya les doigts, jeta dans le feu les brins de coton trempés d'huile, et revint s'asseoir près de la moribonde pour lui dire qu'elle devait à présent joindre

ses souffrances à celles de Jésus-Christ et s'abandonner
à la miséricorde divine.

En finissant ses exhortations, il essaya de lui mettre
dans la main un cierge bénit, symbole des gloires célestes dont elle allait tout à l'heure être environnée.
Emma, trop faible, ne put fermer les doigts, et le cierge,
sans M. Bournisien, serait tombé à terre.

Cependant elle n'était plus aussi pâle, et son visage
avait une expression de sérénité, comme si le sacrement
l'eût guérie.

Le prêtre ne manqua point d'en faire l'observation; il
expliqua même à Bovary que le Seigneur, quelquefois,
prolongeait l'existence des personnes lorsqu'il le jugeait
convenable pour leur salut; et Charles se rappela un
jour où, ainsi près de mourir, elle avait reçu la communion.

— Il ne fallait peut-être pas se désespérer, pensa-t-il.

En effet, elle regarda tout autour d'elle, lentement,
comme quelqu'un qui se réveille d'un songe; puis, d'une
voix distincte, elle demanda son miroir, et elle resta
penchée dessus quelque temps, jusqu'au moment où de
grosses larmes lui découlèrent des yeux. Alors elle se
renversa la tête en poussant un soupir et retomba sur
l'oreiller.

Sa poitrine aussitôt se mit à haleter rapidement. La
langue tout entière lui sortit hors de la bouche; ses
yeux, en roulant, pâlissaient comme deux globes de
lampes qui s'éteignent, à la croire déjà morte, sans
l'effrayante accélération de ses côtes, secouées par un
souffle furieux, comme si l'âme eût fait des bonds pour
se détacher. Félicité s'agenouilla devant le crucifix, et le
pharmacien lui-même fléchit un peu les jarrets, tandis
que M. Canivet regardait vaguement sur la place. Bournisien s'était remis en prière, la figure inclinée contre
le bord de la couche, avec sa longue soutane noire qui
traînait derrière lui dans l'appartement. Charles était

de l'autre côté, à genoux, les bras étendus vers Emma. Il avait pris ses mains et il les serrait, tressaillant à chaque battement de son cœur, comme au contre-coup d'une ruine qui tombe. A mesure que le râle devenait plus fort, l'ecclésiastique précipitait ses oraisons : elles se mêlaient aux sanglots étouffés de Bovary, et quelquefois tout semblait disparaître dans le sourd murmure des syllabes latines, qui tintaient comme un glas de cloche.

Tout à coup, on entendit sur le trottoir un bruit de gros sabots, avec le frôlement d'un bâton; et une voix s'éleva, une voix rauque, qui chantait :

> *Souvent la chaleur d'un beau jour*
> *Fait rêver fillette à l'amour.*

Emma se releva comme un cadavre que l'on galvanise, les cheveux dénoués, la prunelle fixe, béante.

> *Pour amasser diligemment*
> *Les épis que la faux moissonne,*
> *Ma Nanette va s'inclinant*
> *Vers le sillon qui nous les donne.*

— L'aveugle! s'écria-t-elle.

Et Emma se mit à rire, d'un rire atroce, frénétique, désespéré, croyant voir la face hideuse du misérable qui se dressait dans les ténèbres éternelles comme un épouvantement.

> *Il souffla bien fort ce jour-là*
> *Et le jupon court s'envola!*

Une convulsion la rabattit sur le matelas. Tous s'approchèrent. Elle n'existait plus.

# IX

Il y a toujours, après la mort de quelqu'un, comme une stupéfaction qui se dégage, tant il est difficile de comprendre cette survenue du néant et de se résigner à y croire. Mais quand il s'aperçut pourtant de son immobilité, Charles se jeta sur elle en criant :

— Adieu! adieu!

Homais et Canivet l'entraînèrent hors de la chambre.

— Modérez-vous!

— Oui, disait-il en se débattant, je serai raisonnable, je ne ferai pas de mal. Mais laissez-moi! je veux la voir! c'est ma femme!

Et il pleurait.

— Pleurez, reprit le pharmacien, donnez cours à la nature, cela vous soulagera!

Devenu plus faible qu'un enfant, Charles se laissa conduire en bas, dans la salle, et M. Homais bientôt s'en retourna chez lui.

Il fut, sur la place, accosté par l'aveugle qui, s'étant traîné jusqu'à Yonville dans l'espoir de la pommade antiphlogistique, demandait à chaque passant où demeurait l'apothicaire.

— Allons, bon! comme si je n'avais pas d'autres chiens à fouetter! Ah! tant pis, reviens plus tard!

Et il entra précipitamment dans la pharmacie.

Il avait à écrire deux lettres, à faire une potion calmante pour Bovary, à trouver un mensonge qui pût cacher l'empoisonnement et à le rédiger en article pour le *Fanal,* sans compter les personnes qui l'attendaient, afin d'avoir des informations; et quand les Yonvillais eurent tous entendu son histoire d'arsenic qu'elle avait pris pour du sucre, en faisant une crème à la vanille, Homais, encore une fois, retourna chez Bovary.

Il le trouva seul (M. Canivet venait de partir), assis dans le fauteuil, près de la fenêtre, et contemplant d'un regard idiot les pavés de la salle.

— Il faudrait à présent, dit le pharmacien, fixer vous-même l'heure de la cérémonie.

— Pourquoi? quelle cérémonie?

Puis d'une voix balbutiante et effrayée :

— Oh! non, n'est-ce pas? non, je veux la garder.

Homais, par contenance, prit une carafe sur l'étagère pour arroser les géraniums.

— Ah! merci, dit Charles, vous êtes bon!

Et il n'acheva pas, suffoquant sous une abondance de souvenirs que ce geste du pharmacien lui rappelait.

Alors, pour le distraire, Homais jugea convenable de causer un peu horticulture; les plantes avaient besoin d'humidité. Charles baissa la tête en signe d'approbation.

— Du reste, les beaux jours maintenant vont revenir.

— Ah! fit Bovary.

L'apothicaire, à bout d'idées, se mit à écarter doucement les petits rideaux du vitrage.

— Tiens, voilà M. Tuvache qui passe.

Charles répéta comme une machine :

— M. Tuvache qui passe.

Homais n'osa lui reparler des dispositions funèbres; ce fut l'ecclésiastique qui parvint à l'y résoudre.

Il s'enferma dans son cabinet, prit une plume, et, après avoir sangloté quelque temps, il écrivit :

« *Je veux qu'on l'enterre dans sa robe de noces, avec des souliers blancs, une couronne. On lui étalera ses cheveux sur les épaules; trois cercueils, un de chêne, un d'acajou, un de plomb. Qu'on ne me dise rien, j'aurai de la force. On lui mettra par-dessus tout une grande pièce de velours vert. Je le veux. Faites-le.* »

Ces messieurs s'étonnèrent beaucoup des idées romanesques de Bovary, et aussitôt le pharmacien alla lui dire :

— Ce velours me paraît une superfétation. La dépense, d'ailleurs...

— Est-ce que cela vous regarde? s'écria Charles. Laissez-moi! vous ne l'aimiez pas! Allez-vous-en!

L'ecclésiastique le prit par-dessous le bras pour lui faire faire un tour de promenade dans le jardin. Il discourait sur la vanité des choses terrestres. Dieu était bien grand, bien bon; on devait sans murmure se soumettre à ses décrets, même le remercier.

Charles éclata en blasphèmes.

— Je l'exècre, votre Dieu!

— L'esprit de révolte est encore en vous, soupira l'ecclésiastique.

Bovary était loin. Il marchait à grands pas, le long du mur, près de l'espalier, et il grinçait des dents, il levait au ciel des regards de malédiction; mais pas une feuille seulement n'en bougea.

Une petite pluie tombait. Charles, qui avait la poitrine nue, finit par grelotter; il rentra s'asseoir dans la cuisine.

A six heures, on entendit un bruit de ferraille sur la place : c'était l'*Hirondelle* qui arrivait; et il resta le front contre les carreaux, à voir descendre les uns après les autres tous les voyageurs. Félicité lui étendit un matelas dans le salon; il se jeta dessus et s'endormit.

Bien que philosophe, M. Homais respectait les morts. Aussi, sans garder rancune au pauvre Charles, il revint le soir pour faire la veillée du cadavre, apportant avec lui trois volumes, et un portefeuille, afin de prendre des notes.

M. Bournisien s'y trouvait, et deux grands cierges brûlaient au chevet du lit, que l'on avait tiré hors de l'alcôve.

L'apothicaire, à qui le silence pesait, ne tarda pas à formuler quelques plaintes sur cette « infortunée jeune femme »; et le prêtre répondit qu'il ne restait plus maintenant qu'à prier pour elle.

— Cependant, reprit Homais, de deux choses l'une : ou elle est morte en état de grâce (comme s'exprime l'Église), et alors elle n'a nul besoin de nos prières; ou bien elle est décédée impénitente (c'est, je crois, l'expression ecclésiastique), et alors...

Bournisien l'interrompit, répliquant d'un ton bourru qu'il n'en fallait pas moins prier.

— Mais, objecta le pharmacien, puisque Dieu connaît tous nos besoins, à quoi peut servir la prière?

— Comment! fit l'ecclésiastique, la prière! Vous n'êtes donc pas chrétien?

— Pardonnez! dit Homais. J'admire le christianisme. Il a d'abord affranchi les esclaves, introduit dans le monde une morale...

— Il ne s'agit pas de cela! Tous les textes...

— Oh! oh! quant aux textes, ouvrez l'histoire; on sait qu'ils ont été falsifiés par les jésuites.

Charles entra, et, s'avançant vers le lit, il tira lentement les rideaux.

Emma avait la tête penchée sur l'épaule droite. Le coin de sa bouche, qui se tenait ouverte, faisait comme

un trou noir au bas de son visage ; les deux pouces restaient infléchis dans la paume des mains ; une sorte de
poussière blanche lui parsemait les cils, et ses yeux commençaient à disparaître dans une pâleur visqueuse qui
ressemblait à une toile mince, comme si des araignées
avaient filé dessus. Le drap se creusait depuis ses seins
jusqu'à ses genoux, se relevant ensuite à la pointe des
orteils ; et il semblait à Charles que des masses infinies,
qu'un poids énorme pesait sur elle.

L'horloge de l'église sonna deux heures. On entendait
le gros murmure de la rivière qui coulait dans les ténèbres au pied de la terrasse. M. Bournisien, de temps
à autre, se mouchait bruyamment, et Homais faisait
grincer sa plume sur le papier.

— Allons, mon bon ami, dit-il, retirez-vous, ce spectacle vous déchire.

Charles une fois parti, le pharmacien et le curé recommencèrent leurs discussions.

— Lisez Voltaire ! disait l'un ; lisez d'Holbach, lisez
l'*Encyclopédie* !

— Lisez les *Lettres de quelques juifs portugais* ! disait
l'autre ; lisez la *Raison du christianisme,* par Nicolas, ancien
magistrat !

Ils s'échauffaient, ils étaient rouges, ils parlaient à la
fois, sans s'écouter ; Bournisien se scandalisait d'une
telle audace ; Homais s'émerveillait d'une telle bêtise ;
et ils n'étaient pas loin de s'adresser des injures, quand
Charles, tout à coup, reparut. Une fascination l'attirait,
il remontait continuellement l'escalier.

Il se posait en face d'elle pour la mieux voir, et il se
perdait en cette contemplation, qui n'était plus douloureuse à force d'être profonde.

Il se rappelait des histoires de catalepsie, les miracles
du magnétisme ; et il se disait qu'en le voulant extrêmement, il parviendrait peut-être à la ressusciter. Une fois
même il se pencha vers elle, et il cria tout bas : « Emma !

Emma! » Son haleine, fortement poussée, fit trembler la flamme des cierges contre le mur.

Au petit jour, Mme Bovary mère arriva : Charles, en l'embrassant, eut un nouveau débordement de pleurs. Elle essaya, comme avait tenté le pharmacien, de lui faire quelques observations sur les dépenses de l'enterrement. Il s'emporta si fort qu'elle se tut, et même il la chargea de se rendre immédiatement à la ville pour acheter ce qu'il fallait.

Charles resta seul tout l'après-midi; on avait conduit Berthe chez Mme Homais; Félicité se tenait en haut, dans la chambre, avec la mère Lefrançois.

Le soir, il reçut des visites. Il se levait, vous serrait les mains sans pouvoir parler, puis l'on s'asseyait auprès des autres, qui faisaient devant la cheminée un grand demi-cercle. La figure basse et le jarret sur le genou, ils dandinaient leur jambe, tout en poussant par intervalles un gros soupir; et chacun s'ennuyait d'une façon démesurée; c'était pourtant à qui ne partirait pas.

Homais, quand il revint à neuf heures (on ne voyait que lui sur la place, depuis deux jours), était chargé d'une provision de camphre, de benjoin et d'herbes aromatiques. Il portait aussi un vase plein de chlore, pour bannir les miasmes. A ce moment, la domestique, Mme Lefrançois et la mère Bovary tournaient autour d'Emma, en achevant de l'habiller; et elles abaissèrent le long voile raide, qui la recouvrit jusqu'à ses souliers de satin.

Félicité sanglotait :

— Ah! ma pauvre maîtresse! ma pauvre maîtresse!

— Regardez-la, disait en soupirant l'aubergiste, comme elle est mignonne encore! Si l'on ne jurerait pas qu'elle va se lever tout à l'heure.

Puis elles se penchèrent pour lui mettre sa couronne.

Il fallut soulever un peu la tête, et alors un flot de liquides noirs sortit, comme un vomissement, de sa bouche.

— Ah! mon Dieu! la robe, prenez garde! s'écria
Mme Lefrançois. Aidez-nous donc! disait-elle au pharmacien. Est-ce que vous avez peur, par hasard?

— Moi, peur? répliqua-t-il en haussant les épaules.
Ah bien, oui! j'en ai vu d'autres à l'Hôtel-Dieu, quand
j'étudiais la pharmacie! Nous faisions du punch dans
l'amphithéâtre aux dissections! Le néant n'épouvante
pas un philosophe; et même, je le dis souvent, j'ai l'intention de léguer mon corps aux hôpitaux, afin de servir
plus tard à la Science.

En arrivant, le curé demanda comment se portait
Monsieur; et, sur la réponse de l'apothicaire, il reprit :

— Le coup, vous comprenez, est encore trop récent.

Alors Homais le félicita de n'être pas exposé, comme
tout le monde, à perdre une compagne chérie; d'où
s'ensuivit une discussion sur le célibat des prêtres.

— Car, disait le pharmacien, il n'est pas naturel qu'un
homme se passe de femmes! On a vu des crimes...

— Mais, sabre de bois! s'écria l'ecclésiastique, comment voulez-vous qu'un individu pris dans le mariage
puisse garder, par exemple, le secret de la confession?

Homais attaqua la confession. Bournisien la défendit;
il s'étendit sur les restitutions qu'elle faisait opérer. Il
cita différentes anecdotes de voleurs devenus honnêtes
tout à coup. Des militaires, s'étant approchés du tribunal de la pénitence, avaient senti les écailles leur tomber
des yeux. Il y avait à Fribourg un ministre...

Son compagnon dormait. Puis, comme il étouffait un
peu dans l'atmosphère trop lourde de la chambre, il
ouvrit la fenêtre, ce qui réveilla le pharmacien.

— Allons, une prise! lui dit-il. Acceptez, cela dissipe.

Des aboiements continus se traînaient au loin, quelque part.

— Entendez-vous un chien qui hurle? dit le pharmacien.

— On prétend qu'ils sentent les morts, répondit

l'ecclésiastique. C'est comme les abeilles; elles s'envolent
de la ruche au décès des personnes.

Homais ne releva pas ces préjugés, car il s'était ren-
dormi.

M. Bournisien, plus robuste, continua quelque temps
à remuer tout bas les lèvres, puis, insensiblement, il
baissa le menton, lâcha son gros livre noir et se mit à
ronfler.

Ils étaient en face l'un de l'autre, le ventre en avant,
la figure bouffie, l'air renfrogné, après tant de désaccord
se rencontrant enfin dans la même faiblesse humaine;
et ils ne bougeaient pas plus que le cadavre à côté d'eux
qui avait l'air de dormir.

Charles, en entrant, ne les réveilla point. C'était la
dernière fois. Il venait lui faire ses adieux.

Les herbes aromatiques fumaient encore, et des tourbillons de vapeur bleuâtre se confondaient au bord de
la croisée avec le brouillard qui entrait.

Il y avait quelques étoiles, et la nuit était douce.

La cire des cierges tombait par grosses larmes sur les
draps du lit. Charles les regardait brûler, fatiguant ses
yeux contre le rayonnement de leur flamme jaune.

Des moires frissonnaient sur la robe de satin, blanche
comme un clair de lune. Emma disparaissait dessous;
et il lui semblait que, s'épandant au dehors d'elle-
même, elle se perdait confusément dans l'entourage des
choses, dans le silence, dans la nuit, dans le vent qui
passait, dans les senteurs humides qui montaient.

Puis, tout à coup, il la voyait dans le jardin de Tostes,
sur le banc, contre la haie d'épines, ou bien à Rouen,
dans les rues, sur le seuil de leur maison, dans la cour
des Bertaux. Il entendait encore le rire des garçons en
gaieté qui dansaient sous les pommiers; la chambre était
pleine du parfum de sa chevelure, et sa robe lui frissonnait dans les bras avec un bruit d'étincelles. C'était
la même, celle-là!

Il fut longtemps à se rappeler ainsi toutes les félicités disparues, ses attitudes, ses gestes, le timbre de sa voix. Après un désespoir, il en venait un autre, et toujours intarissablement, comme les flots d'une marée qui déborde.

Il eut une curiosité terrible : lentement, du bout des doigts, en palpitant, il releva son voile. Mais il poussa un cri d'horreur qui réveilla les deux autres. Ils l'entraînèrent en bas, dans la salle.

Puis Félicité vint dire qu'il demandait des cheveux.

— Coupez-en! répliqua l'apothicaire.

Et, comme elle n'osait, il s'avança lui-même, les ciseaux à la main. Il tremblait si fort, qu'il piqua la peau des tempes en plusieurs places. Enfin, se raidissant contre l'émotion, Homais donna deux ou trois grands coups au hasard, ce qui fit des marques blanches dans cette belle chevelure noire.

Le pharmacien et le curé se replongèrent dans leurs occupations, non sans dormir de temps à autre, ce dont ils s'accusaient réciproquement à chaque réveil nouveau. Alors M. Bournisien aspergeait la chambre d'eau bénite et Homais jetait un peu de chlore par terre.

Félicité avait eu soin de mettre pour eux, sur la commode, une bouteille d'eau-de-vie, un fromage et une grosse brioche. Aussi l'apothicaire, qui n'en pouvait plus, soupira vers quatre heures du matin :

— Ma foi, je me sustenterais avec plaisir!

L'ecclésiastique ne se fit point prier; il sortit pour aller dire sa messe, revint; puis ils mangèrent et trinquèrent, tout en ricanant un peu, sans savoir pourquoi, excités par cette gaieté vague qui vous prend après des séances de tristesse; et, au dernier petit verre, le prêtre dit au pharmacien, tout en lui frappant sur l'épaule :

— Nous finirons par nous entendre!

Ils rencontrèrent en bas, dans le vestibule, les ouvriers qui arrivaient. Alors Charles, pendant deux heures, eut à subir le supplice du marteau qui résonnait sur les

planches. Puis on la descendit dans son cercueil de chêne,
que l'on emboîta dans les deux autres; mais, comme la
bière était trop large, il fallut boucher les interstices avec
la laine d'un matelas. Enfin, quand les trois couvercles
furent rabotés, cloués, soudés, on l'exposa devant la
porte; on ouvrit toute grande la maison, et les gens
d'Yonville commencèrent à affluer.

Le père Rouault arriva. Il s'évanouit sur la place en
apercevant le drap noir.

# X

Il n'avait reçu la lettre du pharmacien que trente-six heures après l'événement; et, par égard pour sa sensibilité, M. Homais l'avait rédigée de telle façon qu'il était impossible de savoir à quoi s'en tenir.

Le bonhomme tomba d'abord comme frappé d'apoplexie. Ensuite il comprit qu'elle n'était pas morte. Mais elle pouvait l'être... Enfin il avait passé sa blouse, pris son chapeau, accroché un éperon à son soulier et était parti ventre à terre; et, tout le long de la route, le père Rouault, haletant, se dévora d'angoisses. Une fois même, il fut obligé de descendre. Il n'y voyait plus, il entendait des voix autour de lui, il se sentait devenir fou.

Le jour se leva. Il aperçut trois poules noires qui dormaient dans un arbre; il tressaillit, épouvanté de ce présage. Alors il promit à la sainte Vierge trois chasubles pour l'église, et qu'il irait pieds nus depuis le cimetière des Bertaux jusqu'à la chapelle de Vassonville.

Il entra dans Maromme en hélant les gens de l'auberge, enfonça la porte d'un coup d'épaule, bondit au sac d'avoine, versa dans la mangeoire une bouteille de cidre doux, et renfourcha son bidet, qui faisait feu des quatre fers.

Il se disait qu'on la sauverait sans doute; les médecins découvriraient un remède, c'était sûr. Il se rappela toutes les guérisons miraculeuses qu'on lui avait contées.

Puis elle lui apparaissait morte. Elle était là, devant lui, étendue sur le dos, au milieu de la route. Il tirait la bride, et l'hallucination disparaissait.

A Quincampoix, pour se donner du cœur, il but trois cafés l'un sur l'autre.

Il songea qu'on s'était trompé de nom en écrivant. Il chercha la lettre dans sa poche, l'y sentit, mais il n'osa pas l'ouvrir.

Il en vint à supposer que c'était peut-être une *farce,* une vengeance de quelqu'un, une fantaisie d'homme en goguette; et d'ailleurs, si elle était morte, on le saurait! Mais non! la campagne n'avait rien d'extraordinaire : le ciel était bleu, les arbres se balançaient; un troupeau de moutons passa. Il aperçut le village; on le vit accourant tout penché sur son cheval, qu'il bâtonnait à grands coups, et dont les sangles dégouttelaient de sang.

Quand il eut repris connaissance, il tomba tout en pleurs dans les bras de Bovary :

— Ma fille! Emma! mon enfant! expliquez-moi...?

Et l'autre répondait avec des sanglots :

— Je ne sais pas, je ne sais pas! c'est une malédiction!

L'apothicaire les sépara.

— Ces horribles détails sont inutiles. J'en instruirai monsieur. Voici le monde qui vient. De la dignité, fichtre! de la philosophie!

Le pauvre garçon voulut paraître fort, et il répéta plusieurs fois :

— Oui..., du courage!

— Eh bien! s'écria le bonhomme, j'en aurai, nom d'un tonnerre de Dieu! Je m'en vas la conduire jusqu'au bout.

La cloche tintait. Tout était prêt. Il fallut se mettre en marche.

Et, assis dans une stalle du chœur, l'un près de l'autre, ils virent passer devant eux et repasser continuellement les trois chantres qui psalmodiaient. Le serpent soufflait à pleine poitrine. M. Bournisien, en grand appareil,

chantait d'une voix aiguë; il saluait le tabernacle, élevait
les mains, étendait les bras. Lestiboudois circulait dans
l'église avec sa latte de baleine; près du lutrin, la bière
reposait entre quatre rangs de cierges. Charles avait envie
de se lever pour les éteindre.

Il tâchait cependant de s'exciter à la dévotion, de
s'élancer dans l'espoir d'une vie future où il la rever-
rait. Il imaginait qu'elle était partie en voyage, bien
loin, depuis longtemps. Mais quand il pensait qu'elle se
trouvait là-dessous, et que tout était fini, qu'on l'emportait dans la terre, il se prenait d'une rage farouche, noire,
désespérée. Parfois il croyait ne plus rien sentir; et il
savourait cet adoucissement de sa douleur, tout en se
reprochant d'être un misérable.

On entendit sur les dalles comme le bruit sec d'un
bâton ferré qui les frappait à temps égaux. Cela venait
du fond, et s'arrêta court dans les bas-côtés de l'église.
Un homme en grosse veste brune s'agenouilla péniblement. C'était Hippolyte, le garçon du *Lion d'or*. Il avait
mis sa jambe neuve.

L'un des chantres vint faire le tour de la nef pour
quêter, et les gros sous, les uns après les autres, sonnaient dans le plat d'argent.

— Dépêchez-vous donc! je souffre, moi! s'écria Bovary,
en lui jetant avec colère une pièce de cinq francs.

L'homme d'église le remercia par une longue révérence.

On chantait, on s'agenouillait, on se relevait, cela
n'en finissait pas! Il se rappela qu'une fois, dans les premiers temps, ils avaient ensemble assisté à la messe, et
ils s'étaient mis de l'autre côté, à droite, contre le mur.
La cloche recommença. Il y eut un grand mouvement de
chaises. Les porteurs glissèrent leurs trois bâtons sous la
bière, et l'on sortit de l'église.

Justin alors parut sur le seuil de la pharmacie. Il y
rentra tout à coup, pâle, chancelant.

On se tenait aux fenêtres pour voir passer le cortège. Charles, en avant, se cambrait la taille. Il affectait un air brave et saluait d'un signe ceux qui, débouchant des ruelles ou des portes, se rangeaient dans la foule.

Les six hommes, trois de chaque côté, marchaient au petit pas et en haletant un peu. Les prêtres, les chantres et les deux enfants de chœur récitaient le *De profundis;* et leurs voix s'en allaient sur la campagne, montant et s'abaissant avec des ondulations. Parfois ils disparaissaient aux détours du sentier, mais la grande croix d'argent se dressait toujours entre les arbres.

Les femmes suivaient, couvertes de mantes noires à capuchon rabattu; elles portaient à la main un gros cierge qui brûlait, et Charles se sentait défaillir à cette continuelle répétition de prières et de flambeaux, sous ces odeurs affadissantes de cire et de soutane. Une brise fraîche soufflait, les seigles et les colzas verdoyaient, des gouttelettes de rosée tremblaient au bord du chemin, sur les haies d'épines. Toutes sortes de bruits joyeux emplissaient l'horizon : le claquement d'une charrette roulant au loin dans les ornières, le cri d'un coq qui se répétait ou la galopade d'un poulain que l'on voyait s'enfuir sous les pommiers. Le ciel pur était tacheté de nuages roses; des lumignons bleuâtres se rabattaient sur les chaumières couvertes d'iris; Charles, en passant, reconnaissait les cours. Il se souvenait des matins comme celui-ci, où, après avoir visité quelques malades, il en sortait, et retournait vers elle.

Le drap noir, semé de larmes blanches, se levait de temps à autre en découvrant la bière. Les porteurs fatigués se ralentissaient, et elle avançait par saccades continues, comme une chaloupe qui tangue à chaque flot.

On arriva.

Les hommes continuèrent jusqu'en bas, à une place dans le gazon où la fosse était creusée.

On se rangea tout autour; et, tandis que le prêtre parlait, la terre rouge, rejetée sur les bords, coulait par les coins, sans bruit, continuellement.

Puis, quand les quatre cordes furent disposées, on poussa la bière dessus. Il la regarda descendre. Elle descendait toujours.

Enfin, on entendit un choc; les cordes en grinçant remontèrent. Alors Bournisien prit la bêche que lui tendait Lestiboudois; de sa main gauche, tout en aspergeant de la droite, il poussa vigoureusement une large pelletée; et le bois du cercueil, heurté par les cailloux, fit ce bruit formidable qui nous semble être le retentissement de l'éternité.

L'ecclésiastique passa le goupillon à son voisin. C'était M. Homais. Il le secoua gravement, puis le tendit à Charles, qui s'affaissa jusqu'aux genoux dans la terre, et il en jetait à pleines mains tout en criant : « Adieu! » Il lui envoyait des baisers; il se traînait vers la fosse pour s'y engloutir avec elle.

On l'emmena; et il ne tarda pas à s'apaiser, éprouvant peut-être, comme tous les autres, la vague satisfaction d'en avoir fini.

Le père Rouault, en revenant, se mit tranquillement à fumer une pipe; ce que Homais, dans son for intérieur, jugea peu convenable. Il remarqua de même que M. Binet s'était abstenu de paraître, que Tuvache « avait filé » après la messe, et que Théodore, le domestique du notaire, portait un habit bleu, « comme si l'on ne pouvait pas trouver un habit noir, puisque c'est l'usage, que diable! » Et pour communiquer ses observations, il allait d'un groupe à l'autre. On y déplorait la mort d'Emma, et surtout Lheureux, qui n'avait point manqué de venir à l'enterrement.

— Cette pauvre petite dame! quelle douleur pour son mari!

L'apothicaire reprenait :

— Sans moi, savez-vous bien, il se serait porté sur lui-
même à quelque attentat funeste!

— Une si bonne personne! Dire pourtant que je l'ai
encore vue samedi dernier dans ma boutique!

— Je n'ai pas eu le loisir, dit Homais, de préparer
quelques paroles que j'aurais jetées sur sa tombe.

En rentrant, Charles se déshabilla, et le père Rouault
repassa sa blouse bleue. Elle était neuve, et, comme il
s'était, pendant la route, souvent essuyé les yeux avec
les manches, elle avait déteint sur sa figure; et la trace
des pleurs y faisait des lignes dans la couche de poussière qui la salissait.

Mme Bovary mère était avec eux. Ils se taisaient tous
les trois. Enfin le bonhomme soupira :

— Vous rappelez-vous, mon ami, que je suis venu à
Tostes une fois, quand vous veniez de perdre votre première défunte. Je vous consolais dans ce temps-là! Je
trouvais quoi dire; mais à présent...

Puis, avec un long gémissement qui souleva toute sa
poitrine :

— Ah! c'est la fin pour moi, voyez-vous! J'ai vu partir
ma femme..., mon fils après..., et voilà ma fille aujour-
d'hui!

Il voulut s'en retourner tout de suite aux Bertaux,
disant qu'il ne pourrait pas dormir dans cette maison-là.
Il refusa même de voir sa petite-fille.

— Non! non! ça me ferait trop de deuil. Seulement,
vous l'embrasserez bien! Adieu!... vous êtes un bon
garçon! Et puis, jamais je n'oublierai ça, dit-il en se
frappant la cuisse, n'ayez peur! vous recevrez toujours
votre dinde.

Mais, quand il fut au haut de la côte, il se détourna,
comme autrefois il s'était détourné sur le chemin de
Saint-Victor, en se séparant d'elle. Les fenêtres du village étaient tout en feu sous les rayons obliques du
soleil, qui se couchait dans la prairie. Il mit sa main

devant ses yeux; et il aperçut à l'horizon un enclos de
murs où des arbres, çà et là, faisaient des bouquets noirs
entre des pierres blanches; puis il continua sa route, au
petit trot, car son bidet boitait.

Charles et sa mère restèrent le soir, malgré leur fatigue,
fort longtemps à causer ensemble. Ils parlèrent des jours
d'autrefois et de l'avenir. Elle viendrait habiter Yonville,
elle tiendrait son ménage, ils ne se quitteraient plus.
Elle fut ingénieuse et caressante, se réjouissant intérieurement à ressaisir une affection qui depuis tant d'années
lui échappait. Minuit sonna. Le village, comme d'habitude, était silencieux, et Charles, éveillé, pensait toujours
à elle.

Rodolphe, qui, pour se distraire, avait battu le bois
toute la journée, dormait tranquillement dans son château; et Léon, là-bas, dormait aussi.

Il y en avait un autre qui, à cette heure-là, ne dormait
pas.

Sur la fosse, entre les sapins, un enfant pleurait age-
nouillé, et sa poitrine, brisée par les sanglots, haletait
dans l'ombre, sous la pression d'un regret immense, plus
doux que la lune et plus insondable que la nuit. La grille
tout à coup craqua. C'était Lestiboudois; il venait chercher sa bêche qu'il avait oubliée tantôt. Il reconnut
Justin escaladant le mur, et sut alors à quoi s'en tenir
sur le malfaiteur qui lui dérobait ses pommes de terre.

# XI

Charles, le lendemain, fit revenir la petite. Elle demanda
sa maman. On lui répondit qu'elle était absente, qu'elle
lui rapporterait des joujoux. Berthe en reparla plusieurs
fois; puis, à la longue, elle n'y pensa plus. La gaieté de
cette enfant navrait Bovary, et il avait à subir les intolérables consolations du pharmacien.

Les affaires d'argent bientôt recommencèrent, M. Lheureux excitant de nouveau son ami Vinçart, et Charles
s'engagea pour des sommes exorbitantes; car jamais il
ne voulut consentir à laisser vendre le moindre des
meubles qui *lui* avaient appartenu. Sa mère en fut exaspérée. Il s'indigna plus fort qu'elle. Il avait changé tout
à fait. Elle abandonna la maison.

Alors chacun se mit à *profiter*. Mlle Lempereur réclama
six mois de leçons, bien qu'Emma n'en eût jamais pris
une seule (malgré cette facture acquittée qu'elle avait
fait voir à Bovary) : c'était une convention entre elles
deux; le loueur de livres réclama trois ans d'abonnement; la mère Rollet réclama le port d'une vingtaine de
lettres, et, comme Charles demandait des explications,
elle eut la délicatesse de répondre :

— Ah! je ne sais rien! c'était pour ses affaires.

A chaque dette qu'il payait, Charles croyait en avoir
fini. Il en survenait d'autres, continuellement.

Il exigea l'arriéré d'anciennes visites. On lui montra les lettres que sa femme avait envoyées. Alors il fallut faire des excuses.

Félicité portait maintenant les robes de Madame; non pas toutes, car il en avait gardé quelques-unes et il les allait voir dans son cabinet de toilette, où il s'enfermait; elle était à peu près de sa taille, souvent Charles, en l'apercevant par derrière, était saisi d'une illusion et s'écriait :

— Oh! reste! reste!

Mais à la Pentecôte, elle décampa d'Yonville, enlevée par Théodore, et en volant tout ce qui restait de la garde-robe.

Ce fut vers cette époque que Mme veuve Dupuis eut l'honneur de lui faire part du « mariage de M. Léon Dupuis, son fils, notaire à Yvetot, avec Mlle Léocadie Lebœuf, de Bondeville ». Charles, parmi les félicitations qu'il lui adressa, écrivit cette phrase :

« Comme ma pauvre femme aurait été heureuse! »

Un jour qu'errant sans but dans la maison, il était monté jusqu'au grenier, il sentit sous sa pantoufle une boulette de papier fin. Il l'ouvrit et il lut : « Du courage, Emma! du courage! Je ne veux pas faire le malheur de votre existence. » C'était la lettre de Rodolphe, tombée à terre entre des caisses, qui était restée là, et que le vent de la lucarne venait de pousser vers la porte. Et Charles demeura tout immobile et béant à cette même place où jadis, encore plus pâle que lui, Emma, désespérée, avait voulu mourir. Enfin il découvrit un petit R au bas de la seconde page. Qu'était-ce? Il se rappela les assiduités de Rodolphe, sa disparition soudaine et l'air contraint qu'il avait eu en le rencontrant depuis, deux ou trois fois. Mais le ton respectueux de la lettre l'illusionna.

— Ils se sont peut-être aimés platoniquement, se dit-il.

D'ailleurs, Charles n'était pas de ceux qui descendent au fond des choses; il recula devant les preuves, et sa jalousie incertaine se perdit dans l'immensité de son chagrin.

On avait dû, pensait-il, l'adorer. Tous les hommes, à coup sûr, l'avaient convoitée. Elle lui en parut plus belle; et il en conçut un désir permanent, furieux, qui enflammait son désespoir et qui n'avait pas de limites, parce qu'il était maintenant irréalisable.

Pour lui plaire, comme si elle vivait encore, il adopta ses prédilections, ses idées; il s'acheta des bottes vernies, il prit l'usage des cravates blanches. Il mettait du cosmétique à ses moustaches, il souscrivit comme elle des billets à ordre. Elle le corrompait par delà le tombeau.

Il fut obligé de vendre l'argenterie pièce à pièce, ensuite il vendit les meubles du salon. Tous les appartements se dégarnirent; mais la chambre, sa chambre à elle, était restée comme autrefois. Après son dîner, Charles montait là. Il poussait devant le feu la table ronde, et il approchait *son* fauteuil. Il s'asseyait en face. Une chandelle brûlait dans un des flambeaux dorés. Berthe, près de lui, enluminait des estampes.

Il souffrait, le pauvre homme, à la voir si mal vêtue, avec ses brodequins sans lacet et l'emmanchure de ses blouses déchirée jusqu'aux hanches, car la femme de ménage n'en prenait guère le souci. Mais elle était si douce, si gentille, et sa petite tête se penchait si gracieusement en laissant retomber sur ses joues roses sa bonne chevelure blonde, qu'une délectation infinie l'envahissait, plaisir tout mêlé d'amertume comme ces vins mal faits qui sentent la résine. Il raccommodait ses joujoux, lui fabriquait des pantins avec du carton, ou recousait le ventre déchiré de ses poupées. Puis, s'il rencontrait des yeux la boîte à ouvrage, un ruban qui traînait ou même une épingle restée dans une fente de la table, il se prenait à rêver, et il avait l'air si triste, qu'elle devenait triste comme lui.

Personne à présent ne venait les voir; car Justin s'était enfui à Rouen, où il est devenu garçon épicier, et les enfants de l'apothicaire fréquentaient de moins en moins la petite, M. Homais ne se souciant pas, vu la différence de leurs conditions sociales, que l'intimité se prolongeât.

L'aveugle, qu'il n'avait pu guérir avec sa pommade, était retourné dans la côte du Bois-Guillaume, où il narrait aux voyageurs la vaine tentative du pharmacien, à tel point que Homais, lorsqu'il allait en ville, se dissimulait derrière les rideaux de l'*Hirondelle,* afin d'éviter sa rencontre. Il l'exécrait; et, dans l'intérêt de sa propre réputation, voulant s'en débarrasser à toute force, il dressa contre lui une batterie cachée, qui décelait la profondeur de son intelligence et la scélératesse de sa vanité. Durant six mois consécutifs, on put donc lire dans le *Fanal de Rouen* des entrefilets ainsi conçus :

« Toutes les personnes qui se dirigent vers les fertiles contrées de la Picardie auront remarqué, sans doute, dans la côte du Bois-Guillaume, un misérable atteint d'une horrible plaie faciale. Il vous importune, vous persécute et prélève un véritable impôt sur les voyageurs. Sommes-nous encore à ces temps monstrueux du Moyen Age, où il était permis aux vagabonds d'étaler sur nos places publiques la lèpre et les scrofules qu'ils avaient rapportées de la croisade? »

Ou bien :

« Malgré les lois contre le vagabondage, les abords de nos grandes villes continuent à être infestés par des bandes de pauvres. On en voit qui circulent isolément et qui, peut-être, ne sont pas les moins dangereux. A quoi songent nos édiles? »

Puis Homais inventait des anecdotes :

« Hier, dans la côte du Bois-Guillaume, un cheval ombrageux... » Et suivait le récit d'un accident occasionné par la présence de l'aveugle.

Il fit si bien, qu'on l'incarcéra. Mais on le relâcha. Il recommença, et Homais aussi recommença. C'était une lutte. Il eut la victoire; car son ennemi fut condamné à une réclusion perpétuelle dans un hospice.

Ce succès l'enhardit; et dès lors il n'y eut plus dans l'arrondissement un chien écrasé, une grange incendiée, une femme battue, dont aussitôt il ne fît part au public, toujours guidé par l'amour du progrès et la haine des prêtres. Il établissait des comparaisons entre les écoles primaires et les frères ignorantins, au détriment de ces derniers, rappelait la Saint-Barthélemy à propos d'une allocation de cent francs faite à l'église, et dénonçait des abus, lançait des boutades. C'était son mot. Homais sapait; il devenait dangereux.

Cependant il étouffait dans les limites étroites du journalisme, et bientôt il lui fallut le livre, l'ouvrage! Alors il composa une *Statistique générale du canton d'Yonville, suivie d'observations climatologiques,* et la statistique le poussa vers la philosophie. Il se préoccupa des grandes questions : problème social, moralisation des classes pauvres, pisciculture, caoutchouc, chemins de fer, etc. Il en vint à rougir d'être un bourgeois. Il affectait *le genre artiste,* il fumait! Il s'acheta deux statuettes *chic* Pompadour, pour décorer son salon.

Il n'abandonnait point la pharmacie; au contraire! il se tenait au courant des découvertes. Il suivait le grand mouvement des chocolats. C'est le premier qui ait fait venir dans la Seine-Inférieure du *cho-ca* et de la *revalentia.* Il s'éprit d'enthousiasme pour les chaînes hydro-électriques Pulvermacher; il en portait une lui-même; et, le soir, quand il retirait son gilet de flanelle, Mme Homais restait tout éblouie devant la spirale d'or sous laquelle il disparaissait, et sentait redoubler ses ardeurs pour cet

homme plus garrotté qu'un Scythe et splendide comme
un mage.

Il eut de belles idées à propos du tombeau d'Emma.
Il proposa d'abord un tronçon de colonne avec une
draperie, ensuite une pyramide, puis un temple de
Vesta, une manière de rotonde... ou bien « un amas de
ruines ». Et, dans tous les plans, Homais ne démordait
point du saule pleureur, qu'il considérait comme le symbole obligé de la tristesse.

Charles et lui firent ensemble un voyage à Rouen,
pour voir des tombeaux, chez un entrepreneur de sépultures, — accompagnés d'un artiste peintre, un nommé
Vaufrilard, ami de Bridoux, et qui tout le temps débita
des calembours. Enfin, après avoir examiné une centaine
de dessins, s'être commandé un devis, et avoir fait un
second voyage à Rouen, Charles se décida pour un mau-
solée qui devait porter sur ses deux faces principales « un
génie tenant une torche éteinte ».

Quant à l'inscription, Homais ne trouvait rien de
beau comme : *Sta viator,* et il en restait là; il se creusait l'imagination : il répétait continuellement : *Sta
viator...* Enfin il découvrit : *amabilem conjugem calcas!* qui
fut adopté.

Une chose étrange, c'est que Bovary, tout en pensant à
Emma continuellement, l'oubliait; et il se désespérait
à sentir cette image lui échapper de la mémoire au milieu
des efforts qu'il faisait pour la retenir. Chaque nuit pourtant, il la rêvait; c'était toujours le même rêve : il s'approchait d'elle; mais quand il venait à l'étreindre, elle tombait en pourriture dans ses bras.

On le vit pendant une semaine entrer le soir à l'église.
M. Bournisien lui fit même deux ou trois visites, puis
l'abandonna. D'ailleurs, le bonhomme tournait à l'into-
lérance, au fanatisme, disait Homais; il fulminait contre
l'esprit du siècle, et ne manquait pas, tous les quinze
jours, au sermon, de raconter l'agonie de Voltaire, lequel

mourut en dévorant ses excréments, comme chacun sait.

Malgré l'épargne où vivait Bovary, il était loin de pouvoir amortir ses anciennes dettes. Lheureux refusa de renouveler aucun billet. La saisie devint imminente. Alors il eut recours à sa mère, qui consentit à lui laisser prendre une hypothèque sur ses biens, mais en lui envoyant force récriminations contre Emma; et elle demandait, en retour de son sacrifice, un châle échappé aux ravages de Félicité. Charles le lui refusa. Ils se brouillèrent.

Elle fit les premières ouvertures de raccommodement en lui proposant de prendre chez elle la petite, qui la soulagerait dans sa maison. Charles y consentit. Mais, au moment du départ, tout courage l'abandonna. Alors ce fut une rupture définitive, complète.

A mesure que ses affections disparaissaient, il se resserrait plus étroitement à l'amour de son enfant. Elle l'inquiétait cependant; car elle toussait quelquefois, et avait des plaques rouges aux pommettes.

En face de lui s'étalait, florissante et hilare, la famille du pharmacien, que tout au monde contribuait à satisfaire. Napoléon l'aidait au laboratoire, Athalie lui brodait un bonnet grec, Irma découpait des rondelles de papier pour couvrir les confitures, et Franklin récitait tout d'une haleine la table de Pythagore. Il était le plus heureux des pères, le plus fortuné des hommes.

Erreur! une ambition sourde le rongeait: Homais désirait la croix. Les titres ne lui manquaient point:

1º S'être, lors du choléra, signalé par un dévouement sans bornes; 2º avoir publié, et à mes frais, différents ouvrages d'utilité publique, tels que... (et il rappelait son Mémoire intitulé: *Du cidre, de sa fabrication et de ses effets;* plus, des observations sur le puceron lanigère, envoyées à l'Académie; son volume de statistique, et jusqu'à sa thèse de pharmacien); sans compter que je suis membre de plusieurs sociétés savantes (il l'était d'une seule).

— Enfin, s'écriait-il, en faisant une pirouette, quand ce ne serait que de me signaler aux incendies!

Alors Homais inclina vers le Pouvoir. Il rendit secrètement à M. le Préfet de grands services dans les élections. Il se vendit, enfin, il se prostitua. Il adressa même au souverain une pétition où il le suppliait *de lui faire justice;* il l'appelait *notre bon roi* et le comparait à Henri IV.

Et, chaque matin, l'apothicaire se précipitait sur le journal pour y découvrir sa nomination; elle ne venait pas. Enfin, n'y tenant plus, il fit dessiner dans son jardin un gazon figurant l'étoile de l'honneur, avec deux petits tordillons d'herbe qui partaient du sommet pour imiter le ruban. Il se promenait autour, les bras croisés, en méditant sur l'ineptie du gouvernement et l'ingratitude des hommes.

Par respect, ou par une sorte de sensualité qui lui faisait mettre de la lenteur dans ses investigations, Charles n'avait pas encore ouvert le compartiment secret d'un bureau de palissandre dont Emma se servait habituellement. Un jour, enfin, il s'assit devant, tourna la clef et poussa le ressort. Toutes les lettres de Léon s'y trouvaient. Plus de doute, cette fois! Il dévora jusqu'à la dernière, fouilla dans tous les coins, tous les meubles, tous les tiroirs, derrière les murs, sanglotant, hurlant, éperdu, fou. Il découvrit une boîte, la défonça d'un coup de pied. Le portrait de Rodolphe lui sauta en plein visage, au milieu des billets doux bouleversés.

On s'étonna de son découragement. Il ne sortait plus, ne recevait personne, refusait même d'aller voir ses malades. Alors on prétendit qu'il *s'enfermait pour boire.*

Quelquefois pourtant, un curieux se haussait par-dessus la haie du jardin, et apercevait avec ébahisse-

ment cet homme à barbe longue, couvert d'habits
sordides, farouche, et qui pleurait tout haut en marchant.

Le soir, dans l'été, il prenait avec lui sa petite fille
et la conduisait au cimetière. Ils s'en revenaient à la
nuit close, quand il n'y avait plus d'éclairé sur la place
que la lucarne de Binet.

Cependant la volupté de sa douleur était incomplète,
car il n'avait autour de lui personne qui la partageât; et
il faisait des visites à la mère Lefrançois afin de pouvoir
parler *d'elle*. Mais l'aubergiste ne l'écoutait que d'une
oreille, ayant comme lui des chagrins, car M. Lheureux
venait enfin d'établir les *Favorites du commerce,* et Hivert,
qui jouissait d'une grande réputation pour les commissions, exigeait un surcroît d'appointements et menaçait
de s'engager « à la concurrence ».

Un jour qu'il était allé au marché d'Argueil pour y
vendre son cheval, — dernière ressource, — il rencontra
Rodolphe.

Ils pâlirent en s'apercevant. Rodolphe, qui avait seulement envoyé sa carte, balbutia d'abord quelques excuses,
puis s'enhardit et même poussa l'aplomb (il faisait très
chaud, on était au mois d'août) jusqu'à l'inviter à
prendre une bouteille de bière au cabaret.

Accoudé en face de lui, il mâchait son cigare tout en
causant, et Charles se perdait en rêveries devant cette
figure qu'elle avait aimée. Il lui semblait revoir quelque
chose d'elle. C'était un émerveillement. Il aurait voulu
être cet homme.

L'autre continuait à parler culture, bestiaux, engrais,
bouchant avec des phrases banales tous les interstices où
pouvait se glisser une allusion. Charles ne l'écoutait pas;
Rodolphe s'en apercevait, et il suivait sur la mobilité de
sa figure le passage des souvenirs. Elle s'empourprait peu
à peu, les narines battaient vite, les lèvres frémissaient;
il y eut même un instant où Charles, plein d'une fureur

sombre, fixa ses yeux contre Rodolphe qui, dans une
sorte d'effroi, s'interrompit. Mais bientôt la même
lassitude funèbre réapparut sur son visage.

— Je ne vous en veux pas, dit-il.

Rodolphe était resté muet. Et Charles, la tête dans ses
deux mains, reprit d'une voix éteinte et avec l'accent
résigné des douleurs infinies :

— Non, je ne vous en veux plus!

Il ajouta même un grand mot, le seul qu'il ait jamais
dit :

— C'est la faute de la fatalité!

see P239.

Rodolphe, qui avait conduit cette fatalité, le trouva
bien débonnaire pour un homme dans sa situation,
comique même et un peu vil.

Le lendemain, Charles alla s'asseoir sur le banc, dans
la tonnelle. Des jours passaient par le treillis; les feuilles
de vigne dessinaient leurs ombres sur le sable, le jasmin
embaumait, le ciel était bleu, des cantharides bourdonnaient autour des lis en fleur, et Charles suffoquait
comme un adolescent sous les vagues effluves amoureux
qui gonflaient son cœur chagrin.

A sept heures, la petite Berthe, qui ne l'avait pas vu de
tout l'après-midi, vint le chercher pour dîner.

Il avait la tête renversée contre le mur, les yeux clos,
la bouche ouverte, et tenait dans ses mains une longue
mèche de cheveux noirs.

— Papa, viens donc! dit-elle.

Et, croyant qu'il voulait jouer, elle le poussa doucement. Il tomba par terre. Il était mort.

Trente-six heures après, sur la demande de l'apothicaire, M. Canivet accourut. Il l'ouvrit et ne trouva
rien.

Quand tout fut vendu, il resta douze francs soixante
et quinze centimes qui servirent à payer le voyage de
Mlle Bovary chez sa grand-mère. La bonne femme mourut dans l'année même; le père Rouault étant paralysé,

ce fut une tante qui s'en chargea. Elle est pauvre et l'envoie, pour gagner sa vie, dans une filature de coton.

Depuis la mort de Bovary, trois médecins se sont succédé à Yonville sans pouvoir y réussir, tant M. Homais les a tout de suite battus en brèche. Il fait une clientèle d'enfer; l'autorité le ménage et l'opinion publique le protège.

Il vient de recevoir la croix d'honneur.

# APPENDICE

## LE PROCÈS*

### LE MINISTÈRE PUBLIC
### CONTRE GUSTAVE FLAUBERT

RÉQUISITOIRE DE M. L'AVOCAT IMPÉRIAL
M. ERNEST PINARD

MESSIEURS, en abordant ce débat, le ministère public est en présence d'une difficulté qu'il ne peut pas se dissimuler. Elle n'est pas dans la nature même de la prévention : offenses à la morale publique et à la religion, ce sont là sans doute des expressions un peu vagues, un peu élastiques, qu'il est nécessaire de préciser. Mais enfin, quand on parle à des esprits droits et pratiques, il est facile de s'entendre à cet égard, de distinguer si telle page d'un livre porte atteinte à la religion ou à la morale. La difficulté n'est pas dans notre prévention, elle est plutôt, elle est davantage dans l'étendue de l'œuvre que vous avez à juger. Il s'agit d'un roman tout entier. Quand on soumet à votre appréciation un article de journal, on voit tout de suite où le délit commence et où il finit; le ministère public lit l'article et le soumet à votre appréciation. Ici il ne s'agit pas d'un article de journal, mais d'un roman tout entier qui

---

* Flaubert lui-même a joint à son édition définitive de *Madame Bovary* (Charpentier, 1873) les pièces du procès.

commence le 1<sup>er</sup> octobre, finit le 15 décembre, et se compose
de six livraisons, dans la *Revue de Paris,* 1856. Que faire dans
cette situation? Quel est le rôle du ministère public? Lire tout
le roman? C'est impossible. D'un autre côté, ne lire que les
textes incriminés, c'est s'exposer à un reproche très fondé.
On pourrait nous dire : si vous n'exposez pas le procès dans
toutes ses parties, si vous passez ce qui précède et ce qui suit
les passages incriminés, il est évident que vous étouffez le débat
en restreignant le terrain de la discussion. Pour éviter ce double
inconvénient, il n'y a qu'une marche à suivre, et la voici, c'est
de vous raconter d'abord tout le roman sans en lire, sans en
incriminer aucun passage, et puis de lire, d'incriminer en criant
le texte, et enfin de répondre aux objections qui pourraient
s'élever contre le système général de la prévention.

Quel est le titre du roman : *Madame Bovary.* C'est un titre
qui ne dit rien par lui-même. Il en a un second entre parenthèses : *Mœurs de province.* C'est encore là un titre qui n'explique
pas la pensée de l'auteur, mais qui la fait pressentir. L'auteur
n'a pas voulu suivre tel ou tel système philosophique vrai ou
faux, il a voulu faire des tableaux de genre, et vous allez voir
quels tableaux!!! Sans doute c'est le mari qui commence et
qui termine le livre, mais le portrait le plus sérieux de l'œuvre,
qui illumine les autres peintures, c'est évidemment celui de
Mme Bovary.

Ici je raconte, je ne cite pas. On prend le mari au collège,
et, il faut le dire, l'enfant annonce déjà ce que sera le mari.
Il est excessivement lourd et timide, si timide que lorsqu'il
arrive au collège et qu'on lui demande son nom, il commence
par répondre *Charbovari.* Il est si lourd qu'il travaille sans
avancer. Il n'est jamais le premier, il n'est jamais le dernier
non plus de sa classe; c'est le type, sinon de la nullité au moins
de celui du ridicule au collège. Après les études du collège, il
vint étudier la médecine à Rouen, dans une chambre au quatrième, donnant sur la Seine\*, que sa mère lui avait louée chez
un teinturier de sa connaissance. C'est là qu'il fait ses études
médicales et qu'il arrive petit à petit à conquérir, non pas le
grade de docteur en médecine, mais celui d'officier de santé.
Il fréquentait les cabarets, il manquait les cours, mais il n'avait

\* *Sic,* voir page 10, ligne 17.

au demeurant d'autre passion que celle de jouer aux dominos. Voilà M. Bovary.

Il va se marier. Sa mère lui trouve une femme : la veuve d'un huissier de Dieppe; elle est vertueuse et laide, elle a quarante-cinq ans et 1 200 livres de rente. Seulement le notaire qui avait le capital de la rente partit un beau matin pour l'Amérique, et Mme Bovary jeune fut tellement frappée, tellement impressionnée par ce coup inattendu, qu'elle en mourut. Voilà le premier mariage, voilà la première scène.

M. Bovary, devenu veuf, songea à se remarier. Il interroge ses souvenirs; il n'a pas besoin d'aller bien loin, il lui vient tout de suite à l'esprit la fille d'un fermier du voisinage qui avait singulièrement excité les soupçons de Mme Bovary, Mlle Emma Rouault. Le fermier Rouault n'avait qu'une fille, élevée aux Ursulines de Rouen. Elle s'occupait peu de la ferme; son père désirait la marier. L'officier de santé se présente, il n'est pas difficile sur la dot, et vous comprenez qu'avec de telles dispositions de part et d'autre les choses vont vite. Le mariage est accompli. M. Bovary est aux genoux de sa femme, il est le plus heureux des hommes, le plus aveugle des maris; sa seule préoccupation est de prévenir les désirs de sa femme.

Ici le rôle de M. Bovary s'efface; celui de Mme Bovary devient l'œuvre sérieuse du livre.

Messieurs, Mme Bovary a-t-elle aimé son mari ou cherché à l'aimer? Non, et dès le commencement il y eut ce qu'on peut appeler la scène de l'initiation. A partir de ce moment, un autre horizon s'étale devant elle, une vie nouvelle lui apparaît. Le propriétaire du château de la Vaubyessard avait donné une grande fête. On avait invité l'officier de santé, on avait invité sa femme, et là il y eut pour elle comme une initiation à toutes les ardeurs de la volupté! Elle avait aperçu le duc de Laverdière, qui avait eu des succès à la cour; elle avait valsé avec un vicomte et éprouvé un trouble inconnu. A partir de ce moment, elle avait vécu d'une vie nouvelle; son mari, tout ce qui l'entourait, lui était devenu insupportable. Un jour, en cherchant dans un meuble, elle avait rencontré un fil de fer qui lui avait déchiré le doigt; c'était le fil de son bouquet de mariage. Pour essayer de l'arracher à l'ennui qui la consumait, M. Bovary fit le sacrifice de sa clientèle, et vint s'installer à Yonville. C'est ici que vient la scène de la première chute.

Nous sommes à la seconde livraison. Mme Bovary arrive à Yonville, et là, la première personne qu'elle rencontre, sur laquelle elle fixe ses regards, ce n'est pas le notaire de l'endroit, c'est l'unique clerc de ce notaire, Léon Dupuis. C'est un tout jeune homme qui fait son droit et qui va partir pour la capitale. Tout autre que M. Bovary aurait été inquiété des visites du jeune clerc, mais M. Bovary est si naïf qu'il croit à la vertu de sa femme; Léon, inexpérimenté, éprouvait le même sentiment. Il est parti, l'occasion est perdue, mais les occasions se retrouvent facilement. Il y avait dans le voisinage d'Yonville un M. Rodolphe Boulanger (vous voyez que je raconte). C'était un homme de trente-quatre ans, d'un tempérament brutal; il avait eu beaucoup de succès auprès des conquêtes faciles; il avait alors pour maîtresse une actrice; il aperçut Mme Bovary, elle était jeune, charmante; il résolut d'en faire sa maîtresse. La chose était facile, il lui suffit de trois occasions. La première fois il était venu aux Comices agricoles, la seconde fois il lui avait rendu une visite, la troisième fois il lui avait fait faire une promenade à cheval que le mari avait jugée nécessaire à la santé de sa femme; et c'est alors, dans une première visite de la forêt, que la chute a lieu. Les rendez-vous se multiplieront au château de Rodolphe, surtout dans le jardin de l'officier de santé. Les amants arrivent jusqu'aux limites extrêmes de la volupté! Mme Bovary veut se faire enlever par Rodolphe, Rodolphe n'ose pas dire non, mais il lui écrit une lettre où il cherche à lui prouver, par beaucoup de raisons, qu'il ne peut pas l'enlever. Foudroyée à la réception de cette lettre, Mme Bovary a une fièvre cérébrale, à la suite de laquelle une fièvre typhoïde se déclare. La fièvre tua l'amour, mais resta la malade. Voilà la deuxième scène.

J'arrive à la troisième. La chute avec Rodolphe avait été suivie d'une réaction religieuse, mais elle avait été courte; Mme Bovary va tomber de nouveau. Le mari avait jugé le spectacle utile à la convalescence de sa femme, et il l'avait conduite à Rouen. Dans une loge, en face de celle qu'occupaient M. et Mme Bovary, se trouvait Léon Dupuis, ce jeune clerc de notaire qui fait son droit à Paris, et qui en est revenu singulièrement instruit, singulièrement expérimenté. Il va voir Mme Bovary; il lui propose un rendez-vous. Mme Bovary lui indique la cathédrale. Au sortir de la cathédrale, Léon lui propose de monter dans un fiacre. Elle résiste d'abord, mais Léon lui dit que cela se fait ainsi à Paris et, alors, plus d'obstacle. La chute a lieu dans le fiacre! Les rendez-vous se multiplient pour Léon comme pour Rodolphe, chez l'officier de santé et puis dans une chambre qu'on avait louée à Rouen. Enfin elle arriva jusqu'à la fatigue même de ce second amour, et c'est ici que commence la scène de détresse, c'est la dernière du roman.

Mme Bovary avait prodigué, jeté les cadeaux à la tête de Rodolphe et de Léon, elle avait mené une vie de luxe, et, pour faire face à tant de dépenses, elle avait souscrit de nombreux billets à ordre. Elle avait obtenu de son mari une procuration générale pour gérer le patrimoine commun; elle avait rencontré un usurier qui se faisait souscrire des billets, lesquels n'étant pas payés à l'échéance, étaient renouvelés, sous le nom d'un compère. Puis étaient venus le papier timbré, les protêts, les jugements, la saisie et enfin l'affiche de la vente du mobilier de M. Bovary qui ignorait tout. Réduite aux plus cruelles extrémités, Mme Bovary demande de l'argent à tout le monde et n'en obtient de personne. Léon n'en a pas, et il recule épouvanté à l'idée d'un crime qu'on lui suggère pour s'en procurer. Parcourant tous les degrés de l'humiliation, Mme Bovary va chez Rodolphe; elle ne réussit pas, Rodolphe n'a pas trois mille francs. Il ne lui reste plus qu'une issue. De s'excuser auprès de son mari? Non; de s'expliquer avec lui? Mais ce mari aurait la générosité de lui pardonner, et c'est là une humiliation qu'elle ne peut pas accepter : elle s'empoisonne. Viennent alors des scènes douloureuses. Le mari est là, à côté du corps glacé de sa femme. Il fait apporter sa robe de noces, il ordonne qu'on l'en enveloppe et qu'on enferme sa dépouille dans un triple cercueil.

Un jour, il ouvre le secrétaire et il trouve le portrait de Rodolphe, ses lettres et celles de Léon. Vous croyez que l'amour va tomber alors? Non, non, il s'excite, au contraire, il s'exalte pour cette femme que d'autres ont possédée, en raison de ces souvenirs de volupté qu'elle lui a laissés; et dès ce moment il néglige sa clientèle, sa famille, il laisse aller au vent les dernières parcelles de son patrimoine, et un jour on le trouve mort dans la tonnelle de son jardin, tenant dans ses mains une longue mèche de cheveux noirs.

Voilà le roman; je l'ai raconté tout entier en n'en suppri-
mant aucune scène. On l'appelle *Madame Bovary;* vous pouvez
lui donner un autre titre, et l'appeler avec justesse : *Histoires
des adultères d'une femme de province.*

Messieurs, la première partie de ma tâche est remplie; j'ai
raconté, je vais citer, et après les citations viendra l'incrimination qui porte sur deux délits : offense à la morale publique,
offense à la morale religieuse. L'offense à la morale publique
est dans les tableaux lascifs que je mettrai sous vos yeux,
l'offense à la morale religieuse dans des images voluptueuses
mêlées aux choses sacrées. J'arrive aux citations. Je serai court,
car vous lirez le roman tout entier. Je me bornerai à vous citer
quatre scènes, ou plutôt quatre tableaux. La première, ce sera
celle des amours et de la chute avec Rodolphe; la seconde,
la transition religieuse entre les deux adultères; la troisième,
ce sera la chute avec Léon, c'est le deuxième adultère, et,
enfin, la quatrième, que je veux citer, c'est la mort de
Mme Bovary.

Avant de soulever ces quatre coins du tableau, permettez-
moi de me demander quelle est la couleur, le coup de pinceau
de M. Flaubert, car enfin, son roman est un tableau, et il faut
savoir à quelle école il appartient, quelle est la couleur qu'il
emploie et quel est le portrait de son héroïne.

La couleur générale de l'auteur, permettez-moi de vous le
dire, c'est la couleur lascive, avant, pendant et après ces chutes!
Elle est enfant, elle a dix ou douze ans, elle est au couvent
des Ursulines. A cet âge où la jeune fille n'est pas formée,
où la femme ne peut pas sentir ces émotions premières qui lui
révèlent un monde nouveau, elle se confesse.

« Quand elle allait à confesse (cette première citation de
la première livraison est à la page 30 du numéro du 1er octobre*, « quand elle allait à confesse, elle inventait de petits
« péchés afin de rester là plus longtemps, à genoux dans
« l'ombre, les mains jointes, le visage à la grille, sous le chucho-
« tement du prêtre. Les comparaisons de fiancé, d'époux,
« d'amant céleste et de mariage éternel qui reviennent dans les
« sermons lui soulevaient au fond de l'âme des douceurs inat-
« tendues. »

---

* Voir page 42, 1er paragraphe.

Est-ce qu'il est naturel qu'une petite fille invente de petits péchés, quand on sait que, pour un enfant, ce sont les plus petits qu'on a le plus de peine à dire? Et puis, à cet âge-là, quand une petite fille n'est pas formée, la montrer inventant de petits péchés dans l'ombre, sous le chuchotement du prêtre, en se rappelant ces comparaisons de fiancé, d'époux, d'amant céleste et de mariage éternel, qui lui faisaient éprouver comme un frisson de volupté, n'est-ce pas faire ce que j'ai appelé une peinture lascive?

Voulez-vous Mme Bovary dans ses moindres actes, à l'état libre, sans l'amant, sans la faute. Je passe sur ce mot du *lendemain,* et sur cette mariée qui ne laissait rien découvrir où l'on pût deviner quelque chose, il y a là déjà un tour de phrase plus qu'équivoque, mais voulez-vous savoir comment était le mari?

Ce mari du lendemain « que l'on eût pris pour la vierge « de la veille », et cette mariée « qui ne laissait rien décou- « vrir où l'on pût deviner quelque chose ». Ce mari (p. 29)* qui se lève et part « le cœur plein des félicités de la nuit, « l'esprit tranquille, la chair contente », s'en allant « rumi- « nant son bonheur comme ceux qui mâchent encore après « dîner le goût des truffes qu'ils digèrent ».

Je tiens, messieurs, à vous préciser le cachet de l'œuvre littéraire de M. Flaubert et ses coups de pinceau. Il a quelquefois des traits qui veulent beaucoup dire, et ces traits ne lui coûtent rien.

Et puis, au château de la Vaubyessard, savez-vous ce qui attire les regards de cette jeune femme, ce qui la frappe le plus? C'est toujours la même chose, c'est le duc de Laverdière, amant, « disait-on, de Marie-Antoinette, entre MM. de « Coigny et de Lauzun », et sur lequel « les yeux d'Emma « revenaient d'eux-mêmes, comme sur quelque chose d'ex- « traordinaire et d'auguste; il avait vécu à la cour et couché « dans le lit des reines »!

Ce n'est là qu'une parenthèse historique, dira-t-on? Triste et inutile parenthèse! L'histoire a pu autoriser des soupçons, mais non le droit de les ériger en certitude. L'histoire a parlé du collier dans tous les romans, l'histoire a parlé de

* Voir page 40, ligne 1 sqq.

mille choses, mais ce ne sont là que des soupçons, et, je le
répète, je ne sache pas qu'elle ait autorisé à transformer ces
soupçons en certitude. Et quand Marie-Antoinette est morte
avec la dignité d'une souveraine et le calme d'une chrétienne,
ce sang versé pourrait effacer des fautes, à plus forte raison
des soupçons. Mon Dieu, M. Flaubert a eu besoin d'une image
frappante pour peindre son héroïne, et il a pris celle-là pour
exprimer tout à la fois et les instincts pervers et l'ambition
de Mme Bovary!

Mme Bovary doit très bien valser, et la voici valsant :

« Ils commencèrent lentement, puis allèrent plus vite. Ils
« tournaient; tout tournait autour d'eux, les lampes, les
« meubles, les lambris et le parquet, comme un disque sur
« un pivot. En passant auprès des portes, la robe d'Emma
« par le bas s'ériflait au pantalon; leurs jambes entraient l'une
« dans l'autre, il baissait ses regards vers elle, elle levait les
« siens vers lui; une torpeur la prenait, elle s'arrêta. Ils repar-
« tirent, et, d'un mouvement plus rapide, le vicomte l'entraî-
« nant, disparut avec elle, jusqu'au bout de la galerie où,
« haletante, elle faillit tomber, et, un instant, s'appuya la
« tête sur sa poitrine. Et puis, tournant toujours, mais plus
« doucement, il la reconduisit à sa place; elle se renversa contre
« la muraille et mit la main devant ses yeux. »

Je sais bien qu'on valse un peu de cette manière, mais cela
n'en est pas plus moral.

Prenez Mme Bovary dans les actes les plus simples, c'est
toujours le même coup de pinceau, il est à toutes les pages.
Aussi Justin, le domestique du pharmacien voisin, a-t-il des
émerveillements subits quand il est initié dans le secret du
cabinet de toilette de cette femme. Il poursuit sa voluptueuse
admiration jusqu'à la cuisine.

« Le coude sur la longue planche où elle (Félicité, la femme
« de chambre) repassait, il considérait avidement toutes ces
« affaire de femmes étalées autour de lui, les jupons de basin,
« les fichus, les collerettes et les pantalons à coulisse, vastes de
« hanches et qui se rétrécissaient par le bas.

« — A quoi cela sert-il? demandait le jeune garçon, en
« passant sa main sur la crinoline ou les agrafes.

« — Tu n'as donc jamais rien vu? » répondait en riant
Félicité.

Aussi le mari se demande-t-il, en présence de cette femme
sentant frais, si l'odeur vient de la peau ou de la chemise.
« Il trouvait tous les soirs des meubles souples et une femme
« en toilette fine, charmante et sentant frais, à ne savoir même
« d'où venait cette odeur, ou si ce n'était pas la femme qui
« parfumait la chemise. »

Assez de citations de détail! Vous connaissez maintenant
la physionomie de Mme Bovary au repos, quand elle ne provoque personne, quand elle ne pèche pas, quand elle est
encore complètement innocente, quand, au retour d'un
rendez-vous, elle n'est pas encore à côté d'un mari qu'elle
déteste; vous connaissez maintenant la couleur générale du
tableau, la physionomie générale de Mme Bovary. L'auteur a
mis le plus grand soin, employé tous les prestiges de son
style pour peindre cette femme. A-t-il essayé de la montrer
du côté de l'intelligence? Jamais. Du côté du cœur? Pas
davantage. Du côté de l'esprit? Non. Du côté de la beauté
physique? Pas même. Oh! je sais bien qu'il y a un portrait
de Mme Bovary après l'adultère des plus étincelants; mais
le tableau est avant tout lascif, les poses sont voluptueuses,
la beauté de Mme Bovary est une beauté de provocation.

J'arrive maintenant aux quatre citations importantes; je
n'en ferai que quatre; je tiens à restreindre mon cadre. J'ai
dit que la première serait sur les amours de Rodolphe, la
seconde sur la transition religieuse, la troisième sur les amours
de Léon, la quatrième sur la mort.

Voyons la première, Mme Bovary est près de la chute, près
de succomber.

« La médiocrité domestique la poussait à des fantaisies
« luxueuses, les tendresses matrimoniales en des désirs adul-
« tères »... « elle se maudit de n'avoir pas aimé Léon, elle eut
« soif de ses lèvres. »

Qu'est-ce qui a séduit Rodolphe et l'a préparé? Le gonflement de l'étoffe de la robe de Mme Bovary qui s'est crevée
de place en place selon les inflexions du corsage! Rodolphe
a amené son domestique chez Bovary pour le faire saigner. Le domestique va se trouver mal. Mme Bovary tient la
cuvette.

« Pour la mettre sous la table, dans le mouvement qu'elle
« fit en s'inclinant, sa robe s'évasa autour d'elle sur les car-

« reaux de la salle : et comme Emma, baissée, chancelait un
« peu en écartant les bras; le gonflement de l'étoffe se crevait
« de place en place selon les inflexions du corsage. » Aussi
voici la réflexion de Rodolphe :

« Il revoyait Emma dans la salle, habillée comme il l'avait
« vue, et il la déshabillait. »

P. 417*. C'est le premier jour où ils se parlent. « Ils se
« regardaient, un désir suprême faisait frissonner leurs lèvres
« sèches, et mollement, sans efforts, leurs doigts se confon-
« dirent. »

Ce sont là les préliminaires de la chute. Il faut lire la chute
elle-même.

« Quand le costume fut prêt, Charles écrivit à M. Bou-
« langer que sa femme était à sa disposition et qu'ils comp-
« taient sur sa complaisance.

« Le lendemain à midi, Rodolphe arriva devant la porte
« de Charles avec deux chevaux de maître; l'un portait des
« pompons roses aux oreilles et une selle de femme en peau
« de daim.

« Il avait mis de longues bottes molles, se disant que sans
« doute elle n'en avait jamais vu de pareilles; en effet, Emma
« fut charmée de sa tournure, lorsqu'il apparut avec son
« grand habit de velours marron et sa culotte de tricot blanc...

. . . . . . . . . . . . . . . . . . . . . . . . . . . . . . . . . .

« Dès qu'il sentit la terre, le cheval d'Emma prit le galop,
« Rodolphe galopait à côté d'elle. »

Les voilà dans la forêt.

« Il l'entraîna plus loin autour d'un petit étang où des len-
« tilles d'eau faisaient une verdure sur les ondes...

. . . . . . . . . . . . . . . . . . . . . . . . . . . . . . . . . .

« — J'ai tort, j'ai tort, disait-elle, je suis folle de vous
« entendre.

« — Pourquoi? Emma! Emma!

« — Ô Rodolphe!... » fit lentement la jeune femme, en se
« penchant sur son épaule.

« Le drap de sa robe s'accrochait au velours de l'habit.
« Elle renversa son cou blanc, qui se gonflait d'un soupir;

« et défaillante, tout en pleurs, avec un long frémissement
« et se cachant la figure, elle s'abandonna. »

Lorsqu'elle se fut relevée, lorsque, après avoir secoué les
fatigues de la volupté, elle rentra au foyer domestique,
à ce foyer où elle devait trouver un mari qui l'adorait,
après sa première faute, après ce premier adultère, après
cette première chute, est-ce le remords, le sentiment du
remords qu'elle éprouva, au regard de ce mari trompé qui
l'adorait? Non! le front haut, elle rentra en glorifiant l'adultère.

« En s'apercevant dans la glace, elle s'étonna de son
« visage. Jamais elle n'avait eu les yeux si grands, si noirs,
« ni d'une telle profondeur. Quelque chose de subtil épandu
« sur sa personne la transfigurait.

« Elle se répétait : « J'ai un amant! un amant! » se délec-
« tant à cette idée comme à celle d'une autre puberté qui lui
« serait survenue. Elle allait donc enfin posséder ces plaisirs
« de l'amour, cette fièvre de bonheur dont elle avait déses-
« péré. Elle entrait dans quelque chose de merveilleux, où
« tout serait passion, extase, délire... »

Ainsi, dès cette première faute, dès cette première chute,
elle fait la glorification de l'adultère, elle chante le cantique
de l'adultère, sa poésie, ses voluptés. Voilà, messieurs, qui
pour moi est bien plus dangereux, bien plus immoral que
la chute elle-même!

Messieurs, tout est pâle devant cette glorification de
l'adultère; même les rendez-vous de nuit, quelques jours
après.

« Pour l'avertir, Rodolphe jetait contre les persiennes une
« poignée de sable. Elle se levait en sursaut; mais quelque-
« fois il lui fallait attendre, car Charles avait la manie de
« bavarder au coin du feu, et il n'en finissait pas. Elle se
« dévorait d'impatience; si ses yeux l'avaient pu, ils l'eussent
« fait sauter par les fenêtres. Enfin elle commençait sa toilette
« de nuit, puis elle prenait un livre et continuait à lire fort
« tranquillement comme si la lecture l'eût amusée. Mais
« Charles, qui était au lit, l'appelait pour se coucher.

« — Viens donc, Emma, disait-il, il est temps.

« — Oui, j'y vais! » répondait-elle.

« Cependant, comme les bougies l'éblouissaient, il se tour-

« nait vers le mur et s'endormait. Elle s'échappait en retenant
« son haleine, souriante, palpitante, déshabillée.

« Rodolphe avait un grand manteau; il l'en enveloppait
« tout entière, et passant le bras autour de sa taille, il l'en-
« traînait sans parler jusqu'au fond du jardin.

« C'était sous la tonnelle, sur ce même banc de bâtons
« pourris où autrefois Léon la regardait si amoureusement
« durant les soirées d'été! Elle ne pensait guère à lui, main-
« tenant.

« Le froid de la nuit les faisait s'étreindre davantage, les
« soupirs de leurs lèvres leur semblaient plus forts, leurs yeux,
« qu'ils entrevoyaient à peine, leur paraissaient plus grands,
« et au milieu du silence il y avait des paroles dites tout bas
« qui tombaient sur leur âme avec une sonorité cristalline
« et qui s'y répercutaient en vibrations multipliées. »

Connaissez-vous au monde, messieurs, un langage plus
expressif? Avez-vous jamais vu un tableau plus lascif? Écoutez
encore :

« Jamais Mme Bovary ne fut aussi belle qu'à cette époque;
« elle avait cette indéfinissable beauté qui résulte de la joie,
« de l'enthousiasme, du succès, et qui n'est que l'harmonie
« du tempérament avec les circonstances. Ses convoitises, ses
« chagrins, l'expérience du plaisir et ses illusions toujours
« jeunes, comme font aux fleurs le fumier, la pluie, les vents
« et le soleil, l'avaient par gradations développée, et elle
« s'épanouissait enfin dans la plénitude de sa nature. Ses pau-
« pières semblaient taillées tout exprès pour ses longs regards
« amoureux où la prunelle se perdait, tandis qu'un souffle
« fort écartait ses narines minces et relevait le coin charnu
« de ses lèvres, qu'ombrageait à la lumière un peu de duvet
« noir. On eût dit qu'un artiste habile en corruption avait
« disposé sur sa nuque la torsade de ses cheveux. Ils s'enrou-
« laient en une masse lourde, négligemment, et selon les
« hasards de l'adultère qui les dénouait tous les jours. Sa voix
« maintenant prenait des inflexions plus molles, sa taille aussi;
« quelque chose de subtil qui vous pénétrait se dégageait
« même des draperies de sa robe et de la cambrure de son
« pied. Charles, comme au premier temps de leur mariage,
« la trouvait délicieuse et tout irrésistible. »

Jusqu'ici la beauté de cette femme avait consisté dans sa

grâce, dans sa tournure, dans ses vêtements; enfin, elle vient de vous être montrée sans voile, et vous pouvez dire si l'adultère ne l'a pas embellie :

« — Emmène-moi! s'écria-t-elle. Enlève-moi!... Oh! je t'en « supplie! »

« Et elle se précipita sur sa bouche, comme pour y saisir « le consentement inattendu qui s'exhalait dans un baiser. »

Voilà un portrait, messieurs, comme sait les faire M. Flaubert. Comme les yeux de cette femme s'élargissent! Comme quelque chose de ravissant est épandu sur elle, depuis sa chute! Sa beauté a-t-elle jamais été aussi éclatante que le lendemain de sa chute, que dans les jours qui ont suivi sa chute? Ce que l'auteur vous montre, c'est la poésie de l'adultère, et je vous demande encore une fois si ces pages lascives ne sont pas d'une immoralité profonde!!!

J'arrive à la seconde citation. La seconde citation est une transition religieuse. Mme Bovary avait été très malade, aux portes du tombeau. Elle revient à la vie, sa convalescence est signalée par une petite transition religieuse.

« M. Bournisien (c'était le curé) venait la voir. Il s'en-« quérait de sa santé, lui apportait des nouvelles et l'exhor-« tait à la religion dans un petit bavardage câlin, qui ne man-« quait pas d'agrément. La vue seule de sa soutane la récon-« fortait. »

Enfin elle va faire la communion. Je n'aime pas beaucoup à rencontrer des choses saintes dans un roman, mais au moins, quand on en parle, faudrait-il ne pas les travestir par le langage. Y a-t-il dans cette femme adultère qui va à la communion quelque chose de la foi de la Madeleine repentante? Non, non, c'est toujours la femme passionnée qui cherche des illusions, et qui les cherche dans les choses les plus saintes, les plus augustes.

« Un jour qu'au plus fort de sa maladie elle s'était crue « agonisante, elle avait demandé la communion; et à mesure « que l'on faisait dans sa chambre les préparatifs pour le « sacrement, que l'on disposait en autel la commode encom-« brée de sirops, et que Félicité semait par terre des fleurs « de dahlia, Emma sentait quelque chose de fort passant sur « elle, qui la débarrassait de ses douleurs, de toute percep-« tion, de tout sentiment. Sa chair allégée ne pesait plus,

« une autre vie commençait; il lui sembla que son être montant
« vers Dieu allait s'anéantir dans cet amour, comme un encens
« allumé qui se dissipe en vapeur. »

Dans quelle langue prie-t-on Dieu avec les paroles adressées
à l'amant dans les épanchements de l'adultère? Sans doute on
parlera de la couleur locale, et on s'excusera, en disant qu'une
femme vaporeuse, romanesque, ne fait pas, même en religion,
les choses comme tout le monde. Il n'y a pas de couleur locale
qui excuse ce mélange! Voluptueuse un jour, religieuse le lendemain, nulle femme, même dans d'autres régions, même sous
le ciel d'Espagne ou d'Italie, ne murmure à Dieu les caresses
qu'elle donnait à l'amant. Vous apprécierez ce langage, messieurs, et vous n'excuserez pas ces paroles de l'adultère intro-
duites, en quelque sorte, dans le sanctuaire de la divinité!
Voilà la seconde citation; j'arrive à la troisième, c'est la série
des adultères.

Après la transition religieuse, Mme Bovary est encore prête
à tomber. Elle va au spectacle à Rouen. On jouait *Lucie de
Lammermoor*. Emma fit un retour sur elle-même.

« Ah! si dans la fraîcheur de sa beauté, avant les souillures
« du mariage et les désillusions de l'adultère (il y en a qui
« auraient dit : les désillusions du mariage et les souillures
« de l'adultère), avant les souillures du mariage et les désil-
« lusions de l'adultère, elle avait pu placer sa vie sur quelque
« grand cœur solide, alors la vertu, la tendresse, les voluptés
« et le devoir se confondant, jamais elle ne serait descendue
« d'une félicité si haute. »

En voyant Lagardy sur la scène, elle eut envie de courir
dans ses « bras pour se réfugier en sa force, comme dans
« l'incarnation de l'amour même, et de lui dire, de s'écrier :
« Enlève-moi, emmène-moi, partons! à toi, à toi! toutes mes
« ardeurs et tous mes rêves! »

Léon était derrière elle.

« Il se tenait derrière elle, s'appuyant de l'épaule contre
« la cloison; et de temps à autre elle se sentait frissonner
« sous le souffle tiède de ses narines qui lui descendait dans
« la chevelure. »

On vous a parlé tout à l'heure des souillures du mariage;
on va vous montrer encore l'adultère dans toute sa poésie,
dans ses ineffables séductions. J'ai dit qu'on aurait dû au

moins modifier les expressions et dire : les désillusions du mariage et les souillures de l'adultère. Bien souvent, quand on s'est marié, au lieu du bonheur sans nuages qu'on s'était promis, on rencontre les sacrifices, les amertumes. Le mot désillusion peut donc être justifié, celui de souillure ne saurait l'être.

Léon et Emma se sont donné rendez-vous à la cathédrale. Ils la visitent, ou ils ne la visitent pas. Ils sortent.

« Un gamin polissonnait sur le parvis.

« — Va me chercher un fiacre! » lui crie Léon. L'enfant partit comme une balle...

« — Ah! Léon!... vraiment... je ne sais... si je dois!... » et « elle minaudait. Puis, d'un air sérieux : « C'est très incon-« venant, savez-vous?

« — En quoi? répliqua le clerc, cela se fait à Paris. »

« Et cette parole, comme un irrésistible argument, la déter-mina. »

Nous savons maintenant, messieurs, que la chute n'a pas lieu dans le fiacre. Par un scrupule qui l'honore, le rédac-teur de la *Revue* a supprimé le passage de la chute dans le fiacre. Mais si la *Revue de Paris* baisse les stores du fiacre, elle nous laisse pénétrer dans la chambre où se donnent les rendez-vous.

Emma veut partir, car elle avait donné sa parole qu'elle reviendrait le soir même. « D'ailleurs, Charles l'attendait; et « déjà elle se sentait au cœur cette lâche docilité qui est « pour bien des femmes comme le châtiment tout à la fois « et la rançon de l'adultère... »

« Léon, sur le trottoir, continuait à marcher, elle le suivait « jusqu'à l'hôtel; il montait, il ouvrait la porte, entrait. « Quelle étreinte!

« Puis les paroles après les baisers se précipitaient. On se « racontait les chagrins de la semaine, les pressentiments, les « inquiétudes pour les lettres; mais à présent tout s'oubliait, « et ils se regardaient face à face, avec des rires de volupté « et des appellations de tendresse.

« Le lit était un grand lit d'acajou en forme de nacelle. « Les rideaux de levantine rouge, qui descendaient du pla-« fond, se cintraient trop bas vers le chevet évasé, et rien au « monde n'était beau comme sa tête brune et sa peau

« blanche, se détachant sur cette couleur pourpre, quand,
« par un geste de pudeur, elle fermait ses deux bras nus,
« en se cachant la figure dans les mains.

« Le tiède appartement, avec son tapis discret, ses orne-
« ments folâtres et sa lumière tranquille, semblait tout
« commode pour les intimités de la passion. »

Voilà ce qui se passe dans cette chambre. Voici encore un
passage très important — comme peinture lascive!

« Comme ils aimaient cette bonne chambre pleine de gaieté
« malgré sa splendeur un peu fanée! Ils trouvaient toujours
« les meubles à leur place, et parfois des épingles à che-
« veux qu'elle avait oubliées, l'autre jeudi, sous le socle de
« la pendule. Ils déjeunaient au coin du feu, sur un petit
« guéridon incrusté de palissandre. Emma découpait, lui
« mettait les morceaux dans son assiette en débitant toutes
« sortes de chatteries, et elle riait d'un rire sonore et libertin
« quand la mousse du vin de Champagne débordait du verre
« léger sur les bagues de ses doigts. Ils étaient si complète-
« ment perdus en la possession d'eux-mêmes, qu'ils se
« croyaient là dans leur maison particulière, et devant y vivre
« jusqu'à la mort, comme deux éternels jeunes époux. Ils
« disaient notre chambre, nos tapis, nos fauteuils, même
« elle disait mes pantoufles, un cadeau de Léon, une fantaisie
« qu'elle avait eue. C'étaient des pantoufles en satin rose,
« bordées de cygne. Quand elle s'asseyait sur ses genoux, sa
« jambe, alors trop courte, pendait en l'air, et la mignarde
« chaussure qui n'avait pas de quartier, tenait seulement par
« les orteils à son pied nu.

« Il savourait pour la première fois, et dans l'exercice de
« l'amour, l'inexprimable délicatesse des élégances féminines.
« Jamais il n'avait rencontré cette grâce de langage, cette
« réserve du vêtement, ces poses de colombe assoupie. Il
« admirait l'exaltation de son âme et les dentelles de sa jupe.
« D'ailleurs, n'était-ce pas une femme du monde, et une
« femme mariée? une vraie maîtresse, enfin? »

Voilà, messieurs, une description qui ne laissera rien à
désirer, j'espère, au point de vue de la prévention? En voici
une autre ou, plutôt, voici la continuation de la même
scène :

« Elle avait des paroles qui l'enflammaient avec des baisers

« qui lui emportaient l'âme. Où donc avait-il appris ces
« caresses presque immatérielles, à force d'être profondes et
« dissimulées? »

Oh! je comprends bien, messieurs, le dégoût que lui inspirait ce mari qui voulait l'embrasser à son retour; je comprends à merveille que lorsque les rendez-vous de cette espèce
avaient lieu, elle sentît avec horreur, la nuit, « contre sa
« chair, cet homme étendu qui dormait ».

Ce n'est pas tout, à la page 73*, il est un dernier tableau
que je ne peux pas omettre; elle était arrivée jusqu'à la
fatigue de la volupté.

« Elle se promettait continuellement pour son prochain
« voyage, une félicité profonde, puis elle s'avouait ne rien
« sentir d'extraordinaire. Mais cette déception s'effaçait vite
« sous un espoir nouveau, et Emma revenait à lui plus en-
« flammée, plus haletante, plus avide. Elle se déshabillait,
« brutalement, arrachant le lacet mince de son corset qui
« sifflait autour de ses hanches comme une couleuvre qui
« glisse. Elle allait sur la pointe de ses pieds nus regarder
« encore une fois si la porte était fermée, puis elle faisait
« d'un seul geste tomber ensemble tous ses vêtements; — et
« pâle, sans parler, sérieuse, elle s'abattait contre sa poitrine;
« avec un long frisson. »

Je signale ici deux choses, messieurs, une peinture admirable sous le rapport du talent, mais une peinture exécrable
au point de vue de la morale. Oui, M. Flaubert sait
embellir ses peintures avec toutes les ressources de l'art,
mais sans les ménagements de l'art. Chez lui point de gaze,
point de voiles, c'est la nature dans toute sa nudité, dans toute
sa crudité!

Encore une citation de la page 78**.

« Ils se connaissaient trop pour avoir ces ébahissements de
« la possession qui en centuplent la joie. Elle était aussi dé-
« goûtée de lui qu'il était fatigué d'elle. Emma retrouvait dans
« l'adultère toutes les platitudes du mariage. »

Platitudes du mariage, poésie de l'adultère! Tantôt c'est la
souillure du mariage, tantôt ce sont ses platitudes, mais c'est

* Page 333.
** Page 342.

toujours la poésie de l'adultère. Voilà, messieurs, les situations que M. Flaubert aime à peindre, et malheureusement
il ne les peint que trop bien.

J'ai raconté trois scènes : la scène avec Rodolphe, et vous
y avez vu la chute dans la forêt, la glorification de l'adultère, et cette femme dont la beauté devient plus grande
avec cette poésie. J'ai parlé de la transition religieuse,
et vous y avez vu la prière emprunter à l'adultère son langage. J'ai parlé de la seconde chute, je vous ai déroulé les
scènes qui se passent avec Léon. Je vous ai montré la
scène du fiacre — supprimée — mais je vous ai montré le tableau de la chambre et du lit. Maintenant que nous croyons
nos convictions faites, arrivons à la dernière scène, à celle du
supplice.

Des coupures nombreuses y ont été faites, à ce qu'il paraît,
par la *Revue de Paris*. Voici en quels termes M. Flaubert
s'en plaint :

« Des considérations que je n'ai pas à apprécier ont
« contraint la *Revue de Paris* à faire une suppression dans
« le numéro du 1ᵉʳ décembre. Ses scrupules s'étant renou-
« velés à l'occasion du présent numéro, elle a jugé conve-
« nable d'enlever encore plusieurs passages. En conséquence,
« je déclare dénier la responsabilité des lignes qui suivent;
« le lecteur est donc prié de n'y voir que des fragments
« et non pas un ensemble. »

Passons donc sur ces fragments et arrivons à la mort. Elle
s'empoisonne. Elle s'empoisonne, pourquoi? Ah! c'est bien
« peu de chose, la mort, pensa-t-elle; je vais m'endormir et
« tout sera fini. » Puis, sans un remords, sans un aveu, sans
une larme de repentir sur ce suicide qui s'achève et les
adultères de la veille, elle va recevoir le sacrement des mourants. Pourquoi le sacrement, puisque, dans sa pensée de
tout à l'heure, elle va au néant? Pourquoi, quand il n'y a
pas une larme, pas un soupir de Madeleine sur son crime
d'incrédulité, sur son suicide, sur ses adultères?

Après cette scène, vient celle de l'extrême-onction. Ce sont
des paroles saintes et sacrées pour nous. C'est avec ces
paroles-là que nous avons endormi nos aïeux, nos pères, ou
nos proches et c'est avec elles qu'un jour nos enfants nous
endormiront. Quand on veut les reproduire, il faut le faire

exactement; il ne faut pas du moins les accompagner d'une image voluptueuse sur la vie passée.

Vous le savez, le prêtre fait les onctions saintes sur le front, sur les oreilles, sur la bouche, sur les pieds, en prononçant ces phrases liturgiques : *Quidquid per pedes, per aures, per pectus,* etc., toujours suivies des mots *misericordia...* péché d'un côté, miséricorde de l'autre. Il faut les reproduire exactement, ces paroles saintes et sacrées; si vous ne les reproduisez pas exactement, au moins n'y mettez rien de voluptueux.

« Elle tourna sa figure lentement et parut saisie de joie « à voir tout à coup l'étole violette, sans doute retrouvant « au milieu d'un apaisement extraordinaire la volupté perdue « de ses premiers élancements mystiques, avec des visions de « béatitude éternelle qui commençaient.

« Le prêtre se releva pour prendre le crucifix; alors elle « allongea le cou comme quelqu'un qui a soif, et collant ses « lèvres sur le corps de l'Homme-Dieu, elle y déposa de « toute sa force expirante le plus grand baiser d'amour « qu'elle eût jamais donné. Ensuite il récita le *Misereatur* « et l'*Indulgentiam,* trempa son pouce droit dans l'huile et « commença les onctions : d'abord sur les yeux, qui avaient « tant convoité toutes les somptuosités terrestres; puis sur « les narines, friandes de brises tièdes et de senteurs amou- « reuses; puis sur la bouche, qui s'était ouverte pour le « mensonge, qui avait gémi d'orgueil et crié dans la luxure; « puis sur les mains, qui se délectaient aux contacts suaves, « et enfin sur la plante des pieds, si rapides autrefois quand « elle courait à l'assouvissance de ses désirs, et qui mainte- « nant ne marcheraient plus. »

Maintenant il y a les prières des agonisants que le prêtre récite tout bas, où à chaque verset se trouvent les mots : « Âme chrétienne, partez pour une région plus haute. » On les murmure au moment où le dernier souffle du mourant s'échappe de ses lèvres. Le prêtre les récite, etc.

« A mesure que le râle devenait plus fort, l'ecclésiastique « précipitait ses oraisons; elles se mêlaient aux sanglots « étouffés de Bovary, et quelquefois tout semblait dispa- « raître dans le sourd murmure des syllabes latines qui tin- « taient comme un glas lugubre. »

L'auteur a jugé à propos d'alterner ces paroles, de leur faire une sorte de réplique. Il fait intervenir sur le trottoir un aveugle qui entonne une chanson dont les paroles profanes sont une sorte de réponse aux prières des agonisants.

« Tout à coup on entendit sur le trottoir un bruit de « gros sabots avec le frôlement d'un bâton, et une voix s'éleva, « une voix rauque qui chantait :

> Souvent la chaleur d'un beau jour
> Fait rêver fillette à l'amour.
> Il souffla bien fort ce jour-là,
> Et le jupon court s'envola.

C'est à ce moment que Mme Bovary meurt.

Ainsi voilà le tableau : d'un côté le prêtre qui récite les prières des agonisants; de l'autre, le joueur d'orgue, qui excite chez la mourante « un rire atroce, frénétique, déses- « péré, croyant voir la face hideuse du misérable qui se « dressait dans les ténèbres éternelles comme un épouvan- « tement... Une convulsion la rabattit sur le matelas. Tous « s'approchèrent. Elle n'existait plus ».

Et puis ensuite, lorsque le corps est froid, la chose qu'il faut respecter par-dessus tout, c'est le cadavre que l'âme a quitté. Quand le mari est là, à genoux, pleurant sa femme, quand il a étendu sur elle le linceul, tout autre se serait arrêté, et c'est le moment où M. Flaubert donna le dernier coup de pinceau.

« Le drap se creusait depuis ses seins jusqu'à ses genoux, « se relevant ensuite à la pointe des orteils. »

Voilà la scène de la mort. Je l'ai abrégée, je l'ai groupée en quelque sorte. C'est à vous de juger et d'apprécier si c'est là le mélange du sacré au profane, ou si ce ne serait pas plutôt le mélange du sacré au voluptueux.

J'ai raconté le roman, je l'ai incriminé ensuite et, per- mettez-moi de le dire, le genre que M. Flaubert cultive, celui qu'il réalise sans les ménagements de l'art, mais avec toutes les ressources de l'art, c'est le genre descriptif, la peinture réaliste. Voyez jusqu'à quelle limite il arrive. Dernière- ment un numéro de l'Artiste me tombait sous la main; il ne s'agit pas d'incriminer l'Artiste, mais de savoir quel est le genre de M. Flaubert, et je vous demande la permission de

vous citer quelques lignes de l'écrit qui n'engagent en rien
l'écrit poursuivi contre M. Flaubert, et j'y voyais à quel degré
M. Flaubert excelle dans la peinture; il aime à peindre les
tentations, surtout les tentations auxquelles a succombé
Mme Bovary. Eh bien, je trouve un modèle du genre dans
les quelques lignes qui suivent de *l'Artiste* du mois de janvier,
signées *Gustave Flaubert,* sur la tentation de saint Antoine.
Mon Dieu! c'est un sujet sur lequel on peut dire beaucoup
de choses, mais je ne crois pas qu'il soit possible de donner
plus de vivacité à l'image, plus de trait à la peinture apollinaire* à saint Antoine : « Est-ce la science? Est-ce la gloire?
« Veux-tu rafraîchir tes yeux sur des jasmins humides? Veux-tu
« sentir ton corps s'enfoncer comme une onde dans la chair
« des femmes pâmées? »

Eh bien, c'est la même couleur, la même énergie de pinceau,
la même vivacité d'expression!

Il faut se résumer. J'ai analysé le livre, j'ai raconté sans
oublier une page, j'ai incriminé ensuite, c'était la seconde
partie de ma tâche : j'ai précisé quelques portraits, j'ai
montré Mme Bovary au repos, vis-à-vis de son mari, vis-à-vis
de ceux qu'elle ne devait pas tenter, et je vous ai fait toucher les couleurs lascives de ce portrait! Puis, j'ai analysé
quelques grandes scènes : la chute avec Rodolphe, la transition religieuse, les amours avec Léon, la scène de la mort,
et dans toutes j'ai trouvé le double délit d'offense à la
morale publique et à la religion.

Je n'ai besoin que de deux scènes : l'outrage à la morale
est-ce que vous ne le verrez pas dans la chute avec Rodolphe?
Est-ce que vous ne le verrez pas dans cette glorification
de l'adultère? Est-ce que vous ne le verrez pas surtout dans
ce qui se passe avec Léon? Et puis, l'outrage à la morale
religieuse, je le trouve dans le trait sur la confession, p. 30**
de la première livraison, numéro du 1er octobre, dans la
transition religieuse, p. 548*** et 550**** du 15 novembre, et
enfin dans la dernière scène de la mort.

Vous avez devant vous, messieurs, trois inculpés : M. Flau-

---

* Apollinaire *(sic!)* pour Apollonius de Tyane!
** Page 42.
*** Pages 251-252.
**** Page 256.

bert, l'auteur du livre, M. Pichat qui l'a accueilli, et M. Pillet qui l'a imprimé. En cette matière, il n'y a pas de délit sans publicité, et tous ceux qui ont concouru à la publicité doivent être également atteints. Mais nous nous hâtons de le dire, le gérant de la *Revue* et l'imprimeur ne sont qu'en seconde ligne. Le principal prévenu, c'est l'auteur, c'est M. Flaubert, M. Flaubert qui, averti par la note de la rédaction, proteste contre la suppression qui est faite à son œuvre. Après lui, vient au second rang M. Laurent Pichat, auquel vous demanderez compte non de cette suppression qu'il a faite, mais de celles qu'il aurait dû faire, et, enfin, vient en dernière ligne, l'imprimeur qui est une sentinelle avancée contre le scandale. M. Pillet, d'ailleurs, est un homme honorable contre lequel je n'ai rien à dire. Nous ne vous demandons qu'une chose, de lui appliquer la loi. Les imprimeurs doivent lire; quand ils n'ont pas lu ou fait lire, c'est à leurs risques et périls qu'ils impriment. Les imprimeurs ne sont pas des machines; ils ont un privilège; ils prêtent serment, ils sont dans une situation spéciale, ils sont responsables. Encore une fois, ils sont, si vous me permettez l'expression, comme des sentinelles avancées; s'ils laissent passer le délit, c'est comme s'ils laissaient passer l'ennemi. Atténuez la peine autant que vous voudrez vis-à-vis de Pillet; soyez même indulgents vis-à-vis du gérant de la *Revue;* quant à Flaubert, le principal coupable, c'est à lui que vous devez réserver vos sévérités!

Ma tâche remplie, il faut attendre les objections ou les prévenir. On nous dira comme objection générale : mais, après tout, le roman est moral au fond, puisque l'adultère est puni?

A cette objection, deux réponses : je suppose l'œuvre morale, par hypothèse, une conclusion morale ne pourrait pas amnistier les détails lascifs qui peuvent s'y trouver. Et puis je dis : l'œuvre au fond n'est pas morale.

Je dis, messieurs, que des détails lascifs ne peuvent pas être couverts par une conclusion morale, sinon on pourrait raconter toutes les orgies imaginables, décrire toutes les turpitudes d'une femme publique, en la faisant mourir sur un grabat à l'hôpital. Il serait permis d'étudier et de montrer toutes ses poses lascives! Ce serait aller contre toutes les règles du bon sens. Ce serait placer le poison à la portée de tous et le remède à la portée d'un bien petit nombre,

s'il y avait un remède. Qui est-ce qui lit le roman de M. Flaubert? Sont-ce des hommes qui s'occupent d'économie politique ou sociale? Non! Les pages légères de *Madame Bovary*
tombent en des mains plus légères, dans des mains de jeunes
filles, quelquefois de femmes mariées. Eh bien, lorsque
l'imagination aura été séduite, lorsque cette séduction sera
descendue jusqu'au cœur, lorsque le cœur aura parlé aux
sens, est-ce que vous croyez qu'un raisonnement bien froid
sera bien fort contre cette séduction des sens et du sentiment?
Et puis, il ne faut pas que l'homme se drape trop dans sa force
et dans sa vertu, l'homme porte les instincts d'en bas et les
idées d'en haut, et, chez tous, la vertu n'est que la conséquence
d'un effort, bien souvent pénible. Les peintures lascives ont
généralement plus d'influence que les froids raisonnements.
Voilà ce que je réponds à cette théorie, voilà ma première
réponse, mais j'en ai une seconde.

Je soutiens que le roman de *Madame Bovary,* envisagé au
point de vue philosophique, n'est point moral. Sans doute
Mme Bovary meurt empoisonnée; elle a beaucoup souffert,
c'est vrai; mais elle meurt à son heure et à son jour, mais
elle meurt, non parce qu'elle est adultère, mais parce qu'elle
l'a voulu; elle meurt dans tout le prestige de sa jeunesse
et de sa beauté; elle meurt après avoir eu des amants,
laissant un mari qui l'aime, qui l'adore, qui trouvera le
portrait de Rodolphe, qui trouvera ses lettres et celles de
Léon, qui lira les lettres d'une femme deux fois adultère,
et qui, après cela, l'aimera encore davantage au-delà du
tombeau. Qui peut condamner cette femme dans le livre?
Personne. Telle est la conclusion. Il n'y a pas dans le livre
un personnage qui puisse la condamner. Si vous y trouvez
un personnage sage, si vous y trouvez un seul principe en
vertu duquel l'adultère soit stigmatisé, j'ai tort. Donc,
si, dans tout le livre, il n'y a pas un personnage qui puisse
lui faire courber la tête, s'il n'y a pas une idée, une ligne
en vertu de laquelle l'adultère soit flétri, c'est moi qui ai
raison, le livre est immoral!

Serait-ce au nom de l'honneur conjugal que le livre serait
condamné? Mais l'honneur conjugal est représenté par un
mari béat qui, après la mort de sa femme, rencontrant Rodolphe, cherche sur le visage de l'amant les traits de la femme

qu'il aime (liv. du 15 décembre, p. 289*). Je vous le demande, est-ce au nom de l'honneur conjugal que vous pouvez stigmatiser cette femme, quand il n'y a pas dans le livre un seul mot où le mari ne s'incline devant l'adultère.

Serait-ce au nom de l'opinion publique? Mais l'opinion publique est personnifiée dans un être grotesque, dans le pharmacien Homais, entouré de personnages ridicules que cette femme domine.

Le condamnerez-vous au nom du sentiment religieux? Mais ce sentiment, vous l'avez personnifié dans le curé Bournisien, prêtre à peu près aussi grotesque que le pharmacien, ne croyant qu'aux souffrances physiques, jamais aux souffrances morales, à peu près matérialiste.

Le condamnerez-vous au nom de la conscience de l'auteur? Je ne sais pas ce que pense la conscience de l'auteur; mais, dans son chapitre IX, le seul philosophique de l'œuvre (liv. du 15 décembre**), je lis la phrase suivante :

« Il y a toujours après la mort de quelqu'un comme une « stupéfaction qui se dégage, tant il est difficile de com- « prendre cette survenue du néant et de se résigner à y croire. »

Ce n'est pas un cri d'incrédulité, mais c'est du moins un cri de scepticisme. Sans doute il est difficile de le comprendre et d'y croire; mais, enfin, pourquoi cette stupéfaction qui se manifeste à la mort? Pourquoi? Parce que cette survenue est quelque chose qui est un mystère, parce qu'il est difficile de le comprendre et de le jurer, mais il faut s'y résigner. Et moi je dis que si la mort est la survenue du néant, que si le mari béat sent croître son amour en apprenant les adultères de sa femme, que si l'opinion est représentée par des êtres grotesques, que si le sentiment religieux est représenté par un prêtre ridicule, une seule personne a raison, règne, domine : c'est Emma Bovary. Messaline a raison contre Juvénal.

Voilà la conclusion philosophique du livre, tirée non par l'auteur, mais par un homme qui réfléchit et approfondit les choses, par un homme qui a cherché dans le livre un personnage qui pût dominer cette femme. Il n'y en a pas.

* Page 409.
** Page 384.

Le seul personnage qui y domine, c'est Mme Bovary. Il faut donc chercher ailleurs que dans le livre, il faut chercher dans cette morale chrétienne qui est le fond des civilisations modernes. Pour cette morale, tout s'explique et s'éclaircit.

En son nom l'adultère est stigmatisé, condamné, non pas parce que c'est une imprudence qui expose à des désillusions et à des regrets, mais parce que c'est un crime pour la famille. Vous stigmatisez et vous condamnez le suicide, non pas parce que c'est une folie, le fou n'est pas responsable; non pas parce que c'est une lâcheté, il demande quelquefois un certain courage physique, mais parce qu'il est le mépris du devoir dans la vie qui s'achève, et le cri de l'incrédulité dans la vie qui commence.

Cette morale stigmatise la littérature réaliste, non pas parce qu'elle peint les passions : la haine, la vengeance, l'amour; le monde ne vit que là-dessus, et l'art doit peindre; mais quand elle les peint sans frein, sans mesure. L'art sans règle n'est plus l'art; c'est comme une femme qui quitterait tout vêtement. Imposer à l'art l'unique règle de la décence publique, ce n'est pas l'asservir, mais l'honorer. On ne grandit qu'avec une règle. Voilà, messieurs, les principes que nous professons, voilà une doctrine que nous défendons avec conscience.

### PLAIDOIRIE DU DÉFENSEUR
### MAÎTRE SÉNARD

MESSIEURS, M. Gustave Flaubert est accusé devant vous d'avoir fait un mauvais livre, d'avoir, dans ce livre, outragé la morale publique et la religion. M. Gustave Flaubert est auprès de moi; il affirme devant vous qu'il a fait un livre honnête; il affirme devant vous que la pensée de son livre, depuis la première ligne jusqu'à la dernière, est une pensée morale, religieuse, et que, si elle n'était pas dénaturée (nous avons vu pendant quelques instants ce que peut un grand talent pour dénaturer une pensée), elle serait (et

elle redeviendra tout à l'heure) pour vous ce qu'elle a été
déjà pour les lecteurs du livre, une pensée éminemment
morale et religieuse pouvant se traduire par ces mots : l'excitation à la vertu par l'horreur du vice.

Je vous apporte ici l'affirmation de M. Gustave Flaubert,
et je la mets hardiment en regard du réquisitoire du ministère
public, car cette affirmation est grave; elle l'est par la personne qui l'a faite, elle l'est par les circonstances qui ont présidé à l'exécution du livre que je vais vous faire connaître.

L'affirmation est déjà grave par la personne qui la fait, et,
permettez-moi de vous le dire, M. Gustave Flaubert n'était
pas pour moi un inconnu qui eût besoin auprès de moi de
recommandations, qui eût des renseignements à me donner, je
ne dis pas sur sa moralité, mais sur sa dignité. Je viens ici,
dans cette enceinte, remplir un devoir de conscience, après
avoir lu le livre, après avoir senti s'exhaler par cette lecture tout
ce qu'il y a en moi d'honnête et de profondément religieux.
Mais, en même temps que je viens remplir un devoir de conscience, je viens remplir un devoir d'amitié. Je me rappelle, je
ne saurais oublier que son père a été pour moi un vieil ami.
Son père, de l'amitié duquel je me suis longtemps honoré,
honoré jusqu'au dernier jour, son père et, permettez-moi de le
dire, son illustre père, a été pendant plus de trente années
chirurgien en chef de l'hôtel-Dieu de Rouen. Il a été le
protecteur de Dupuytren; en donnant à la science de grands
enseignements, il l'a dotée de grands noms; je n'en veux citer
qu'un seul, Cloquet. Il n'a pas seulement laissé lui-même un
beau nom dans la science, il a laissé de grands souvenirs, pour
d'immenses services rendus à l'humanité. Et en même temps
que je me souviens de mes liaisons avec lui, je veux vous le
dire, son fils, qui est traduit en police correctionnelle pour
outrage à la morale et à la religion, son fils est l'ami de mes
enfants, comme j'étais l'ami de son père. Je sais sa pensée,
je sais ses intentions, et l'avocat a ici le droit de se poser
comme la caution personnelle de son client.

Messieurs, un grand nom et de grands souvenirs obligent.
Les enfants de M. Flaubert ne lui ont pas failli. Ils étaient
trois, deux fils et une fille morte à vingt et un ans. L'aîné
a été jugé digne de succéder à son père : et c'est lui qui,
aujourd'hui, remplit déjà depuis plusieurs années la mission

que son père a remplie pendant trente ans. Le plus jeune, le voici : il est à votre barre. En leur laissant une fortune considérable et un grand nom, leur père leur a laissé le besoin d'être des hommes d'intelligence et de cœur, des hommes utiles. Le frère de mon client s'est lancé dans une carrière où les services rendus sont de chaque jour. Celui-ci a dévoué sa vie à l'étude, aux lettres, et l'ouvrage qu'on poursuit en ce moment devant vous est son premier ouvrage. Ce premier ouvrage, messieurs, qui provoque les passions, au dire de monsieur l'avocat impérial, est le résultat de longues études, de longues méditations. M. Gustave Flaubert est un homme d'un caractère sérieux, porté par sa nature aux choses graves, aux choses tristes. Ce n'est pas l'homme que le ministère public, avec quinze ou vingt lignes mordues çà et là, est venu vous présenter comme un faiseur de tableaux lascifs. Non; il y a dans sa nature, je le répète; tout ce qu'on peut imaginer au monde de plus grave, de plus sérieux, mais en même temps de plus triste. Son livre, en rétablissant seulement une phrase, en mettant à côté des quelques lignes citées les quelques lignes qui précèdent et qui suivent, reprendra bientôt devant vous sa véritable couleur, en même temps qu'il fera connaître les intentions de l'auteur. Et, de la parole trop habile que vous avez entendue, il ne restera dans vos souvenirs qu'un sentiment d'admiration profonde pour un talent qui peut tout transformer.

Je vous ai dit que M. Gustave Flaubert était un homme sérieux et grave. Ses études, conformes à la nature de son esprit, ont été sérieuses et larges. Elles ont embrassé non seulement toutes les branches de la littérature, mais le droit. M. Flaubert est un homme qui ne s'est pas contenté des observations que pouvait lui fournir le milieu où il a vécu; il a interrogé d'autres milieux :

> *Qui mores multorum vidit et urbes.*

Après la mort de son père et ses études de collège, il a visité l'Italie et, de 1848 à 1851, parcouru ces contrées de l'Orient, l'Égypte, la Palestine, l'Asie Mineure, dans lesquelles, sans doute, l'homme qui les parcourt, en y apportant une grande intelligence, peut acquérir quelque chose d'élevé, de poétique, ces couleurs, ce prestige de style que le ministère public faisait tout à l'heure ressortir, pour établir le délit qu'il nous impute. Ce prestige de style, ces qualités littéraires resteront, ressortiront avec éclat de ces débats, mais ne pourront en aucune façon laisser prise à l'incrimination.

De retour depuis 1852, M. Gustave Flaubert a écrit et cherché à produire dans un grand cadre le résultat d'études attentives et sérieuses, le résultat de ce qu'il avait recueilli dans ses voyages.

Quel est le cadre qu'il a choisi, le sujet qu'il a pris, et comment l'a-t-il traité? Mon client est de ceux qui n'appartiennent à aucune des écoles dont j'ai trouvé, tout à l'heure, le nom dans le réquisitoire. Mon Dieu! il appartient à l'école réaliste, en ce sens qu'il s'attache à la réalité des choses. Il appartiendrait à l'école psychologique en ce sens que ce n'est pas la matérialité des choses qui le pousse, mais le sentiment humain, le développement des passions dans le milieu où il est placé. Il appartiendrait à l'école romantique moins peut-être qu'à toute autre, car si le romantisme apparaît dans son livre, de même que si le réalisme y apparaît, ce n'est pas par quelques expressions ironiques, jetées çà et là, que le ministère public a prises au sérieux. Ce que M. Flaubert a voulu surtout, ç'a été de prendre un sujet d'études dans la vie réelle, ç'a été de créer, de constituer des types vrais dans la classe moyenne et d'arriver à un résultat utile. Oui, ce qui a le plus préoccupé mon client dans l'étude à laquelle il s'est livré, c'est précisément ce but utile, poursuivi en mettant en scène trois ou quatre personnages de la société actuelle vivant dans les conditions de la vie réelle, et présentant aux yeux du lecteur le tableau vrai de ce qui se rencontre le plus souvent dans le monde.

Le ministère public, résumant son opinion sur *Madame Bovary,* a dit : Le second titre de cet ouvrage est : *Histoire des adultères d'une femme de province.* Je proteste énergiquement contre ce titre. Il me prouverait à lui seul, si je ne l'avais pas senti d'un bout à l'autre de votre réquisitoire, la préoccupation sous l'empire de laquelle vous avez constamment été. Non! le second titre de cet ouvrage n'est pas : *Histoire des adultères d'une femme de province;* il est, s'il vous faut absolument un second titre : histoire de l'éducation trop souvent donnée en province; histoire des périls auxquels elle peut conduire, histoire de la dégradation, de la friponnerie, du suicide considéré comme conséquence d'une première faute, et d'une faute amenée elle-même par des premiers torts auxquels souvent une jeune femme est entraînée; histoire de l'éducation, histoire d'une vie déplorable dont trop souvent l'éducation est la préface. Voilà ce que M. Flaubert a voulu peindre, et non pas les adultères d'une femme de province; vous le reconnaîtrez bientôt en parcourant l'ouvrage incriminé.

Maintenant le ministère public a aperçu dans tout cela, par-dessus tout, la couleur lascive. S'il m'était possible de prendre le nombre des lignes du livre que le ministère public a découpées, et de le mettre en parallèle avec le nombre des autres lignes qu'il a laissées de côté, nous serions dans la proportion totale de un à cinq cents, et vous verriez que cette proportion de un à cinq cents n'est pas une couleur lascive, n'est nulle part; elle n'existe que sous la condition des découpures et des commentaires.

Maintenant, qu'est-ce que M. Gustave Flaubert a voulu peindre? D'abord une éducation donnée à une femme au-dessus de la condition dans laquelle elle est née, comme il arrive, il faut bien le dire, trop souvent chez nous; ensuite, le mélange d'éléments disparates qui se produit ainsi dans l'intelligence de la femme, et puis, quand vient le mariage, comme le mariage ne se proportionne pas à l'éducation, mais aux conditions dans lesquelles la femme est née, l'auteur a expliqué tous les faits qui se passent dans la position qui lui est faite.

Que montre-t-il encore? Il montre une femme allant au vice par la mésalliance, et du vice au dernier degré de la dégradation et du malheur. Tout à l'heure, quand, par la lecture de différents passages, j'aurai fait connaître le livre dans son ensemble, je demanderai au tribunal la liberté d'accepter la question en ces termes : Ce livre, mis dans les mains d'une jeune femme, pourrait-il avoir pour effet de l'entraîner vers des plaisirs faciles, vers l'adultère, ou de lui montrer, au contraire, le danger dès les premiers pas, et de la faire frissonner d'horreur? La question ainsi posée, c'est votre conscience qui la résoudra.

Je dis ceci, quant à présent : M. Flaubert a voulu peindre la femme qui, au lieu de chercher à s'arranger dans la condition qui lui est donnée, avec sa situation, avec sa naissance; au lieu de chercher à se faire à la vie qui lui appartient, reste préoccupée de mille aspirations étrangères puisées dans une éducation trop élevée pour elle; qui, au lieu de s'accommoder des devoirs de sa position, d'être la femme tranquille du médecin de campagne avec lequel elle passe ses jours, au lieu de chercher le bonheur dans sa maison, dans son union, le cherche dans d'interminables rêvasseries, et puis, qui, bientôt, rencontrant sur sa route un jeune homme qui coquette avec elle, joue avec elle le même jeu (mon Dieu! ils sont inexpérimentés l'un et l'autre), s'excite en quelque sorte par degrés, s'effraie quand, recourant à la religion de ses premières années, elle n'y trouve pas une force suffisante; et nous verrons tout à l'heure pourquoi elle ne l'y trouve pas. Cependant l'ignorance du jeune homme et sa propre ignorance la préservent d'un premier danger. Mais elle est bientôt rencontrée par un homme comme il y en a tant, comme il y en a trop dans le monde, qui se saisit d'elle, pauvre femme déjà déviée, et l'entraîne. Voilà ce qui est capital, ce qu'il fallait voir, ce qu'est le livre lui-même.

Le ministère public s'irrite, et je crois qu'il s'irrite à tort, au point de vue de la conscience et du cœur humain, de ce que, dans la première scène, Mme Bovary trouve une sorte de plaisir, de joie à avoir brisé sa prison, et rentre chez elle en disant : « J'ai un amant. » Vous croyez que ce n'est pas là le premier cri du cœur humain! La preuve est entre vous et moi. Mais il fallait regarder un peu plus loin, et vous auriez vu que, si le premier moment, le premier instant de cette chute excite chez cette femme une sorte de transport de joie, de délire, à quelques lignes plus loin la déception arrive, et, suivant l'expression de l'auteur, il semble à ses propres yeux humiliée.

Oui, la déception, la douleur, le remords lui arrivent à l'instant même. L'homme auquel elle s'était confiée, livrée, ne l'avait prise que pour s'en servir un instant comme d'un jouet; le remords la ronge, la déchire. Ce qui vous a choqué, ç'a été d'entendre appeler cela les désillusions de

l'adultère; vous auriez mieux aimé les *souillures* chez un
écrivain qui faisait poser cette femme, laquelle n'ayant pas
compris le mariage, se sentait souillée par le contact d'un
mari; laquelle, ayant cherché ailleurs son idéal, avait trouvé
les désillusions de l'adultère. Ce mot vous a choqué; au
lieu des *désillusions,* vous auriez voulu les *souillures* de
l'adultère. Le tribunal jugera. Quant à moi, si j'avais à
faire poser le même personnage, je lui dirais : « Pauvre
femme! si vous croyez que les baisers de votre mari sont
quelque chose de monotone, d'ennuyeux, si vous n'y trouvez
— c'est le mot qui a été signalé — que les platitudes du
mariage, s'il vous semble voir une souillure dans cette
union à laquelle l'amour n'a pas présidé, prenez-y garde,
vos rêves sont une illusion, et vous serez un jour cruellement détrompée. » Celui qui crie bien fort, messieurs, qui
se sert du mot souillure pour exprimer ce que nous avons
appelé désillusion, celui-là dit un mot vrai, mais vague,
qui n'apprend rien à l'intelligence. J'aime mieux celui qui
ne crie pas fort, qui ne prononce pas le mot de souillure,
mais qui avertit la femme de la déception, de la désillusion,
qui lui dit : Là où vous croyez trouver l'amour, vous ne
trouverez que le libertinage; là où vous croyez trouver le
bonheur, vous ne trouverez que des amertumes. Un mari
qui va tranquillement à ses affaires, qui vous embrasse, qui
met son bonnet de coton et mange sa soupe avec vous est
un mari prosaïque qui vous révolte; vous aspirez à un homme
qui vous aime, qui vous idolâtre, pauvre enfant! cet homme
sera un libertin, qui vous aura prise une minute pour jouer
avec vous. L'illusion se sera produite la première fois,
peut-être la seconde; vous serez rentrée chez vous enjouée,
en chantant la chanson de l'adultère : « J'ai un amant! »
La troisième fois vous n'aurez pas besoin d'arriver jusqu'à
lui, la désillusion sera venue. Cet homme que vous aviez
rêvé, aura perdu tout son prestige; vous aurez retrouvé dans
l'amour les platitudes du mariage; et vous les aurez retrouvées
avec le mépris et le dédain, le dégoût et le remords poignant.

Voilà, messieurs, ce que M. Flaubert a dit, ce qu'il a
peint, ce qui est à chaque ligne de son livre; voilà ce qui
distingue son œuvre de toutes les œuvres du même genre.
C'est que chez lui les grands travers de la société figurent

à chaque page; c'est que chez lui l'adultère marche plein
de dégoût et de honte. Il a pris dans les relations habituelles
de la vie l'enseignement le plus saisissant qui puisse être
donné à une jeune femme. Oh! mon Dieu, celles de nos
jeunes femmes qui ne trouvent pas dans les principes honnêtes, élevés, dans une religion sévère de quoi se tenir fermes
dans l'accomplissement de leurs devoirs de mères, qui ne le
trouvent pas surtout dans cette résignation, cette science
pratique de la vie qui nous dit qu'il faut s'accommoder de ce
que nous avons, mais qui portent leurs rêveries au-dehors,
ces jeunes femmes les plus honnêtes, les plus pures, qui,
dans le prosaïsme de leur ménage, sont quelquefois tourmentées par ce qui se passe autour d'elles, un livre comme
celui-là, soyez-en sûrs, en fait réfléchir plus d'une. Voilà ce
que M. Flaubert a fait.

Et prenez bien garde à une chose : M. Flaubert n'est pas
un homme qui vous peint un charmant adultère, pour faire
arriver ensuite le *Deus ex machina,* non; vous avez sauté
trop vite de la page que vous avez lue à la dernière. L'adultère, chez lui, n'est qu'une suite de tourments, de regrets,
de remords; et puis il arrive à une expiation finale, épouvantable. Elle est excessive. Si M. Flaubert pêche, c'est par
l'excès, et je vous dirai tout à l'heure de qui est ce mot.
L'expiation ne se fait pas attendre; et c'est en cela que le
livre est éminemment moral et utile, c'est qu'il ne promet
pas à la jeune femme quelques-unes de ces belles années au
bout desquelles elle peut dire : après cela, on peut mourir. Non!
Dès le second jour arrive l'amertume, la désillusion. Le dé-
nouement pour la moralité se trouve à chaque ligne du
livre.

Ce livre est écrit avec une puissance d'observation à
laquelle monsieur l'Avocat impérial a rendu justice : et
c'est ici que j'appelle votre attention, parce que si l'accusation n'a pas de cause, il faut qu'elle tombe. Ce livre
est écrit avec une puissance vraiment remarquable d'observation dans les moindres détails. Un article de l'*Artiste,* signé
Flaubert, a servi encore de prétexte à l'accusation. Que
monsieur l'Avocat impérial veuille remarquer d'abord que
cet article est étranger à l'incrimination; qu'il veuille remarquer ensuite que nous le tenons pour très innocent et très

moral aux yeux du tribunal, à une condition que monsieur l'Avocat impérial aura la bonté de le lire en entier, au lieu de le déchiqueter. Ce qui a saisi dans le livre de M. Flaubert, c'est ce que quelques comptes rendus ont appelé une fidélité toute daguerrienne dans la reproduction du type de toutes les choses, dans la nature intime de la pensée, du cœur humain — et cette reproduction devient plus saisissante encore par la magie du style. Remarquez bien que, s'il n'avait appliqué cette fidélité qu'aux scènes de dégradation, vous pourriez dire avec raison : l'auteur s'est complu à peindre la dégradation avec cette puissance de description qui lui est propre. De la première à la dernière page de son livre il s'attache sans aucune espèce de réserve à tous les faits de la vie d'Emma, à son enfance dans la maison paternelle, à son éducation dans le couvent, il ne fait grâce de rien. Mais ceux qui ont lu comme moi du commencement à la fin, diront — chose notable dont vous lui saurez gré, qui non seulement sera l'absolution pour lui, mais qui aurait dû écarter de lui toute espèce de poursuite — que, quand il arrive aux parties difficiles, précisément à la dégradation, au lieu de faire comme quelques auteurs classiques que le ministère public connaît bien, mais qu'il a oubliés pendant qu'il écrivait son réquisitoire et dont j'ai apporté ici des passages, non pas pour vous les lire, mais pour que vous les parcouriez dans la chambre du conseil (j'en citerai quelques lignes tout à l'heure), au lieu de faire comme nos grands auteurs classiques, nos grands maîtres, qui, lorsqu'ils ont rencontré des scènes de l'union des sens chez l'homme et la femme, n'ont pas manqué de tout décrire, M. Flaubert se contente d'un mot. Là toute sa puissance descriptive disparaît, parce que sa pensée est chaste, parce que là où il pourrait écrire à sa manière et avec toute la magie du style, il sent qu'il y a des choses qui ne peuvent pas être abordées, décrites. Le ministère public trouve qu'il a trop dit encore. Quand je lui montrerai des hommes qui, dans de grandes œuvres philosophiques, se sont complu à la description de ces choses, et qu'en regard je placerai l'homme qui possède la science descriptive à un si haut degré et qui, loin de l'employer, s'arrête et s'abstient, j'aurai bien le droit de demander raison à l'accusation qui est produite.

Toutefois, messieurs, de même qu'il se plaît à nous
décrire le riant berceau où se joue Emma encore enfant, avec
son feuillage, avec ses petites fleurs roses ou blanches
qui viennent de s'épanouir, et ses sentiers embaumés; — de
même, quand elle sera sortie de là, quand elle ira dans
d'autres chemins, dans des chemins où elle trouvera de la
fange, quand elle y salira ses pieds, quand les taches mêmes
rejailliront plus haut sur elle, il ne faudrait pas qu'il le
dît! Mais ce serait supprimer complètement le livre, je vais
plus loin, l'élément moral, sous prétexte de le défendre,
car si la faute ne peut être montrée, si elle ne peut pas
être indiquée, si dans un tableau de la vie réelle qui a pour
but de montrer par la pensée le péril, la chute, l'expiation,
si vous voulez empêcher de peindre tout cela, c'est évidemment ôter au livre toute sa conclusion.

Ce livre n'a pas été pour mon client l'objet d'une distraction de quelques heures, il représente deux ou trois années
d'études incessantes. Et je vais vous dire maintenant quelque
chose de plus : M. Flaubert qui, après tant d'années de
travaux, tant d'études, tant de voyages, tant de notes recueillies dans les auteurs qu'il a lus — vous verrez, mon
Dieu! où il a puisé, car c'est quelque chose d'étrange qui
se chargera de le justifier, — vous le verrez, lui aux couleurs
lascives, tout imprégné de Bossuet et de Massillon. C'est
dans l'étude de ces auteurs que nous allons le retrouver
tout à l'heure, cherchant, non pas à les plagier, mais à
reproduire dans ses descriptions les pensées, les couleurs em-
ployées par eux. Quand, après tout ce travail fait avec tant
d'amour, quand son œuvre a son but, est-ce que vous
croyez que, plein de confiance en lui-même et malgré tant
d'études et de méditations, il a voulu immédiatement se
lancer dans la lice! Il l'aurait fait, sans doute, s'il eût été
un inconnu dans le monde, si son nom lui eût appartenu
en toute propriété, s'il eût cru pouvoir en disposer et le
livrer comme bon lui semblait, mais je le répète, il est de
ceux chez lesquels noblesse oblige : il s'appelle Flaubert,
il est second fils de M. Flaubert; il voulait se tracer une voie
dans la littérature, en respectant profondément la morale et
la religion — non pas par inquiétude du parquet, un tel
intérêt ne pourrait se présenter à sa pensée —, mais par

dignité personnelle, ne voulant pas laisser son nom à la tête d'une publication, si elle ne semblait pas, à quelques personnes en lesquelles il avait foi, digne d'être publiée. M. Flaubert a lu, par fragments et en totalité même, devant quelques amis haut placés dans les lettres, les pages qu'un jour il devrait livrer à l'impression, et j'affirme qu'aucun d'eux n'a été offensé de ce qui excite en ce moment si vivement la sévérité de monsieur l'Avocat impérial. Personne même n'y a songé. On a seulement examiné, étudié la valeur littéraire du livre. Quant au but moral, il est si évident, il est écrit à chaque ligne en termes si peu équivoques, qu'il n'était pas même besoin de le mettre en question. Rassuré sur la valeur du livre, encouragé d'ailleurs par les hommes les plus éminents de la presse, M. Flaubert ne songe plus qu'à le livrer à l'impression, à la publicité. Je le répète, tout le monde a été unanime pour rendre hommage au mérite littéraire, au style et en même temps à la pensée excellente qui préside à l'œuvre depuis la première jusqu'à la dernière ligne. Et quand la poursuite est venue, ce n'est pas lui seulement qui a été surpris, profondément affligé; mais, permettez-moi de vous le dire, c'est nous qui ne comprenions pas cette poursuite, c'est moi tout le premier, qui avais lu le livre avec un intérêt très vif, à mesure que la publication en a été faite; ce sont des amis intimes. Mon Dieu! il y a des nuances qui quelquefois pourraient nous échapper dans nos habitudes, mais qui ne peuvent pas échapper à des femmes d'une grande intelligence, d'une grande pureté, d'une grande chasteté. Il n'y a pas de nom qui puisse se prononcer dans cette audience, mais si je vous disais ce qui a été dit à M. Flaubert, ce qui m'a été dit à moi-même par des mères de famille qui avaient lu ce livre, si je vous disais leur étonnement après avoir reçu de cette lecture une impression si bonne qu'elles ont cru devoir en remercier l'auteur, si je vous disais leur étonnement, leur douleur, quand elles ont appris que ce livre devait être considéré comme contraire à la morale publique, à leur foi religieuse, à la foi de toute leur vie, mon Dieu! mais il y aurait dans la réunion de ces appréciations mêmes de quoi me fortifier, si j'avais besoin d'être fortifié au moment de combattre les attaques du ministère public.

Pourtant, au milieu de toutes ces appréciations de la littérature contemporaine, il y en a une que je veux vous dire. Il y en a une, qui n'est pas seulement respectée par nous à raison d'un beau et d'un grand caractère, qui, au milieu même de l'adversité, de la souffrance, contre lesquelles il lutte courageusement chaque jour, grand par le souvenir de beaucoup d'actions inutiles à rappeler ici, mais grand par des œuvres littéraires qu'il faut rappeler parce que c'est là ce qui fait sa compétence, grand surtout par la pureté qui existe dans toutes ses œuvres, par la chasteté de tous ses écrits : Lamartine.

Lamartine ne connaissait pas mon client; il ne savait pas qu'il existât. Lamartine à la campagne, chez lui, avait lu, dans chacun des numéros de la *Revue de Paris,* la publication de *Madame Bovary,* et Lamartine avait trouvé là des impressions telles, qu'elles se sont reproduites toutes les fois que je vais vous dire maintenant.

Il y a quelques jours, Lamartine est revenu à Paris, et le lendemain il s'est informé de la demeure de M. Gustave Flaubert. Il a envoyé à la *Revue* savoir la demeure d'un M. Gustave Flaubert, qui avait publié dans le recueil des articles sous le titre de *Madame Bovary.* Il a chargé son secrétaire d'aller faire à M. Flaubert tous ses compliments, et de lui exprimer toute la satisfaction qu'il avait éprouvée en lisant son œuvre, et lui témoigner le désir de voir l'auteur nouveau, se révélant par un essai pareil.

Mon client est allé chez Lamartine; et il a trouvé chez lui non pas seulement un homme qui l'a encouragé, mais un homme qui lui a dit : « Vous m'avez donné la meilleure œuvre que j'ai lue depuis vingt ans. » C'étaient, en un mot, des éloges tels que mon client, dans sa modestie, osait à peine me les répéter. Lamartine lui prouvait qu'il avait lu les livraisons, et le lui prouvait de la manière la plus gracieuse, en lui en disant des pages tout entières. Seulement Lamartine ajoutait : « En même temps que je vous ai lu sans restriction jusqu'à la dernière page, j'ai blâmé les dernières. Vous m'avez fait mal, vous m'avez fait littéralement souffrir! L'expiation est hors de proportion avec le crime; vous avez créé une mort affreuse, effroyable! Assurément la femme qui souille le lit conjugal, doit s'attendre à une expiation, mais celle-ci est horrible, c'est un supplice comme on n'en a jamais vu. Vous avez été trop loin, vous m'avez fait mal aux nerfs; cette puissance de description qui s'est appliquée aux derniers instants de la mort m'a laissé une indicible souffrance! » Et quand Gustave Flaubert lui demandait : « Mais, monsieur de Lamartine, est-ce « que vous comprenez que je sois poursuivi pour avoir fait une « œuvre pareille, devant le tribunal de police correctionnelle, · « pour offense à la morale publique et religieuse? » Lamartine lui répondait : « Je crois avoir été toute ma vie l'homme qui, « dans ses œuvres littéraires comme dans ses autres, a le mieux « compris ce que c'était que la morale publique et religieuse; « mon cher enfant, il n'est pas possible qu'il se trouve en « France un tribunal pour vous condamner. Il est déjà très « regrettable qu'on se soit ainsi mépris sur le caractère de « votre œuvre et qu'on ait ordonné de la poursuivre, mais il « n'est pas possible, pour l'honneur de notre pays et de notre « époque, qu'il se trouve un tribunal pour vous condamner. »

Voilà ce qui se passait hier, entre Lamartine et Flaubert, et j'ai le droit de vous dire que cette appréciation est de celles qui valent la peine d'être pesées.

Ceci bien entendu, voyons comment il se pourrait faire que ma conscience à moi me dît que *Madame Bovary* est un bon livre, une bonne action? Et je vous demande la permission d'ajouter que je ne suis pas facile sur ces sortes de choses, la facilité n'est pas dans mes habitudes. Des œuvres littéraires, j'en tiens à la main qui, quoique émanées de nos grands écrivains, n'ont jamais arrêté deux minutes mes yeux. Je vous en ferai passer dans la chambre du conseil quelques lignes que je ne me suis jamais complu à lire, et je vous demanderai la permission de vous dire que lorsque je suis arrivé à la fin de l'œuvre de M. Flaubert, j'ai été convaincu qu'une coupure faite par la *Revue de Paris* a été cause de tout ceci. Je vous demanderai, de plus, la permission de joindre mon appréciation à l'appréciation plus élevée, plus éclairée que je viens de rappeler.

Voici, messieurs, un portefeuille rempli des opinions de tous les littérateurs de notre temps, et parmi lesquels se trouvent les plus distingués, sur l'œuvre dont il s'agit, et sur l'émerveillement qu'ils ont éprouvé en lisant cette œuvre nouvelle, en même temps si morale et si utile!

Maintenant comment une œuvre pareille a-t-elle pu encourir une poursuite? Voulez-vous me permettre de vous le dire? La *Revue de Paris,* dont le Comité de lecture avait lu l'œuvre en son entier, car le manuscrit lui avait été envoyé longtemps avant la publication, n'y avait rien trouvé à redire. Quand on est arrivé à imprimer le cahier du 1er décembre 1856, un des directeurs de la *Revue* s'est effarouché de la scène dans un fiacre. Il a dit : « Ceci n'est pas convenable, nous allons le supprimer. » Flaubert s'est offensé de la suppression. Il n'a pas voulu qu'elle eût lieu sans qu'une note fût placée au bas de la page. C'est lui qui a exigé la note. C'est lui qui, pour son amour-propre d'auteur, ne voulant pas que son œuvre fût mutilée, ni que, d'un autre côté, il y eût quelque chose qui donnât des inquiétudes à la *Revue,* a dit : « Vous supprimerez si bon vous semble, mais vous déclarerez que vous avez supprimé »; et alors on convint de la note suivante :

« La direction s'est vue dans la nécessité de supprimer ici un passage qui ne pouvait convenir à la rédaction de la *Revue de Paris;* nous en donnons acte à l'auteur. »

Voici le passage supprimé, je vais vous le lire. Nous en avons une épreuve, que nous avons eu beaucoup de peine à nous procurer. En voici la première partie, qui n'a pas une seule correction; un mot a été corrigé sur la seconde :

« — Où allons-nous? — Où vous voudrez », dit Léon pous-
« sant Emma dans la voiture. Les stores s'abaissèrent, et la
« lourde machine se mit en route.

« Elle descendit la rue du Grand-Pont, traversa la place
« des Arts, le quai Napoléon, le pont Neuf, et s'arrêta court
« devant la statue de Pierre Corneille.

« — Continuez! » fit une voix qui sortait de l'intérieur.

« La voiture repartit, et se laissant, dès le carrefour La-
« fayette, emporter par la descente, elle entra au grand galop
« dans la gare du chemin de fer.

« — Non! tout droit! » cria la même voix.

« Le fiacre sortit des grilles, et bientôt arrivé sur le Cours,
« trotta doucement, au milieu des grands ormes. Le cocher
« s'essuya le front, mit son chapeau de cuir entre ses jambes
« et poussa la voiture en dehors des contre-allées, au bord de
« l'eau près du gazon.

« Elle alla le long de la rivière, sur le chemin de halage

« pavé de cailloux secs, — et, longtemps, du côté d'Oyssel,
« au-delà des îles.

« Mais tout à coup elle s'élança d'un bond à travers Quatre-
« mares, Sotteville, la grande chaussée, la rue d'Elbœuf, et fit
« sa troisième halte devant le Jardin des Plantes.

« — Marchez donc! » s'écria la voix furieusement.

« Et aussitôt, reprenant sa course, elle passa par Saint-
« Sever, par le quai des Curandiers, par le quai aux Meules,
« encore une fois par le pont, par la place du Champ-de-
« Mars, et derrière les jardins de l'Hôpital où des vieillards
« en veste noire se promènent au soleil, le long d'une ter-
« rasse toute verdie par des lierres. Elle remonta le boule-
« vard Bouvreuil, parcourut le boulevard Cauchoise, puis
« tout le mont Riboudet jusqu'à la côte de Deville!

« Elle revint; et alors, sans parti pris ni direction, au
« hasard, elle vagabonda. On la vit à Saint-Paul, à Leseure,
« au mont Gargan, à la Rouge-Mare, et place du Gaillarbois,
« rue Maladrerie, rue Dinandrie, devant Saint-Romain, Saint-
« Vivien, Saint-Maclou, Saint-Nicaise, devant la Douane, à
« la basse Vieille-Tour, aux Trois-Pipes et au Cimetière-
« Monumental! De temps à autre, le cocher, sur son siège,
« jetait aux cabarets des regards désespérés. Il ne comprenait
« pas quelle fureur de locomotion poussait ces individus à
« ne vouloir point s'arrêter. Il essayait quelquefois; et aussitôt
« il entendait derrière lui partir des exclamations de colère.
« Alors il cinglait de plus belle ses deux rosses tout en sueur,
« mais sans prendre garde aux cahots, accrochant par-ci,
« par-là, ne s'en souciant, démoralisé, et presque pleurant
« de soif, de fatigue et de tristesse.

« Et sur le port, au milieu des camions et des barriques,
« et dans les rues, au coin des bornes, les bourgeois ouvraient
« de grands yeux ébahis devant cette chose si extraordinaire
« en province, une voiture à stores tendus, et qui apparaissait
« ainsi continuellement, plus close qu'un tombeau et ballottée
« comme un navire.

« Une fois, au milieu du jour, en pleine campagne, au
« moment où le soleil dardait le plus fort contre les vieilles
« lanternes argentées, une main nue passa sous les petits
« rideaux de toile jaune et jeta des déchirures de papier, qui
« se dispersèrent au vent, et s'abattirent plus loin, comme des

« papillons blancs, sur un champ de trèfles rouges tout en
« fleur.

   « Puis vers six heures, la voiture s'arrêta dans une ruelle
« du quartier Beauvoisine; et une femme en descendit qui
« marchait le voile baissé, sans détourner la tête.

   « En arrivant à l'auberge, Mme Bovary fut étonnée de ne
« pas apercevoir la diligence. Hivert, qui l'avait attendue
« cinquante-trois minutes, avait fini par s'en aller.

   « Rien pourtant ne la forçait à partir; mais elle avait donné
« sa parole qu'elle reviendrait le soir même. D'ailleurs,
« Charles l'attendait; et déjà elle se sentait au cœur cette
« lâche docilité qui est pour bien des femmes comme le châ-
« timent tout à la fois et la rançon de l'adultère. »

   M. Flaubert me fait remarquer que le ministère public lui
a reproché la dernière phrase.

   M. L'AVOCAT IMPÉRIAL — Non, je l'ai indiquée.

   MAÎTRE SÉNARD — Ce qui est certain, c'est que s'il y avait
un reproche il tomberait devant ces mots : « le châtiment
tout à la fois et la rançon de l'adultère ». Au surplus, cela
pourrait faire la matière d'un reproche tout aussi fondé que
les autres; car dans tout ce que vous avez reproché, il n'y a
rien qui puisse se soutenir sérieusement.

   Or, messieurs, cette espèce de course fantastique ayant
déplu à la rédaction de la *Revue*, la suppression en fut faite.
Ce fut là un excès de réserve de la part de la *Revue*; et très
certainement ce n'est pas un excès de réserve qui pouvait
donner matière à un procès; vous allez voir cependant comment elle a donné matière au procès. Ce qu'on ne voit pas, ce
qui est supprimé ainsi paraît une chose fort étrange. On a
supposé beaucoup de choses qui n'existaient pas, comme
vous l'avez vu par la lecture du passage primitif. Mon Dieu,
savez-vous ce qu'on a supposé? Qu'il y avait probablement
dans le passage supprimé quelque chose d'analogue à ce
que vous aurez la bonté de lire dans un des plus merveilleux
romans sortis de la plume d'un honorable membre de l'Académie française, M. Mérimée.

   M. Mérimée, dans un roman intitulé *La double méprise*,
raconte une scène qui se passe dans une chaise de poste. Ce
n'est pas la localité de la voiture qui a de l'importance, c'est,
comme ici, dans le détail de ce qui se fait dans son intérieur.

Je ne veux pas abuser de l'audience, je ferai passer le livre au
ministère public et au tribunal. Si nous avions écrit la moitié
ou le quart de ce qu'a écrit M. Mérimée, j'éprouverais quelque
embarras dans la tâche qui m'est donnée, ou plutôt je la modi-
fierais. Au lieu de dire ce que j'ai dit, ce que j'affirme, que
M. Flaubert a écrit un bon livre, un livre honnête, utile, moral,
je dirais : la littérature a ses droits; M. Mérimée a fait une
œuvre littéraire très remarquable, et il ne faut pas se montrer
si difficile sur les détails quand l'ensemble est irréprochable.
Je m'en tiendrais là, j'absoudrais et vous absoudriez. Eh! mon
Dieu! ce n'est pas par omission qu'un auteur peut pêcher en
pareille matière. Et, d'ailleurs, vous aurez le détail de ce qui
se passa dans le fiacre. Mais comme mon client, lui, s'est
contenté de faire une course, et que l'intérieur ne s'était révélé
que par « une main nue qui passa sous les petits rideaux de
toile jaune et jeta des déchirures de papier qui se dispersèrent
au vent et s'abattirent plus loin comme des papillons blancs
sur un champ de trèfles rouges tout en fleur »; comme mon
client s'était contenté de cela, personne n'en savait rien et
tout le monde supposait – par la suppression même – qu'il
avait dit au moins autant que le membre de l'Académie française. Vous avez vu qu'il n'en était rien.

Eh bien, cette malheureuse suppression, c'est le procès,
c'est-à-dire que, dans les bureaux qui sont chargés, avec
infiniment de raison, de surveiller tous les écrits qui peuvent
offenser la morale publique, quand on a vu cette coupure, on
s'est tenu en éveil. Je suis obligé de l'avouer, et messieurs de la
*Revue de Paris* me permettront de dire cela; ils ont donné le
coup de ciseaux deux mots trop loin; il fallait le donner
avant qu'on montât dans le fiacre; couper après, ce n'était
plus la peine. La coupure a été très malheureuse; mais si
vous avez commis cette petite faute, messieurs de la *Revue,*
assurément vous l'expiez bien aujourd'hui.

On a dit dans les bureaux : prenons garde à ce qui va
suivre; quand le numéro suivant est venu, on a fait la guerre
aux syllabes. Les gens des bureaux ne sont pas obligés de
tout dire; et quand ils ont vu qu'on avait écrit qu'une femme
avait retiré tous ses vêtements, ils se sont effarouchés sans
aller plus loin. Il est vrai qu'à la différence de nos grands
maîtres, M. Flaubert ne s'est pas donné la peine de décrire

l'albâtre de ses bras nus; de sa gorge, etc. Il n'a pas dit comme un poète que nous aimons :

> *Je vis de ses beaux flancs l'albâtre ardent et pur,*
> *Lis, ébène, corail, roses, veines d'azur,* ·
> *Telle enfin qu'autrefois tu me l'avais montrée,*
> *De sa nudité seule embellie et parée,*
> *Quand nos nuits s'envolaient, quand le mol oreiller*
> *La vit sous tes baisers dormir et s'éveiller.*

Il n'a rien dit de semblable à ce qu'a dit André Chénier. Mais enfin il a dit : « Elle s'abandonna... Ses vêtements tombèrent. »

Elle s'abandonna! Eh quoi! toute description est donc interdite? Mais quand on incrimine, on devrait tout lire, et monsieur l'Avocat impérial n'a pas tout lu. Le passage qu'il incrimine ne s'arrête pas où il s'est arrêté; il y a le correctif que voici :

« Cependant il y avait sur ce front couvert de gouttes « froides, sur ces lèvres balbutiantes, dans ces prunelles « égarées, dans l'étreinte de ces bras quelque chose d'extrême, « de vague et de lugubre qui semblait à Léon se glisser entre « eux subtilement, comme pour les séparer. »

Dans les bureaux on n'a pas lu cela. M. l'Avocat impérial tout à l'heure n'y prenait pas garde. Il n'a vu que ceci : « Puis elle faisait d'un seul geste tomber ensemble tous ses « vêtements », et il s'est écrié: outrage à la morale publique! Vraiment, il est trop facile d'accuser avec un pareil système. Dieu garde les auteurs de dictionnaires de tomber sous la main de M. L'Avocat impérial! Quel est celui qui échapperait à une condamnation si, au moyen de découpures, non de phrases, mais de mots, on s'avisait de faire une liste de tous les mots qui pourraient offenser la morale ou la religion?

La première pensée de mon client, qui a malheureusement rencontré de la résistance, avait été celle-ci : « Il n'y a qu'une seule chose à faire : imprimer immédiatement, non pas avec des coupures, mais dans son entier, l'œuvre telle qu'elle est sortie de mes mains, en rétablissant la scène du fiacre. » J'étais tout à fait de son avis, c'était la meilleure défense de mon client que l'impression complète de l'ouvrage avec l'indication de quelques points, sur lesquels nous aurions plus spécialement prié le tribunal de porter son attention. J'avais donné moi-même le titre de cette publication : *Mémoire de M. Gustave Flaubert contre la prévention d'outrage à la morale religieuse dirigée contre lui.* J'avais écrit de ma main : *Tribunal de police correctionnelle, sixième chambre,* avec l'indication du président et du ministère public. Il y avait une préface dans laquelle on lisait : « On m'accuse avec des phrases prises çà et là dans mon livre; je ne puis me défendre qu'avec mon livre. » Demander à des juges la lecture d'un roman tout entier, c'est leur demander beaucoup, mais nous sommes devant des juges qui aiment la vérité, qui la veulent; qui, pour la connaître, ne reculeront devant aucune fatigue; nous sommes devant des juges qui veulent la justice, qui la veulent énergiquement et qui liront, sans aucune espèce d'hésitation, tout ce que nous les supplierons de lire. J'avais dit à M. Flaubert : « Envoyez tout de suite cela à l'impression et mettez au bas de mon nom à côté du vôtre : SÉNARD, *avocat*. » On avait commencé l'impression; la déclaration était faite pour 100 exemplaires que nous voulions faire tirer; l'impression marchait avec une rapidité extrême, on y passait les jours et les nuits, lorsque nous est venue la défense de continuer l'impression, non pas d'un livre, mais d'un mémoire dans lequel l'œuvre incriminée se trouvait avec des notes explicatives! On a réclamé au parquet de M. le Procureur impérial, qui nous a dit que la défense était absolue, qu'elle ne pouvait pas être levée!

Eh bien, soit! Nous n'aurons pas publié le livre avec nos notes et nos observations, mais si votre première lecture, messieurs, vous avait laissé un doute, je vous le demande en grâce, vous en feriez une seconde. Vous aimez, vous voulez la vérité; vous ne pouvez être de ceux qui, quand on leur porte deux lignes de l'écriture d'un homme, sont assurés de le faire pendre à quelque condition que ce soit. Vous ne voulez pas qu'un homme soit jugé sur des découpures, plus ou moins habilement faites. Vous ne voulez pas cela; vous ne voulez pas nous priver des ressources ordinaires de la défense. Eh bien, vous avez le livre, et quoique ce soit moins commode que ce que nous voulions faire, vous ferez vous-mêmes les divisions, les observations, les rapprochements, parce que vous voulez la vérité et qu'il faut que ce soit la vérité qui serve de base à votre jugement, et la vérité sortira de l'examen sérieux du livre.

Cependant je ne puis pàs m'en tenir là. Le ministère public attaque le livre, il faut que je prenne le livre même pour le défendre, que je complète les citations qu'il en a faites, et que, sur chaque passage incriminé, je montre le néant de l'incrimination; ce sera toute ma défense.

Je n'essayerai pas, assurément, d'opposer aux appréciations élevées, animées, pathétiques, dont le ministère public a entouré tout ce qu'il a dit, des appréciations du même genre; la défense n'aurait pas le droit de prendre de telles allures; elle se contentera de citer les textes tels qu'ils sont.

Et d'abord je déclare que rien n'est plus faux que ce qu'on a dit tout à l'heure de la couleur lascive. La couleur lascive! Où donc avez-vous pris cela? Mon client a dépeint dans *Madame Bovary* quelle femme? Eh! mon Dieu! c'est triste à dire, mais cela est vrai, une jeune fille, née comme elles le sont presque toutes, honnête; c'est du moins le plus grand nombre, mais bien fragiles quand l'éducation, au lieu de les fortifier, les a amollies ou jetées dans une mauvaise voie. Il a pris une jeune fille; est-ce une nature perverse? Non, c'est une nature impressionnable, accessible à l'exaltation.

M. l'Avocat impérial a dit : « Cette jeune fille, on la présente constamment comme lascive. » Mais non, on la représente née à la campagne, née à la ferme, où elle s'occupe de tous les travaux de son père, et où aucune espèce de lascivité n'avait pu passer dans son esprit ou dans son cœur. On la représente ensuite, au lieu de suivre la destinée qui lui appartenait tout naturellement d'être élevée pour la ferme dans laquelle elle devait vivre ou dans un milieu analogue, on la représente sous l'autorité imprévoyante d'un père qui s'imagine de faire élever au couvent cette fille née à la ferme, qui devait épouser un fermier, un homme de la campagne. La voilà conduite dans un couvent, hors de sa sphère. Il n'y a rien qui ne soit grave dans la parole du ministère public, il ne faut donc rien laisser sans réponse. Ah! vous avez parlé de ses petits péchés; en citant quelques lignes de la première livraison, vous avez dit : « Quand elle allait à confesse, elle inventait de petits péchés, afin de rester là plus longtemps, à genoux dans l'ombre... sous le chuchotement du prêtre. »

Vous vous êtes déjà gravement trompé sur l'appréciation de mon client. Il n'a pas fait la faute que vous lui reprochez, l'erreur est tout entière de votre côté, d'abord sur l'âge de la jeune fille. Comme elle n'est rentrée au couvent qu'à treize ans, il est évident qu'elle en avait quatorze lorsqu'elle allait à confesse. Ce n'était donc pas une enfant de dix ans comme il vous a plu de le dire; vous vous êtes trompé là-dessus matériellement. Mais je n'en suis pas sur l'invraisemblance d'une enfant de dix ans qui aime à rester au confessionnal « sous le chuchotement du prêtre ». Ce que je veux, c'est que vous lisiez les lignes qui précèdent, ce qui n'est pas facile, j'en conviens. Et voilà l'inconvénient pour nous de n'avoir pas de mémoire : avec un mémoire nous n'aurions pas à chercher dans six volumes.

J'appelais votre attention sur ce passage, pour restituer à *Madame Bovary* son véritable caractère. Voulez-vous me permettre de vous dire ce qui me paraît bien grave, ce que M. Flaubert a compris et qu'il a mis en relief? Il y a une espèce de religion qui est celle qu'on parle généralement aux jeunes filles et qui est la plus mauvaise de toutes. On peut, à cet égard, différer dans les appréciations. Quant à moi, je déclare nettement ceci : que je ne connais rien de beau, d'utile, de nécessaire pour soutenir, non pas seulement les femmes dans le chemin de la vie, mais les hommes eux-mêmes qui ont quelquefois de bien pénibles épreuves à traverser; que je ne connais rien de plus utile et de plus nécessaire que le sentiment religieux, mais le sentiment religieux grave et, permettez-moi d'ajouter, sévère.

Je veux que mes enfants comprennent un Dieu, non pas un Dieu dans les abstractions du panthéisme, non, mais un être suprême avec lequel ils sont en rapport, vers lequel ils s'élèvent pour le prier, et qui, en même temps, les grandit et les fortifie. Cette pensée-là, voyez-vous, qui est ma pensée, qui est la vôtre, c'est la force dans les mauvais jours, la force dans ce qu'on appelle dans le monde, le refuge, ou, mieux encore, la force des faibles. C'est cette pensée-là qui donne à la femme cette consistance qui la fait se résigner sur les mille petites choses de la vie, qui la fait rapporter à Dieu ce qu'elle peut souffrir, et lui demander la grâce de remplir son devoir. Cette religion-là, messieurs, c'est le christianisme,

c'est la religion qui établit les rapports entre Dieu et l'homme.
Le christianisme, en faisant intervenir entre Dieu et nous une
sorte de puissance intermédiaire, nous rend Dieu plus
accessible, et cette communication avec lui plus facile. Que
la mère de celui qui se fit Homme-Dieu reçoive aussi les
prières de la femme, je ne vois rien encore là qui altère ni
la pureté, ni la sainteté religieuse, ni le sentiment lui-même.
Mais voici où commence l'altération. Pour accommoder la
religion à toutes les natures, on fait intervenir toutes sortes
de petites choses chétives, misérables, mesquines. La pompe
des cérémonies, au lieu d'être cette grande pompe qui nous
saisit l'âme, cette pompe dégénère en petit commerce de
reliques, de médailles, de petits bons dieux, de petites bonnes
vierges. A quoi, messieurs, se prend l'esprit des enfants curieux
et ardents, tendres, l'esprit des jeunes filles surtout? A toutes
ces images, affaiblies, atténuées, misérables de l'esprit religieux. Elles se font alors de petites religions de pratique,
de petites dévotions de tendresse, d'amour, et au lieu d'avoir
dans leur âme le sentiment de Dieu, le sentiment du devoir,
elles s'abandonnent à des rêvasseries, à de petites pratiques,
à de petites dévotions. Et puis vient la poésie, et puis viennent, il faut bien le dire, mille pensées de charité, de tendresse, d'amour mystique, mille formes qui trompent les
jeunes filles, qui sensualisent la religion. Ces pauvres enfants,
naturellement crédules et faibles, se prennent à tout cela, à
la poésie, à la rêvasserie, au lieu de s'attacher à quelque
chose de raisonnable et de sévère. D'où il arrive que vous
avez beaucoup de femmes fort dévotes, qui ne sont pas religieuses du tout. Et quand le vent les pousse hors du chemin
où elles devraient marcher, au lieu de trouver la force,
elles ne trouvent que toute espèce de sensualités qui les
égarent.

Ah! vous m'avez accusé d'avoir dans le tableau de la
société moderne, confondu l'élément religieux avec le sen-
sualisme! Accusez donc la société au milieu de laquelle nous
sommes, mais n'accusez pas l'homme qui, comme Bossuet,
s'écrie: Réveillez-vous et prenez garde au péril! Mais venir
dire aux pères de famille: Prenez garde, ce ne sont pas là
de bonnes habitudes à donner à vos filles, il y a dans tous
ces mélanges de mysticisme quelque chose qui sensualise

la religion; venir dire cela, c'est dire la vérité. C'est pour
cela que vous accusez Flaubert, c'est pour cela que j'exalte
sa conduite. Oui, il a bien fait d'avertir, ainsi, les familles
des dangers de l'exaltation chez les jeunes personnes qui
s'en prennent aux petites pratiques, au lieu de s'attacher
à une religion forte et sévère qui les soutiendrait au jour
de la faiblesse. Et, maintenant, vous allez voir d'où vient
l'intention des petits péchés « sous le chuchotement du prêtre ».
Lisons la page 30*.

« Elle avait lu *Paul et Virginie* et elle avait rêvé la mai-
« sonnette de bambous, le nègre Domingo, le chien fidèle,
« mais surtout l'amitié douce de quelque bon petit frère,
« qui va chercher pour vous des fruits rouges dans des
« grands arbres plus hauts que des clochers ou qui court
« pieds nus sur le sable, vous apportant un nid d'oiseau. »

Est-ce lascif, cela, messieurs? Continuons.

M. L'AVOCAT IMPÉRIAL. — Je n'ai pas dit que ce passage
fût lascif.

MAÎTRE SÉNARD. — Je vous demande bien pardon, c'est
précisément dans ce passage que vous avez relevé une phrase
lascive, et vous n'avez pu la trouver lascive qu'en l'isolant
de ce qui précédait et de ce qui suivait :

« Au lieu de suivre la messe, elle regardait dans son livre
« les vignettes pieuses bordées d'azur qui servent de signets,
« et elle aimait la brebis malade, le sacré-cœur percé de
« flèches aiguës, ou le pauvre Jésus qui tombe en marchant
« sous sa croix. Elle essaya, par mortification, de rester tout
« un jour sans manger. Elle cherchait dans sa tête quelque
« vœu à accomplir. »

N'oubliez pas cela; quand on invente de petits péchés à
confesse et qu'on cherche dans sa tête quelque vœu à accomplir, ce que vous trouverez à la ligne qui précède, évidemment on a eu les idées un peu faussées, quelque part. Et je
vous demande maintenant si j'ai à discuter votre passage!
Mais je continue :

« Le soir, avant la prière, on faisait dans l'étude une lec-
« ture religieuse. C'était, pendant la semaine, quelque
« résumé d'histoire sainte ou les conférence de l'abbé Frays-

« sinous, et, le dimanche, des passages du *Génie du Christia-*
« *nisme,* par récréation. Comme elle écouta, les premières
« fois, la lamentation sonore des mélancolies romantiques
« se répétant à tous les échos de la terre et de l'éternité!
« Si son enfance se fût écoulée dans l'arrière-boutique
« obscure d'un quartier marchand, elle se serait peut-être
« alors ouverte aux envahissements lyriques de la nature,
« qui, d'ordinaire, ne nous arrivent que par la traduction
« des écrivains. Mais elle connaissait trop la campagne; elle
« savait le bêlement des troupeaux, les laitages, les charrues.
« Habituée aux aspects calmes, elle se tournait, au contraire,
« vers les accidentés. Elle n'aimait la mer qu'à cause de ses
« tempêtes, et la verdure seulement lorsqu'elle était clair-
« semée parmi les ruines. Il fallait qu'elle pût retirer des
« choses une sorte de profit personnel; et elle rejetait comme
« inutile tout ce qui ne contribuait pas à la consommation
« immédiate de son cœur, étant de tempérament plus senti-
« mental qu'artistique, cherchant des émotions et non des
« paysages. »

Vous allez voir avec quelles délicates précautions l'auteur
introduit cette vieille sainte fille, et comment, pour enseigner
la religion, il va se glisser dans le couvent un élément nouveau,
l'introduction du roman apporté par une étrangère. N'oubliez
jamais ceci quand il s'agira d'apprécier la morale religieuse.

« Il y avait au couvent une vieille fille qui venait tous les
« mois, pendant huit jours, travailler à la lingerie. Protégée
« par l'archevêché comme appartenant à une ancienne famille
« de gentilshommes ruinés sous la Révolution, elle man-
« geait au réfectoire à la table des bonnes sœurs et faisait
« avec elles, après le repas, un petit bout de causette avant
« de remonter à son ouvrage. Souvent les pensionnaires
« s'échappaient de l'étude pour l'aller voir. Elle savait par
« cœur des chansons galantes du siècle passé, qu'elle chantait
« à demi-voix en poussant son aiguille. Elle contait des his-
« toires, vous apprenait des nouvelles, faisait en ville vos
« commissions, et prêtait aux grandes, en cachette, quelque
« roman qu'elle avait toujours dans les poches de son tablier,
« et dont la bonne demoiselle elle-même avalait de longs
« chapitres dans les intervalles de sa besogne. »

Ceci n'est pas seulement merveilleux littérairement par-

lant : l'absolution ne peut pas être refusée à l'homme qui
écrit ces admirables passages, pour signaler à tous les périls d'une éducation de ce genre, pour indiquer à la jeune
femme les écueils de la vie dans laquelle elle va s'engager. Continuons :

« Ce n'étaient qu'amours, amants, amantes, dames persé-
« cutées s'évanouissant dans les pavillons solitaires, postil-
« lons qu'on tue à tous les relais, chevaux qu'on crève à
« toutes les pages, forêts sombres, troubles du cœur, serments,
« sanglots, larmes et baisers, nacelles au clair de lune, rossi-
« gnols dans les bosquets, *Messieurs* braves comme des lions,
« doux comme des agneaux, vertueux comme on ne l'est pas,
« toujours bien mis et qui pleurent comme des urnes. Pen-
« dant six mois, à quinze ans, Emma se graissa donc les
« mains à cette poussière des vieux cabinets de lecture.
« Avec Walter Scott, plus tard, elle s'éprit de choses histo-
« riques, rêva bahuts, salles des gardes et ménestrels. Elle
« aurait voulu vivre dans quelque vieux manoir, comme ces
« châtelaines au long corsage qui, sous le trèfle des ogives,
« passaient leurs jours le coude sur la pierre et le menton
« dans la main à regarder venir du fond de la campagne un
« cavalier à plume blanche, qui galope sur un cheval noir.
« Elle eut, dans ce temps-là, le culte de Marie Stuart et des
« vénérations enthousiastes à l'endroit des femmes illustres
« ou infortunées. Jeanne d'Arc, Héloïse, Agnès Sorel, la
« belle Ferronnière et Clémence Isaure, pour elle se déta-
« chaient comme des comètes sur l'immensité ténébreuse de
« l'histoire, où saillissaient encore çà et là mais plus perdus
« dans l'ombre et sans aucun rapport entre eux, saint Louis
« avec son chêne, Bayard mourant, quelques férocités de
« Louis XI, un peu de Saint-Barthélemy, le panache du
« Béarnais, et toujours le souvenir des assiettes peintes où
« Louis XIV était vanté.

« A la classe de musique, dans les romances qu'elle chan-
« tait, il n'était question que de petits anges aux ailes d'or,
« de madones, de lagunes, de gondoliers, pacifiques compo-
« sitions qui laissaient entrevoir, à travers la niaiserie du style
« et les imprudences de la note, l'attirante fantasmagorie de
« réalités sentimentales. »

Comment, vous ne vous êtes pas souvenu de cela, quand

cette pauvre fille de la campagne rentrée à la ferme, ayant
trouvé à épouser un médecin de village, est invitée à une
soirée d'un château, sur laquelle vous avez cherché à appeler
l'attention du tribunal, pour montrer quelque chose de lascif dans une valse qu'elle vient de danser! Vous ne vous êtes
pas souvenu de cette éducation quand cette pauvre femme
enlevée par une invitation qui est venue la prendre au
foyer vulgaire de son mari, pour la mener à ce château, quand
elle a vu ces beaux messieurs, ces belles dames, ce vieux duc,
qui disait-on, avait eu des bonnes fortunes à la cour!...
M. l'Avocat impérial a eu de beaux mouvements, à propos de la reine Antoinette! Il n'y a pas un de nous, assurément, qui ne soit associé par la pensée à votre pensée.
Comme vous, nous avons frémi au nom de cette victime
des révolutions; mais ce n'est pas de Marie-Antoinette qu'il
s'agit ici, c'est du château de la Vaubyessard.

Il y avait là un vieux duc qui avait eu — disait-on — des
rapports avec la reine, et sur lequel se portaient tous les
regards. Et quand cette jeune femme, voyant se réaliser tous
les rêves fantastiques de sa jeunesse, se trouve ainsi transportée au milieu de ce monde, vous vous étonnez de l'enivrement
qu'elle a ressenti; vous l'accusez d'avoir été lascive! Mais
accusez donc la valse elle-même, cette danse de nos grands
bals modernes où, dit un auteur qui l'a décrite, la femme
« s'appuie sur l'épaule du cavalier, dont la jambe l'embar-
rasse ». Vous trouvez que dans la description de Flaubert
Mme Bovary est lascive. Mais il n'y a pas un homme, et je
ne vous excepte pas, qui, ayant assisté à un bal, ayant vu cette
sorte de valse n'ait eu en sa pensée le désir que sa femme
ou sa fille s'abstînt de ce plaisir qui a quelque chose de
farouche. Si, comptant sur la chasteté qui enveloppe une
jeune fille, on la laisse quelquefois se livrer à ce plaisir que
la mode a consacré, il faut beaucoup compter sur cette enveloppe de chasteté, et quoiqu'on y compte, il n'est pas impossible d'exprimer les impressions que M. Flaubert a exprimées
au nom des mœurs et de la chasteté.

La voilà au château de la Vaubyessard, la voilà qui regarde
ce vieux duc, qui étudie tout avec transport, et vous vous
écriez : Quels détails! Qu'est-ce à dire? Les détails sont
partout, quand on ne cite qu'un passage.

« Mme Bovary remarqua que plusieurs dames n'avaient pas
« mis leurs gants dans leurs verres.

« Cependant, au haut bout de la table, seul parmi toutes
« ces femmes, courbé sur son assiette remplie, et la ser-
« viette nouée dans le dos comme un enfant, un vieillard man-
« geait, laissant tomber de sa bouche des gouttes de sauce.
« Il avait les yeux éraillés et portait une petite queue en-
« roulée d'un ruban noir. C'était le beau-père du marquis,
« le vieux duc de Laverdière, l'ancien favori du comte d'Ar-
« tois, dans le temps des parties de chasse au Vaudreuil,
« chez le marquis de Conflans, et qui avait été, disait-on,
« l'amant de la reine Marie-Antoinette, entre MM. de Coigny
« et de Lauzun. »

Défendez la reine, défendez-la surtout devant l'échafaud,
dites que par son titre elle avait droit au respect, mais suppri-
mez vos accusations, quand on se contentera de dire qu'il
avait été, disait-on, l'amant de la reine. Est-ce que c'est sérieusement que vous nous reprochez d'avoir insulté à la mémoire
de cette femme infortunée?

« Il avait mené une vie bruyante de débauches, pleine de
« duels, de paris, de femmes enlevées, avait dévoré sa fortune
« et effrayé toute sa famille. Un domestique derrière sa
« chaise lui nommait tout haut dans l'oreille les plats qu'il
« désignait du doigt en bégayant. Et sans cesse les yeux
« d'Emma revenaient d'eux-mêmes sur ce vieil homme à
« lèvres pendantes, comme sur quelque chose d'extraordi-
« naire et d'auguste. Il avait vécu à la Cour et couché dans
« le lit des reines!

« On versa du vin de Champagne à la glace. Emma
« frissonna de toute sa peau en sentant ce froid à sa
« bouche. Elle n'avait jamais vu de grenades ni mangé d'ana-
« nas. »

Vous voyez que ces descriptions sont charmantes, incontes-
tablement, mais qu'il n'est pas possible d'y prendre çà et là
une ligne pour créer une espèce de couleur contre laquelle
ma conscience proteste. Ce n'est pas la couleur lascive, c'est
la couleur du livre; c'est l'élément littéraire, et en même
temps l'élément moral.

La voilà, cette jeune fille dont vous avez fait l'éducation,
la voilà devenue femme. M. l'Avocat impérial a dit : Essaie-

t-elle même d'aimer son mari? Vous n'avez pas lu le livre;
si vous l'aviez lu vous n'auriez pas fait cette objection.

La voilà, messieurs, cette pauvre femme, elle rêvassera
d'abord. A la page 34* vous verrez ses rêvasseries. Et il y a
plus, il y a quelque chose dont M. l'Avocat impérial n'a pas
parlé, et qu'il faut que je vous dise, ce sont ses impressions quand sa mère mourut; vous verrez si c'est lascif, cela!
Ayez la bonté de prendre la page 33** et de me suivre :

« Quand sa mère mourut, elle pleura beaucoup les
« premiers jours. Elle se fit faire un tableau funèbre avec les
« cheveux de la défunte, et, dans une lettre qu'elle envoyait
« aux Bertaux, toute pleine de réflexions tristes sur la vie elle
« demandait qu'on l'ensevelît plus tard dans le même tom-
« beau. Le bonhomme la crut malade et vint la voir.
« Emma fut intérieurement satisfaite de se sentir arrivée, du
« premier coup, à ce rare idéal des existences pâles où ne
« parviennent jamais les cœurs médiocres. Elle se laissa donc
« glisser dans les méandres lamartiniens, écouta les harpes
« sur les lacs, tous les chants de cygnes mourants, toutes
« les chutes de feuilles, les vierges pures qui montent au
« ciel, et la voix de l'Eternel discourant dans les vallons.
« Elle s'ennuya, n'en voulut point convenir, continua par
« habitude, ensuite par vanité, et fut enfin surprise de se
« sentir apaisée, et sans plus de tristesse au cœur que de rides
« sur le front. »

Je veux répondre aux reproches de M. l'Avocat impérial,
qu'elle ne fait aucun effort pour aimer son mari.

M. L'Avocat impérial. — Je ne lui ai pas reproché cela;
j'ai dit qu'elle n'avait pas réussi.

Maître Sénard. — Si j'ai mal compris, si vous n'avez pas
fait ce reproche, c'est la meilleure réponse qui puisse être
faite. Je croyais vous l'avoir entendu faire; mettons que je
me sois trompé. Au surplus voici ce que je lis à la fin de la
page 36*** :

« Cependant, d'après des théories qu'elle croyait bonnes,
« elle voulut se donner de l'amour. Au clair de lune, dans

* Pages 47-48.
** Pages 45-46.
*** Page 51.

« le jardin, elle récitait tout ce qu'elle savait par cœur de
« rimes passionnées, et lui chantait en soupirant des adagios
« mélancoliques; mais elle se trouvait ensuite aussi calme
« qu'auparavant, et Charles n'en paraissait ni plus amoureux,
« ni plus remué.

   « Quand elle eut ainsi un peu battu le briquet sur son
« cœur sans en faire jaillir une étincelle, incapable, d'ailleurs,
« de comprendre ce qu'elle n'éprouvait pas, comme de croire
« à tout ce qui ne se manifestait point par des formes
« convenues, elle se persuada sans peine que la passion de
« Charles n'avait plus rien d'exorbitant. Ses expansions
« étaient devenues régulières; il l'embrassait à de certaines
« heures. C'était une habitude parmi les autres, et comme
« un dessert prévu d'avance, après la monotonie du dîner. »
   A la page 37*, nous trouverons une foule de choses semblables. Maintenant, voici le péril qui va commencer. Vous
savez comment elle avait été élevée; c'est ce que je vous supplie
de ne pas oublier un instant.
   Il n'y a pas un homme, l'ayant lu, qui ne dise, ce livre à
la main, que M. Flaubert n'est pas seulement un grand
artiste, mais un homme de cœur, pour avoir dans les six dernières pages déversé toute l'horreur et le mépris sur la femme,
et tout l'intérêt sur le mari. Il est encore un grand artiste,
comme on l'a dit, parce qu'il n'a pas transformé le mari,
parce qu'il l'a laissé jusqu'à la fin ce qu'il était, un bon
homme, vulgaire, médiocre, remplissant les devoirs de sa profession, aimant bien sa femme, mais dépourvu d'éducation,
manquant d'élévation dans la pensée. Il est de même au lit
de mort de sa femme. Et, pourtant, il n'y a pas un individu
dont le souvenir revienne avec plus d'intérêt. Pourquoi?
Parce qu'il a gardé jusqu'à la fin la simplicité, la droiture
du cœur; parce que jusqu'à la fin il a rempli son devoir,
dont sa femme s'était écartée. Sa mort est aussi belle,
aussi touchante, que la mort de sa femme est hideuse. Sur
le cadavre de la femme, l'auteur a montré les taches, que
lui ont laissées les vomissements du poison; elles ont sali
le linceul blanc dans lequel elle va être ensevelie, il a voulu
en faire un objet de dégoût; mais il y a un homme qui est

---

* Pages 52-53.

sublime, c'est le mari, sur le bord de cette fosse. Il y a un
homme qui est grand, sublime, dont la mort est admirable,
c'est le mari, qui, après avoir vu successivement se briser par
la mort de sa femme tout ce qui pouvait lui rester d'illusions
au cœur, embrasse par la pensée sa femme sous une tombe.
Mettez-le, je vous en prie, dans vos souvenirs, l'auteur a
été au-delà — Lamartine le lui a dit — de ce qui était permis,
pour rendre la mort de la femme hideuse et l'expiation plus
terrible. L'auteur a su concentrer tout l'intérêt sur l'homme
qui n'avait pas dévié de la ligne du devoir, qui est resté avec
son caractère médiocre sans doute, l'auteur ne pouvait pas
changer son caractère; mais avec toute la générosité de son
cœur, et il a accumulé toutes les horreurs sur la mort de la
femme qui l'a trompé, ruiné, qui s'est livrée aux usuriers,
qui a mis en circulation des billets faux, et enfin est arrivée
au suicide. Nous verrons si elle est naturelle la mort de cette
femme qui, si elle n'avait pas trouvé le poison pour en finir,
aurait été brisée par l'excès même du malheur qui l'étrei-
gnait. Voilà ce qu'a fait l'auteur. Son livre ne serait pas lu,
s'il l'eût fait autrement, si, pour montrer où peut conduire
une éducation aussi périlleuse que celle de Mme Bovary, il
n'avait pas prodigué les images charmantes et les tableaux
énergiques qu'on lui reproche.

M. Flaubert fait constamment ressortir la supériorité du
mari sur la femme, et quelle supériorité, s'il vous plaît? Celle
du devoir rempli, tandis qu'Emma s'en écarte! Et puis la
voilà placée sur la pente de cette mauvaise éducation, la voilà
partie après la scène du bal avec un jeune enfant, Léon,
inexpérimenté comme elle. Elle coquettera avec lui, mais
elle n'osera pas aller plus loin; rien ne se fera. Vient ensuite
Rodolphe qui la prendra, lui, cette femme. Après l'avoir
regardée un instant, il se dit : Elle est bien, cette femme! et
elle sera à lui, car elle est légère et sans expérience. Quant
à la chute, vous relirez les pages 42, 43 et 44*. Je n'ai qu'un
mot à vous dire sur cette scène, il n'y a pas de détails, pas
de description, aucune image qui nous peigne le trouble
des sens; un seul mot indique la chute : « elle s'abandonna ».
Je vous prierai, encore, d'avoir la bonté de relire les détails de

---

* Pages 189-190.

la chute de Clarisse Harlowe, que je ne sache pas avoir été
décrite dans un mauvais livre. M. Flaubert a substitué
Rodolphe à Lovelace, et Emma à Clarisse. Vous compa-
rerez les deux auteurs et les deux ouvrages; et vous apprécierez.

Mais je rencontre ici l'indignation de M. l'Avocat impérial.
Il est choqué de ce que le remords ne suit pas de près la
chute, de ce qu'au lieu d'en exprimer les amertumes, elle
se dit avec satisfaction : « J'ai un amant. » Mais l'auteur ne
serait pas dans le vrai si, au moment où la coupe est encore
aux lèvres, il faisait sentir toute l'amertume de la liqueur
enchanteresse. Celui qui écrirait, comme l'entend M. l'Avocat
impérial, pourrait être moral, mais il dirait ce qui n'est
pas dans la nature. Non, ce n'est pas au moment de la première faute, que le sentiment de la faute se réveille; sans
cela elle ne serait pas commise. Non, ce n'est pas au moment
où elle est dans l'illusion qui l'enivre, que la femme peut
être avertie par cet enivrement même de la faute immense
qu'elle a commise. Elle n'en rapporte que l'ivresse; elle
rentre chez elle, heureuse, étincelante, elle chante dans son
cœur : « Enfin j'ai un amant. » Mais cela dure-t-il longtemps?
Vous avez lu les pages 424 et 425*. A deux pages de là, s'il
vous plaît, à la page 428**, le sentiment du dégoût de
l'amant ne se manifeste pas encore, mais elle est déjà sous
l'impression de la crainte, de l'inquiétude. Elle examine,
elle regarde, elle ne voudrait jamais abandonner Rodolphe :

« Quelque chose de plus fort qu'elle la poussait vers lui,
« si bien qu'un jour, la voyant survenir à l'improviste, il
« fronça le visage comme quelqu'un de contrarié.

« — Qu'as-tu donc? dit-elle. Souffres-tu? Parle-moi! »

« Et enfin il déclara d'un air sérieux que ses visites deve-
« naient imprudentes et qu'elle se compromettait.

« Peu à peu, cependant, ces craintes de Rodolphe le ga-
« gnèrent. L'amour l'avait enivrée d'abord, et elle n'avait
« songé à rien au-delà. Mais à présent qu'il était indispen-
« sable à sa vie, elle craignait d'en perdre quelque chose,
« ou même qu'il ne fût troublé. Quand elle s'en revenait de

468 — Madame Bovary

« chez lui, elle jetait tout à l'entour des regards inquiets,
« épiait chaque forme qui passait à l'horizon, et chaque
« lucarne du village d'où l'on pouvait l'apercevoir. Elle
« écoutait les pas, les cris, le bruit des charrues, et elle
« s'arrêtait plus blême et plus tremblante que les feuilles
« des peupliers qui se balançaient sur sa tête. »

Vous voyez bien qu'elle ne s'y méprend pas; elle sent bien
qu'il y a quelque chose qui n'est pas ce qu'elle avait rêvé.
Prenons les pages 433 et 434*, et vous en serez encore plus
convaincus.

« Lorsque la nuit était pluvieuse, ils s'allaient réfugier
« dans le cabinet aux consultations, entre le hangar et
« l'écurie. Elle allumait un des flambeaux de la cuisine,
« qu'elle avait caché derrière les livres. Rodolphe s'installait
« là comme chez lui. Cependant, la vue de la bibliothèque
« et du bureau, de tout l'appartement enfin, excitait sa
« gaieté, et il ne pouvait pas se retenir de faire sur Charles
« quantité de plaisanteries qui embarrassaient Emma. Elle
« eût désiré le voir plus sérieux et même plus dramatique
« à l'occasion, comme cette fois où elle crut entendre dans
« l'allée un bruit de pas qui s'approchait.

« — On vient! » dit-elle.
« Il souffla la lumière.
« — As-tu tes pistolets?
« — Pourquoi?
« — Mais... pour te défendre, reprit Emma.
« — Est-ce de ton mari? Ah! le pauvre garçon! »
« Et Rodolphe acheva sa phrase avec un geste qui signifiait :
« je l'écraserais d'une chiquenaude.

« Elle fut ébahie de sa bravoure, bien qu'elle y sentît une
« sorte d'indélicatesse et de grossièreté naïve, qui la scan-
« dalisa.

« Rodolphe réfléchit beaucoup à cette histoire de pistolets.
« Si elle avait parlé sérieusement, cela était fort ridicule,
« pensait-il, odieux même, car il n'avait, lui, aucune raison
« de haïr ce bon Charles, n'étant pas ce qui s'appelle dévoré
« de jalousie; — et à ce propos Emma lui avait fait un grand
« serment, qu'il ne trouvait pas, non plus, du meilleur goût.

* Page 200.

« D'ailleurs, elle devenait bien sentimentale. Il avait fallu
« s'échanger des miniatures, on s'était coupé des poignées de
« cheveux, et elle demandait à présent une bague, un véri-
« table anneau de mariage, en signe d'alliance éternelle.
« Souvent elle lui parlait des cloches du soir, ou des voix de
« la nature, puis elle l'entretenait de sa mère à elle, et de sa
« mère à lui. »

Elle l'ennuyait enfin.

Puis, page 453* : « Il (Rodolphe) n'avait plus, comme au-
« trefois, de ces mots si doux qui la faisaient pleurer, ni de
« ces véhémentes caresses qui la rendaient folle; — si bien que
« leur grand amour, où elle vivait plongée, parut se dimi-
« nuer sous elle comme l'eau d'un fleuve, qui s'absorberait
« dans son lit, et elle aperçut la vase. Elle n'y voulut pas
« croire; elle redoubla de tendresse; et Rodolphe, de moins
« en moins, cacha son indifférence.

« Elle ne savait pas si elle regrettait de lui avoir cédé,
« ou si elle ne souhaitait point, au contraire, le chérir davan-
« tage. L'humiliation de se sentir faible se tournait en une
« rancune que les voluptés tempéraient. Ce n'était pas de
« l'attachement, mais comme une séduction permanente. Il
« la subjuguait. Elle en avait presque peur. »

Et vous craignez, monsieur l'Avocat impérial, que les jeunes
femmes lisent cela! Je suis moins effrayé, moins timide que
vous. Pour mon compte personnel, je comprends à merveille
que le père de famille dise à sa fille : « Jeune femme, si
ton cœur, si ta conscience, si le sentiment religieux, si la
voix du devoir ne suffisaient pas pour te faire marcher
dans la droite voie, regarde, mon enfant, regarde combien
d'ennuis, de souffrances, de douleurs et de désolations atten-
dent la femme qui va chercher le bonheur ailleurs que chez
elle! » Ce langage ne vous blesserait pas dans la bouche
d'un père, eh bien, M. Flaubert ne dit pas autre chose; c'est
la peinture la plus vraie, la plus saisissante de ce que la
femme qui a rêvé le bonheur en dehors de sa maison trouve
immédiatement.

Mais marchons, nous arrivons à toutes les aventures de la
désillusion. Vous m'opposez les caresses de Léon à la page

* Page 201.

60*. Hélas! elle va payer bientôt la rançon de l'adultère; et
cette rançon vous la trouverez terrible, à quelques pages plus
loin de l'ouvrage que vous incriminez. Elle a cherché le bonheur dans l'adultère, la malheureuse! Elle y a trouvé, outre
le dégoût et la fatigue que la monotonie du mariage peut
donner à une femme qui ne marche pas dans la voie du devoir, elle y a trouvé la désillusion, le mépris de l'homme
auquel elle s'était livrée. Est-ce qu'il manque quelque chose
à ce mépris? Oh non! et vous ne le nierez pas, le livre est
sous vos yeux : Rodolphe, qui s'est révélé si vil, lui donne
une dernière preuve d'égoïsme et de lâcheté. Elle lui dit :
« Emmène-moi! Enlève-moi! J'étouffe, je ne puis plus
« respirer dans la maison de mon mari dont j'ai fait la honte
« et le malheur. » Il hésite; elle insiste, enfin il promet, et
le lendemain elle reçoit de lui une lettre foudroyante,
sous laquelle elle tombe, écrasée, anéantie. Elle tombe
malade, elle est mourante. La livraison qui suit vous la
montre dans toutes les convulsions d'une âme qui se
débat, qui peut-être serait ramenée au devoir par l'excès
de sa souffrance, mais malheureusement elle rencontre bientôt l'enfant avec lequel elle avait joué quand elle était
inexpérimentée. Voilà le mouvement du roman, et puis vient
l'expiation.

Mais M. l'Avocat impérial m'arrête et me dit : « Quand
il serait vrai que le but de l'ouvrage soit bon d'un bout à
l'autre, est-ce que vous pouviez vous permettre des détails
obscènes, comme ceux que vous vous êtes permis? »

Très certainement, je ne pouvais pas me permettre de tels
détails, mais m'en suis-je permis? Où sont-ils? J'arrive ici
aux passages les plus incriminés. Je ne parle plus de l'aventure du fiacre, le tribunal a eu satisfaction à cet égard;
j'arrive aux passages que vous avez signalés comme contraires
à la morale publique et qui forment un certain nombre
de pages du numéro du 1er décembre; et pour faire disparaître tout l'échafaudage de votre accusation, je n'ai qu'une
chose à faire : restituer ce qui précède et ce qui suit vos
citations, substituer, en un mot, le texte complet à vos découpures.

---

* Pages 313-314.

Au bas de la page 72*, Léon, après avoir été mis en
rapport avec Homais le pharmacien, vient à l'hôtel de Bour-
gogne; et puis le pharmacien vient le chercher.

« Mais Emma venait de partir, exaspérée; ce manque de
« parole au rendez-vous lui semblait un outrage.

« Puis, se calmant, elle finit par découvrir qu'elle l'avait
« sans doute calomnié. Mais le dénigrement de ceux que
« nous aimons toujours nous en détache quelque peu. Il
« ne faut pas toucher aux idoles; la dorure en reste aux
« mains.

« Ils en vinrent à parler plus souvent de choses indifférentes
« à leur amour... »

Mon Dieu! c'est pour les lignes que je viens de vous lire
que nous sommes traduit devant vous. Écoutez maintenant :

« Ils en vinrent à parler plus souvent de choses indiffé-
« rentes à leur amour; et dans les lettres qu'Emma lui
« envoyait, il était question de fleurs, de vers, de la lune,
« et des étoiles, ressources naïves d'une passion affaiblie,
« qui essayait de s'aviver à tous les secours extérieurs. Elle
« se promettait continuellement, pour son prochain voyage,
« une félicité profonde; puis elle s'avouait ne rien sentir
« d'extraordinaire. Mais cette déception s'effaçait vite, sous
« un espoir nouveau; et Emma revenait à lui plus enflam-
« mée, plus haletante, plus avide. Elle se déshabillait bruta-
« lement, arrachant le lacet mince de son corset qui sifflait
« autour de ses hanches comme une couleuvre qui glisse.
« Elle allait sur la pointe de ses pieds nus regarder encore
« une fois si la porte était fermée, puis elle faisait d'un seul
« geste tomber ensemble tous ses vêtements; — et pâle, sans
« parler, sérieuse, elle s'abattait contre sa poitrine avec un
« long frisson. »

Vous vous êtes arrêté là, Monsieur l'Avocat impérial;
permettez-moi de continuer.

« Cependant, il y avait sur ce front couvert de gouttes
« froides, sur ces lèvres balbutiantes, dans ces prunelles
« égarées, dans l'étreinte de ces bras, quelque chose d'ex-
« trême, de vague et de lugubre, qui semblait à Léon se

* Page 333.

« glisser entre eux, subtilement, comme pour les sépa-
« rer. »

Vous appelez cela de la couleur lascive; vous dites que cela
donnerait le goût de l'adultère; vous dites que voilà des
pages qui peuvent exciter, émouvoir les sens, — des pages lascives! Mais la mort est dans ces pages. Vous n'y pensez pas,
Monsieur l'Avocat impérial, vous vous effarouchez de trouver là les mots de *corset, de vêtements qui tombent;* et vous
vous attachez à ces trois ou quatre mots de corset et de
vêtements qui tombent! Voulez-vous que je montre comme
quoi un corset peut paraître dans un livre classique, et très
classique? C'est ce que je me donnerai le plaisir de faire tout
à l'heure.

« Elle se déshabillait... (ah! Monsieur l'Avocat impérial,
« que vous avez mal compris ce passage!) elle se déshabillait
« brutalement (la malheureuse), arrachant le lacet mince de
« son corset qui sifflait autour de ses hanches, comme une
« couleuvre qui glisse : et, pâle, sans parler, sérieuse, elle
« s'abattait contre sa poitrine, avec un long frisson... Il y
« avait sur ce front couvert de gouttes froides... dans
« l'étreinte de ces bras, quelque chose de vague et de
« lugubre... »

C'est ici qu'il faut se demander où est la couleur lascive?
et où est la couleur sévère? et si les sens de la jeune fille aux
mains de laquelle tomberait ce livre peuvent être émus, excités, — comme à la lecture d'un livre classique entre tous
les classiques, que je citerai tout à l'heure, et qui a été
réimprimé mille fois, sans que jamais procureur impérial, ou
royal, ait songé à le poursuivre. Est-ce qu'il y a quelque
chose d'analogue dans ce que je viens de vous lire? Est-ce
que ce n'est pas au contraire, l'excitation à l'horreur du vice
que « ce quelque chose de lugubre qui se glisse entre eux
pour les séparer? » Continuons, je vous prie.

« Il n'osait lui faire de questions; mais, la discernant si
« expérimentée, elle avait dû passer, se disait-il, par toutes
« les épreuves de la souffrance et du plaisir. Ce qui le
« charmait autrefois l'effrayait un peu maintenant. D'ailleurs,
« il se révoltait contre l'absorption, chaque jour plus grande,
« de sa personnalité. Il en voulait à Emma de cette victoire
« permanente. Il s'efforçait même à ne pas la chérir; puis,

« au craquement de ses bottines, il se sentait lâche, comme
« les ivrognes à la vue des liqueurs fortes. »

Est-ce que c'est lascif, cela?

Et puis prenez le dernier paragraphe :

« Un jour qu'ils s'étaient quittés de bonne heure, et
« qu'elle s'en revenait seule par le boulevard, elle aperçut
« les murs de son couvent; alors elle s'assit sur un banc, à
« l'ombre des ormes. Quel calme dans ce temps-là! Comme
« elle enviait les ineffables sentiments d'amour qu'elle
« tâchait, d'après les livres, de se figurer!

« Les premiers mois de son mariage, ses promenades à
« cheval dans la forêt, le Vicomte qui valsait, et Lagardy
« chantant, tout repassa devant ses yeux. »

N'oubliez donc pas ceci, Monsieur l'Avocat impérial, quand
vous voulez juger la pensée de l'auteur, quand vous voulez
trouver absolument la couleur lascive là où je ne puis trouver
qu'un excellent livre.

« Et Léon lui parut soudain dans le même éloignement
« que les autres. « Je l'aime pourtant », se dit-elle; elle
« n'était pas heureuse, ne l'avait jamais été. D'où venait
« donc cette insuffisance de la vie, cette pourriture instan-
« tanée des choses où elle s'appuyait? »

Est-ce lascif, cela?

« Mais s'il y avait quelque part un être fort et beau, une
« nature valeureuse, pleine à la fois d'exaltation et de
« raffinements, un cœur de poète sous une forme d'ange,
« lyre aux cordes d'airain sonnant vers le ciel des épitha-
« lames élégiaques, pourquoi, par hasard, ne le trouverait-
« elle pas? Oh! quelle impossibilité! Rien, d'ailleurs, ne valait
« la peine d'une recherche, tout mentait! Chaque sourire
« cachait un bâillement d'ennui, chaque joie une malé-
« diction, tout plaisir son dégoût, et les meilleurs baisers
« ne vous laissaient sur la lèvre que l'irréalisable envie
« d'une volupté plus haute.

« Un râle métallique se traîna dans les airs, et quatre
« coups se firent entendre à la cloche du couvent. Quatre
« heures! et il lui semblait qu'elle était là, sur ce banc,
« depuis l'éternité. »

Il ne faut pas chercher au bout d'un livre quelque chose
pour expliquer ce qui est au bout d'un autre. J'ai lu le

passage incriminé sans y ajouter un mot, pour défendre une œuvre qui se défend par elle-même. Continuons la lecture dé ce passage incriminé au point de vue de la morale :

« Madame était dans sa chambre. On n'y montait pas. « Elle restait là tout au long du jour, engourdie, à peine « vêtue, et de temps à autre faisait fumer des pastilles du « sérail, qu'elle avait achetées à Rouen, dans la boutique « d'un Algérien. Pour ne pas avoir, la nuit, contre sa « chair, cet homme étendu qui dormait, elle finit, à force « de grimaces, par le reléguer au second étage; et elle lisait « jusqu'au matin des livres extravagants où il y avait des « tableaux orgiaques avec des situations sanglantes. » Ceci donne envie de l'adultère, n'est-ce pas? « Souvent une ter- « reur la prenait; elle poussait un cri. Charles accourait. « — Ah! va-t'en », disait-elle; ou, d'autres fois, brûlée plus « fort par cette flamme intime que l'adultère avivait, hale- « tante, émue, toute en désir, elle ouvrait la fenêtre, aspirait « l'air froid, éparpillait au vent sa chevelure trop lourde et « regardait les étoiles, souhaitait des amours de prince. Elle « pensait à lui, à Léon. Elle eût alors tout donné pour un « seul de ces rendez-vous qui la rassasiaient. »

« C'étaient ses jours de gala. Elle les voulait splendides, et, « lorsqu'il ne pouvait payer seul la dépense, elle complétait « le surplus libéralement; ce qui arrivait à peu près toutes « les fois. Il essaya de lui faire comprendre qu'ils seraient « aussi bien ailleurs, dans quelque hôtel plus modeste, mais « elle trouva des objections. »

Vous voyez comme tout ceci est simple quand on lit tout; mais, avec les découpures de M. l'Avocat impérial, le plus petit mot devient une montagne.

M. l'Avocat impérial. — Je n'ai cité aucune de ces phrases-là, et puisque vous en voulez citer que je n'ai point incriminées, il ne fallait pas passer à pieds joints sur la page 50.

Maître Sénard. — Je ne passe rien, j'insiste sur les phrases incriminées dans la citation. Nous sommes cités pour les pages 77 et 78*.

M. l'Avocat impérial. — Je parle des citations faites à

* Pages 341-343.

l'audience, et je croyais que vous m'imputiez d'avoir cité les lignes que vous venez de lire.

MAÎTRE SÉNARD. — Monsieur l'Avocat impérial, j'ai cité tous les passages à l'aide desquels vous vouliez constituer un délit qui maintenant est brisé. Vous avez développé à l'audience ce que bon vous semblait, et vous avez eu beau jeu. Heureusement nous avions le livre, le défenseur savait le livre; s'il ne l'avait pas su, sa position eût été bien étrange, permettez-moi de vous le dire. Je suis appelé à m'expliquer sur tels ou tels passages, et à l'audience on y substitue d'autres passages. Si je n'avais possédé le livre comme je le possède, la défense eût été difficile. Maintenant, je vous montre par une analyse fidèle que le roman, loin de devoir être présenté comme lascif, doit être au contraire considéré comme une œuvre éminemment morale. Après avoir fait cela, je prends les passages qui ont motivé la citation en police correctionnelle, et après avoir fait suivre vos découpures, de ce qui précède et de ce qui suit, l'accusation est si faible, qu'elle vous révolte vous-même, au moment où je les lis! Ces mêmes passages que vous signaliez comme incriminables, il y a un instant, j'ai cependant bien le droit de les citer moi-même, pour vous faire voir le néant de votre accusation.

Je reprends ma citation où j'en suis resté, au bas de la page 78[*] :

« Il (Léon) s'ennuyait maintenant lorsque Emma, tout
« à coup, sanglotait sur sa poitrine; et son cœur, comme les
« gens qui ne peuvent endurer qu'une certaine dose de musi-
« que, s'assoupissait d'indifférence au vacarme d'un amour
« dont il ne distinguait plus les délicatesses.

« Ils se connaissaient trop pour avoir ces ébahissements
« de la possession qui en centuplent la joie. Elle était aussi
« dégoûtée de lui qu'il était fatigué d'elle. Emma retrouvait
« dans l'adultère toutes les platitudes du mariage. »

*Platitudes du mariage.* Celui qui a découpé ceci, a dit :
« Comment, voilà un monsieur qui dit que dans le mariage
il n'y a que des platitudes! C'est une attaque au mariage,
c'est un outrage à la morale! » Convenez, Monsieur l'Avocat

---

[*] Page 342.

impérial, qu'avec des découpures artistement faites on peut aller loin en fait d'incrimination. Qu'est-ce que l'auteur a appelé les platitudes du mariage? Cette monotonie qu'Emma avait redoutée, qu'elle avait voulu fuir, et qu'elle retrouvait sans cesse dans l'adultère, ce qui était précisément la désillusion. Vous voyez donc bien que quand, au lieu de découper des membres de phrases et des mots, on lit ce qui précède et ce qui suit, il ne reste plus rien à l'incrimination; et vous comprenez à merveille que mon client, qui sait sa pensée, doit être un peu révolté de la voir ainsi travestir. Continuons :

« Elle était aussi dégoûtée de lui qu'il était fatigué d'elle. « Emma retrouvait dans l'adultère toutes les platitudes du « mariage.

« Mais comment pouvoir s'en débarrasser? Puis elle avait « beau se sentir humiliée de la bassesse d'un tel bonheur, « elle y tenait encore, par habitude ou par corruption; et « chaque jour elle s'y acharnait davantage, tarissant toute « félicité à la vouloir trop grande. Elle accusait Léon de « ses espoirs déçus, comme s'il l'avait trahie; et même « elle souhaitait une catastrophe qui amenât leur séparation, « puisqu'elle n'avait pas le courage de s'y décider.

« Elle n'en continuait pas moins à lui écrire des lettres « amoureuses, en vertu de cette idée : qu'une femme doit « toujours écrire à son amant.

« Mais en écrivant, elle percevait un autre homme, un « fantôme, fait de ses plus ardents souvenirs. » Ceci n'est plus incriminé : « Ensuite elle retombait à plat, brisée, car « ces élans d'amour vague la fatiguaient plus que de grandes « débauches.

« Elle éprouvait maintenant une courbature incessante « et universelle... elle recevait du papier timbré qu'elle « regardait à peine. Elle aurait voulu ne plus vivre ou conti- « nuellement dormir. »

J'appelle cela une excitation à la vertu, par l'horreur du vice, ce que l'auteur annonce lui-même, et ce que le lecteur le plus distrait ne peut pas ne pas voir, sans un peu de mauvaise volonté.

Et maintenant quelque chose de plus, pour vous faire apercevoir quelle espèce d'homme vous avez à juger. Pour vous

montrer non pas quelle espèce de justification je puis
prendre, mais si M. Flaubert a eu la couleur lascive et où
il prend ses inspirations, laissez-moi mettre sur votre bureau
ce livre usé par lui, et dans les passages duquel il s'est inspiré pour dépeindre cette concupiscence, les entraînements
de cette femme qui cherche le bonheur dans les plaisirs
illicites, qui ne peut pas l'y rencontrer, qui cherche encore,
qui cherche de plus en plus, et ne le rencontre jamais.
Où Flaubert a pris ses inspirations, messieurs? C'est dans ce
livre que voilà; écoutez :

« Illusion des sens.

« Quiconque donc s'attache au sensible, il faut qu'il erre
« nécessairement d'objets en objets et se trompe pour ainsi
« dire, en changeant de place; ainsi la concupiscence, c'est-
« à-dire l'amour des plaisirs, est toujours changeant, parce
« que toute son ardeur languit et meurt dans la continuité,
« et que c'est le changement qui le fait revivre. Aussi
« qu'est-ce autre chose que la vie des sens, qu'un mouve-
« ment alternatif de l'appétit au dégoût et du dégoût à
« l'appétit, l'âme flottant toujours incertaine entre l'ardeur
« qui se ralentit et l'ardeur qui se renouvelle? *Inconstantia,*
« *concupiscentia.* Voilà ce que c'est que la vie des sens. Cepen-
« dant, dans ce mouvement perpétuel, on ne laisse pas de se
« divertir par l'image d'une liberté errante. »

Voilà ce que c'est que la vie des sens. Qui a dit cela? qui
a écrit les paroles que vous venez d'entendre, sur ces excitations et ces ardeurs incessantes? Quel est le livre que
M. Flaubert feuillette jour et nuit, et dont il s'est inspiré
dans les passages qu'incrimine monsieur l'Avocat impérial?
C'est Bossuet! Ce que je viens de vous lire, c'est un fragment
d'un discours de Bossuet sur les *plaisirs illicites.* Je vous
ferai voir que tous ces passages incriminés ne sont, non pas
des plagiats — l'homme qui s'est approprié une idée n'est pas
un plagiaire —, mais que des imitations de Bossuet. En voulez-
vous un autre exemple? Le voici :

« Sur le péché.

« Et ne me demandez pas, chrétiens, de quelle sorte se
« fera ce grand changement de nos plaisirs en supplices;
« la chose est prouvée par les Écritures. C'est le Véritable
« qui le dit, c'est le Tout-Puissant qui le fait. Et toutefois,

« si vous regardez la nature des passions auxquelles vous
« abandonnez votre cœur, vous comprenez aisément
« qu'elle peuvent devenir un supplice intolérable. Elles
« ont toutes, en elles-mêmes, des peines cruelles, des dégoûts,
« des amertumes. Elles ont toutes une infinité qui se fâche
« de ne pouvoir être assouvie; ce qui mêle dans elles
« toutes des emportements, qui dégénèrent en une espèce
« de fureur non moins pénible que déraisonnable. L'amour,
« s'il m'est permis de le nommer dans cette chaire, à ses
« incertitudes, ses agitations violentes et ses résolutions irré-
« solues et l'enfer de ses jalousies. »

Et plus loin :

« Eh! qu'y a-t-il donc de plus aisé que de faire de nos
« passions une peine insupportable de nos péchés, en leur
« ôtant, comme il est très juste, ce peu de douceur par
« où elles nous séduisent, et leur laissant seulement les-
« inquiétudes cruelles et l'amertume dont elles abondent?
« Nos péchés contre nous, nos péchés sur nous, nos péchés
« au milieu de nous, trait perçant contre notre sein, poids
« insupportable sur notre tête, poison dévorant dans nos
« entrailles. »

Tout ce que vous venez d'entendre n'est-il pas là pour
vous montrer les amertumes des passions? Je vous laisse ce
livre tout marqué, tout flétri par le pouce de l'homme
studieux qui y a pris sa pensée. Et celui qui s'est inspiré à
une source pareille, celui-là qui a décrit l'adultère dans les
termes que vous venez d'entendre, celui-là est poursuivi
pour outrage à la morale publique et religieuse!

Quelques lignes encore sur la *Femme pécheresse,* et vous
allez voir comment M. Flaubert, ayant à peindre ces ardeurs,
a su s'inspirer de son modèle :

« Mais punis de notre erreur sans en être détrompés,
« nous cherchons dans le changement un remède de notre
« méprise; nous errons d'objet en objet; et s'il en est enfin
« quelqu'un qui nous fixe, ce n'est pas que nous soyons
« contents de notre choix, c'est que nous sommes loués
« de notre inconstance. »

. . . . . . . . . . . . . . . . . . . . . . . . . . . . . . . . . . . . . . . . . . . . . . . . .

« Tout lui paraît vide, faux, dégoûtant, dans les créa-
« tures : loin d'y retrouver ces premiers charmes, dont son

« cœur avait eu tant de peine à se défendre, elle n'en voit
« plus que le frivole, le danger et la vanité. »
.. .. .. .. .. .. .. .. .. .. .. .. .. .. .. .. .. .. .. .. .. .. .. ..

« Je ne parle pas d'un engagement de passion; quelles
« frayeurs que le mystère n'éclate! que de mesures à garder
« du côté de la bienséance et de la gloire! que d'yeux à
« éviter! que de surveillants à tromper! que de retours à
« craindre sur la fidélité de ceux qu'on a choisis pour les
« ministres et les confidents de sa passion! quels rebuts à
« essuyer de celui, peut-être, à qui on a sacrifié son bonheur
« et sa liberté, et dont on n'oserait se plaindre! A tout
« cela, ajoutez ces moments cruels où la passion moins vive
« nous laisse le loisir de retomber sur nous-mêmes, et de
« sentir toute l'indignité de notre état; ces moments où le
« cœur, né pour les plaisirs plus solides, se lasse de ses
« propres idoles, et trouve son supplice dans ses dégoûts et
« dans son inconstance. Monde profane! Si c'est là cette féli-
« cité que tu nous vantes tant, favorises-en tes adorateurs;
« et punis-les, en les rendant ainsi heureux, de la foi qu'ils
« ont ajoutée si légèrement à tes promesses. »

Laissez-moi vous dire ceci : quand un homme, dans le
silence des nuits, a médité sur les causes des entraînements
de la femme; quand il les a trouvées dans l'éducation et
que, pour les exprimer, se défiant de ses observations personnelles, il a été se mûrir aux sources que je viens d'indiquer; quand il ne s'est laissé aller à prendre la plume
qu'après s'être inspiré des pensées de Bossuet et de Massillon, permettez-moi de vous demander s'il y a un mot
pour vous exprimer ma surprise, ma douleur en voyant traduire cet homme en police correctionnelle — pour quelques
passages de son livre, et précisément pour les idées et les
sentiments les plus vrais et les plus élevés qu'il ait pu ras-
sembler! Voilà ce que je vous prie de ne pas oublier relativement à l'inculpation d'outrage à la morale religieuse.
Et puis, si vous me le permettez, je mettrai en regard de
tout ceci, sous vos yeux, ce que j'appelle, moi, des atteintes
à la morale, c'est-à-dire la satisfaction des sens sans amertume, sans ces *larges gouttes de sueur* glacée, qui tombent du
front chez ceux qui s'y livrent; et je ne vous citerai pas
des livres licencieux dans lesquels les auteurs ont cherché

à exciter les sens, je vous citerai un livre — qui est donné en prix dans les collèges, mais je vous demanderai la permission de ne vous dire le nom de l'auteur qu'après que je vous en aurai lu un passage. Voici ce passage, je vous ferai passer le volume; c'est un exemplaire qui a été donné en prix à un élève de collège; j'aime mieux vous remettre cet exemplaire que celui de M. Flaubert :

« Le lendemain, je fus reconduit dans son appartement.
« Là je sentis tout ce qui peut porter à la volupté. On
« avait répandu dans la chambre les parfums les plus
« agréables. Elle était sur un lit qui n'était fermé que par
« des guirlandes de fleurs; elle y paraissait languissamment
« couchée. Elle me tendit la main, et me fit asseoir auprès
« d'elle. Tout, jusqu'au voile qui lui couvrait le visage,
« avait de la grâce. Je voyais la forme de son beau corps.
« Une simple toile qui se mouvait sur elle me faisait tour
« à tour perdre et trouver des beautés ravissantes. » Une
simple toile, quand elle était étendue sur un cadavre, vous a
paru une image lascive; ici elle était étendue sur la femme
vivante. « Elle remarqua que mes yeux étaient occupés, et
« quand elle les vit s'enflammer, la toile sembla s'ouvrir d'elle-
« même; je vis tous les trésors d'une beauté divine. Dans
« ce moment, elle me serra la main; mes yeux errèrent
« partout. Il n'y a, m'écriai-je, que ma chère Ardasire qui
« soit si belle; mais j'atteste les dieux que ma fidélité...
« Elle se jeta à mon cou, et me serra dans ses bras. Tout
« d'un coup, la chambre s'obscurcit, son voile s'ouvrit; elle
« me donna un baiser. Je fus tout hors de moi; une flamme
« subite coula dans mes veines et échauffa tous mes sens.
« L'idée d'Ardasire s'éloigna de moi. Un reste de souvenir...
« mais il ne me paraissait qu'un songe... J'allais... J'allais
« la préférer à elle-même. Déjà j'avais porté mes mains sur
« son sein; elles couraient rapidement partout; l'amour ne
« se montrait que par sa fureur; il se précipitait à la victoire;
« un moment de plus, et Ardasire ne pouvait pas se dé-
« fendre. »

Qui a écrit cela? Ce n'est pas même l'auteur de *la Nou-velle Héloïse,* c'est M. le Président de Montesquieu! Ici, pas une amertume, pas un dégoût, tout est sacrifié à la beauté littéraire, et on donne cela en prix aux élèves de rhétorique, sans doute pour leur servir de modèle dans les amplifications ou les descriptions qu'on leur donne à faire. Montesquieu décrit dans *les Lettres persanes* une scène qui ne peut pas même être lue. Il s'agit d'une femme que cet auteur place entre deux hommes qui se la disputent. Cette femme ainsi placée entre deux hommes fait des rêves — qui lui paraissent fort agréables.

En sommes-nous là, monsieur l'Avocat impérial! Faudra-t-il encore vous citer Jean-Jacques Rousseau dans *les Confessions* et ailleurs! Non, je dirai seulement au tribunal que si, à propos de sa description de la voiture dans *la Double Méprise*, M. Mérimée était poursuivi, il serait immédiatement acquitté. On ne verrait dans son livre qu'une œuvre d'art, de grandes beautés littéraires. On ne le condamnerait pas plus qu'on ne condamne les peintres ou les statuaires qui ne se contentent pas de traduire toute la beauté du corps, mais toutes les ardeurs, toutes les passions. Je n'en suis pas là; je vous demande de reconnaître que M. Flaubert n'a pas chargé ses images, et qu'il n'a fait qu'une chose : toucher de la main la plus ferme la scène de la dégradation. A chaque ligne de son livre il fait ressortir la désillusion, et, au lieu de terminer par quelque chose de gracieux, il s'attache à nous montrer cette femme arrivant, après le mépris, l'abandon, la ruine de sa maison, à la mort la plus épouvantable. En un mot, je ne puis que répéter ce que j'ai dit en commençant la plaidoirie, que M. Flaubert est l'auteur d'un bon livre, d'un livre qui est l'excitation à la vertu par l'horreur du vice.

J'ai maintenant à examiner l'outrage à la religion. L'outrage à la religion commis par M. Flaubert! Et en quoi, s'il vous plaît? M. l'Avocat impérial a cru voir en lui un sceptique. Je puis répondre à monsieur l'Avocat impérial qu'il se trompe. Je n'ai pas ici de profession de foi à faire, je n'ai que le livre à défendre, c'est ce qui fait que je me borne à ce simple mot. Mais, quant au livre, je défie M. l'Avocat impérial d'y trouver quoi que ce soit qui ressemble à un outrage à la religion. Vous avez vu comment la religion a été introduite dans l'éducation d'Emma, et comment cette religion, faussée de mille manières, ne pouvait pas retenir Emma sur la pente qui l'entraînait. Voulez-

vous savoir en quelle langue M. Flaubert parle de la religion? Écoutez quelques lignes que je prends dans la première livraison, pages 231, 232 et 233*.

« Un soir que la fenêtre était ouverte, et qu'assise au
« bord elle venait de regarder Lestiboudois, le bedeau, qui
« taillait le buis, elle entendit tout à coup sonner l'*Angélus,*

« On était au commencement d'avril, quand les prime-
« vères sont écloses; un vent tiède se roule sur les plates-
« bandes labourées, et les jardins comme des femmes
« semblent faire leur toilette pour les fêtes de l'été. Par les
« barreaux de la tonnelle et au-delà, tout autour, on voyait
« la rivière dans la prairie, où elle dessinait sur l'herbe
« des sinuosités vagabondes. La vapeur du soir passait entre
« les peupliers sans feuilles, estompant leurs contours d'une
« teinte violette, plus pâle et transparente qu'une gaze sub-
« tile arrêtée sur les branchages. Au loin, des bestiaux
« marchaient; on n'entendait ni leurs pas, ni les mugissements,
« et la cloche sonnant toujours, continuait dans les airs sa
« lamentation pacifique.

« A ce tintement répété, la pensée de la jeune femme
« s'égarait dans ses vieux souvenirs de jeunesse et de pension.
« Elle se rappela les grands chandeliers qui dépassaient de
« l'autel, les vases pleins de fleurs et le tabernacle à colon-
« nettes. Elle aurait voulu comme autrefois être encore
« confondue dans la longue ligne des voiles blancs que
« marquaient de noir, çà et là, les capuchons raides des
« bonnes sœurs inclinées sur leur prie-Dieu. »

Voilà la langue dans laquelle le sentiment religieux
est exprimé, et, à entendre M. l'Avocat impérial, le scepticisme règne d'un bout à l'autre dans le livre de M. Flaubert. Où donc, je vous prie, trouvez-vous là du scepticisme?

M. l'Avocat impérial. — Je n'ai pas dit qu'il y en eût là-
dedans.

Maître Sénard. — S'il n'y en a pas là-dedans, où donc
y en a-t-il? Dans vos découpures, évidemment. Mais voici
l'ouvrage tout entier, que le tribunal le juge, et il verra
que le sentiment religieux y est si fortement empreint, que

* Pages 131-132.

l'accusation de scepticisme est une vraie calomnie. Et maintenant, Monsieur l'Avocat impérial me permettra-t-il de lui dire que ce n'était pas la peine d'accuser l'auteur de scepticisme avec tant de fracas? Poursuivons :

« Le dimanche à la messe, quand elle relevait sa tête, elle
« apercevait le doux visage de la Vierge parmi les tourbil-
« lons bleuâtres de l'encens qui montait. Alors un atten-
« drissement la saisit, elle se sentit molle et tout abandon-
« née, comme un duvet d'oiseau qui tournoie dans la
« tempête, et ce fut sans en avoir conscience qu'elle s'ache-
« mina vers l'église, disposée à n'importe quelle dévotion,
« pourvu qu'elle y absorbât son âme et que l'existence
« entière y disparût. »

Ceci, messieurs, est le premier appel à la religion, pour retenir Emma sur la pente des passions. Elle est tombée, la pauvre femme, puis repoussée du pied par l'homme auquel elle s'est abandonnée. Elle est presque morte, elle se relève, elle se ranime; et vous allez voir maintenant ce qui est écrit, n° du 15 novembre 1856, p. 548*

« Un jour qu'au plus fort de sa maladie elle s'était crue
« agonisante, elle avait demandé la communion; et à mesure
« que l'on faisait dans sa chambre les préparatifs pour le
« sacrement, que l'on disposait en autel la commode
« encombrée de sirops, et que Félicité semait par terre des
« fleurs de dahlia, Emma sentait quelque chose de fort
« pesant sur elle, qui la débarrassait de ses douleurs, de
« toute perception, de tout sentiment. Sa chair allégée ne
« pesait plus, une autre vie commençait; il lui sembla que
« son être, montant vers Dieu... (Vous voyez dans quelle
« langue M. Flaubert parle des choses religieuses.) « Il lui
« sembla que son être, montant vers Dieu, allait s'anéantir
« dans cet amour, comme un encens allumé qui se dissipe
« en vapeur. On aspergea d'eau bénite les draps du lit; le
« prêtre retira du saint ciboire la blanche hostie : et ce fut
« en défaillant d'une joie céleste qu'elle avança les lèvres pour
« accepter le corps du Sauveur qui se présentait. »

J'en demande pardon à M. l'Avocat impérial, j'en demande pardon au tribunal, j'interromps ce passage, mais

* Pages 251-252.

j'ai besoin de dire que c'est l'auteur qui parle, et de vous
faire remarquer dans quels termes il s'exprime sur le mystère de la communion; j'ai besoin, avant de reprendre cette
lecture, que le tribunal saisisse la valeur littéraire empruntée
à ce tableau; j'ai besoin d'insister sur ces expressions qui
appartiennent à l'auteur :

« Et ce fut en défaillant d'une joie céleste qu'elle avança
« les lèvres pour accepter le corps du Sauveur qui se pré-
« sentait. Les rideaux de son alcôve se bombaient mollement
« autour d'elle en façon de nuées, et les rayons des deux
« cierges brûlant sur la commode lui parurent être des
« gloires éblouissantes. Alors elle laissa retomber sa tête,
« croyant entendre dans les espaces le chant des harpes
« séraphiques, et apercevoir en un ciel d'azur, sur un trône
« d'or, au milieu des saints tenant des palmes vertes, Dieu
« le Père, tout éclatant de majesté, et qui d'un signe faisait
« descendre vers la terre des anges aux ailes de flammes,
« pour l'emporter dans leurs bras. »

Il continue :

« Cette vision splendide demeura dans sa mémoire comme
« la chose la plus belle qu'il fût possible de rêver; si bien
« qu'à présent elle s'efforçait d'en ressaisir la sensation qui
« continuait cependant, mais d'une manière moins exclu-
« sive et avec une douceur aussi profonde. Son âme, cour-
« baturée d'orgueil, se reposait enfin dans l'humilité chré-
« tienne; et, savourant le plaisir d'être faible, Emma
« contemplait en elle-même la destruction de sa volonté,
« qui devait faire aux envahissements de la grâce une large
« entrée. Il existait donc à la place du bonheur des félicités
« plus grandes, un autre amour au-dessus de tous les amours,
« sans intermittences, ni fin; et qui s'accroîtrait éternelle-
« ment! Elle entrevit, parmi les illusions de son espoir, un
« état de pureté flottant au-dessus de la terre, se confondant
« avec le ciel et où elle soupira d'être. Elle voulut devenir
« une sainte. Elle acheta des chapelets; elle porta des amu-
« lettes; elle souhaitait avoir dans sa chambre, au chevet de
« sa couche, un reliquaire enchâssé d'émeraudes, pour le
« baiser tous les soirs. »

Voilà des sentiments religieux! Et si vous vouliez vous
arrêter un instant sur la pensée principale de l'auteur, je vous

demanderais de tourner la page et de lire les trois lignes suivantes du deuxième alinéa* :

« Elle s'irrita contre les prescriptions du culte; l'arro-
« gance des écrits polémiques lui déplut par leur acharne-
« ment à poursuivre des gens qu'elle ne connaissait pas,
« et des contes profanes relevés de la religion lui parurent
« écrits dans une telle ignorance du monde qu'ils l'écartèrent
« insensiblement des vérités dont elle attendait la preuve. »

Voilà le langage de M. Flaubert. Maintenant, s'il vous
plaît, arrivons à une autre scène, à la scène de l'extrême-
onction. Oh! Monsieur l'Avocat impérial, combien vous vous
êtes trompé quand, vous arrêtant aux premiers mots, vous
avez accusé mon client de mêler le sacré au profane, quand
il s'est contenté de traduire ces belles formules de l'extrême-
onction, au moment où le prêtre touche tous les organes de
nos sens, au moment où, selon l'expression du rituel, il dit :
*Per istam unctionem, et suam piissimam misericordiam, indulgeat tibi
Dominus quidquid deliquisti.*

Vous avez dit : Il ne faut pas toucher aux choses saintes.
De quel droit travestissez-vous ces saintes paroles : « Que
« Dieu dans sa sainte miséricorde, vous pardonne toutes les
« fautes que vous avez commises par la vue, par le goût, par
« l'ouïe, etc.? »

Tenez, je vais vous lire le passage incriminé, et ce sera
toute ma vengeance. J'ose dire ma vengeance car l'auteur
a besoin d'être vengé. Oui, il faut que M. Flaubert sorte
d'ici, non seulement acquitté, mais vengé! vous allez voir de
quelles lectures il est nourri. Le passage incriminé est à la
page 271** du n° du 15 décembre, il est ainsi conçu :

« Pâle comme une statue, et les yeux rouges comme des char-
« bons, Charles, sans pleurer, se tenait en face d'elle, au pied
« du lit, tandis que le prêtre, appuyé sur un genou, marmottait
« des paroles basses... »

Tout ce tableau est magnifique, et la lecture en est irrésistible; mais tranquillisez-vous, je ne la prolongerai pas outre
mesure. Voici maintenant l'incrimination :

« Elle tourna sa figure lentement, et parut saisie de joie à

* Page 253.
** Page 381.

« voir tout à coup l'étole violette, sans doute retrouvant au
« milieu d'un apaisement extraordinaire la volupté perdue de
« ses premiers élancements mystiques, avec des visions de béa-
« titude éternelle qui commençaient.

« Le prêtre se releva pour prendre le crucifix; alors elle allon-
« gea le cou comme quelqu'un qui a soif, et, collant ses lèvres
« sur le corps de l'Homme-Dieu, elle y déposa, de toute sa
« force expirante, le plus grand baiser d'amour qu'elle eût
« jamais donné. »

L'extrême-onction n'est pas encore commencée; mais on me
reproche ce baiser. Je n'irai pas chercher dans sainte Thérèse,
que vous connaissez peut-être mais dont le souvenir est trop
éloigné; je n'irai pas même chercher dans Fénelon le mysticisme de Mme Guyon, ni des mysticismes plus modernes dans
lesquels je trouve bien d'autres raisons. Je ne veux pas demander à ces écoles, que vous qualifiez de christianisme sensuel,
l'explication de ce baiser; c'est à Bossuet, à Bossuet lui-même
que je veux la demander :

« Obéissez et tâchez au reste d'entrer dans les dispositions
« de Jésus en communiant, qui sont des dispositions d'union,
« de jouissance et d'amour, tout l'Évangile le crie. Jésus
« veut qu'on soit avec lui; il veut jouir, il veut qu'on jouisse
« de lui. Sa sainte chair est le milieu de cette union et de cette
« chaste jouissance : il se donne. » Etc.

Je reprends la lecture du passage incriminé :

« Ensuite il récita le *Misereatur* et l'*Indulgentiam,* trempa son
« pouce droit dans l'huile et commença les onctions : d'abord
« sur les yeux, qui avaient tant convoité les somptuosités ter-
« restres; puis sur les narines, friandes de brises tièdes et de
« senteurs amoureuses; puis sur la bouche, qui s'était ouverte
« pour le mensonge, qui avait gémi d'orgueil et crié dans la
« luxure; puis sur les mains, qui se délectaient aux contacts
« suaves, et enfin sur la plante des pieds, si rapides autrefois
« quand elle courait à l'assouvissement de ses désirs, et qui
« maintenant ne marcheraient plus.

« Le curé s'essuya les doigts, jeta dans le feu les brins de
« coton trempés d'huile, et revint s'asseoir près de la mori-
« bonde pour lui dire qu'à présent elle devait joindre ses
« souffrances à celles de Jésus-Christ, et s'abandonner à la
« miséricorde divine.

« En faisant ses exhortations, il essaya de lui mettre dans
« la main un cierge béni, symbole des gloires célestes dont
« elle allait être tout à l'heure environnée. Mais Emma, trop
« faible, ne put fermer les doigts, et le cierge, sans M. Bour-
« nisien, serait tombé par terre.

« Cependant elle n'était plus aussi pâle, et son visage avait
« une expression de sérénité, comme si le sacrement l'eût
« guérie.

« Le prêtre ne manqua point d'en faire l'observation; et
« il expliqua même à Bovary, que le Seigneur, quelquefois,
« prolongeait l'existence des personnes lorsqu'il le jugeait
« convenable pour leur salut. Et Charles se rappela un jour,
« où ainsi près de mourir, elle avait reçu la communion. Il ne
« fallait peut-être pas se désespérer, pensait-il. »

Maintenant, quand une femme meurt, et que le prêtre va lui
donner l'extrême-onction; quand on fait de cela une scène
mystique et que nous traduisons avec une fidélité scrupuleuse
les paroles sacramentelles, on dit que nous touchons aux
choses saintes. Nous avons porté une main téméraire aux choses
saintes, parce que au *deliquisti per oculos, per os, per aurem, per
manus, et per pedes,* nous avons ajouté le péché que chacun
de ces organes avait commis. Nous ne sommes pas les premiers
qui ayons marché dans cette voie. M. Sainte-Beuve, dans un
livre que vous connaissez, met aussi une scène d'extrême-
onction, et voici comment il s'exprime :

« Oh! oui donc, à ces yeux d'abord, comme au plus noble et
« au plus vif des sens; à ces yeux, pour ce qu'ils ont vu,
« regardé de tendre, de trop perfide en d'autres yeux, de trop
« mortel; pour ce qu'ils ont lu et relu d'attachant et de trop
« chéri; pour ce qu'ils ont versé de vaines larmes sur les biens
« fragiles et sur les créatures infidèles; pour le sommeil qu'ils
« ont tant de fois oublié, le soir en y songeant!

« A l'ouïe aussi, pour ce qu'elle a entendu et s'est laissé
« dire de trop doux, de trop flatteur et enivrant; pour ce
« son que l'oreille dérobe lentement aux paroles trom-
« peuses; pour ce qu'elle y boit de miel caché!

« A cet odorat ensuite, pour les trop subtils et voluptueux
« parfums des soirs de printemps au fond des bois, pour les
« fleurs reçues le matin et tous les jours, respirées avec tant
« de complaisance!

« Aux lèvres, pour ce qu'elles ont prononcé de trop confus
« ou de trop avoué; pour ce qu'elles n'ont pas répliqué en
« certains moments ou ce qu'elles n'ont pas révélé à certaines
« personnes, pour ce qu'elles ont chanté dans la solitude de
« trop mélodieux et de trop plein de larmes; pour leur mur-
« mure inarticulé, pour leur silence!

« Au cou au lieu de la poitrine, pour l'ardeur du désir
« selon l'expression consacrée *(propter ardorem libidinis);*
« oui, pour la douleur des affections, des rivalités, pour le
« trop d'angoisse des humaines tendresses, pour les larmes
« qui suffoquent un gosier sans voix, pour tout ce qui fait
« battre un cœur ou ce qui le ronge!

« Aux mains aussi, pour avoir serré une main qui n'était
« pas saintement liée; pour avoir reçu des pleurs trop brû-
« lants; pour avoir peut-être commencé d'écrire, sans l'achever,
« quelque réponse non permise!

« Aux pieds, pour ne pas avoir fui, pour avoir suffi aux
« longues promenades solitaires, pour ne pas s'être lassés assez
« tôt au milieu des entretiens qui sans cesse recommençaient. »

Vous n'avez pas poursuivi cela. Voilà deux hommes qui,
chacun dans leur sphère, ont pris la même chose, et qui
ont, à chacun des sens, ajouté le péché, la faute. Est-ce
que vous auriez voulu interdire de traduire la formule
du rituel : *Quidquid deliquisti per oculos, per aurem,* etc.?

M. Flaubert a fait ce qu'a fait M. Sainte-Beuve, sans pour
cela être un plagiaire. Il a usé du droit, qui appartient à
tout écrivain, d'ajouter à ce qu'a dit un autre écrivain, de
compléter un sujet.

La dernière scène du roman de *Madame Bovary* a été faite
comme toute l'étude de ce type, avec les documents religieux. M. Flaubert a fait la scène de l'extrême-onction avec
un livre que lui avait prêté un vénérable ecclésiastique de
ses amis, qui a lu cette scène, qui en a été touché jusqu'aux
larmes, et qui n'a pas imaginé que la majesté de la religion
pût en être offensée. Ce livre est intitulé : *Explication historique, dogmatique, morale, liturgique et canonique du catéchisme,
avec la réponse aux objections tirées des sciences contre la religion,
par M. l'Abbé Ambroise Guillois, curé de Notre-Dame-du-Pré, au
Mans,* 6ᵉ *édition,* etc., ouvrage approuvé par Son Éminence le
cardinal Gousset, N.N.S.S. les Évêques et Archevêques du Mans,

de Tours, de Bordeaux, de Cologne, etc., tome 3<sup>e</sup>, imprimé au
Mans par Charles Monnoyer, 1851. Or, vous allez voir dans
ce livre, comme vous avez vu tout à l'heure dans Bossuet, les
principes et en quelque sorte le texte des passages qu'incrimine
M. l'Avocat impérial. Ce n'est plus maintenant M. Sainte-
Beuve, un artiste, un fantaisiste littéraire, que je cite; écoutez
l'Église elle-même.

« L'extrême-onction peut rendre la santé du corps si
« elle est utile pour la gloire de Dieu... » et le prêtre dit
« que cela arrive souvent. Maintenant voici l'extrême-onc-
« tion :

« Le prêtre adresse au malade une courte exhortation,
« s'il est en état de l'entendre, pour le disposer à recevoir digne-
« ment le sacrement qu'il va lui administrer.

« Le prêtre fait ensuite les onctions sur le malade avec le
« stylet, ou l'extrémité du pouce droit qu'il trempe chaque
« fois dans l'huile des infirmes. Ces onctions doivent être
« faites surtout aux cinq parties du corps que la nature a
« données à l'homme comme les organes des sensations,
« savoir : aux yeux, aux oreilles, aux narines, à la bouche et aux
« mains.

« A mesure que le prêtre fait les onctions (nous avons
« suivi de point en point le *Rituel,* nous l'avons copié), il pro-
« nonce les paroles qui y répondent.

« *Aux yeux, sur la paupière fermée :* Par cette onction
« sainte et par sa pieuse miséricorde, que Dieu vous par-
« donne tous les péchés que vous avez commis par la vue.
« Le malade doit dans ce moment détester de nouveau
« tous les péchés qu'il a commis par la vue : tant de regards
« indiscrets, tant de curiosités criminelles, tant de lectures
« qui ont fait naître en lui une foule de pensées contraires
« à la foi et aux mœurs. »

Qu'a fait M. Flaubert? Il a mis dans la bouche du prêtre,
en réunissant les deux parties, ce qui doit être dans sa pensée
et en même temps dans la pensée du malade. Il a copié purement et simplement.

« *Aux oreilles :* Par cette onction sainte et par sa pieuse
« miséricorde, que Dieu vous pardonne tous les péchés que
« vous avez commis par le sens de l'ouïe. Le malade doit,
« dans ce moment, détester de nouveau toutes les fautes

« dont il s'est rendu coupable en écoutant avec plaisir des
« médisances, des calomnies, des propos déshonnêtes, des
« chansons obscènes.

 « *Aux narines* : Par cette onction sainte et par sa grande
« miséricorde, que le Seigneur vous pardonne tous les péchés
« que vous avez commis par l'odorat. Dans ce moment, le
« malade doit détester de nouveau tous les péchés qu'il a
« commis par l'odorat, toutes les recherches, raffinées et
« voluptueuses des parfums, toutes les sensualités, tout ce
« qu'il a respiré des odeurs de l'iniquité. — *A la bouche, sur
« les lèvres* : Par cette onction sainte et par sa grande miséri-
« corde, que le Seigneur vous pardonne tous les péchés que
« vous avez commis par le sens du goût et par la parole.
« Le malade doit, dans ce moment, détester de nouveau tous
« les péchés qu'il a commis, en proférant des jurements et
« des blasphèmes..., en faisant des excès dans le boire
« et dans le manger... — *Sur les mains* : Par cette onction
« sainte et par sa grande miséricorde, que le seigneur vous
« pardonne tous les péchés que vous avez commis par le sens
« du toucher. Le malade doit, dans ce moment, détester de
« nouveau tous les larcins, toutes les injustices dont il a pu
« se rendre coupable, toutes les libertés plus ou moins crimi-
« nelles qu'il s'est permises... Les prêtres reçoivent l'onction
« des mains en dehors, parce qu'ils l'ont déjà reçue en dedans
« au moment de leur ordination, et les autres malades en
« dedans. — *Sur les pieds* : Par cette onction sainte et par sa
« grande miséricorde, que Dieu vous pardonne tous les péchés
« que vous avez commis par vos démarches. Le malade doit
« dans ce moment, détester de nouveau tous les pas qu'il a faits
« dans les voies de l'iniquité, tant de promenades scandaleuses,
« tant d'entrevues criminelles... L'onction des pieds se fait sur
« le dessus ou sous la plante, selon la commodité du malade, et
« aussi selon l'usage du diocèse où l'on se trouve. La pratique
« la plus commune semble être de la faire à la plante des
« pieds. »

 Et enfin à la poitrine (M. Sainte-Beuve a copié, nous ne
l'avons pas fait parce qu'il s'agissait de la poitrine d'une
femme). *Propter ardorem libidinis,* etc.

 « *A la poitrine* : Par cette onction sainte et par sa grande
« miséricorde, que le Seigneur vous pardonne tous les péchés

« que vous avez commis par l'ardeur des passions. Le malade
« doit, en ce moment détester de nouveau toutes les mau-
« vaises pensées, tous les mauvais désirs auxquels il s'est
« abandonné, tous les sentiments de haine, de vengeance qu'il
« a nourris dans son cœur. »

Et nous pourrions, d'après le *Rituel,* parler d'autre chose
encore que de la poitrine, mais Dieu sait quelle sainte colère
nous aurions excitée chez le ministère public, si nous avions
parlé des reins :

« *Aux reins (ad lumbos)* : Par cette sainte onction, et par sa
« grande miséricorde, que le Seigneur vous pardonne tous les
« péchés que vous avez commis par les mouvements déréglés
« de la chair. »

Si nous avions dit cela, de quelle foudre n'auriez-vous pas
tenté de nous accabler, monsieur l'Avocat impérial! et cependant
le *Rituel* ajoute :

« Le malade doit, dans ce moment, détester de nouveau
« tant de plaisirs illicites, tant de délectations charnelles... »

Voilà le *Rituel,* et vous avez vu l'article incriminé; il n'y
a pas une raillerie, tout y est sérieux et émouvant. Et, je
vous le répète, celui qui a donné à mon client ce livre, et
qui a vu mon client en faire l'usage qu'il en a fait, lui
a serré la main avec des larmes. Vous voyez donc, Monsieur
l'Avocat impérial, combien est téméraire — pour ne pas me
servir d'une expression qui, pour être exacte, serait plus
sévère — l'accusation que nous avions touché aux choses
saintes. Vous voyez maintenant que nous n'avons pas mêlé
le profane au sacré, quand, à chacun des sens, nous avons
indiqué le péché commis par ce sens, puisque c'est le langage
de l'Église même.

Insisterai-je, maintenant sur les autres détails du délit
d'outrage à la religion? Voilà que le ministère public me
dit : « Ce n'est plus la religion, c'est la morale de tous
les temps que vous avez outragée; vous avez insulté la
mort! » Comment ai-je insulté la mort? Parce qu'au moment où cette femme meurt, il passa dans la rue un homme
que, plus d'une fois, elle avait rencontré demandant l'aumône près de la voiture dans laquelle elle revenait des
rendez-vous adultères, l'aveugle qu'elle avait accoutumé de
voir, l'aveugle qui chantait sa chanson pendant que la voi-

ture montait lentement la côte, à qui elle jetait une pièce
de monnaie, et dont l'aspect la faisait frissonner. Cet homme
passe dans la rue; et, au moment où la miséricorde divine
pardonne ou promet le pardon à la malheureuse qui expie
ainsi par une mort affreuse les fautes de sa vie, la raillerie
humaine lui apparaît sous la forme de la chanson qui passe
sous sa fenêtre. Mon Dieu! vous trouvez qu'il y a là un
outrage; mais M. Flaubert ne fait que ce qu'ont fait Shakespeare et Goethe, qui, à l'instant suprême de la mort, ne
manquent pas de faire entendre quelque chant, soit de plainte,
soit de raillerie, qui rappelle à celui qui s'en va dans l'éternité
quelque plaisir dont il ne jouira plus, ou quelque faute à
expier.

Lisons :

« En effet, elle regarda tout autour d'elle lentement,
« comme quelqu'un qui se réveille d'un songe; puis, d'une
« voix distincte, elle demanda son miroir; elle resta penchée
« dessus quelque temps jusqu'au moment où de grosses
« larmes lui découlèrent des yeux. Alors elle se renversa la
« tête en poussant un soupir et retomba sur l'oreiller.

« Sa poitrine aussitôt se mit à haleter rapidement. »

Je ne puis pas lire, je suis comme Lamartine : « L'expiation va pour moi au-delà de la vérité... » Je ne croyais
pourtant pas faire une mauvaise action, Monsieur l'Avocat
impérial, en lisant ces pages à mes filles qui sont mariées,
honnêtes filles qui ont reçu de bons exemples, de bonnes
leçons, et que jamais, jamais on n'a mises, par une indis-
crétion, hors de la voie la plus étroite, hors des choses qui
peuvent et doivent être entendues... Il m'est impossible de
continuer cette lecture, je m'en tiendrai rigoureusement aux
passages incriminés :

« Les bras étendus et à mesure que le râle devenait plus
« fort (Charles était de l'autre côté, cet homme que vous
« ne voyez jamais et qui est admirable), et à mesure que
« le râle devenait plus fort, l'ecclésiastique précipitait ses
« oraisons; elles se mêlaient aux sanglots étouffés de Bovary,
« et quelquefois tout semblait disparaître dans le sourd
« murmure des syllabes latines, qui tintaient comme un glas
« de cloche.

« Tout à coup on entendit sur le trottoir un bruit de

« gros sabots, avec le frôlement d'un bâton; et une voix
« s'éleva, une voix rauque qui chantait :

> *Souvent la chaleur d'un beau jour*
> *Fais rêver fillette à l'amour.*

« Elle se releva comme un cadavre que l'on galvanise, les
« cheveux dénoués, la prunelle fixe, béante.

> *Pour amasser diligemment*
> *Les épis que la faux moissonne,*
> *Ma Nanette va s'inclinant*
> *Vers le sillon qui nous les donne.*

« — L'Aveugle! » s'écria-t-elle.
« Et Emma se mit à rire, d'un rire atroce, frénétique,
« désespéré, croyant voir la face hideuse du misérable qui se
« dressait dans les ténèbres éternelles comme un épouvan-
« tement.

> *Il souffla bien fort ce jour-là,*
> *Et le jupon court s'envola!*

« Une convulsion la rabattit sur le matelas. Tous s'appro-
« chèrent. Elle n'existait plus. »

Voyez, messieurs, dans ce moment suprême, le rappel de
sa faute, le remords, avec tout ce qu'il y a de poignant et
d'affreux. Ce n'est pas une fantaisie d'artiste voulant seulement faire un contraste sans utilité, sans moralité, c'est
l'aveugle qu'elle entend dans la rue chantant cette affreuse
chanson, qu'il chantait quand elle revenait toute suante,
toute hideuse, des rendez-vous de l'adultère; c'est l'aveugle
qui la poursuivait de son chant, de son importunité; c'est
lui qui, au moment où la miséricorde divine est là, vient
personnifier la rage humaine qui la poursuit à l'instant
suprême de la mort! Et on appelle cela un outrage à la
morale publique! Mais je puis dire, au contraire, que c'est
là un hommage à la morale publique, qu'il n'y a rien de
plus moral que cela; je puis dire que, dans ce livre, le vice
de l'éducation est animé, qu'il est pris dans le vrai, dans
la chair vivante de notre société, qu'à chaque trait l'auteur
nous pose cette question : « As-tu fait ce que tu devais pour
l'éducation de tes filles? La religion que tu leur as donnée,

est-elle celle qui peut les soutenir dans les orages de la vie,
ou n'est-elle qu'un amas de superstitions charnelles, qui
laissent sans appui quand la tempête gronde? Leur as-tu enseigné que la vie n'est pas la réalisation de rêves chimériques,
que c'est quelque chose de prosaïque dont il faut s'accommoder? Leur as-tu enseigné cela, toi? As-tu fait ce que tu devais
pour leur bonheur? Leur as-tu dit : Pauvres enfants, hors de
la route que je vous indique, dans les plaisirs que vous pour-
suivez, vous n'avez que le dégoût qui vous attend, l'abandon
de la maison, le trouble, le désordre, la dilapidation, les
convulsions, la saisie... » Et vous voyez si quelque chose
manque au tableau, l'huissier est là, là aussi est le juif qui a
vendu pour satisfaire les caprices de cette femme, les meubles
sont saisis, la vente va avoir lieu; et le mari ignore tout encore.
Il ne reste plus à la malheureuse qu'à mourir!

Mais, dit le ministère public, sa mort est volontaire, cette
femme meurt à son heure.

Est-ce qu'elle pouvait vivre? Est-ce qu'elle n'était pas
condamnée? Est-ce qu'elle n'avait pas épuisé le dernier
degré de la honte et de la bassesse?

Oui, sur nos scènes, on montre les femmes qui ont dévié,
gracieuses, souriantes, heureuses, et je ne veux pas dire ce
qu'elles ont fait. *Questum corpore fecerant.* Je me borne à dire
ceci. Quand on nous les montre heureuses, charmantes, enve-
loppées de mousseline, présentant une main gracieuse à des
comtes, à des marquis, à des ducs, que souvent elles répondent
elles-mêmes au nom de marquise ou de duchesse : voilà ce que
vous appelez respecter la morale publique. Et celui qui vous
présente la femme adultère mourant honteusement, celui-là
commet un outrage à la morale publique!

Tenez, je ne veux pas dire que ce n'est pas votre pensée
que vous avez exprimée, puisque vous l'avez exprimée,
mais vous avez cédé à une grande préoccupation. Non, ce
n'est pas vous, le mari, le père de famille, l'homme qui est
là, ce n'est pas vous, ce n'est pas possible; ce n'est pas vous
qui, sans la préoccupation du réquisitoire et d'une idée
préconçue, seriez venu dire que M. Flaubert est l'auteur
d'un mauvais livre! Oui, abandonné à vos inspirations,
votre appréciation serait la même que la mienne, je ne parle
pas du point de vue littéraire, nous ne pouvons pas différer

vous et moi à cet égard, mais au point de vue de la morale et du sentiment religieux tel que vous l'entendez, tel que je l'entends.

On nous a dit encore que nous avions mis en scène un curé matérialiste. Nous avons pris le curé, comme nous avons pris le mari. Ce n'est pas un ecclésiastique éminent, c'est un ecclésiastique ordinaire, un curé de campagne. Et de même que nous n'avons insulté personne, que nous n'avons exprimé aucun sentiment, aucune pensée qui pût être injurieuse pour le mari, nous n'avons pas davantage insulté l'ecclésiastique qui était là. Je n'ai qu'un mot à dire là-dessus.

Voulez-vous des livres dans lesquels les ecclésiastiques jouent un rôle déplorable? Prenez *Gil Blas, le Chanoine,* de Balzac, *Notre-Dame de Paris,* de Victor Hugo. Si vous voulez des prêtres qui soient la honte du clergé, prenez-les ailleurs, vous ne les trouveriez pas dans *Madame Bovary.* Qu'est-ce que j'ai montré, moi? Un curé de campagne qui est dans ses fonctions de curé de campagne ce qu'est M. Bovary, un homme ordinaire. L'ai-je représenté libertin, gourmand, ivrogne? Je n'ai pas dit un mot de cela. Je l'ai représenté remplissant son ministère, non pas avec une intelligence élevée, mais comme sa nature l'appelait à le remplir. J'ai mis en contact avec lui et en état de discussions presque perpétuelles un type qui vivra — comme a vécu la création de M. Prudhomme — comme vivront quelques autres créations de notre temps, tellement étudiées et prises sur le vrai, qu'il n'y a pas possibilité qu'on les oublie; c'est le pharmacien de campagne, le voltairien, le sceptique, l'incrédule, l'homme qui est en querelle perpétuelle avec le curé. Mais dans ces querelles avec le curé qui est-ce qui est continuellement battu, bafoué, ridiculisé? C'est Homais, c'est lui à qui on a donné le rôle le plus comique parce qu'il est le plus vrai, celui qui peint le mieux notre époque sceptique, un enragé, ce qu'on appelle le prêtrophobe. Permettez-moi encore de vous lire la page 206*. C'est la bonne femme de l'auberge qui offre quelque chose à son curé :

« — Qu'y a-t-il pour votre service, monsieur le curé?

* Pages 91-92.

« demanda la maîtresse d'auberge tout en atteignant sur la
« cheminée un des flambeaux de cuivre qui s'y trouvaient
« rangés en colonnade avec leurs chandelles. Voulez-vous
« prendre quelque chose? Un doigt de cassis, un verre
« de vin? »

« L'ecclésiastique refusa civilement. Il venait chercher son
« parapluie qu'il avait oublié l'autre jour au couvent
« d'Ernemont, et, après avoir prié Mme Lefrançois de le
« lui faire remettre au presbytère dans la soirée, il sortit
« pour se rendre à l'église où l'on sonnait l'*Angélus*.

« Quand le pharmacien n'entendit plus sur la place le
« bruit de ses souliers, il trouva fort inconvenante sa conduite
« de tout à l'heure. Ce refus d'accepter un rafraîchissement
« lui semblait une hypocrisie des plus odieuses; les prêtres
« godaillaient tous sans qu'on les vît et cherchaient à ra-
« mener le temps de la dîme.

« L'hôtesse prit la défense de son curé :

« — D'ailleurs, il en plierait quatre comme vous sur son
« genou. Il a, l'année dernière, aidé nos gens à rentrer la
« paille; il en portait jusqu'à six bottes à la fois, tant il
« est fort!

« Bravo! fit le pharmacien. Envoyez donc vos filles à
« confesse à des gaillards d'un tempérament pareil! Moi, si
« j'étais le gouvernement, je voudrais qu'on saignât les
« prêtres une fois par mois. Oui, madame Lefrançois, tous
« les mois une large phlébotomie, dans l'intérêt de la police
« et des mœurs!

« — Taisez-vous donc, monsieur Homais, vous êtes un
« impie, vous n'avez pas de religion! »

« Le pharmacien répondit :

« — J'ai une religion, ma religion, et même j'en ai plus
« qu'eux tous avec leurs momeries et leurs jongleries. J'adore
« Dieu, au contraire! Je crois en l'Être suprême, à un créa-
« teur quel qu'il soit, peu m'importe, qui nous a placés
« ici-bas pour y remplir nos devoirs de citoyen et de père
« de famille; mais je n'ai pas besoin d'aller dans une église
« baiser des plats d'argent et engraisser de ma poche un
« tas de farceurs qui se nourrissent mieux que nous. Car
« on peut l'honorer aussi bien dans un bois, dans un champ,
« ou même en contemplant la voûte éthérée, comme les

« anciens. Mon Dieu, à moi, c'est le Dieu de Socrate, de
« Franklin, de Voltaire et de Béranger! Je suis pour la
« *Profession de foi du vicaire savoyard* et les Immortels
« principes de 89! Aussi je n'admets pas un bonhomme de
« Bon-Dieu qui se promène dans son parterre la canne à la
« main, loge ses amis dans le ventre des baleines, meurt en
« poussant un cri et ressuscite au bout de trois jours —
« choses absurdes en elles-mêmes et complètement opposées,
« d'ailleurs, à toutes les lois de la physique, ce qui nous
« démontre, en passant, que les prêtres ont toujours croupi
« dans une ignorance turpide, où ils s'efforcent d'engloutir
« avec eux les populations.

« Il se tut, cherchant des yeux un public autour de lui,
« car dans son effervescence, le pharmacien, un moment,
« s'était cru en plein conseil municipal. Mais la maîtresse
« d'auberge ne l'écoutait plus. »

Qu'est-ce qu'il y a là? Un dialogue, une scene, comme il
y en avait chaque fois que Homais avait occasion de parler
des prêtres.

Maintenant il y a quelque chose de mieux dans le dernier
passage, page 271* :

« Mais l'attention publique fut distraire par l'apparition
« de M. Bournisien, qui passait sous les halles avec les
« saintes huiles. Homais, comme il le devait, compara les
« prêtres à des corbeaux qu'attire l'odeur des morts; la vue
« d'un ecclésiastique lui était personnellement désagréable,
« car la soutane le faisait rêver au linceul, et il exécrait
« l'une un peu par épouvante de l'autre. »

Notre vieil ami, celui qui nous a prêté le catéchisme,
était fort heureux de ce passage; il nous disait : C'est d'une
vérité frappante; c'est bien le portrait du prêtrophobe que
« la soutane fait rêver au linceul et qui exècre l'une un
« peu par épouvante de l'autre. » C'était un impie, et il
exécrait la soutane, un peu par impiété peut-être, mais
beaucoup plus parce qu'elle le faisait rêver au linceul.

Permettez-moi de résumer tout ceci.

Je défends un homme qui, s'il avait rencontré une critique
littéraire sur la forme de son livre, sur quelques expressions,

* Page 380.

sur trop de détails, sur un point ou sur un autre, aurait accepté cette critique littéraire du meilleur cœur du monde. Mais se voir accusé d'outrage à la morale et à la religion! M. Flaubert n'en revient pas; et il proteste ici devant vous avec tout l'étonnement et toute l'énergie dont il est capable contre une telle accusation.

Vous n'êtes pas de ceux qui condamnent les livres sur quelques lignes, vous êtes de ceux qui jugent avant tout la pensée, les moyens de mise en œuvre, et qui vous poserez cette question, par laquelle j'ai commencé ma plaidoirie, et par laquelle je la finis : La lecture d'un tel livre donne-t-elle l'amour du vice, inspire-t-elle l'horreur du vice? L'expiation si terrible de la faute ne pousse-t-elle pas, n'excite-t-elle pas à la vertu? La lecture de ce livre ne peut pas produire sur vous une impression autre que celle qu'elle a produite sur nous, à savoir : que ce livre est excellent dans son ensemble, et que les détails en sont irréprochables. Toute la littérature classique nous autorisait à des peintures et à des scènes bien autres que celles que nous nous sommes permises. Nous aurions pu, sous ce rapport, la prendre pour modèle, nous ne l'avons pas fait; nous nous sommes imposé une sobriété dont vous nous tiendrez compte. Que s'il était possible que, par un mot ou par un autre, M. Flaubert eût dépassé la mesure qu'il s'était imposée, je n'aurais pas seulement à vous rappeler que c'est une première œuvre, mais j'aurais à vous dire qu'alors même qu'il se serait trompé, son erreur serait sans dommage pour la morale publique. Et le faisant venir en police correctionnelle — lui, que vous connaissez maintenant un peu par son livre, lui que vous aimez déjà un peu, j'en suis sûr, et que vous aimeriez davantage si vous le connaissiez davantage, — il est bien assez, il est déjà trop cruellement puni. A vous maintenant de statuer. Vous avez jugé le livre dans son ensemble et dans ses détails; il n'est pas possible que vous hésitiez!

# JUGEMENT*

Le tribunal a consacré une partie de l'audience de la huitaine dernière aux débats d'une poursuite exercée contre MM. Léon Laurent-Pichat et Auguste-Alexis Pillet, le premier gérant, le second imprimeur du recueil périodique la *Revue de Paris,* et M. Gustave Flaubert, homme de lettres, tous trois prévenus : 1° Laurent-Pichat, d'avoir en 1856, en publiant dans les n°s des 1er et 15 décembre de la *Revue de Paris* des fragments d'un roman intitulé *Madame Bovary* et, notamment divers fragments contenus dans les pages 73, 77, 79, 272, 273, commis les délits d'outrage à la morale publique et religieuse et aux bonnes mœurs; 2° Pillet et Flaubert d'avoir, Pillet en imprimant pour qu'ils fussent publiés, Flaubert en écrivant et remettant à Laurent-Pichat pour être publiés, les fragments du roman intitulé *Madame Bovary,* susdésignés, aidé et assisté, avec connaissance, Laurent-Pichat dans les faits qui ont préparé, facilité et consommé les délits susmentionnés, et de s'être ainsi rendus complices de ces délits prévus par les articles 1er et 8 de la loi du 17 mai 1819, et 59 et 60 du Code pénal.

M. Pinard, substitut, a soutenu la prévention.

Le tribunal, après avoir entendu la défense présentée par Maître Sénard pour M. Flaubert, Maître Desmarets pour M. Pichat et Maître Faverie pour l'imprimeur, a remis à l'audience de ce jour (7 février) le prononcé du jugement, qui a été rendu en ces termes :

« Attendu que Laurent-Pichat, Gustave Flaubert et Pillet sont inculpés d'avoir commis les délits d'outrage à la morale publique et religieuse et aux bonnes mœurs; le premier, comme auteur, en publiant dans le recueil périodique intitulé la *Revue de Paris,* dont il est directeur gérant, et dans les numéros des 1er et 15 octobre, 1er et 15 novembre, 1er et 15 décembre 1856, un roman intitulé *Madame Bovary,* Gustave

---

* *Gazette des tribunaux,* numéro du 8 février 1857.

Flaubert et Pillet, comme complices, l'un en fournissant le manuscrit, et l'autre en imprimant ledit roman ;

« Attendu que les passages particulièrement signalés du roman dont il s'agit, lequel renferme près de 300 pages, sont contenus, aux termes de l'ordonnance du renvoi devant le tribunal correctionnel, dans les pages 73, 77 et 78 (n° du 1er décembre), et 271, 272 et 273 (n° du 15 décembre 1856) ;

« Attendu que les passages incriminés, envisagés abstractivement et isolément, présentent effectivement soit des expressions, soit des images, soit des tableaux que le bon goût réprouve et qui sont de nature à porter atteinte à de légitimes et honorables susceptibilités ;

« Attendu que les mêmes observations peuvent s'appliquer justement à d'autres passages non définis par l'ordonnance de renvoi et qui, au premier abord, semblent présenter l'exposition de théories qui ne seraient pas moins contraires aux bonnes mœurs, aux institutions, qui sont la base de la société, qu'au respect dû aux cérémonies les plus augustes du culte ;

« Attendu qu'à ces divers titres l'ouvrage déféré au tribunal mérite un blâme sévère, car la mission de la littérature doit être d'orner et de récréer l'esprit en élevant l'intelligence et en épurant les mœurs plus encore que d'imprimer le dégoût du vice en offrant le tableau des désordres qui peuvent exister dans la société ;

« Attendu que les prévenus, et en particulier Gustave Flaubert, repoussent énergiquement l'inculpation dirigée contre eux, en articulant que le roman soumis au jugement du tribunal a un but éminemment moral ; que l'auteur a eu principalement en vue d'exposer les dangers qui résultent d'une éducation non appropriée au milieu dans lequel on doit vivre, et que, poursuivant cette idée, il a montré la femme, personnage principal de son roman, aspirant vers un monde et une société pour lesquels elle n'était pas faite, malheureuse de la condition modeste dans laquelle le sort l'aurait placée, oubliant d'abord ses devoirs de mère, manquant ensuite à ses devoirs d'épouse, introduisant successivement dans sa maison l'adultère et la ruine, et finissant misérablement par le suicide, après avoir passé par tous les degrés de la dégradation la plus complète et être descendue jusqu'au vol ;

« Attendu que cette donnée, morale sans doute dans son principe, aurait dû être complétée dans ses développements par une certaine sévérité de langage et par une réserve contenue, en ce qui touche particulièrement l'exposition des tableaux et des situations que le plan de l'Auteur lui faisait placer sous les yeux du public;

« Attendu qu'il n'est pas permis, sous prétexte de peinture de caractère ou de couleur locale, de reproduire dans leurs écarts les faits, dits et gestes des personnages qu'un écrivain s'est donné mission de peindre; qu'un pareil système appliqué aux œuvres de l'esprit aussi bien qu'aux productions des beaux-arts, conduirait à un réalisme qui serait la négation du beau et du bon et qui, enfantant des œuvres également offensantes pour les regards et pour l'esprit, commettrait de continuels outrages à la morale publique et aux bonnes mœurs;

« Attendu qu'il y a des limites que la littérature, même la plus légère, ne doit pas dépasser, et dont Gustave Flaubert et co-inculpés paraissent ne s'être pas suffisamment rendu compte;

« Mais attendu que l'ouvrage dont Flaubert est l'auteur est une œuvre qui paraît avoir été longuement et sérieusement travaillée, au point de vue littéraire et de l'étude des caractères; que les passages relevés par l'ordonnance de renvoi, quelque répréhensibles qu'ils soient, sont peu nombreux si on les compare à l'étendue de l'ouvrage; que ces passages, soit dans les idées qu'ils exposent, soit dans les situations qu'ils représentent, rentrent dans l'ensemble des caractères que l'auteur a voulu peindre, tout en les exagérant et en les imprégnant d'un réalisme vulgaire et souvent choquant;

« Attendu que Gustave Flaubert proteste de son respect pour les bonnes mœurs et tout ce qui se rattache à la morale religieuse; qu'il n'apparaît pas que son livre ait été, comme certaines œuvres, écrit dans le but unique de donner une satisfaction aux passions sensuelles, à l'esprit de licence et de débauche, ou de ridiculiser des choses qui doivent être entourées du respect de tous;

« Qu'il a eu le tort seulement de perdre parfois de vue les règles que tout écrivain qui se respecte ne doit jamais franchir, et d'oublier que la littérature, comme l'art, pour accomplir le bien qu'elle est appelée à produire, ne doit pas seulement être chaste et pure dans sa forme et dans son expression;

« Dans ces circonstances, attendu qu'il n'est pas suffisamment établi que Pichat, Gustave Flaubert et Pillet se soient rendus coupables des délits qui leur sont imputés;

« Le tribunal les acquitte de la prévention portée contre eux et les renvoie sans dépens. »

# CHRONOLOGIE DE LA VIE DE FLAUBERT
## JUSQU'À LA PUBLICATION DE « MADAME BOVARY »

1821 — *12 décembre*. Naissance de Gustave Flaubert à l'hôtel-Dieu de Rouen. Son frère Achille, né en février 1813, a huit ans de plus que lui. Sa sœur Caroline, née en juillet 1824, a trois ans de moins que lui.

1830 — Gustave Flaubert, avec sa sœur et quelques amis, organise un petit théâtre dans la salle de billard de son père et joue des comédies de sa composition.

1832 — *Février*. Il entre comme interne en classe de 8ᵉ au Collège royal de Rouen. Externe à partir d'octobre 1838. Il a pour amis Alfred Le Poittevin et Ernest Chevalier.

1834 — En classe de 5ᵉ, il fait connaissance de Louis Bouilhet.

1835 — Premiers travaux littéraires : contes, récits historiques. Gustave Flaubert rédige avec ses amis un petit journal littéraire *Art et Progrès*. Il lit Shakespeare.

1836 — Aux vacances d'été à Trouville, rencontre d'Élisa Schlésinger, vingt-six ans, un enfant, femme de l'éditeur de musique Maurice Schlésinger.

1837 — Premières œuvres de jeunesse, notamment *Passion et Vertu* qu'on rapproche parfois de *Madame Bovary*. Collaboration au *Colibri,* journal rouennais. Apparition du « garçon », personnage imaginaire à la manière d'Ubu, qu'il incarne avec ses camarades.

1839 — Première œuvre de jeunesse importante, *Mémoires d'un fou,* qui est un écho de son amour pour Élisa Schlésinger.

1840 — Première esquisse des divers essais qui précédèrent *La Tentation de saint Antoine*. Flaubert quitte le collège. Baccalauréat. Voyage dans les Pyrénées, en Provence et en Corse. Gustave Flaubert trouve à Marseille sa première maîtresse, Eulalie Foucault de Langlade.

41 — Flaubert s'inscrit à la faculté de droit à Paris, mais continue à habiter Rouen.

1842 — Seconde œuvre de jeunesse, *Novembre*. Séjour à Paris en juillet-août. Amitié tendre à Trouville avec deux jeunes Anglaises, Gertrude et Harriet Collier. En novembre, installation à Paris, 19, rue de l'Est (appelée plus tard, rue Denfert-Rochereau puis Henri-Barbusse). Flaubert fréquente à Paris plusieurs ménages amis, les Pradier (le sculpteur), les Schlésinger.

1843 — Première *Éducation sentimentale*. Gustave Flaubert continue des études de droit à Paris. Amitié avec Maxime Du Camp Échec à ses examens de droit en août. Fin décembre, invitation à Vernon chez les Schlésinger.

1845 — *Janvier :* Accident nerveux de Flaubert sur la route de Pont-L'Évêque. Longue maladie. Convalescence. Fin de la première *Éducation sentimentale*. Puis mariage de Caroline. Voyage en Italie (mai).

1846 — *Janvier*. Mort du docteur Flaubert. *Février :* naissance de la nièce de Flaubert, la petite Caroline, fille de sa sœur. *Mars :* la sœur de Flaubert meurt d'une fièvre puerpérale. Installation de Flaubert à Croisset, avec sa mère. *Juillet :* mariage d'Alfred Le Poittevin avec Laure de Maupassant. *Août :* commencement de la liaison de Gustave Flaubert avec Louise Colet.

1847 — *Mai-juillet :* Voyage à pied en Bretagne avec Maxime Du Camp. Rédaction en commun de *Par les champs et par les grèves*, longtemps inédit. *Septembre :* nouvelle crise nerveuse.

1848 — Flaubert et Bouilhet sont à Paris pendant les journées de février. *Mars :* rupture (temporaire) avec Louise Colet. *Avril :* mort d'Alfred Le Poittevin. *Mai :* Gustave Flaubert commence la première version de *La Tentation de saint Antoine*. Projet de voyage en Orient. *Septembre :* lecture de *La Tentation de saint Antoine* devant Maxime Du Camp et Bouilhet qui condamnent l'œuvre, et lui suggèrent de raconter l'histoire du docteur Delamare et de sa femme. *Novembre :* départ pour l'Orient de Gustave Flaubert et de Maxime Du Camp.

1850 — Voyage en Orient : Égypte, Haute-Égypte, Liban, Syrie, Palestine, Rhodes, Constantinople, Athènes.

1851 — Suite du voyage en Orient : Grèce, Italie du Sud,

Rome, Florence et Venise. Retour par Cologne et Bruxelles. *Juin* : Gustave Flaubert se réinstalle à Croisset, renoue avec Louise Colet. *19 septembre* : il commence la rédaction de *Madame Bovary*.

1852 — Première partie de *Madame Bovary*. Début de la deuxième partie (septembre). Rencontres tous les deux ou trois mois avec Louise Colet.

1853 — Deuxième partie de *Madame Bovary*. Rencontres trimestrielles avec Louise Colet. *Juillet* : installation à Croisset de Juliet Herbert, institutrice anglaise de la petite Caroline.

1854 — Deuxième partie de *Madame Bovary*. *Février* : liaison avec Beatrix Pearson. *Octobre* : rupture avec Louise Colet.

1855 — Fin de la deuxième partie de *Madame Bovary*. Début de la troisième partie. *Octobre* : Flaubert s'installe à Paris boulevard du Temple et il y passe l'hiver.

1856 — Achèvement de *Madame Bovary*. Maxime Du Camp, directeur de la *Revue de Paris,* achète les droits de la prépublication. *Octobre* : *Madame Bovary* commence à paraître dans la *Revue de Paris*. Protestation de Flaubert à cause des coupures. *Décembre* : signature du contrat de publication en librairie avec l'éditeur Michel Lévy.

1857 — *Janvier.* Flaubert est inculpé d'« offense à la morale publique et à la religion » en raison de la publication de *Madame Bovary*. Audience du procès le 29 janvier, acquittement de Flaubert le 7 février. *Avril* : publication de *Madame Bovary* en 2 volumes in-12, tirage à 6 600 exemplaires et 150 exemplaires de tête sur velin aux éditions Michel Lévy. *Juin* : deuxième tirage de *Madame Bovary*.


### DATES PRINCIPALES DE LA VIE DE FLAUBERT
### APRÈS « MADAME BOVARY »

1857-1862 — Rédaction de *Salammbô*.

1862 — Publication de *Salammbô*.

1864 — Mariage de Caroline, nièce de Flaubert, avec Ernest Commanville.

1864-1869 — Rédaction de *L'Éducation sentimentale*.

1869 — Publication de *L'Éducation sentimentale*. Mort de Louis Bouilhet.

1872 — Rédaction de la version définitive de *La Tentation de saint Antoine*. Mort de la mère de Flaubert.

1874 — Débuts de Flaubert au théâtre *(Le Candidat)*. Publication de *La Tentation de saint Antoine*. Commencement de la rédaction de *Bouvard et Pécuchet*.

1875 — Déconfiture de Commanville. Désespoir et ruine de Flaubert, Commencement de la rédaction de la *Légende de saint Julien l'Hospitalier*.

1876 — Rédaction d'*Un cœur simple*. Commencement d'*Hérodias*.

1877 — Publication des *Trois Contes*.

1877-1880 — Rédaction de *Bouvard et Pécuchet*. *8 mai :* mort subite de Flaubert par hémorragie cérébrale.

# COMMENTAIRE

par

*Maurice Bardèche*

I

## UN EXERCICE DE STYLE

Pour comprendre le véritable caractère du roman et sa place dans l'œuvre de Flaubert, il faut se souvenir que *Madame Bovary* lui fut proposé comme une sorte de pénitence, comme un exercice destiné à nettoyer sa palette et à lui imposer la sobriété. C'est une rupture avec tout ce qui a précédé, avec tout ce que Flaubert a aimé et aussi avec ses tendances profondes. Pendant les cinq années que dura la rédaction de *Madame Bovary,* il ne cessa pas d'en parler comme d'un pensum.

Commencé le 26 septembre 1851, au retour du voyage en Orient, le roman avançait lentement. Un an plus tard, en octobre 1852, Flaubert n'en était encore qu'à la scène de l'auberge, au moment de l'arrivée de Charles et d'Emma Bovary à Yonville. Il lui avait donc fallu un an pour la première partie qui est une sorte d'introduction. Au mois de juillet 1853, il en arrive enfin au commencement de l'action : il écrit le chapitre dans lequel Rodolphe, l'amant, apparaît. Mais, avant d'engager l'action, il faut encore un intermède. La fameuse description du comice agricole dont Flaubert parlait avec tant de fierté exigea six mois de labeur et ne fut achevée qu'en décembre 1853. Rodolphe en est encore aux premières manœuvres de la séduction et Flaubert travaille à son roman depuis plus de deux ans. C'était toutefois pour Flaubert une cadence relativement rapide, car le rythme de la rédaction se ralentit après cet effort. En mai 1854, après deux ans et demi de travail, Flaubert n'en est encore qu'à l'épisode du pied-bot, lequel prend place avant la séduction d'Emma par Rodolphe, c'est-à-dire avant le commencement de l'action véritable.

La suite du calendrier est moins précise, parce que les lettres de Flaubert à Louise Colet cessent brusquement à partir du mois d'août 1854. Nous savons seulement qu'en mai 1855, Flaubert est enfin venu à bout de la seconde partie, consacrée à la liaison avec Rodolphe et qu'il lui reste à écrire toute la troisième partie, qui raconte la liaison avec Léon, puis le suicide d'Emma. Le roman de Flaubert était alors commencé depuis trois ans et demi.

Cette troisième et dernière partie est encore moins bien jalonnée. Au début d'octobre 1855, Flaubert en était arrivé aux démarches affolées d'Emma qui précèdent son empoisonnement. Et c'est en avril 1856 que Flaubert cède à son ami Maxime du Camp le droit d'imprimer *Madame Bovary* dans la *Revue de Paris* et qu'il fait, à cette occasion, les derniers remaniements de son manuscrit. Il avait donc fallu quatre ans et demi pour la rédaction de *Madame Bovary*.

Dès le début, les plaintes avaient commencé! Elles dépassent en vigueur et en fréquence ce qu'on peut attendre d'un auteur au travail. Après avoir constaté, dès les premiers jours, que son roman « a du mal à se mettre en train », le malheureux Flaubert ne cesse de pester et de gémir. « Ma sacrée Bovary me tourmente et m'assomme... Je suis bien las et découragé!... Je suis harassé... *Bovary* m'assomme... Je suis plus lassé que si je roulais des montagnes... Franchement *Bovary* m'ennuie ». Ces fortes expressions se trouvent sous la plume de Flaubert avant le mois de juillet 1852, c'est-à-dire avant même qu'il soit venu à bout de la première partie et qu'il ait commencé véritablement son roman.

Elles ne devaient pas cesser pendant les années suivantes. Les « bourgeois » provinciaux qu'il décrit le dégoûtent. « Il faut que j'entre à toute minute dans des *peaux* qui me sont antipathiques... la fétidité du fond me fait mal au cœur... La vulgarité du sujet me donne des nausées... Dans *Saint Antoine,* j'étais chez moi. Ici, sujet, personnages, effets, tout est hors de moi... Ce livre n'est pas de mon sang, je ne le porte point en mes entrailles, je sens que c'est de ma part une chose voulue, factice... C'est un tour de force inouï. » Et il résume par une phrase suggestive la discipline que lui impose ce sujet étranger à son génie : « Je fais, en écrivant ce livre, comme un homme qui jouerait du piano avec des billes de plomb sur chaque phalange... J'ai des prurits d'épopée. »

Et en effet, la structure même du roman, son sujet, sa tonalité, ses personnages, nous rappellent à chaque instant qu'il a été écrit pour discipliner, pour circonscrire, pour réagir contre le goût du monumental, du colossal, de l'encyclopédique et pour rendre impossibles les grands mouvements lyriques.

Tout est volontairement *cadré* aux dimensions du tableau de chevalet. Le décor : Tostes d'abord, lugubre, un croisement de routes, puis Yonville, un bourg paysan. Des lignes plates, pas d'horizon, pas d'échappée. Le sujet : une femme qui s'ennuie, un mari balourd, l'adultère sous sa forme la plus banale et la plus médiocre. Le nombre des personnages réduit au minimum : quatre personnages principaux, deux comparses, des figurants. La composition : rigoureusement linéaire, pas une fantaisie, pas une fioriture, pas une habileté technique, un chapelet de chapitres sagement enfilés l'un après l'autre. Et le ton même : cet impitoyable vernis musical, qui polit les surfaces, élimine les aspérités, et recouvre comme d'une neige immaculée tous les accidents du terrain : train de phrases qui se suivent, sans un à-coup, sans un heurt, huilées, douces, bien suspendues, ronronnement presque imperceptible à force de perfection.

Tout cela était voulu, certes : mais par discipline et par ascétisme, et non en vertu d'une certaine doctrine littéraire. Rien dans son passé ne prédisposait Flaubert au réalisme : si bien que le chef-d'œuvre du réalisme dans le roman français n'est pas l'aboutissement de tâtonnements et de recherches, ni un fruit magnifique patiemment mûri dans la serre des théoriciens, il est franchement dû au hasard. C'est de l'étroitesse du cadre, du choix du sujet, de la minutie de la mise au point qu'est né le réalisme de Flaubert, duquel ni Flaubert ni Maxime Du Camp, ni Bouilhet n'avaient la moindre idée. Flaubert étudia seulement les « moisissures de l'âme » dans un bourg normand avec le même soin qu'il avait étudié les religions humaines et les rêveries des sages pour écrire *La Tentation de saint Antoine*. Il n'était pas *réaliste,* il était essentiellement *consciencieux.* C'est un trait de caractère qu'on retrouve pendant toute sa vie et que l'examen de ses papiers et de ses notes inédites met vivement en lumière. Il inventa le *réalisme* par conscience professionnelle.

II

## LA « DOCTRINE » DE FLAUBERT

C'est ce caractère particulier de son œuvre qui explique ce qu'il y a dans *Madame Bovary* et aussi ce qui manque à *Madame Bovary*. L'admirable étude du *bovarysme,* cette naissance d'une âme factice, d'un aristocratisme de pacotille chez une jeune fille, qui la gauchit, qui la façonne, qui la pervertit à son insu et la prépare à être insatisfaite, dédaigneuse, mijaurée devant les ternes et épaisses occupations de sa vie de femme, elle a pour origine un dossier sur lequel Flaubert n'avait pas besoin de prendre des notes puisque Louise Colet l'augmentait chaque jour, et qui fut plus important assurément que le dossier de « Madame Ludovica ». Car Homais, Charles Bovary, Rodolphe, semblent bien être aussi des copies consciencieuses du réel, bien qu'on n'ait pas retrouvé les originaux qui les inspirèrent. Quant à Léon, il ressemble trop au Frédéric de *L'Éducation sentimentale* pour qu'on ait à chercher ailleurs que dans la jeunesse de Flaubert le modèle de sa balourdise et de sa timidité. Pour Flaubert, ces spécimens de la vie provinciale sont des « cloportes » — c'est le mot dont il se servira pour *Bouvard et Péruchet* — des insectes noirs et singuliers qui bougent sous des pierres moussues, des vies somnolentes, et il les observe, il les dessine sans passion, avec patience et exactitude, puisque c'est le travail qu'il a accepté de faire. Et il n'en tire pas non plus de conclusion. Il ne condamne pas cette vie, il la décrit. Il ne lui oppose rien. Il ne la place pas non plus dans une organisation plus générale de la société ou de la vie, dans laquelle elle ne serait qu'un « canton » comme la vie de province dans l'œuvre de Balzac. Il n'a rien à enseigner aux hommes, il n'a rien à leur expliquer, ni même à leur décrire. Il ne veut être que le « joueur de quilles » dont parlait Malherbe quand il définissait le poète : il s'est promis de dessiner un bourg normand, il dessine un bourg normand, voilà tout.

Là, nous sommes en présence d'une attitude systématique, doctrinale. Les maximes les plus catégoriques sur l'impersonnalité de l'écrivain, ce n'est pas dans quelque « manifeste » qu'on les trouve, mais dans les lettres de Flaubert à Louise Colet pendant le temps de la rédaction de *Madame Bovary*.

Ces phrases sonnent comme des maximes. Elles montrent tout ce qu'il y a d'absolu dans le système de représentation du réel que Flaubert s'était imposé — et aussi à quelles limites et à quelles erreurs il aboutit. C'est avec une sorte de passion que Flaubert promulgue ses édits. « Je veux qu'il n'y ait pas dans mon livre *un seul* mouvement, ni *une seule* réflexion de l'auteur... Rien dans ce livre n'est tiré de moi : jamais ma personnalité ne m'aura été plus inutile... Dans ce livre-ci pas de réflexions, personnalité de l'auteur absente. » D'où cette phrase souvent mal comprise : « *Madame Bovary* n'a rien de vrai. C'est une histoire *totalement inventée,* je n'y ai rien mis de mes sentiments ni de mon existence. » Phrase qu'on ne doit pas prendre pour un démenti de l'origine documentaire de *Madame Bovary,* mais comme l'affirmation qu'elle est une « reconstitution » dans laquelle Flaubert n'a rien mis de lui-même.

Les déclarations que nous venons de citer ne sont, en somme, que les extraits du « livre de bord » de Flaubert pendant qu'il écrit son roman. Mais elles sont accompagnées ailleurs de préceptes. « L'impersonnalité est le signe de la force... L'auteur dans son œuvre doit être comme Dieu dans l'univers, présent partout et visible nulle part... L'homme n'est rien, l'œuvre tout... L'écrivain ne doit laisser derrière lui que ses œuvres... Les plus grands génies et les plus grandes œuvres n'ont jamais conclu; tous les fils aînés de Dieu se sont bien gardés de faire autre chose que de représenter ». Préceptes qui s'accompagnent naturellement de condamnations : « L'émotion est une chose inférieure... Je ne veux pas considérer l'art comme un déversoir à passion... J'éprouve une répulsion invincible à mettre sur le papier quelque chose de mon cœur : je trouve même qu'un romancier n'a pas le droit d'exprimer son opinion... Les prostitutions personnelles en art me révoltent. »

Mais ces maximes qui devinrent ensuite si célèbres, elles ne proclament pas seulement le dogme de l'impersonnalité de l'écrivain, elles vont bien au-delà. Par l'abstraction totale qu'elles imposent, elles interdisent en outre à l'écrivain de rattacher son œuvre à quelque ensemble qui la dépasse et qui lui donne sa signification, elles empêchent l'écrivain d'éclairer son œuvre par une lumière intérieure que projette secrètement sur elle la vision qu'il a des hommes et de l'existence. Balzac n'intervient guère plus que Flaubert dans la plupart de ses romans. Mais il est présent partout par les connexions qu'il établit entre la scène qu'il peint et l'immense mosaïque qui est son œuvre et dont cette scène n'est qu'une partie : si bien que cette scène est éclairée, ou plutôt elle a une perspective et une profondeur qui ne viennent pas d'elle-même, mais du fait qu'elle est un exemple dans une représentation du monde globale, cohérente, dont chaque roman de Balzac n'est qu'une illustration.

Or, cette troisième dimension du roman, qu'on retrouve chez tous les grands romanciers, elle manque à *Madame Bovary,* admirable estampe, photographie de la vie de province qui ne s'insère dans aucune conception de la vie. On ne devine qu'un sentiment de l'auteur : une sorte de mépris de naturaliste pour ces existences rabougries. Mais Flaubert n'a pas encore découvert, au travers de *Madame Bovary,* l'idée qui donne une signification si profonde, si souvent méconnue, à *L'Éducation sentimentale :* que la *sensiblerie* du siècle, son manque de virilité et de décision, son penchant à la rêvasserie et aux demi-mesures, est ce qui explique la médiocrité bourgeoise, jugement beaucoup plus intéressant que le simple mépris de l'« artiste » à l'égard du bourgeois.

## III

## RÉALISME ET CLASSICISME

Cette conception puritaine du roman aggravait le pari de Flaubert. Elle aboutissait, en fait, non pas au *réalisme,* mais à un *classicisme* de la facture qui me paraît un des caractères évidents de *Madame Bovary.* C'est par là que *Madame Bovary* a pu passer pendant un siècle pour le modèle même du roman français, pour une œuvre parfaite par ses proportions, sa sobriété, la pureté de son dessin et, bien entendu, la beauté sévère et simple du style. Mais on peut se demander si cette rigueur, si ce classicisme de *Madame Bovary* qui devaient ensuite tenter tant d'écrivains, n'est pas un contresens dans l'histoire du roman. La richesse des digressions, l'abondance des références, le commentaire continuel des sentiments et des actions font partie de cette liberté, il faudrait presque dire de cette anarchie, qui ont caractérisé le roman depuis ses origines. Les grands romans sont de grands fleuves qui roulent toute une expérience humaine : ils entraînent dans le courant du récit des fragments d'essais, des confidences, des pans de construction philosophique, des morceaux de poème, et c'est cette souplesse, cette élasticité de la forme qui ont fait la fortune du roman. *Madame Bovary* n'est pas un fleuve, c'est un canal dont les eaux sont pures. Dans la lumière douce qui baigne ces eaux sages, les lecteurs retrouvent, malgré la hardiesse du sujet, quelque chose de la sérénité des artistes qui ont vécu dans les siècles lointains de la décence et du bon goût.

Une présentation qui ne mettrait en valeur que les qualités formelles de *Madame Bovary* serait incomplète. Pour les contemporains de Flaubert, pour tout le monde, Flaubert, en écrivant *Madame Bovary*, a renouvelé le roman psychologique. La minutie de l'estampe, l'exactitude des sentiments, le « rendu » des personnages donnent l'impression, en effet, d'un style entièrement nouveau dans l'histoire du roman : Flaubert, c'est Ingres. Cet éloge n'est pas exagéré : et cette perfection de la photographie psychologique des personnages, elle est même, d'une certaine façon, au cœur du génie de Flaubert.

Bien sûr, il y avait eu Balzac. Mais, chez Balzac, la puissance du portrait n'a pas les mêmes origines que chez Flaubert et l'exécution est toute différente. Balzac comprend ses personnages par intuition, il démasque en eux une comédie sociale, il voit l'animal qu'est chacun d'eux dans la zoologie sociale et il commence par classer cet animal, par le décrire à la manière d'un naturaliste. Puis il montre la *comédie* qu'il joue dans la vaste comédie sociale qu'est son livre et cette comédie est commandée par la définition du personnage, elle est celle d'une duchesse, d'une provinciale, d'un « cadre supérieur », d'un banquier, d'un dandy. Et quand Balzac est profond, c'est par des coups de sonde de son intuition, des divinations brusques du génie, qui tout à coup révèlent les coulisses, des cavernes insoupçonnées chez des personnages qu'on croyait simples. Rien de pareil chez Flaubert, très indifférent malgré le sous-titre balzacien de *Madame Bovary*, à toute classification ou nomenclature sociale, nullement « naturaliste » à la manière de Buffon. Flaubert est bien plus exact, bien plus patient que Balzac. Ses imbéciles sont étonnants de précision, leur décalque est parfait. Il n'y a chez Balzac aucun personnage qu'on puisse comparer à Homais, à Charles Bovary, à Rodolphe. L'imbécile, en tant que tel, n'intéresse pas Balzac : ses imbéciles sont des rentiers imbéciles ou des retraités imbéciles, dans la définition desquels le mot retraité ou le mot rentier sont essentiels. Emma Bovary, même le médiocre Léon, sont hors du registre balzacien. Quand Balzac invente le « bovarysme » il imagine l'admirable personnage de Dinah de La Baudraye dans *La Muse du Département*. Alors ce n'est pas le « pourrissement » d'une femme qui intéresse Balzac, mais au contraire son énergie et son ambition. Dinah ne s'étiole pas, elle « brûle », elle « monte à Paris », elle veut jouer sa vie de femme, elle apporte l'enjeu et joue bravement. Flaubert, lui, regarde vivre et dépérir. C'est un chimiste qui surveille ses bains. Il en surprend les coloris, le fané, il décèle la pellicule qui se forme à la surface, les virages : il regarde se faire du vinaigre. Comme il a raison de dire quelque part qu'il dépeint « *les moisissures* de l'âme »! Il est là, avec sa loupe, il attend. Et chaque transformation, chaque ride, il la note. Son observation est pointilliste, mais sans discontinuité. Cela donne finalement un dessin égal, soutenu et fin. On se dit que la réalité ne peut être reproduite plus fidèlement. Il n'y a pas de construction derrière, pas de secret. Flaubert n'a pas de système de déchiffrement. Il *épouse* seulement des caractères, comme on dit qu'une robe *épouse* la forme d'un corps. Et ce n'est pas profond. Il n'y a pas, comme chez Balzac, des mouvements inattendus des personnages, quelque « double » en eux qui se révèle tout à coup, comme une fondrière sur laquelle on aurait posé le pied par mégarde. Léon, Rodolphe, Emma, sont des êtres qui font exactement ce que comporte leur définition psychologique, ils ne surprennent pas. Il n'y a qu'en Charles Bovary, personnage étonnant, auquel on rend trop peu justice, que Flaubert ait fait entrevoir ces souterrains inconnaissables de l'âme. Toute la fin du roman, quand Charles Bovary aime Emma, parce qu'elle l'a trompé, parce qu'elle était si belle, si parfumée, si étrangère à tout ce qu'il connaît, quand il l'aime au-delà de la tombe comme courtisane, comme une déesse perfide et royale venue d'un autre monde et qui aurait croisé son chemin, comme on sent tout d'un coup un autre Flaubert, celui qui voyait au-delà du miroir, de l'autre côté des âmes!

IV

## IMAGINATION ET CRÉATION ROMANESQUE

Or, le secret de Flaubert est simple, mais c'est un don. Il y avait aussi un « gueuloir » dans le laboratoire de l'invention. La plus grande puissance de Flaubert, son « génie » proprement dit, depuis l'enfance, depuis toujours, c'est l'imagination. C'est cette imagination qui lui donne l'éloquence, car il voit avec tant de force, tant de relief, des couleurs si éclatantes, qu'il ne parvient pas d'abord à éviter le coloris somptueux. On croit généralement que cette imagination était purement visuelle. Elle l'était, c'est évident. Mais elle allait plus loin aussi. Elle était, si l'on peut dire, une imagination de reconstitution. Il avait le don de « devenir un autre », de se donner une autre vie. Couché sur son divan, fumant la pipe, ce ne sont pas seulement des paysages qu'il voit. Mais il est réellement « empereur de Cochinchine ». Il sent, il pense, ce que sent, ce que pense « l'empereur de Cochinchine » qu'il est momentanément devenu. C'est pour cela qu'il est si profond et si exact pour décrire les ravages que peut faire en nous l'imagination. Mais aussi, c'est tout son système de création des personnages, et en même temps sa justification de l'impersonnalité de l'écrivain. Le romancier doit s'effacer, s'oublier, ne plus être, pour devenir, pour *être* le personnage dont il décrit la vie. « Tu peindras la vie, l'amour, les femmes, la gloire, dit-il dans une lettre à sa mère, à condition que tu ne seras ni ivrogne, ni amant, ni mari, ni tourlourou : mêlé à la vie, on la voit mal, on en souffre ou on en jouit trop. » Et à Louise Colet, sous une forme plus doctrinale : « Moins on sent une chose, plus on est apte à l'exprimer comme elle est. Mais il faut avoir la faculté de *se la faire sentir*. Cette faculté n'est autre que le génie : *voir*, avoir le modèle devant soi qui pose. » Il y a peu de phrases plus importantes que celle-là dans la correspondance de Flaubert. Elle nous donne le secret de son génie, mais aussi celui de sa vie. L'art, pour Flaubert, a remplacé toute chose, il a remplacé la vie même, telle que la conçoivent les autres hommes et qu'il a refusée : parce qu'il avait le don de substituer l'imagination au réel et qu'il a toujours préféré l'imaginaire au réel. Il a vécu

cent vies. Il est Léon, il est Charles Bovary, il est Rodolphe,
il est Emma, il a vécu la visite de la reine de Saba qu'il raconte
dans *La Tentation de saint Antoine,* il a été assis près de l'empereur dans la salle du festin où Constantin le consultait. Et rien
n'est plus vrai, rien ne définit mieux ce pouvoir monstrueux
que la page célèbre qu'il écrivit à Louise Colet, alors qu'il
venait de terminer le récit de la promenade de Rodolphe et
d'Emma. « Aujourd'hui, par exemple, homme et femme tout
ensemble, amant et maîtresse à la fois, je me suis promené à
cheval dans une forêt, par une après-midi d'automne, sous
des feuilles jaunes, et j'étais les chevaux, les feuilles, le vent, les
paroles qu'ils disaient et le soleil rouge qui faisait s'entrefermer
leurs paupières noyées d'amour... Quand je rumine, après les
avoir subies, ces jouissances-là, je serais tenté de faire une prière
de remerciements au bon Dieu, si je savais qu'il pût m'entendre ». Il y a vingt passages des lettres de Flaubert qui dépei-
gnent en termes presque aussi forts cette faculté de substitution.
Ce sont des variations sur le mot fameux : « Madame Bovary,
c'est moi ». On a bien raison de regarder Flaubert comme le
modèle même du romancier. Il lui a manqué bien des parties
d'un grand écrivain : mais jamais personne n'a eu autant que lui
cette faculté de « devenir un autre », qui est *le don* quand on veut
faire vivre des personnes imaginaires.

V

« UN MIRACLE QUI NOUS CACHE FLAUBERT »

Ce résultat était bien éloigné, en tout cas, d'une autre forme du
génie de Flaubert, qui était le don de la truculence. Car ce dis-
ciple de Rabelais avait d'abord le goût des expressions fortes,
des grands rires gaulois et de l'impudence. Impitoyable fumeur
de pipe, vigoureux videur de « piots », copieux dictionnaire
d'obscénités, voilà ce qu'il est et ce qu'il veut être : à dix-neuf ans,
il se voit en zouave. Il a inventé avec ses camarades le personnage du « Garçon » que chacun incarne tour à tour et qui sert
à enjoliver chaque promenade ou chaque rencontre de dia-

logues bouffons. On a vu surtout dans le « Garçon » un personnage sarcastique : mais c'est aussi le géant des kermesses flamandes, un « gayant » que la jeune bande a fabriqué et qui épouvante par la verdeur de son langage. Ces compagnons de Pantagruel sont en même temps byroniens. Entre deux sorties du « Garçon », s'entourant d'un nuage de tabac, ils jugent les femmes, le train du monde et la sagesse des hommes. Ils ne croient à rien, ils ont mesuré tous les colosses et visité tous les ports. Leur nihilisme est leur drogue. Le rire « énorme » de Rabelais est leur réponse à tout, et en même temps leur défense. Car ce sont des faibles, comme ceux qui apparaîtront, si semblables à eux, cent ans plus tard. Deux d'entre eux se suicidèrent, accidents sur lesquels on a fait peu de recherches.

Si la jeunesse des écrivains est un bourgeon qui contient quelque chose de leur génie, celle-là annonce fort peu *Madame Bovary*. Bien sûr, il y a une fureur d'exigence dans ce débraillé d'iconoclaste mais cette exigence est seulement pathétique, elle n'est qu'intransigeance sans discipline. Et ce que Flaubert écrit pendant ces années-là est oratoire et somptueux, ce sont des ornements éclatants sur un dessin mou, le contraire de la rigueur. A la vérité, il existe toute une bibliothèque sur *Madame Bovary*, mais on n'a jamais pu décrire la genèse de *Madame Bovary* : car ce qui importe, ce n'est pas de savoir comment Flaubert est passé de Delphine Delamarre à Emma Bovary, mais comment, pourquoi, par quel miracle, par quelle illumination, il est passé de la vulgarité de la première *Éducation sentimentale* et des fresques tapageuses de la première *Tentation,* à la ligne mélodique de *Madame Bovary,* à cette exécution sévère qui a la sonorité du bronze, à cet effort continuel vers ce qui était le plus étranger à son tempérament, la sobriété, la pureté des lignes, le mouvement fondu et doux de la narration.

*
* *

Tous les chefs-d'œuvre sont des mystères. Après cinquante ans de recherches minutieuses, on décrit, on n'explique pas. La critique n'a peut-être pas d'autre fonction que de faire sentir. Elle présente : quand ses prétentions vont au-delà, elles sont vaines. *Madame Bovary* est encore un miracle qui nous cache Flaubert. Ni la puissance de Flaubert, ni son nihilisme absolu,

ni l'immense diorama encyclopédique qu'il s'était construit
et sur lequel il lisait amèrement le destin des hommes, rien de
tout cela, qui était Flaubert, n'est passé dans l'œuvre qu'on lui
a fait porter dans les bras comme l'offrande que les dieux
l'avaient chargé de présenter. Comme le public français aime
ces jardins parfaits dans lesquels les buis sont bien taillés, les
perspectives limitées et douces, les arbres et les allées à la
mesure de son goût! Les admirateurs d'*Eugénie Grandet* irri-
taient Balzac. Et Flaubert, qui abhorrait les bourgeois,
est représenté devant la postérité par le plus bourgeois des romans
français. Ce roman « opaque », cette œuvre derrière laquelle on
ne sent pas peser, respirer, vivre sourdement, toute une manière
nouvelle de concevoir la vie, une musique nouvelle jamais entendue. Roman pour romancier. Ce reflet parfait du réel sur un
grand gong mélodieux, on l'admire, mais il n'enchante pas.
C'est le triomphe de l'art formel. Et il a été écrit par un homme
qui avait essayé d'entendre la voix de toutes les sirènes et qui
s'était fait jouer toutes les musiques de perdition! Quel paradoxe!
Si la mission d'un grand artiste est de nous faire découvrir un
monde nouveau que nous n'aurions jamais connu sans lui ou
de nous donner du monde une grande image claire et forte
que nous n'avions pas su déchiffrer, comme Flaubert, qui est
peut-être après Chateaubriand le plus grand magicien de la
prose française, a manqué son destin d'écrivain! Et n'est-ce pas,
au fond, le jugement de tant d'admirateurs de Flaubert qui ter-
minent en vous disant : « Ah! mais, si vous lisiez sa correspondance, c'est passionnant, quel chef-d'œuvre, quel homme passionnant elle révèle! »

MAURICE BARDÈCHE.

# TABLE

## COMMENTAIRE

**IMPRIMÉ EN FRANCE PAR BRODARD ET TAUPIN**
7, bd Romain-Rolland - Montrouge - Usine de La Flèche.
**LE LIVRE DE POCHE** - 12, rue François Iᵉʳ - Paris.

ISBN : 2 - 253 - 00486 - 3            ⬩H⬩ 30/0713/5